LEX RUBRIA

STUDIA GAIANA

ediderunt

M. DAVID, R. FEENSTRA, H. L. W. NELSON

VOLUMEN V

LEX RUBRIA

CAESARS REGELUNG FÜR DIE RICHTERLICHEN KOMPETENZEN DER MUNIZIPALMAGISTRATE IN GALLIA CISALPINA

Text, Übersetzung und Kommentar
mit Einleitungen, historischen Anhängen und Indizes

VON

F. J. BRUNA

Mit 2 Abbildungen

LEIDEN
E. J. BRILL
1972

Gedruckt mit Unterstützung der Niederländischen Organisation für Reinwissenschaftliche Forschung (Z.W.O.)

ISBN 90 04 03585 0

PRINTED IN THE NETHERLANDS

INHALTSVERZEICHNIS

Vorwort IX

EINLEITUNG

I. Der Fundort: Veleia 3

Die Ausgrabungen 3-5 — Beschreibung und Datierung des Forums 5-11 — Geschichte von Veleia 11-14.

II. Die äussere Textgestaltung der Lex Rubria 15

Erhaltungszustand der Tafel 15-16 — Paläographische Anhaltspunkte für eine Datierung 16-20 — Die Orthographie 20-22.

TEXT UND ÜBERSETZUNG

Text und Übersetzung der vierten Tafel der Lex Rubria, mit Vorbemerkungen und einer Erklärung der Zeichen 23

KOMMENTAR

I. Einleitung zu Caput XIX: Operis novi nuntiatio . . . 45

Das Verfahren bei der Operis novi nuntiatio 45-51 — Die Befugnisse der Munizipalmagistrate 51-52

II. Kommentar zu Caput XIX 53

III. Einleitung zu Caput XX: Cautio damni infecti 77

Übersicht der Fälle, in denen die Cautio gefordert werden kann 77-82 — Das Problem der Legis Actio damni infecti 82-84 — Die Folgen einer Cautio damni infecti 84-85 — Vorschriften gegen Beklagte, welche die Cautio verweigern 85-89.

IV. Kommentar zu Caput XX. 90

V. Einleitung zu Caput XXI: Pecunia certa credita . . . 132

A. Kurze Inhaltsübersicht der Capita XXI und XXII 132

Prozesse wegen Gelddarlehen (XXI) und wegen sonstiger Schulden (XXII); die Massnahmen gegen Beklagte, welche ihre Mitwirkung verweigern 132-134.

B. Welche und wieviele Fälle der Prozessverschleppung bezw. der Indefension behandelt Caput XXI? 134

C. Nähere Ausführungen zu den zwei Fällen von Verschleppung des Prozessablaufs 147

Erste Form: der Beklagte versucht trotz anfänglichen Geständnisses den Prozessablauf zu verschleppen 147-156 — Zweite Form: der Beklagte erscheint überhaupt nicht 156-160

D. Warum schreibt Caput XXI ein anderes als das in Rom geltende Rechtsverfahren gegen Verschleppung des Prozessablaufs vor? 160

E. Die Schlussbestimmungen aus Caput XXI und die in diesem Caput nicht behandelten Fälle 163

Das Vadimonium Romam und die Rekuperatoren 163-167

VI. Kommentar zu Caput XXI 168

VII. Einleitung zu Caput XXII: Res praeter pecuniam certam creditam 190

A. Die in Caput XXII behandelten Arten von Verschleppung des Prozessablaufs und die hierfür vorgeschriebenen Rechtsmittel 191

B. Welche Forderungen werden in Caput XXII besprochen? 200

C. Das Prinzip der Condemnatio pecuniaria und die prozessrichtlichen Folgen dieses Prinzips für Caput XXII 204

D. Warum unterscheidet sich die Vorschrift von Caput XXII von der in Caput XXI? 207

VIII. Kommentar zu Caput XXII. 209

IX. Einleitung und Kommentar zu Caput XXIII: Familia erciscunda. 228

A. Einleitung 228-230 — B. Kommentar 230-231

ANHÄNGE

I. Verwaltungsrechtliche Bezeichnungen der Städte und Dörfer römischer Bürger. 235

Oppidum 238-239 — municipium 240-242 — colonia 242-249 — praefectura 249-256 — forum und conciliabulum 256-261 — vicus und castellum 261-265 — territorium 265-266

II. Jurisdiktionsmagistrate in den von römischen Bürgern bewohnten Städten 267
A. duoviri und quattuorviri 268-279 — B. praefecti 280-283
III. Der historische Rahmen der Lex Rubria 284
A. Die Munizipalisierung und die Bürgerrechtsverleihung in der Poebene 284
B. Der Inhalt der vollständigen Lex Rubria 298
C. Das Fragment von Ateste, sein Inhalt und sein Verhältnis zur Lex Rubria 308
Mit Transkription, Text und Übersetzung des Fragments 312-316
D. Rubrius, der Urheber der Lex Rubria. Das Resultat der Datierungsversuche 322
E. War die Lex Rubria eine Lex data oder eine Lex rogata? 325

Literaturverzeichnis 332
Index verborum 339
Sachregister 353

Dem Buche sind zwei Illustrationen beigegeben worden:
1. Ein Plan des Forums von Veleia, S. 6.
2. Ein Photo der velejatischen Inschrift (Corp. Inscr. Lat. I, 2. Aufl., Nr. 592), gegenüber S. 24.

VORWORT

Die vorliegende Arbeit verdankt ihr Entstehen einer Preisaufgabe, welche die Königliche Niederländische Akademie der Wissenschaften als Verwalterin des Legatum Hoeufftianum im Jahre 1964 ausgeschrieben hat. Sie verlangte einen sachlichen Kommentar zur Lex Rubria de Gallia Cisalpina. Im Jahre 1966 reichte ich eine Abhandlung über das gewünschte Thema ein, die mit einer „ehrenvollen Erwähnung" ausgezeichnet wurde. Bei der Bekanntmachung der Auszeichnung wurde die Erwartung ausgesprochen, dass ich die angeschnittenen Probleme ausführlicher und unter Hinzuziehung weiterer Literatur behandeln würde. Dies versuchte ich in den folgenden Jahren zu tun und ich darf als Resultat meiner Studien nunmehr diese Arbeit vorlegen, die am 1. Oktober 1971 von der literarischen Fakultät der Utrechter Universität als Dissertation angenommen worden ist. Zu besonderem Dank bin ich meinem Promotor, Herrn Prof. H. L. W. Nelson, verpflichtet, unter dessen steter Förderung die Arbeit gewachsen und zu Ende geführt worden ist, sowie Herrn Prof. M. David, der mir vielfache Auskünfte erteilt hat. Herr Prof. H. T. Wallinga hatte die Güte, mir mit Bezug auf die Anhänge I und III wertvolle Hinweise zu geben.

Dank schulde ich auch Frau C. Küpper-Woos, die sich der Mühe unterzogen hat, die deutsche Übersetzung zu liefern, sowie den Herren Drs. H. C. Gerversman und Drs. G. v. d. Geijn, die mir beim Umsetzen des handschriftlichen Exemplars der Preisaufgabe und Dissertation in Maschinenschrift behilflich gewesen sind. Herr Drs. v. d. Geijn hat mir ebenfalls beim Korrigieren der Fahnen in freundlichster Weise seine Unterstützung zuteil werden lassen.

Besonders verpflichtet bin ich der Universität zu Utrecht sowie der Niederländischen Organisation für Reinwissenschaftliche Forschung (Z.W.O.), die mir die Möglichkeit verschafft haben, meine gymnasiale Lehrtätigkeit ein Jahr lang bis auf die Hälfte zu reduzieren, um mich dem Literaturstudium zur Vorbereitung dieses Werkes widmen zu können. Die zuletzt genannte Stiftung hat auch die Kosten der Übersetzung und Drucklegung getragen.

Das „Istituto Poligrafico dello Stato" zu Rom war so freundlich mir zu gestatten, den Plan des Forums von Veleia aus ihrer Publikation „Velleia" (von S. Aurigemma, 2. Ausgabe besorgt von G. A. Mansuelli, 1960, aus der Serie „Itinerari dei Musei, Gallerie e Monumenti d'Italia", Nr. 73) zu übernehmen; der Verlag Walter de Gruyter & Co. in Berlin war so liebenswürdig mir die Genehmigung zu erteilen, Tafel Nr. 389 aus ihrem Verlagswerk „Corpus Inscriptionum Latinarum, Auctarium, Inscriptiones Latinae liberae rei publicae: Imagines, consilio et auctoritate Academiae Scientiarum Germanicae collegit, praefatus est, notis indicibusque instruxit A. Degrassi" zu reproduzieren. Den Herausgebern der Studia Gaiana danke ich für die mir gebotene Möglichkeit, meine Arbeit in ihrer Serie erscheinen zu lassen.

Schliesslich liegt es mir am Herzen, meiner Frau für ihren Anteil am Zustandekommen dieses Werkes meinen innigsten Dank auszusprechen.

Utrecht, im Juni 1972 F. J. BRUNA

EINLEITUNG

I. DER FUNDORT: VELEIA

Literatur:

G. R. CARLI: Delle Antichità Italiche I, Mailand 1788, zweiter erweiterter Druck 1793 (in diesem Werk wurde auch die Editio princeps der Lex Rubria veröffentlicht, in ²1793 auf S. 128-137).

P. DE LAMA: Tavola legislativa della Gallia Cisalpina ritrovata in Veleja nell'anno MDCCLX e restituita alla sua vera lezione, Parma 1820 (auf S. 17 ff. befindet sich eine Textausgabe mit Kommentar von L. BOLLA).

E. BORMANN: Veleia; in: CIL. XI, 1 (Berlin 1888) S. 204-205.

G. MONACO: Velleia, Note storico-topografiche, La Spezia 1936 (vgl. auch: „Nuove pagine Velejati" in: Emilia Romana II, Florenz 1944, S. 197-216).

S. AURIGEMMA: Velleia (Itinerari dei musei, gallerie e monumenti d'Italia Nr. 73), Rom 1940, ²1960 (mit Ergänzungen von G. A. MANSUELLI; vgl. hierin auch die Bibliographie auf S. 29-31).

G. MANCINI: Veleia; in: Emilia Romana II, Florenz 1944, S. 94-97.

R. ANDREOTTI: I fattori storici della consistenza urbana di Velleia; in: Studi Veleiati, Atti e memorie del primo Convegno di Studi storici e archeologici, Piacenza-Velleia 29-30 maggio 1954, Piacenza 1955, S. 75-95.

G. SUSINI: Problemi di storia veleiate; in: Studi Veleiati (s. oben) S. 97-106.

G. RADKE: Art. ‚Veleia 2', RE. VIII A (1955) Sp. 622-623 (sehr kurzer Artikel).

A. FROVA: Novità archeologiche a Velleia, Mailand 1968.

Der von der Lex Rubria erhaltene Text ist in eine Bronzetafel graviert, deren Höhe 54 cm. und deren Breite 72 cm. beträgt und die am 24. April 1760 bei Ausgrabungen in den Ruinen von Veleia gefunden wurde. Veleia war ein Munizipium [1] in Gallia Cisalpina, 35 km. südlich von Placentia, dem heutigen Piacenza. Der Ort liegt in ungefähr 460 m. Höhe auf einem Hügel, der den Übergang von der Poebene zu dem mehr südlich gelegenen Gebirge bildet, das bewaldet is; die kleine Ruinenstadt ist von fruchtbarem Ackerland umgeben.

Bis in die Mitte des 18. Jahrhunderts hinein war Veleia lediglich durch einige kurze Bemerkungen bei Plinius dem Älteren bekannt, und zwar in nat. III, 5, 47; III, 15, 116 und VII, 49, 163. Im Jahre 1747 jedoch fanden Bauern beim Pflügen im Ackerland eine Bronzeplatte, und zwar die grösste, die aus der römischen Zeit erhalten ist (Höhe 138 cm., Breite 283 cm., also beinahe 4 Quadratmeter). Die Bauern verkauften Stücke der Tafel als altes Kupfer, bis ein Kanonikus aus dem Herzogtum Parma und Piacenza,

[1] Vgl. hierzu die Ausführungen unten S. 242.

Costa, der einige Teile in die Hand bekommen und sie aufmerksam gelesen hatte, sich dafür zu interressieren anfing. Es gelang ihm, alle weiteren Teile der Bronzeplatte zu sammeln. Diese aussergewöhnlich grosse Inschrift (CIL. XI, Nr. 1147), die sorgfältig und schön ausgeführt ist mit einer Überschrift über die volle Breite von 283 cm. — der Text ist in 7 Spalten eingeteilt —, muss ungefähr aus den Jahren 103 bis 112 n. Chr. stammen. Ihren Ruhm verdankt sie der Tatsache, dass sie ein vollständiges Grundbuch aller Grundstücke von Piacenza und Veleia enthält, deren gesamte Oberfläche 1200 Quadratkilometer umfasst; da die Eigentümer sogenannte *alimenta* (Waisenunterstützung) zahlen mussten, nennt man sie *tabula alimentaria.*

Als Folge dieses Fundes — der vor allem für die örtlichen Gelehrten interessant war — wurden in den Jahren 1760-1765 um den Fundort herum systematische Ausgrabungen ausgeführt. Aus ihnen ging hervor, dass man auf die Ruinen einer römischen Stadt gestossen war und dass die *tabula alimentaria* aus den Trümmern einer Basilika, die am Forum lag, stammte. Dass der Name des Städtchens Veleia war, hatte man schon aus den Angaben der erwähnten *tabula alimentaria* geschlossen, vgl. z. B. Pag. I,*2/3 in Veleiate pago Ambitrebio*; was die Schreibweise des Ortsnamens anbetrifft, so findet man in dieser wie in sonstigen Inschriften fast ausschliesslich *Veleia* mit einem *l*, ein einziges Mal jedoch auch (vgl. CIL. XI Nr. 1183 Zeile 9) *Velleia* mit *ll* (s. ferner A. Degrassi, Veleia o Velleia, in: Studi Veleiati, 1955, S. 71-73).

Während der Ausgrabungen wurde im Jahre 1760 zunächst einmal die Umgebung des ersten Fundortes abgesucht. Der erste Erfolg war „auf 15 geometrische piacentinische Ellen Abstand von der schon erwähnten *tabula*" (so Costa, zitiert im CIL. I,^{2} 2 S. 478), und zwar in dem westlichen Säulengang am Forum entlang, die Entdeckung einer zweiten Bronzeplatte; es ergab sich, dass sie einen Teil einer sogenannten *lex Rubria* umfasste, und zwar Tabula IIII. Hierdurch ermutigt, grub man die Fundamente des Forums aus, wobei zahlreiche Kunstgegenstände zu Tage kamen (z.B. Skulpturen aus Marmor und Bronze, Inschriften usw.). Alle Funde wurden nach der Gemeindebibliothek von Parma gebracht, da Veleia damals zu dem Herrschaftsgebiet Philipps I von Bourbon, Herzog von Parma, gehörte. Im Jahre 1801 wurde in dem grossen Palast von Parma ein Altertumsmuseum errichtet (das heutige Museo Nazionale di Antichità), in dem die Kunstgegenstände und die beiden Bronzeplatten — mit Unterbrechung der Jahre 1803-1816, in denen sie auf Betreiben Napoleons hin in Paris waren — bis heute bewahrt sind. Spätere Ausgrabungen, die von Zeit zu Zeit unternommen wurden und noch stets unternommen werden, wenn auch kleineren Ausmasses als die ersten (von 1760-1765), haben noch ein Amphitheater, zahlreiche Häuser, einige Gräber und ein Badehaus zu Tage gefördert, die jedoch von wenig Bedeutung für die genauere chronologische Erforschung der uns in diesem Zusammenhang besonders interessierenden Gebäude des Forums sind.

Was nun das Forum anbetrifft, so ist es besonders bedauerlich, dass seine Erbauungszeit nur sehr ungenau bestimmt werden konnte. Die älteste datierbare Inschrift von Veleia findet sich auf einem Dachziegel (*tegula,* CIL. I², 2 Nr. 958 = CIL. XI Nr. 6673, 7, vgl. auch DEGRASSI Inscr. lat. liberae reip. II 1963 Nr. 1157): er trägt den Konsulnamen M'. Aemilius Lepidus aus dem Jahre 66 v. Chr.[2] Leider erfahren wir über den Fundort dieses Ziegels nur wenig Bestimmtes: gemäss R. ANDREOTTI, Studi Veleiati S. 76 (und Anm. 10) und 87 stamme er aus „dem Zentrum" von Veleia. Er kann somit keinen Anhaltspunkt abgeben für eine frühe Datierung des Forums, d.h. etwa in die Zeit, die dem cäsarischen Bürgerkrieg und der cäsarischen Diktatur vorherging. Wir müssen sogar im Gegenteil konstatieren, dass alle datierbaren Funde, die sich eindeutig auf das Forum beziehen, frühestens aus der Zeit von Kaiser Tiberius stammen. Ich möchte dies anhand einer kurzen Beschreibung der Ruinen und sonstigen Reste des Forums von Veleia näher ausführen.

Die ursprünglichen Ausmasse des Pflasters, mit dem das Forum belegt wurde, betrugen 31,55 × 16,07 m. In der Zeit nach Kaiser Vespasian, vielleicht erst im Laufe des zweiten nachchristlichen Jahrhunderts (vgl. AURIGEMMA-MANSUELLI S. 12 ff., besonders S. 15), wurde die Oberfläche des Forumpflasters etwas vergrössert: an der Ost- und Südseite wurden je 4 römische *pedes,* ca.

[2] In der Umgebung von Parma und Piacenza sind verschiedene derartige Dachziegeln mit Konsulnamen gefunden worden. Die meisten davon befinden sich im Museo Nazionale di Antichità von Parma und werden dort — etwas irreführend — *tegulae Veleiates* genannt (vgl. dazu BORMANN CIL. XI, 2, 1 S. 1016 ff. und DEGRASSI ILLR. II S. 329 ff.). Nur von der oben genannten *tegula* (CIL. I² Nr. 958) steht es fest, dass sie aus Veleia herrührt. Ausserdem wird von noch zwei anderen vermutet, dass sie aus dieser Stadt stammen: CIL. I² Nr. 965 = XI Nr. 6673, 14 = DEGRASSI Nr. 1164 (a⁰. 50 v. Chr.) und CIL. XI Nr. 6673, 20 = DEGRASSI Nr. 1170 (Datum infolge von Beschädigungen schwer zu bestimmen).

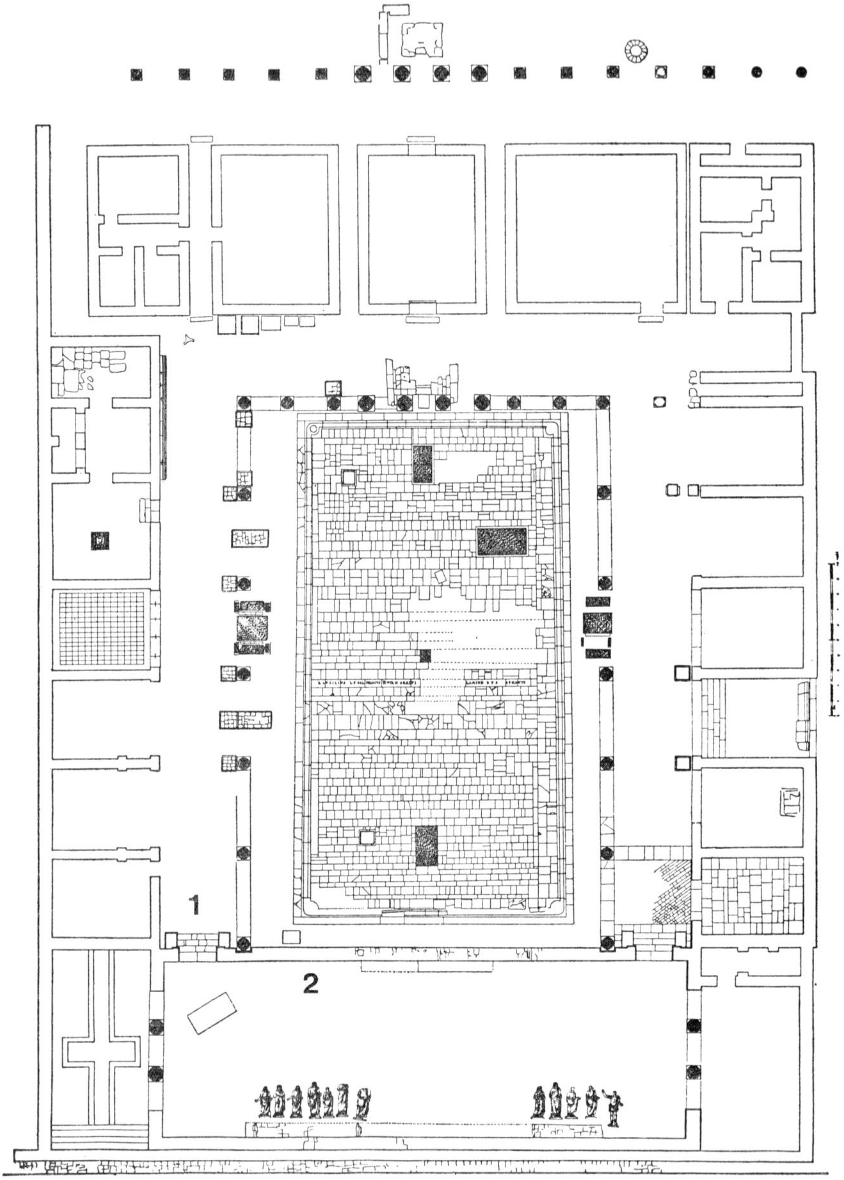

Plan des Forums von Veleia
(nach Aurigemma-Mansuelli, Velleia ²1960 S. 38)
1: Fundort der Tabula IIII der Lex Rubria; 2: Fundort der Tabula alimentaria

1,20 m., hinzugefügt, sodass seitdem die Gesamtabmessungen sich auf 32,75 × 17,25 m. belaufen.[3] Genau in der Mitte des ursprünglichen Forums befindet sich eine Basis, auf der, wie AURIGEMMA-MANSUELLI S. 15 wohl mit Recht annehmen, der ebenfalls auf dem Forum gefundene Gedenkstein (*cippus*) gestanden hat, der folgende Aufschrift enthält: *numini Aug(usti) sacr(um). Cn(aeus) Avillus Q(uinti) f(ilius) VIvir Aug(ustalis) t(itulum) f(ieri) i(ussit)* (CIL. XI Nr. 1161). Wir werden diesen Cippus in die Zeit kurz nach dem Tode des Augustus datieren müssen,[4] d.h. in die von Kaiser Tiberius. In der Nähe des soeben genannten Mittelpunktes liest man weiterhin auf einigen Pflastersteinen den Namen des Bürgers von Veleia, der die Pflasterung des Forums aus privaten Mitteln beköstigt hat: *L(ucius) Lucilius L(ucii) f(ilius) Gal(eria tribu) Priscus, IIvir II (= iterum) gratui[to factus, forum] laminis d(e) p(ecunia) s(ua) stravit* (CIL. XI Nr. 1184; vgl. ferner AURIGEMMA-MANSUELLI S. 11 and 14). Letztere Inschrift dürfte aus derselben Zeit datieren wie die Inschrift auf dem vorher erwähnten *cippus*, der dem *numini Augusti* geweiht war.

In der Basilika, die den Abschluss der Südseite des Forums bildet, ist eine Gruppe von zwölf Marmorstatuen gefunden worden, von denen folgende mit ziemlicher Sicherheit identifiziert werden konnten (vgl. AURIGEMMA-MANSUELLI S. 20 f.): Iulia Augusta (Livia, geb. 55 v. Chr., gest. 29 n. Chr., im Jahre 43 mit Ti. Claudius Nero vermählt, seit 38 mit Augustus; Mutter von Kaiser Tiberius), Nero Claudius Drusus (Drusus maior, 38-9 v. Chr., Bruder des Tiberius, Vater von Germanicus, Livilla und Kaiser Claudius), Drusus Iulius Caesar (gest. 23 n. Chr., Sohn von Kaiser Tiberius) und Claudius (Ti. Claudius Nero Germanicus, 10 v. Chr.- 54 n. Chr., Sohn von Drusus maior, Kaiser von 41-54 n. Chr.). Mit einer gewissen Wahrscheinlichkeit lassen sich ferner noch identifizieren: Britannicus (Sohn von Kaiser Claudius, geb. 41 n. Chr.; 55 n. Chr. auf Anstiften von Kaiser Nero vergiftet), Drusilla (Tochter des Germanicus, gest. 38 n. Chr.; Kaiser Caligula, ihr Bruder, veranlasste ihre Konsekration), Iulia Agrippina (Agrippina minor, Tochter des Germanicus, geb. 15 n. Chr., im Jahre 59 auf Befehl

[3] Das Forum war also ziemlich klein. Zum Vergleich seien hier die Ausmasse des Forums von Pompeii genannt: 157 × 35 m.

[4] Für die Verwendung des Begriffes *numen Augusti* im Zusammenhang mit der Konsekration von Kaiser August nach seinem Tode vgl. LATTE Röm. Religionsgesch. S. 306, 3.

ihres Sohnes, Kaiser Nero, ermordet) und L. Calpurnius Piso Frugi pontifex (geb. 48 v. Chr., Konsul 15 v. Chr.; er war jahrelang ein Vertrauter von Kaiser Tiberius; u.a. war er lange Zeit, von 13 bis 32 n. Chr., *praefectus urbi*; er erhielt nach seinem Tode, 32 n. Chr., ein Staatsbegräbnis; Horaz widmete ihm die *ars poetica*). Noch unsicherer (wegen späterer Überarbeitung, vgl. AURIGEMMA-MANSUELLI S. 21) ist die Identifikation von einer der Statuen mit Germanicus (dem bekannten Sohn des Nero Claudius Drusus, geb. 15 v. Chr., gest. 19 n. Chr.).[5] Die Gleichsetzungen wurden zum Teil durch einige ebenfalls in der Basilika gefundenen Inschriften, die früher anscheinend zu den Statuen gehört hatten, ermöglicht. Es sind folgende: CIL. XI Nr. 1165 Livia (weil in der Inschrift von *divus Augustus* gesprochen wird und Livia selbst *Iulia Augusta* genannt wird, ohne Hinzufügung von *diva*, wurde sie zwischen 14 und 29 n. Chr. angefertigt); Nr. 1166 Germanicus (das Vorkommen des Namens *divus Augustus* datiert die Inschrift wiederum in nachaugusteische Zeit); Nr. 1168 Drusilla (wegen der Hinzufügung *diva* stammt die Inschrift aus der Zeit nach 38 n. Chr., s. oben); Nr. 1170 Claudius (lesbar ist nur *Claudio*; es steht somit nicht völlig fest, dass gerade der Kaiser Claudius gemeint ist) und Nr. 1182 L. Calpurnius Piso pontifex (die Hinzufügung des Titels *cos.* lässt das Jahr 15 v. Chr. als Terminus post quem erscheinen; da jedoch alle übrigen Inschriften nachaugusteisch sind, werden wir solches auch von der des Calpurnius Piso vermuten dürfen). Für zwei zusammen mit den obigen gefundene Inschriften schliesslich haben sich keine zugehörigen Statuen mehr nachweisen lassen: Nr 1164 *divo Augusto* und Nr. 1167 *Agrippinae Germanici Caesaris* (d.h. Agrippina maior, die Gattin des Germanicus). Die Bezeichnung *divus* in Nr. 1164 führt uns abermals in die Zeit nach dem Tode von Kaiser Augustus.

Zusammenfassend können wir somit feststellen, dass die frühesten der oben erörterten Statuen und Inschriften, die in der Basilika gefunden wurden, aus der Zeit von Kaiser Tiberius stammen. Diese Daten dürften für die bereits oben anlässlich der Datierung des Forumpflasters ausgesprochene Vermutung, dass das Forum unter der Regierung von Tiberius erbaut wurde, eine nicht unwichtige Bestätigung abgeben. Das Vorkommen der Statue von L. Calpurnius

[5] Inbetreff des Problems der Identifizierung der in der Basilika von Veleia gefundenen Statuen vgl. die Literaturnachweise bei AURIGEMMA-MANSUELLI S. 30.

Piso Frugi pontifex, die inmitten der übrigen lediglich den Angehörigen des julisch-claudischen Kaiserhauses gewidmeten Standbildern etwas auffällig ist, hat man — wohl nicht zu Unrecht — durch die Annahme erklären wollen, dass dieser Piso ein Patron von Veleia gewesen sei.[6] Auf jeden Fall können Beziehungen von Piso pontifex zum benachbarten Placentia nachgewiesen werden: Asconius in Cic. Pisonianam 3 berichtet nämlich, dass der *avus maternus* von L. Calpurnius Piso Caesoninus (cos. 58 v. Chr.), dem Vater von unserm Piso pontifex, ursprünglich aus Gallien stamme und späterhin in Placentia seinen Wohnsitz genommen habe. Wie dem auch sei, so dürfte die auffällige Ehrung, die Piso pontifex in der Basilika von Veleia erwiesen wurde, darauf hindeuten, dass er einen nicht unwichtigen Beitrag zur Entwicklung von Veleia geleistet hat: man ist auch dann wieder geneigt, an erster Stelle an den Bau des Forums und der dazu gehörigen Basilika zu denken. Und was die Datierung anbelangt, würde uns dies wiederum in die Zeit der Regierung von Kaiser Tiberius führen.

Wie bereits erwähnt, bildete die Basilika den Abschluss der Südseite des Forums. Sie war 34,85 m. breit und 11,70 m. tief.[7] Die Verbindung der Basilika mit dem Forum bestand aus zwei Treppen, die ungefähr 1,60 m. breit und 6,40 zu 8 m. von der Ostwand bezw. Westwand der Basilika entfernt waren. Von der Gesamtbreite des Innenraumes der Basilika sind rechts und links durch jeweils zwei Säulen zwei kleinere Räume abgeschieden, die ungefähr 4 m. breit waren. Da der Hauptraum der Basilika (ungefähr 26 × 11,70 m.) höchstwahrscheinlich als Gerichtssaal diente, betrachtet man diese beiden Räume an den Aussenseiten der Basilika als Archivräume. Die zwölf oben genannten Marmorstatuen befanden sich auf einer Erhöhung an der südlichen Rückwand. An der nördlichen, zum Forum gerichteten, Innenwand hing — dem Fundort nach zu urteilen — die schon auf S. 4 erwähnte (aus ungefähr 103 bis 112

---

[6] Zum Lebenslauf von L. Calpurnius Piso Frugi pontifex (cos. 15 v. Chr.) vgl. R. MÜNZER, RE. III (1899) s.v. ‚Calpurnius Nr. 99', Sp. 1396-1399. Die neuere Lit. findet man bei R. HANSLIK, Kleiner Pauly I (1964) S. 1023 sub 16.

[7] Auch die Basilika war bescheidener als die von Pompeii; die Ausmasse der letzteren betragen 55 × 24 m. Wenn wir ferner annehmen dürfen, dass man bald nach der Erbauung der Basilika angefangen hat, sie mit Statuen auszuschmücken, so ergeben obige Ausführungen folgende Datierungsgrenzen: den Terminus post quem, 14 n. Chr., liefert CIL. XI Nr. 1164 *divo Augusto*; den Terminus ante quem, 29 n. Chr., die Inschrift CIL. XI Nr. 1165 für Iulia Augusta (= Livia; sie wurde nach ihrem Tode konsekriert, 29 n. Chr., und erhielt seitdem das Prädikat *diva*).

n. Chr. stammende) *tabula alimentaria* (auf der Skizze S. 6 ist der Fundort angedeutet mit 2).

Die drei anderen Seiten des Forums, d.h. die Ost-, Nord- und Westseite, wurden durch Säulengänge begrenzt. Hinter diesen drei Gallerien lag jeweils eine Reihe von kleinen Gebäuden, deren Funktion meistens kaum zu rekonstruieren ist. Zum Teil dürften es Läden gewesen sein. Aurigemma-Mansuelli S. 21 ff. sind ferner der Meinung, dass in der Mitte der Nordseite ein Tempel mit vier Säulen davor wiederzuerkennen sei; rechts und links davon hätten sich ein Senatsgebäude (*curia*) und einige Verwaltungsräume der munizipalischen Obrigkeit befunden. Mit grösserer Sicherheit lässt sich ein kleines Gebäude in der Mitte der Westseite bestimmen, und zwar auf Grund einer Inschrift, CIL. XI, Nr. 1189 (= Dessau Nr. 5560): *Baebia T(iti) f(ilia) [Bas]silla calchidicum municipibus suis dedit* („Baebia Bassilla, die Tochter des Titus, stiftete für ihre Mitbürger ein Lokal"). Leider lässt sich das Datum der Inschrift nicht genauer bestimmen, so dass wir nicht wissen, ob dieses *chalcidicum* (s. dazu noch Aurigemma-Mansuelli S. 21) etwa gleichzeitig mit dem übrigen Forum erbaut wurde. Im östlichen Portikus stehen einige Basen für Standbilder; Inschriften geben die Namen an und ermöglichen gleichzeitig eine Datierung. Die spätesten Sockel waren für die Statuen der Kaiser Aurelian (CIL. XI Nr. 1180 aus dem Jahre 270 n. Chr.) und Probus (CIL. XI Nr. 1178b = Dessau Nr. 594, 276 n. Chr.) bestimmt. Sie sind, wie wir weiter unten sehen werden, als Terminus post quem für das endgültige Aufhören der Besiedelung der Stadt zu betrachten. Von der östlichen Gallerie, und zwar von der südlichen Hälfte aus, führt eine Treppe hinauf zu einer etwas höher gelegenen Strasse.

In der südlichen Hälfte des westlichen Säulenganges, zwischen dem oben erwähnten *chalcidicum* und der westlichen Treppe, die Zutritt zur Basilika gewährt, ist die Bronzeplatte, die einen Teil unserer Lex Rubria enthält, gefunden worden. Auf der Skizze (vgl. S. 6) ist der Fundort mit 1 angedeutet. Dieser Tatbestand versetzt uns zwar nicht in die Lage, den Ort, wo die (ursprünglich zumindest fünf, s. unten S. 15) Tafeln der Lex Rubria ausgestellt waren, genau zu bestimmen; est liegt jedoch auf der Hand, an eine der beiden folgenden Möglichkeiten zu denken: Entweder waren sie befestigt an der (von Norden nach Süden verlaufenden) Wand, die an der rechten Seite desjenigen liegt, der sich der (westlichen) Basilikatreppe nähert; oder sie hingen an der nördlichen Aussenwand der

Basilika, gleich links von der soeben erwähnten Treppe. Dass die Tabulae der Lex Rubria an einer Wand aufgehängt waren, beweisen die elf antiken Durchborungen, die man in der uns erhaltenen Platte vorfindet. Im Altertum war, wie man weiss, Annageln an die Wand die normale Art, Gesetzestexte zur Schau zu stellen.[8]

Ein gewisses Problem ergibt sich aus dem Umstand, dass die Tabula elf Nagellöcher aufweist. Man hätte nur neun erwartet: drei oben, drei in der Mitte und drei unten. Es befinden sich jedoch sowohl in der Ecke rechts oben wie rechts unten jeweils zwei Löcher (statt einem), sodass sich, wie bereits gesagt, die Gesamtzahl auf elf beläuft; alle elf Durchbohrungen wecken den Eindruck, aus der antiken Zeit zu stammen (s. unten S. 16). Es erhebt sich die Frage, wie die beiden zusätzlichen Löcher zu erklären sind. Man ist geneigt anzunehmen, dass deshalb rechts oben und unten zwei Löcher hinzugemacht wurden, weil die an diesen beiden Ecken bereits vorhandenen aus irgend einem Grunde nicht mehr passten. In dem Falle wäre unsere Tabula zweimal aufgehängt worden. Wenn wir nun diese — selbstverständlich unter grossem Vorbehalt vorgetragene — Vermutung in Beziehung setzen zu den übrigen soeben besprochenen Fakten, dass nähmlich einerseits unsere Lex Rubria aus dem Jahre 49 v. Chr. (oder kurz nachher) stammt und andererseits das Forum, auf dem sie zurückgefunden wurde, (dem Anscheine nach) erst aus der Zeit des Tiberius (und der des Piso pontifex, gestorben 32 n. Chr.), so wäre daraus zu folgern, dass die Lex in der Tat zweimal aufgehängt wurde: das erste Mal im Jahre 49 v. Chr. auf dem alten Forum, das zweite Mal auf dem des Tiberius.[9]

Zum Schluss noch eine kurze Zusammenfassung der Geschichte Veleias. Schon im zweiten Jahrhundert v. Chr. muss die Ortschaft bestanden haben, wie sich aus den dort gefundenen ligurischen Gräbern und anderen Überbleibseln aus dieser Zeit ergibt. Im ersten Jahrhundert v. Chr., und zwar anscheinend gleich nach dem Bundesgenossenkrieg (91-88 v. Chr.), ist die Niederlassung eine *colonia latina* geworden, im Jahre 49 v. Chr. ein Munizipium (vgl.

---

[8] In diesem Zusammenhang hat bereits P. DE LAMA, Tavola legislativa della Gallia Cisalpina (1820) S. 4, Anm. 1 Plautus Trin. 1039 zitiert: *eae miserae* (sc. *leges*) *etiam ad parietem sunt fixae clavis ferreis*.

[9] Es erhebt sich die Frage, ob nicht die velejatischen Bronzeplatten mit dem Text der Lex Rubria zu derselben Zeit wie das neue Forum, somit unter der Regierung von Tiberius hergestellt wurden. Wir werden weiter unten S. 17-21 sehen, dass aus epigraphischen und orthographischen Gründen diese Möglichkeit entschieden abzulehnen ist.

hierzu auch die Ausführungen auf S. 242 mit Anm. 7). In diesem Jahrhundert dürfte die Stadt wohl auch schon ein — vielleicht recht primitives — Forum gehabt haben.[10] Im ersten Jahrhundert n. Chr., und zwar in der ersten Hälfte der Regierungszeit von Kaiser Tiberius, wurde anscheinend ein ganz neues und viel schöneres Forum angelegt.[11] Zu diesem neuen Forum gehörte auch eine stattliche Basilika; in der Nähe der Treppe, die zum westlichen Eingang derselben führte, bekamen die Bronzeplatten der Lex Rubria ihren — anscheinend endgültigen — Ausstellungsplatz. Ausserhalb des Forums fallen noch zwei, vielleicht auch im ersten Jahrhundert der Kaiserzeit zustande gekommene, Baulichkeiten besonders auf: ein Badehaus (*thermae*) südwestlich vom Forum und ein Amphitheater in einem etwas höher gelegenen Streifen im Südosten. Schliesslich sind rings um das Forum herum Fundamente von Häusern aufgedeckt worden. Die Gesamtoberfläche der bisher freigelegten Stadt ist jedoch nicht besonders gross.

R. Andreotti, Studi Veleiati (1955), S. 76-77 kommt auf Grund dieser Tatsachen zu der Schlussfolgerung, dass Veleia nur ein recht kleines Verwaltungszentrum gewesen sein kann mit möglicherweise nicht mehr als 1000 Einwohnern. Selbstverständlich muss man mit solchen Vermutungen vorsichtig sein, denn schon die Beschaffenheit des betreffenden Geländes liess kaum ein Forum grösseren Ausmasses zu. Die Südmauer der Basilika z.B. ist eine doppelte Stützmauer mit einer Wasserabfuhr dazwischen, da das dahinter gelegene Terrain bereits ein Meter höher liegt; an der Ostseite

---

[10] Vgl. hierzu G. Susini Studi Veleiati (1955), der S. 99 die Ansicht vertritt, dass in Veleia im Laufe des ersten vorchristlichen Jahrhunderts auch ein Forum angelegt worden sein muss. Bisher ist aber von diesem alten Forum, das wir uns wohl recht primitiv vorstellen müssen, kaum ein Rest gefunden worden; anscheinend hatte man es vorher sehr gründlich demoliert, ehe man unter Tiberius anfing, ein neues zu bauen.

[11] Aurigemma-Mansuelli Velleia (1960) S. 9 weisen darauf hin, dass das Forum von Veleia, das wir heute sehen, „wie aus einem Guss" geschaffen worden ist. Im Gegensatz zu dem bereits erwähnten Forum von Pompeii enthalten der Marktplatz von Veleia und die dazu gehörigen Baulichkeiten kein Indiz, das darauf hinweisen könnte, dass sie aus einer nachträglichen Verbauung oder „Verschönerung" (so R. Andreotti, Studi Veleiati 1955 S. 76) eines bereits existierenden, älteren Forums entstanden seien.

Was ferner insbesondere die an der Südseite des Forums gelegene Basilika anbelangt, so ist auch A. Frova aufgrund der vor einigen Jahren vorgenommenen Grabungen zu dem Ergebnis gelangt, dass dieses Gebäude erst zur Zeit von Kaiser Tiberius erbaut wurde; unter der tiberianischen Basilika wurden von ihm keine älteren Fundamente mehr gefunden (vgl. Frova, Novità archeologiche a Velleia, 1968 S. 35).

konnte man das Forum nur über eine nach oben führende Treppe verlassen; die an der Nordseite des Forums befindlichen kleinen Gebäude liegen eineinhalb Meter höher als das angrenzende Gelände. Für die Ansicht von Andreotti könnte aber die Tatsache sprechen, dass bei den Ausgrabungen der letzten Jahre kaum andere als die bisher bekannten Gebäude gefunden worden sind. Was den ökonomischen Charakter der Stadt anbetrifft, so nimmt G. Monaco, Velleia (1936) S. 10 (vgl. auch: „Nuove pagine Velejati" in: Emilia Romana II S. 207) an, dass es sich um ein Landbauzentrum handelte; das Ackerland in der Umgebung ist fruchtbar und in der *tabula alimentaria* sind zahlreiche Äcker angegeben. Wegen der schönen Gestaltung des Forums, des Vorhandenseins von Villen und von Inschriften, in denen die Namen angesehener Römer angegeben werden, vermutet man, dass Veleia ein beliebter Sommeraufenthaltsort für begüterte römische Bürger geworden ist. Möglicherweise wurde die Anziehungskraft des Ortes noch dadurch verstärkt, dass es in der Umgebung von Veleia schwefelhaltige Brunnen gab, die bis ins 18. Jahrhundert hinein bestanden zu haben scheinen. Übrigens ist auch die dortige Landschaft an sich sehr schön.

Wann Veleia verlassen wurde, ist nur annähernd anzugeben. Die letzte Inschrift, die noch datiert werden kann, CIL. XI, 1178 b (eine Kaiser Probus gewidmete Inschrift), stammt, wie oben S. 10 bereits bemerkt, aus dem Jahre 276 n. Chr. Ausdrücklich muss darauf hingewiesen werden, dass bei den Ausgrabungen keine Spuren christlichen Ursprungs gefunden worden sind, so dass man annehmen kann, dass die Stadt zur Zeit Konstantins nicht mehr bestanden hat. Ein sehr umstrittenes Problem ist und bleibt die Frage, wodurch Veleia verwüstet wurde. Bevor Mariotti im Jahre 1876 seine Ausgrabungen vornahm, glaubte man allgemein, dass der Ort durch einen Erdrutsch vernichtet worden sei. Mariotti jedoch hat bereits bezweifelt, ob der Untergang von Veleia einer solchen Naturkatastrophe zugeschrieben werden muss. Und neuerdings haben sich Aurigemma-Mansuelli, a.a.O. S. 4, dahin geäussert, dass ein solcher Erdrutsch auszuschliessen sei: jedenfalls kann er für diese Zeit nicht nachgewiesen werden. Seitdem macht man — u.a. der Archäologe G. Monaco in: Velleia, 1936, S. 14-15 — nicht sosehr Naturkatastrophen (einen Erdrutsch, möglicherweise von einem Erdbeben begleitet) für den Verfall Veleias verantwortlich, als vielmehr die Barbareneinfälle, die in Italien unter Kaiser Aurelian in den Jahren 270-271 n. Chr. stattfanden. In diesen

Jahren haben nämlich Juthungi (Skythen) und Alamanni auch diese Gegenden geplündert und verwüstet, und zwar wird dies durch Script. Hist. Aug., Aurelianus 21, 1 ff.; Epitome de Caes. 35, 2 und Paul. Diac., Hist. Rom. IX, 13 (MGH. Auct. ant. II, ed. DROYSEN, pag. 156, 9, additamenta ad Eutropium 9, 13) mitgeteilt. Diese Barbaren hatten bei Placentia ein Lager errichtet. Aurelian griff sie an, erlitt aber zunächst eine empfindliche Niederlage; danach unternahm er noch drei Gegenangriffe, durch welche die Barbaren zurückgedrängt wurden. Damals sind viele kleinere Städte in der Umgebung von Placentia verwüstet oder beschädigt worden. Obwohl Veleia in diesem Zusammenhang in den Quellen nicht namentlich erwähnt wird und es — so weit es uns bekannt ist — keine guten Strassen zwischen Placentia und Veleia gab, besteht doch die Möglichkeit, dass auch Veleia Schaden erlitten hat. Für diese Ansicht spricht noch, dass wir seitdem nahezu keinen Berichten über Veleia mehr begegnen; auch die letzte Inschrift, die noch zu datieren ist, stammt — wie wir bereits sahen — aus dem Jahre 276 n. Chr., d.h. sie stammt aus einer Zeit kurz nach dem Einfall der Barbaren. Die Vermutung liegt darum nahe, dass die Stadt bei den Gefechten der Jahre 270-271 n. Chr. schwer beschädigt, aber nicht gänzlich verwüstet wurde. Nicht lange nach dem Krieg gegen die Barbaren dürfte sie vermutlich infolge der Unsicherheit und Verödung jener Gegend endgültig verlassen worden sein.

II. DIE ÄUSSERE TEXTGESTALTUNG DER LEX RUBRIA

Textausgaben der Lex Rubria:

Editio princeps: C. R. CARLI, Delle antichità italiche I, Mailand [1]1787, [2]1793 S. 128-137. Viel exakter jedoch ist die Ausgabe von: P. DE LAMA, Tavola legislativa della Gallia Cisalpina ritrovata in Veleja nell'anno MDCCLX e restituita alla sua vera lezione, Parma 1820, S. 17 ff. (gegenüber S. 42 ein ausklappbarer Text).

Früheste Ausgabe ausserhalb Italiens: G. HUGO, Promptuarium II, 1797, S. 431-496 (mir nicht zugänglich); H. E. DIRKSEN, Observationes ad selecta legis Galliae cisalpinae capita, Berlin 1812; und F. RITSCHL, Legis Rubriae pars superstes, ad fidem aeris Parmensis exemplo lithographo exprimendam curavit Fr. RITSCHELIUS, Berlin 1851.

Aus neuerer Zeit: MOMMSEN im CIL. I (1. Aufl., 1863) Nr. 205, S. 115 ff.; CIL. I², 2 (1918) Nr. 592, S. 478 ff. wurde besorgt von LOMMATZSCH; in die zweite Ausgabe des CIL. I wurde ebenfalls die diplomatische Transkription des Textes der Bronzeplatte aufgenommen, die BORMANN nach Autopsie des Originals angefertigt hatte. BORMANN selbst veröffentlichte seine Transkription mit der dazugehörigen Textedition und den Erläuterungen im CIL. XI, 1 (1888) Nr. 1146, S. 205 ff. Weitere neuere Ausgaben der Lex Rubria: C. G. BRUNS, Fontes iuris romani antiqui I, Tübingen [7]1907 (besorgt von O. GRADENWITZ), Nr. 16, S. 97 ff.; S. RICCOBONO, Fontes iuris romani anteiustiniani I, Florenz [2]1941, Nr. 19, S. 169 ff.; CIL., Auctuarium zu Band I: Imagines coll. A. DEGRASSI, Berlin 1965, Photo Nr. 389.

Der uns überlieferte Teil des Textes der Lex Rubria ist in eine Bronzeplatte graviert, die 54 cm. hoch, 72 cm. breit und in zwei Spalten beschrieben ist. Ganz oben im offenen Raum zwischen den beiden Spalten findet sich die römische Ziffer IIII: sie weist darauf hin, dass unsere Platte die vierte aus einer Serie von Tabulae war, auf denen in Veleia der Text des rubrischen Gesetzes ursprünglich publiziert war. Es gingen somit drei — inzwischen verloren gegangene — Bronzeplatten voran; der Umstand, dass die letzte Zeile der zweiten Spalte rechts unten mitten im Satze aufhört, ist ein Hinweis dafür, dass es zumindest noch eine weitere — fünfte — Tabula gegeben hat.

Die Bronzetafel hat, wahrscheinlich erst nachdem Veleia Ende des 3. Jahrhunderts verlassen worden (s. oben S. 14) und der allmählichen Zerstörung anheimgefallen war, einige Schäden erlitten: sie wurde verbeult und bekam Einrisse, vor allem in der linken Hälfte. Nach der Wiederentdeckung jedoch im Jahre 1760 wurde sie wieder zurechtgebogen. Trotzdem [1] sind einige Buchstaben

[1] Vielleicht müsste man eher sagen, dass gerade infolge des Zurechtbiegens gewisse Teile beschädigt und deshalb schwerer lesbar geworden sind. An einer

heutzutage nur schlecht lesbar und zahlreiche Trennungspunkte zwischen den einzelnen Wörtern sind nicht oder nur kaum erkennbar. Die Bronzetafel ist im Museum zu Parma auf Holz geschraubt worden, ohne dass die bereits vorhandenen Durchbohrungen benutzt wurden. Man sieht nämlich, wie bereits S. 6 berichtet ist, 11 grössere Durchbohrungen, die anscheinend alle aus antiker Zeit stammen. Neun dieser Löcher machen einen regelmässigen Eindruck: jeweils drei an der oberen Seite (das erste Loch ganz links, das zweite in der Mitte, das dritte rechts), ferner drei ungefähr auf halber Höhe und schliesslich drei an der unteren Seite[2] (die mittleren und unteren Löcher sind ähnlich über die Breite verteilt wie die an der oberen Seite). Es finden sich auf der Platte jedoch auffälligerweise noch zwei zusätzliche Durchbohrungen: das eine rechts oben in der Höhe von der 3. Zeile der rechten Spalte (Cap. XXI, *3*), das andere rechts unten in der Höhe der vorletzten Zeile der rechten Spalte (XXIII, *57*). Auf das Problem, wie das Vorhandensein von jeweils zwei nahe bei einander gelegenen Löchern sowohl in der Ecke rechts oben wie rechts unten eventuell zu erklären ist, wurde oben S. 11 bereits näher eingegangen.

Ausser den 11 soeben genannten Durchbohrungen enthält die Tafel noch 17 kleinere, in denen teils Nägel teils Schrauben stecken. Letztere sind, wie ich oben schon angedeutet habe, allem Anscheine nach kurz nach der Entdeckung der Tafel eingeschlagen beziehungsweise eingeschraubt worden, als man die verbogene und schadhaft gewordene Bronzeplatte an einem glatten Holzbrett befestigen wollte. Die neu hinzugekommenen Löcher finden sich an folgenden Stellen: vier an der oberen Seite, zwei an der unteren, eines in der Mitte (nebst XXII, *37*), fünf an der linken Seite (nebst Zeile *2/3*, *10/11*, *22*, *35* und *49*) und fünf an der rechten Seite (nebst Zeile *9*, *17*, *25*, *41/42* und *56*).

Wenn man die einzelnen Zeilen und die Form der Buchstaben näher betrachtet, so fällt folgendes auf: der Text ist vom Kupfer-

---

Bruchstelle sind sogar kleine Teile verloren gegangen und dadurch fehlen einzelne Buchstaben, u.zw. in Zeile *18* *ei* von *damnei*, *f* von *infectei* und in Zeile *19* *e.r.* von *d.e.r.* (= *de ea re*).

[2] Die Faksimiles von P. DE LAMA, Tavola legislativa della Gallia Cisalpina (1820) und von F. RITSCHL Legis Rubriae pars superstes enthalten nur neun Durchbohrungen: es fehlen dort das Loch unten in der Mitte und das zusätzliche Loch unten rechts (in der Höhe von XXIII, *57*). Durch autopsie des Originals konnte ich jedoch feststellen, dass auch diese beiden Durchbohrungen vorhanden sind. Anscheinend beruht das Fehlen derselben in den Faksimilen von DE LAMA und RITSCHL auf einem Versehen.

stecher aus freier Hand graviert worden, d.h. es sind weder die einzelnen Zeilen vorliniert noch die Buchstaben vorgezeichnet bezw. vorgepinselt worden. Dies hat eine ziemlich starke Ungleichmässigkeit im Text- und Schriftbild zur Folge gehabt. So enthält die rechte Spalte mehr Zeilen, 58, als die linke, 52. Die Zeilen selbst haben oft ein etwas welliges Aussehen; und häufig, besonders auffällig im oberen Teil der rechten Spalte, verlaufen die Zeilen von links nach rechts in ansteigender Linie. Den einzelnen Buchstaben fehlt jegliche Schattierung, d.h. jegliche Unterscheidung zwischen dicken und dünnen Einzellinien. Wie man weiss (vgl. z.B. J. S. & A. E. GORDON, Contributions to the Palaeography of Latin Inscriptions 1957 S. 80 ff. und 208 f.), wird die Einführung schattierter Buchstaben allgemein der augusteischen Zeit zugeschrieben: für unsere Tabula ergäbe dies somit eine voraugusteische Datierung. Hierzu muss allerdings bemerkt werden, dass die Schattierung anscheinend am frühesten bei monumentalen Buchstaben eingesetzt hat,[3] die in Stein eingeritzt wurden (besonders feinkörniger Stein, z.B. Marmor, war hierfür gut geeignet). Die Schattierung wurde dadurch erleichtert, dass man die Buchstaben, ehe sie eingraviert wurden, auf dem Stein vorzeichnete. Was ferner die Bronzeplatten anbelangt, dürften auch hier eher diejenigen Inschriften, die mittels Vorzeichnung zustande kamen, aus schattierten Buchstaben bestanden haben als solche, die aus freier Hand hergestellt wurden (zu der letzteren Gruppe gehören besonders die längeren Gesetzestexte, weil ihre Herstellung sonst allzu zeitraubend und kostspielig geworden wäre). Aber trotzdem dürfte der unschattierte Schriftcharakter ein nicht unwichtiges Indiz für die Datierung abgeben.

Wenn wir nach epigraphischen Parallelen zu unserer Lex Rubria Umschau halten, käme am ehesten ein Vergleich mit der Lex Heracleensis in Betracht, die etwa in das Jahr 45 v. Chr. datiert werden kann (CIL. I² Nr. 593, BRUNS-GRADENWITZ Nr. 18; Photo bei DEGRASSI Imagines Nr. 391 a. b, von einem Teil derselben gibt ferner GRADENWITZ Simulacra S. XI, Nr. 13 eine Abb.). Auch der Text der Tabula von Heraclea ist aus freier Hand graviert worden;

[3] Vgl. zu der Schattierung der Buchstaben, dem dazu benötigten Verfahren und schliesslich zur Datierung derselben GORDON Contributions to the Palaeography of Latin Inscriptions 1957 S. 79 ff. Als früheste Inschrift, die mit schattierten Buchstaben (auf Stein) graviert ist, zitiert GORDON aus seinem Album I (1958) Nr. 5 (= CIL. VI Nr. 37077, DESSAU Nr. 8890, DEGRASSI ILLR. Nr. 421), etwa 43 v. Chr.

die Buchstaben haben denselben schlichten unschattierten Charakter; es fehlt ebenfalls jeglicher Zusatz von Serifen (zierliche kleine Querstriche an den äusseren Enden der Linien, aus denen ein Buchstabe sich zusammensetzt). Sowohl in der Lex von Heraclea wie in der Lex Rubria hat das A noch die alte symmetrische Form (gemäss GORDON Contributions S. 96 ff. und 209 verschwindet diese Form bald nach der Mitte des 1. vorschristl. Jahrhunderts: die rechte Linie wird fortan länger und schräger geschrieben als die linke).[4] Ausserdem hat in beiden Inschriften das A einen Querstrich.[5] Das M ist, ebenfalls nach altertümlicher Gewohnheit, in beiden Inschriften so geformt, dass jeweils die erste und dritte Linie einerseits und die zweite und vierte andererseits parallel zu einander verlaufen und die gleiche Länge haben (gemäss GORDON Contributions S. 106 f. und 210 treten im Laufe der 2. Hälfte des 1. Jahrh. v. Chr. neue Formen auf: einmal wird das mittlere V schräger geschrieben als die erste und vierte Linie des M, das andere Mal die zweite und vierte Linie länger gemacht als die erste und dritte.[6] Von den um etwa zwei bis drei Jahrzehnte älteren Bronzetafeln, z.B. der Lex Antonia de Termessibus (CIL. I² Nr. 589, BRUNS-GRADENWITZ Nr. 14; Photo

---

[4] Die frühesten Beispiele für ein A, dessen zweite Linie entschieden länger ist als die erste, finden sich gemäss GORDON Contributions S. 98 auf dem Stein der Fasti triumphales Barberiniani (DEGRASSI, I.I. XIII, 1 Nr. 36, Photos Nr. C-CII), a⁰. 43-21 v. Chr. Zu Unrecht zitiert GORDON a.a.O. in diesem Zusammenhang auch noch die 4 Tabulae, die den Text der Lex coloniae Genetivae Iuliae von Urso enthalten (Osuña, Spanien; CIL. II 5439 = BRUNS-GRADENWITZ Nr. 28; Photo der Tab. III, col. 4-5, bei GRADENWITZ Simulacra S. XII Nr. 14). Zwar datiert die Lex coloniae Genetivae Iuliae etwa aus dem Jahre 44 v. Chr., die Kopie derselben, die wir heute besitzen, muss jedoch, wie schon MOMMSEN Ephemeris epigr. II (1875) S. 121 ff. (= Ges. Schr. I S. 208 f.) nachgewiesen hat, aus erheblich späterer Zeit, vielleicht erst aus der Zeit von Vespasian, stammen (vgl. weitere Lit. bei RICCOBONO FIRA. I ²1941 S. 178 f. und bei DE RUGGIERO, Diz. epigrafico IV, 23 (1956) S. 727 f.). Es lässt sich sowohl in der Schrift wie in der Orthographie ein deutlicher Unterschied zu den übrigen auf Bronze überlieferten Leges dieser Zeit feststellen. Da GORDON die Lex von Urso an mehreren Stellen für Datierungszwecke benutzt, sind seine hierauf basierenden Ausführungen jedesmal mit Vorsicht zu benutzen.

[5] Als früheste Inschrift mit Beispielen für ein A, dessen Querstrich fortgelassen wurde, zitiert GORDON Contributions S. 97: Album I Nr. 32 (= DEGRASSI, I.I. XIII, 1 Nr. 20), 2 v. Chr.-3 n. Chr. (auf Stein).

[6] Die frühesten Beispiele für ein M, dessen mittleres V schräger geschrieben ist als die 1. und 4. Linie, fand GORDON a.a.O. in Album I Nr. 7 (= DEGRASSI, I.I. XIII, 2 Nr. 2: *fasti fratrum Arvalium*, auf Marmor), etwa zwischen 36 und 21 v. Chr.; für ein M, dessen 2. und 4. Linie länger sind als die 1. und 3., zitiert GORDON als einen der frühesten Belege Album I Nr. 32 (2 v. Chr.-3 n. Chr., s. oben Anm. 5).

Gradenwitz Simulacra S. XI Nr. 13, Degrassi Imagines S. 301 Nr. 388; a°. 72 oder 68 v. Chr.) und der Lex Cornelia de XX quaestoribus (CIL. I² Nr. 587, Bruns-Gradenwitz Nr. 12; Photo Degrassi Imagines S. 299 Nr. 387, a°. ca. 81 v. Chr.), mit denen die Lex Rubria und die Lex Heracleensis, was das Schriftbild anbelangt, grosse Ähnlichkeiten aufweisen, unterscheiden letztere sich u.a. durch die Behandlung des P und des O. Das untere Ende von der Schleife des P wird nämlich nach neuerer Schreibgewohnheit in unseren Gesetzen näher an die senkrechte Linie herangebogen; die älteren Schleifen des P sind unten erheblich offener (vgl. dazu auch Gordon Contributions S. 109 f. und 211). [7] Und inbetreff des O sei bemerkt, dass die auffällige Kleinschreibung dieses Buchstabens, die in den genannten älteren Bronzeplatten ausserordentlich häufig ist, in den neueren kaum mehr begegnet.

Schliesslich muss noch bemerkt werden, dass zwischen der Lex Rubria und dem Fragmentum Atestinum (CIL. I² Nr. 600, Bruns-Gradenwitz Nr. 17; Photo bei Degrassi Imagines S. 319 Nr. 390; a°. 49 v. Chr.; s. ferner unten S. 308 ff.) abgesehen von dem Inhalt auch in epigraphischer und paläographischer Hinsicht eine sehr grosse Verwandtschaft besteht. Soweit ich sehe, liesse sich in dem Fragment von Ateste nur eine einzige von der Lex Rubria sich unterscheidende Schreibgewohnheit aufweisen: in der Lex Rubria werden die Tausende durch einen übergesetzten Strich gekennzeichnet, vgl. Col. 2, XXI, *4*: *HS* $\overline{XV}$; XXI, *19*: $\overline{XV}$; XXII, *27*: *HS* $\overline{XV}$; im Fragment von Ateste Z. *6* hingegen lesen wir die umständlichere Bezeichnung *HS CCIↃↃ* (anstelle von *HS* $\overline{X}$). Die Stellen der Lex Rubria sind anscheinend die frühesten Beispiele für die neuere Art der Bezeichnung von Tausenden. [8] Man wird

[7] Gordon Contributions S. 110 zitiert in diesem Zusammenhang zu Unrecht auch die Lex col. Genetivae Iuliae von Urso (s. dazu oben Anm. 4). In dem Fragment von Ateste, a°. 49 v. Chr. (s. den nächsten Absatz), und in der Lex von Heraclea, a.° 45 v. Chr. (s. oben S. 17) schliesst das untere Ende der Schleife des P sich sogar noch mehr der senkrechten Linie an als in der Lex Rubria. Im allgemeinen jedoch bleibt auch in der Folgezeit das P immer noch mehr oder weniger offen, bis weit in das erste nachchristliche Jahrhundert hinein (vgl. Gordon Contributions S. 110).

[8] Über das System, die Tausende durch einen übergesetzten Querstrich zu bezeichnen, vgl. bereits Mommsen, Zahl- und Bruchzeichen, Hermes 22 (1887) S. 601 f. (= Ges. Schriften VII S. 770 f.). Auch Mommsen zitiert die Lex Rubria in dieser Hinsicht als ältesten Beleg; als nächsten erwähnt er CIL. IX 5959 (= Dessau Nr. 209), einen Meilenstein von Kaiser Claudius. Die ältere Schreibweise hielt jedoch noch längere Zeit an: sie herrscht

jedoch aus der im Atestiner Fragment begegnenden Verwendung von altmodischeren Zahlzeichen kaum besondere Schlussfolgerungen ziehen können.

Die Orthographie der Lex Rubria weist viele altertümliche Züge auf. Auch in dieser Hinsicht steht sie der Lex Heracleensis und einigen älteren Gesetzestexten, z.B. der bereits genannten Lex Antonia de Termessibus und der ebenfalls schon erwähnten Lex Cornelia de XX quaestoribus, nahe. Besonders auffällig sind die zahllosen Stellen, an denen *ei* statt *i* verwendet wird: XIX, *2 interd[e]icetve, seive*; XIX, *3 fierei*; XIX, *6 municipei, remeisserit*; XX, *7 cis alpeina, damnei infectei*; XX, *8 restipularei, quei*; XX, *9 ibei*; usw. usw. Mangelnde Konsequenz auf diesem Gebiet zeigt uns, dass dieses *ei* sich in der Aussprache nicht mehr von (langem) *i* unterschied: vgl. z.B. XX, *13 damni*; XX, *23* sogar *damni infectei*; usw. (vgl. hierzu auch Sommer Handb. S. 73 f.). Es sei ferner hingewiesen auf die Schreibung *ss* nach langen Vokalen und Diphthongen (XIX, *6 remeisserit*; XX, *25 repromeississet*; XXI, *10 caussaque*; XXI, *22 promeisserit*; usw., vgl. Sommer a.a.O. S. 209) und auf die Schreibung *xs* statt *x* (XXI, *43 proxsume*; XXI, *20 duxserit*; XXII, *33 noxsiaeve*; usw., vgl. Sommer S. 248: dieses *xs* kommt jedoch auch in späteren, sei es wohl hauptsächlich vulgären, Inschriften vor).[9] Altertümlicher Orthographie sind ferner die Schreibungen *quoius* (z.B. XXI, *5*) und *quoi* (z.B. XXI, *13*) statt *cuius* und *cui* zu verdanken (vgl. Sommer S. 436 f.), ausserdem *quom* statt *cum* (z.B. XX, *18 quom*; XIX, *2 quomque*; XX, *16 quoquomque*) und schliesslich *neive* (z.B. XX, *46*; XX, *50*) anstelle von *neve* (vgl. zu diesem *neive* [bezw. *nive*] Hofmann-Szantyr Syntax S. 535 sub ε).

Dasselbe orthographische Bild bietet uns das Fragment von Ateste: *sei* (Zeile *4*) und *seive* (Z. *12/13*; inkonsequenter Weise jedoch Z. *6 si* und *19 sive*), *ibei* (Z. *6, 7* und *11*), *utei* (Z. *8* und *19*), *eidus* (Z. *13* und *20*), *feiat* (Z. *8*), *fierei* (Z. *9*), *ieis* (Z. *8*); ferner *quomve* (Z. *4*), *quoius* (Z. *10*) und *quoiusque* (Z. *11*). Nur einmal begegnet eine von der in der Lex Rubria üblichen abweichende Schreibweise: *pequniaeve* (Z. *16* zweimal), während die Lex Rubria,

---

(gemäss Mommsen) z.B. noch auf den pompejanischen Quittungstafeln aus neronischer Zeit vor.

[9] Zu diesem *xs* anstelle von *x* in vulgären Inschriften aus Pompeii vgl. z.B. V. Väänänen, Le latin vulgaire des inscriptions pompéiennes, Berlin [3]1966 S. 64 f.

soweit uns erhalten, nur *pecunia* (*pecuniae, pecuniam*) aufweist (XXI, *1. 4. 10. 12. 18*; XXII, *25, 28*). Da jedoch das Fragment von Ateste nur einen recht bescheidenen Umfang hat (kaum 21 Zeilen), lässt sich nicht entscheiden, ob unser *pequnia* in dem Gesamttext, zu dem das Fragment gehört hat, Regel oder Ausnahme war.[10]

Man braucht nur einen flüchtigen Blick in die Inschriften der augusteischen Zeit zu werfen, um feststellen zu können, wie schnell obige altertümliche Orthographien, die zu Caesars und Ciceros Zeiten noch allgemein üblich waren, unter der Regierung von Augustus zurückgedrängt wurden. Am Ende seiner Regierungszeit waren sie fast völlig verschwunden. So begegnen in den Akten der *ludi saeculares* (CIL. VI Nr. 32323, Dessau Nr. 5050; a⁰. 17 v. Chr.) noch Formen wie *quoi* (Z. *100*), *illeis libreis* (*105*), *iei* (*109*), *deis, libeis* (*115*), *eid*(*us*) (*162. 163. 164*) uä.; sie bleiben jedoch den neueren Schreibweisen gegenüber entschieden in der Minderheit. Und in den umfangreichen *res gestae divi Augusti* (vgl. z.B. die Ausgabe von J. Gagé, Paris ²1950) aus dem Jahre 14 n. Chr. kann man nur noch verschwindend wenige Erinnerungen an die alten Schreibgewohnheiten zurückfinden: es sind II, 13 *cl*]*aussum* (weiter unten jedoch *clausum*), III, 14 *caussa* und IV, 24 *quadrigeis*.

Die oben erörterten epigraphischen und orthographischen Kriterien dürften hinreichen für die Behauptung, dass die in Veleia aufgefundene Bronzeplatte, die für uns einen Teil der Lex Rubria erhalten hat, eindeutig in die voraugusteische Zeit, etwa kurz nach der Mitte des 1. Jahrhunderts v. Chr. datiert werden muss. Es kann somit keine Rede davon sein, dass sie erst unter Tiberius hergestellt wurde, d.h. in der Zeit, in der allem Anscheine nach das neue Forum von Veleia gebaut wurde (s. oben S. 7-9). Indessen dürften aber obige Ausführungen zur Genüge gezeigt haben, dass unsere epigraphischen Datierungsmittel nicht ausreichen, um eine Entscheidung zu treffen in der weiter unten (S. 321 ff.) noch zu erörternden Frage, ob die Lex Rubria dem Jahre 49 oder 42 v. Chr. zugeschrieben werden muss.

Zum Schluss sei noch der Tatsache Erwähnung getan, dass die Abkürzungen in unserer Inschrift überaus zahlreich sind. Sie gehören nur zum Teil dem allgemeinen und herkömmlichen Bestand der inschriftlichen Abkürzungen an. Was übrig bleibt, kann zum

---

[10] Gemäss Leumann Stolz' Gramm. (1926) S. 47 ist *pequnia* „die übliche Schreibung des Amtsstils bis in die Zeit Ciceros" (vgl. dortselbst die Belegstellen).

Teil mit Hilfe anderer Quellen, z.B. durch Berücksichtigung der *notae iuris* des M. Valerius Probus (ed. MOMMSEN bei KEIL, Gramm. Lat. IV, 1864 S. 265 ff., vgl. ebenfalls KRUEGER Collectio II S. 141 ff.) und durch Vergleich mit anderen Inschriften staatsrechtlichen Inhalts, entziffert werden. Es begegnen jedoch auch Abkürzungen, die lediglich aus dem Kontext heraus interpretiert und ergänzt werden können. Diese Aufgabe ist zu einem beträchtlichen Teil schon von den frühesten Herausgebern erfolgreich gelöst worden; mehrere wichtige Korrekturen und Ergänzungen hat schliesslich MOMMSEN für seine Ausgabe der Lex Rubria im 1. Bande des CIL., Editio I, 1863, beigesteuert (I^1 Nr. 205; I^2, 2, 1918, Nr. 592 wurde von LOMMATZSCH besorgt). Wo es erforderlich ist, soll im Kommentar auf Probleme, welche sich aus der Verwendung von Abkürzungen ergeben, näher eingegangen werden.

Im Prinzip steht, abgesehen vom Zeilenende, jedesmal ein Punkt zwischen den Wörtern; ja, sogar auch zwischen den einzelnen Bestandteilen von Komposita wie *II.vir*, *IIII.vir* (z.B. XX, *27/28*), *cis.alpeina* (XX, *7*), *satis.datum* (XX, *31*), usw. Der Punkt findet sich in solchen Fällen auch dann, wenn die Bestandteile des Kompositums — sei es beide sei es einer der beiden — abgekürzt worden sind; vgl. *d. taxat* (= *dumtaxat*: XXI, *19*), *d.t* (ebenfalls = *dumtaxat*: z.B. XX, *36*), *q.q.* (= *quicquid*: XX, *35*), usw. Die Punkte vor dem Enklitikum *-ve* sind aber in der Minderheit im Vergleich zu den Fällen, wo der Punkt fehlt: vgl. mit Punkt XIX, *1* (*iudicatum. ve*); XX, *13. 27. 29* und XXIII, *55*; ohne Punkt XIX, *2. 3* (zweimal). *5. 6*; XX, *8. 15* uö. Auch nach Präpositionen ist die Verwendung des Punktes ungleichmässig und oft sogar inkonsequent: vgl. z.B. XX, *42 in.eo.iudicio* mit XX, *47 ineo.iudicio* und XIX, *4 in.id.decretum* mit XX, *32 inea.verba*, usw. Übrigens lässt sich oft nicht mehr entscheiden, ob an gewissen Stellen ein Punkt gestanden hat oder nicht, da das Geradeschlagen der Bronzetafel (s. oben S. 15f.) einen solchen Punkt unsichtbar gemacht haben könnte.[11] Für Datierungsfragen können die einfachen Punkte, die in der Lex Rubria Verwendung fanden, keinen Beitrag liefern.

---

[11] Die genaueste diplomatische Transkription des erhaltenen Gesetzestextes ist noch immer diejenige, die BORMANN nach Autopsie des Originals im CIL. XI, 1 (1888) S. 206 (sub Nr. 1146) veröffentlicht hat. Die Transkription wurde seitdem noch einmal abgedruckt von E. LOMMATZSCH im CIL. I^2, 2 (1918) S. 478 (sub Nr. 592).

LEX RUBRIA

TEXT UND ÜBERSETZUNG

Photo des Originals

Das Original: Ein Photo der Inschrift von Veleia (CIL. I^2, 2 Nr. 592), das A. DEGRASSI's „Auctarium" zu CIL. I (Inscriptiones latinae liberae reipublicae: Imagines, Berlin 1965) Nr. 389 entnommen ist, findet sich auf der gegenüberstehenden Seite. Da nicht alle kleineren Details, etwa die Reste von beschädigten Buchstaben und die kleinen Punkte zwischen den Worten, auf dem Photo deutlich sichtbar sind, empfiehlt es sich, auch die diplomatische Transkription hinzuzunehmen, die E. BORMANN im CIL. XI, 1 (1888) Nr. 1146 S. 206 veröffentlicht hat (vgl. dieselbe Transkription auch bei LOMMATZSCH, CIL. I^2, 2 Nr. 592 S. 478). An den vier Stellen (XX, *9. 17. 20* [2 mal]), an denen ich bei Autopsie des Originals zu einem anderen Ergebnis als BORMANN gelangte, habe ich dies im kritischen Apparat unter dem Text vermerkt.

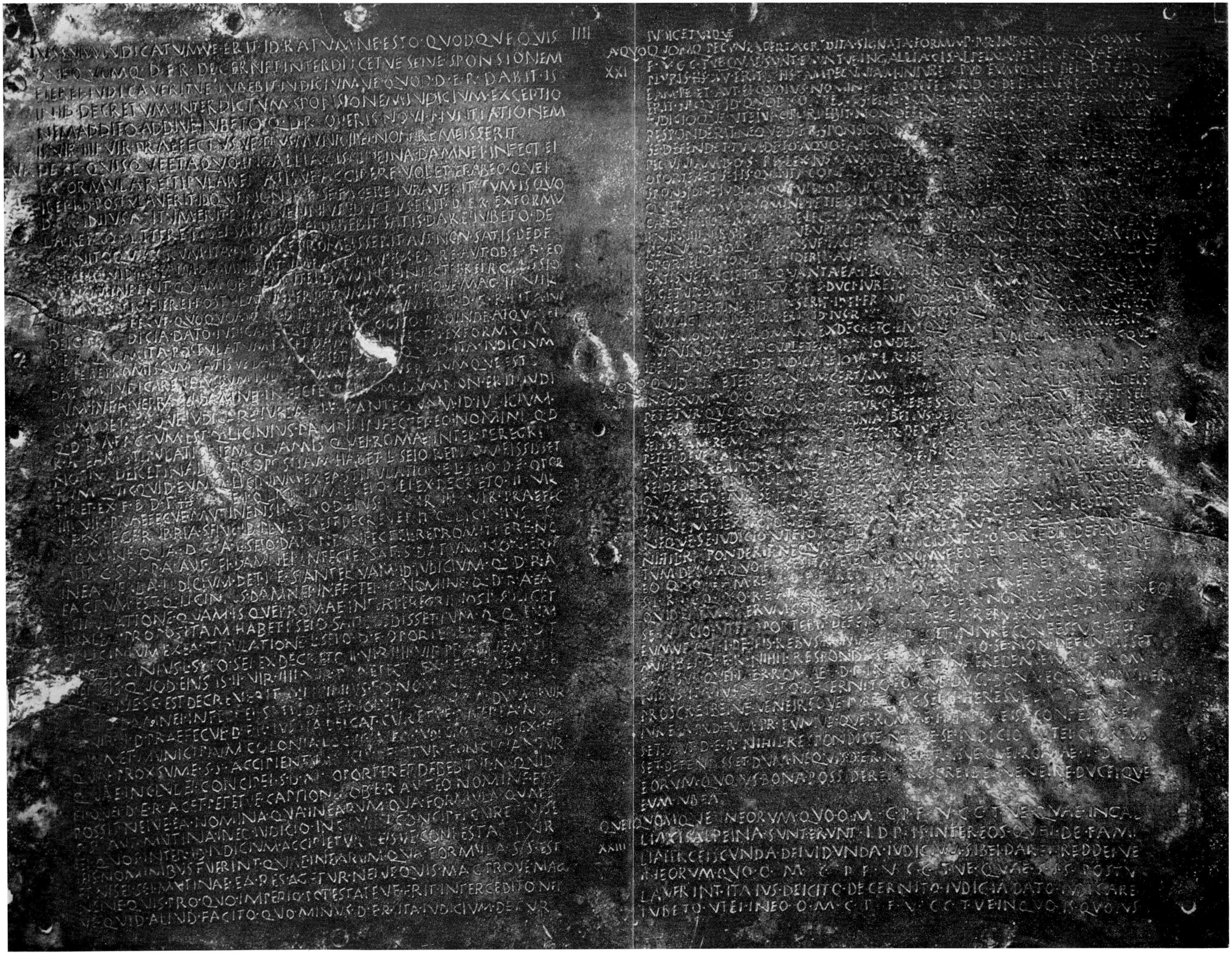

Die Bronzeplatte von Veleia mit der vierten Tafel der Lex Rubria (aus: DEGRASSI Imagines, Auctuarium zu CIL. I, Berlin 1965, Nr. 389)

Erklärung der Zeichen

Erklärung der kritischen Zeichen des lateinischen Textes: Bei der Aufmachung des nachfolgenden Textes sind dieselben Zeichen verwendet worden, die man auch in anderen Editionen von epigraphisch überlieferten Texten vorfindet. Es sind folgende:

( ) runde Klammern: Ergänzungen von Abkürzungen;
[ ] eckige Klammern: Ergänzungen von beschädigten oder offengebliebenen Stellen;
< > spitze Klammern: Ergänzungen von Stellen, an denen der Kupferstecher versehentlich einen oder mehrere Buchstaben ausgelassen hat;
≪ ≫ spitze Doppelklammern: Stellen im Original, die grammatisch fehlerhaft sind oder keinen Sinn abgeben und deshalb ausgeklammert werden müssen;
~ ein geschlängelter Strich: freigelassener Teil einer Zeile des Originals.

Alle Abweichungen vom Original (besonders die Ergänzungen von Beschädigungen oder Auslassungen, ferner die Verbesserungen von grammatischen und sonstigen Fehlern) sind *kursiv* gedruckt worden.

Die deutsche Übersetzung: Da die Perioden des lateinischen Textes oft recht lang und unübersichtlich sind, ist in der Übersetzung der Versuch gemacht worden, ihre Gliederung durch Einschaltung neuer Absätze zu verdeutlichen. Einige Zusätze, die für das richtige Verständnis des logischen Zusammenhanges dienlich sein dürften, sind durch Klammern als solche kenntlich gemacht worden. Soweit ich sehe, ist die vorliegende Übersetzung die erste in deutscher Sprache. Aus dem englischen Sprachgebiet sind mir zwei Übersetzungen der Lex Rubria bekannt geworden: die eine findet sich bei E. G. Hardy, Six Roman Laws, Oxford 1911 S. 125 ff., die andere bei A. C. Johnson, P. R. Coleman-Norton und F. C. Bourne, Ancient Roman Statutes, Austin 1961 S. 86 ff. Nr. 102 (Corpus of Roman Law, Bd. II).

TEXT

(tabula) IIII

Col. I iussum iudicatumve erit, id ratum ne esto. Quodque quis/que quomq(ue) d(e) e(a) r(e) decernet interd*ei*cetve seive sponsionem / fierei iudicar*e*ve iubebit iudiciumve quod (de) e(a) r(e) dabit, is / in id decretum interdictum sponsionem iudicium exceptio//nem addito addive iubeto: „Q(ua) d(e) r(e) operis novi nuntiationem / IIvir IIIIvir praefectusve eius municipei non remeisserit". ~ /

XX. Qua de re quisque et a quo in Gallia Cisalpeina damnei infectei / ex formula restipularei satisve accipere volet, et ab eo quei / ibei i(ure) d(eicundo) <*p*(*raeerit*)> postulaverit, idque non k(alumniae) k(aussa) se facere iuraverit: tum is quo // d(e) e(a) r(e) in ius aditum erit eum, quei in ius eductus erit, d(e) e(a) r(e) ex formu/la repromittere et, sei satisdarei debebit, satisdare iubeto de/cernito. Quei eorum ita non repromeisserit aut non satisdede/rit, sei quid interim damni

Col. I 1 MOMMSEN, CIL. I, 1ae impr. sub no. 205, pag. 115 supplevit: *Quom ex h*(*ac*) *l*(*ege*) *operis novi nuntiationem IIvir IIIIvir praefectusve eius municipei remeisserit, quod d*(*e*) *e*(*a*) *r*(*e*) *iudicium datum iudicareve*. De hoc supplemento vide commentarium.

2 *interdeicetve*: *interdiicetve* aes.

3 *iudicareve*: *iudicaveritve* aes; cf. infinitivi formam activam etiam col. I, *17. 20. 22*; II, *14. 57*; formam passivam autem col. II, *24*.

9 <*p*(*raeerit*)>: omisit aes.

quo: per errorem BORMANN, CIL. XI, pag. 206 (= CIL. I^2 pag. 478 sq.) *ouo* legit.

ÜBERSETZUNG

XIX. [Falls ein Mitglied des Duum- oder Quattuorvirats oder aber ein Präfekt des betreffenden Munizipiums kraft dieses Gesetzes einen Protest gegen Neubau für unverbindlich erklärt hat], so darf [die Prozessformel, die hinsichtlich dieser Sache erteilt worden ist, oder die Erlassung eines Urteils,] die angeordnet worden ist, oder aber das Urteil selbst, das erlassen worden ist, nicht mehr rechtskräftig sein.

Und falls jemand (d.h. der Prätor in Rom), hinsichtlich dieser Sache irgendein Dekret, namentlich ein Interdikt erlassen wird oder auch befehlen wird, dass ein Versprechen zustande kommen oder dass ein Urteil gefällt werden soll, oder wenn jemand (der Prätor) eine Formel für diesen Prozess erteilen wird, so muss der soeben Genannte (Prätor) diesem Dekret, diesem Interdikt, diesem Versprechen oder dieser Prozessformel folgende Ausnahmeklausel hinzufügen oder hinzufügen lassen:

,,Falls ein Mitglied des Duum- oder Quattuorvirats oder aber ein Präfekt des betreffenden Munizipiums hinsichtlich dieser Sache den Protest gegen Neubau nicht für unverbindlich erklärt hat".

XX. Wenn jemand in Gallia Cisalpina sich hinsichtlich einer Sache zu Lasten einer anderen Person wegen drohenden Schadens entsprechend der Formel (die sich auf der Publikationstafel des Prätors befindet) ein Versprechen, eventuell eine Sicherheitsleistung, geben lassen will, und ein Gesuch eingereicht hat bei demjenigen, dem dort <die Leitung> der Rechtssprechung <obliegt>, und wenn er geschworen hat, dass er dies nicht mit böser Absicht tut:

so muss derjenige (d.h. der Munizipalmagistrat), an den er sich hinsichtlich dieser Sache mit der Bitte gewandt hat, dass er den Rechtsweg für zulässig erklärt, befehlen und anordnen, dass derjenige, der vor das Gericht geladen ist, hinsichtlich dieser Sache gemäss der (prätorischen) Formel ein Versprechen (als Antwort auf das Gesuch des Klägers) ablegt und — wenn eine Sicherheitsleistung hinterlegt werden soll — eine Sicherheitsleistung hinterlegt.

Falls eine dieser Personen (d.h. der im Vorhergehenden genannten Beklagten) nicht in der vorgeschriebenen Art und Weise ein Versprechen, eventuell eine Sicherheitsleistung, abgibt, und falls datum factumve ex ea re aut ob e(am) r(em) eo/ve nomine erit, quam ob rem utei damnei infectei repromissio // satisve datio fiere*t* postulatum erit: tum mag(istratus) prove mag(istratu), IIvir /IIIIvir praefec(tus)ve, quoquomque d(e) e(a) r(e) in ius aditum erit, d(e) e(a) r(e) ita ius / deicito iudicia dato iudicareque iubeto cogito, proinde atque sei / d(e) e(a) r(e), quom ita postulatum esset, damn[*ei*] in[*f*]ectei ex formula / recte repromissum satisve datum esset. D(e) [*e*(*a*) *r*(*e*)] quod ita iudicium // datum iudicareve iussum iudicatumve erit, ius ratumque esto, / dum in ea verba, sei damnei infectei repromissum non erit, iudi/cium det itaque iudicare iubeat: ,,I(udex) e(sto). S(ei), antequam id iudicium / q(ua) d(e) r(e) a(gitur) factum est, Q. Licinius damni infectei eo nomine q(ua) d(e) / r(e) a(gitur) eam stipulationem, quam is quei Romae inter peregrei//nos ius deicet in albo propositam habet, L. Seio repromeississet: / tum quicquid eum Q. Licinium ex ea stipulatione L. Seio d(are) f(acere) opor/t*e*ret ex f(ide) b(ona), d(um)t(axat) HS , e(ius) i(udex) Q. Licinium L. Seio, sei ex decreto IIvir(ei) / IIIIvir(ei) praefec(tei)ve Mutinensis, quod

15 *fieret* Ritschl: *fierei* aes; Mommsen *fierei* <*iubeatur*>.
17 *cogito*: per errorem Bormann, loc. cit. litteram *c* obscuram esse putavit.
20 *iudicatumve* et *ius*: pariter perperam Bormann, loc. cit., prioris vocis litteram extremam, *e*, et posterioris vocis litteram primam, *i*, obscuras esse putavit.
27 *oporteret*: *oportiret* aes.
HS: postea taxationis addendae causa aliquid spatii vacuum relictum est.

inzwischen ein Schaden zugefügt worden oder erlitten worden ist, der die Folge ist von, verursacht worden ist durch oder in Zusammenhang steht mit der Tatsache, auf Grund derer das Gesuch eingereicht wurde, dass ein Versprechen, eventuell eine Sicherheitsleistung, hinsichtlich des drohenden Schadens geleistet werden sollte:

so muss der Magistrat oder Promagistrat, (d.h.) das Mitglied des Duumvirats, des Quattuorvirats oder aber der Präfekt, an den man sich hinsichtlich dieser Sache mit dem Gesuch gewandt hat, den Rechtsweg für zulässig zu erklären, auf solche Weise die rechtliche Prozedur vorschreiben, Prozessformeln erteilen und befehlen oder nötigen, ein richterliches Urteil auszusprechen, als ob — als das oben erwähnte Gesuch eingereicht wurde — tatsächlich auf rechtsgültige Weise gemäss der (prätorischen) Formel ein Versprechen, eventuell eine Sicherheitsleistung, hinsichtlich des drohenden Schadens geleistet worden wäre.

Was hinsichtlich [dieser Sache] auf die oben erwähnte Weise als Prozessformel verliehen wird oder hinsichtlich des Erlassens eines Urteils auferlegt oder was als Urteil ausgesprochen wird, soll rechtsgültig sein, falls er (d.h. der Munizipalmagistrat oder der munizipale Promagistrat) in dem Fall, dass kein Versprechen hinsichtlich des drohenden Schadens abgegeben worden ist, bei der Erteilung der Prozessformel und dem Befehl, ein richterliches Urteil zu erlassen, die folgenden Worte verwendet:

„Es komme ein Richter. Setze den Fall, dass Q. Licinius, bevor die zu diesem Rechtsstreit gehörige Rechtsformel aufgestellt wurde, L. Seius anlässlich des betreffenden Rechtsstreites ein derartiges Versprechen hinsichtlich drohenden Schadens geleistet hätte, wie es der Magistrat (d.h. der Prätor), der in Rom unter Fremden die rechtliche Prozedur vorschreibt, auf seiner Publikationstafel angegeben hat:

dementsprechend sollst Du, Richter, bis zu dem Betrag, den der soeben erwähnte Q. Licinius auf Grund des soeben erwähnten (auf einer rechtlichen Fiktion beruhenden) Versprechens nach Treu und Glauben verpflichtet gewesen wäre, L. Seius herzugeben oder zu leisten, und zwar bis zu einem Maximum von .... Sesterzen, Q. Licinius zu Gunsten von L. Seius verurteilen;

und zwar (sollst Du diese Verurteilung lediglich) in dem Falle (aussprechen), dass Q. Licinius — im Widerspruch zu der Entscheidung eines Mitgliedes des Duumvirats oder des Quattuorvirats eius <*is*> IIvir IIIIvir praefec(tus)/ve ex lege Rubria, seive id pl(ebei)≪ve≫sc(itum) est, decreverit, Q. Licinius eo // nomine qua d(e) r(e) a(gitur) L. Seio damnei infectei repromittere no/luit, c(ondemnato); s(ei) n(on) p(aret), a(bsolvito)"; aut, sei damnei infectei satisdatum non erit, / in ea verba iudicium det: „I(udex) e(sto). S(ei), antequam id iudicium q(ua) d(e) r(e) a(gitur) / *f*actum est, Q. Licinius damnei inf*e*ctei eo nomine q(ua) d(e) r(e) a(gitur) ea / stipulatione, quam is quei Romae inter peregrinos ius deicet // in albo propositam habet, L. Seio satis dedisset: tum q(uic)q(uid) eum / Q. Licinium ex ea stipulatione L. Seio d(are) f(acere) oporteret ex f(ide) b(ona), d(um)t(axat) <*HS*>, / e(ius) i(udex) Q. Liciniu*m* L. Seio, sei ex decreto IIvir(ei) IIIIvir(ei) praef(ectei)ve Muti/nensis, quod eius is IIvir IIIIvir praefect(us)<*ve*> ex lege Rubria, sei/ve id pl(ebei)≪ve≫sc(itum) est, decreverit, Q. Licinius eo nomine q(ua) d(e) r(e) a(gitur) // L. Seio damnei infectei satisdare noluit, c(ondemnato); s(ei) n(on) p(aret), a(bsolvito)"; dum IIvir / IIIIvir i(ure)

28 <*is*> supplevit HUSCHKE ex I, *38*.
29 *seive id pl(ebei)≪ve≫sc(itum) est*: hoc lemma ex permixtione duarum locutionum, *ex lege plebeive scito* et *ex lege seive id plebeiscitum est*, ortum esse videtur.
33 *factum*: *eactum* aes.
infectei: *inffctei* aes.
36 post *d(um)t(axat)* in fine versus litterae *HS* omissae sunt neque id spatium relictum est, quod in I, *27* pro summa taxationis addenda invenitur.
37 *Licinium*: *Licinius* aes.
39 ≪*ve*≫: confer supra ad *29*.

oder aber des Präfekten zu Mutina, die das soeben erwähnte Mitglied des Duumvirats oder Quattuorvirats oder der soeben erwähnte Präfekt des soeben erwähnten Ortes auf Grund einer durch das Gesetz beziehungsweise den Volksbeschluss des Rubrius erteilten Befugnis getroffen hat — sich geweigert hat, anlässlich des betreffenden Rechtsstreites L. Seius ein Versprechen hinsichtlich drohenden Schadens zu leisten.

Falls dies nicht zutrifft, sollst Du ihn freisprechen".

Oder, falls keine Sicherheitsleistung hinsichtlich des drohenden Schadens verschafft worden ist, soll er (d.h. der munizipale Magistrat oder Promagistrat) eine Prozessformel mit den folgenden Worten erteilen:

„Es komme ein Richter. Setze den Fall, dass Q. Licinius, bevor die zu diesem Rechtsstreit gehörige Rechtsformel aufgestellt wurde, anlässlich des betreffenden Rechtsstreites mittels eines derartigen Versprechens, wie es der Magistrat (d.h. der Prätor), der in Rom unter Fremden die rechtliche Prozedur vorschreibt, auf seiner Publikationstafel angegeben hat, L. Seius hinsichtlich drohenden Schadens eine Sicherheitsleistung verschafft hätte:

dementsprechend sollst Du, Richter, bis zu dem Betrag, den der soeben erwähnte Q. Licinius auf Grund des soeben erwähnten (auf einer rechtlichen Fiktion beruhenden) Versprechens nach Treu und Glauben verpflichtet gewesen wäre, L. Seius herzugeben oder zu leisten, und zwar bis zu einem Maximum <von .... Sesterzen>, Q. Licinius zu Gunsten von L. Seius verurteilen;

und zwar (sollst Du diese Verurteilung lediglich) in dem Falle (aussprechen), dass Q. Licinius — im Widerspruch zu der Entscheidung eines Mitgliedes des Duumvirats oder des Quattuorvirats oder aber des Präfekten zu Mutina, die das soeben erwähnte Mitglied des Duumvirats oder Quattuorvirats <oder> der soeben erwähnte Präfekt des soeben erwähnten Ortes auf Grund einer durch das Gesetz beziehungsweise den Volksbeschluss des Rubrius erteilten Befugnis getroffen hat — sich geweigert hat, anlässlich des betreffenden Rechtsstreites L. Seius (zusätzlich zu einem rechtlich bindenden Versprechen) eine Sicherheitsleistung hinsichtlich drohenden Schadens zu verschaffen.

Falls dies nicht zutrifft, sollst Du ihn freisprechen".

Hierbei muss darauf geachtet werden, dass das Mitglied des Duumvirats oder das mit der Rechtsprechung beauftragte Mitglied des Quattuorvirats oder aber der Präfekt die rechtliche Prozedur so

d(eicundo) praefec(tus)ve d(e) e(a) r(e) ius ita deicat curetve, utei ea no/mina et municipium colonia locus in eo iudicio, quod ex ieis / quae proxsume s(cripta) s(unt) accipi*e*tur, includ*a*ntur concipiantur, / quae includei concipei s(ine) d(olo) m(alo) oporte*bit* debebitve, ne quid // ei quei d(e) e(a) r(e) aget petetve captionei ob e(am) r(em) aut eo nomine esse / possit; neive ea nomina, qua<*e*> in earum qua formula ≪quae≫ s(upra) / s(cripta) s(unt), aut Mutina<*m*> in eo iudicio includei concipei curet, nise<*i*> / iei, quos inter id iudicium accipietur leisve contestabitur, / ieis nominibus fuerint, quae in earum qua formula s(upra) s(cripta) *s*(*unt*), // et nisei sei Mutinae ea res agetur. Neive quis mag(istratus) prove mag(istratu), / neive quis pro quo imperio potestateve erit, intercedito nei/ve quid aliud facito, quominus d(e) e(a) r(e) ita iudicium detur //
Col. II iudiceturque.∼

A quoquomq(ue) pecunia certa credita, signata forma p(ublica) p(opulei)
XXI. r(omanei), in eorum quo o(ppido) m(unicipio) c(olonia) p(raefectura) / f(oro) v(eico) c(onciliabulo) c(astello) t(erritorio)ve, quae sunt eruntve in Gallia Cisalpeina, petetur, quae res non / pluris HS $\overline{XV}$ erit, sei is eam pecuniam in iure apud eum, quei ibei i(ure) d(eicundo) p(raeerit), ei quei // eam petet, aut ei quoius nomine ab eo petetur, d(are) o(portere) debereve se confessus / erit, neque id quod confessus erit solvet satisve faciet, aut se sponsione / iudicioque utei≪ve≫ oportebit non defendet; seive is

43 *accipietur*: *accipientur* aes.
includantur: *includentur* aes.
44 *oportebit*: *oporteret* aes; Mommsen CIL. I, 1ae impr. pag. 116, <*ei vi*>*de*-*b*<*un*>*tu*<*r*>; vide commentarium.
46 *qua*<*e*> supplevit Ritschl.
≪*quae*≫ deleverunt Huschke et Gradenwitz collato I, *49*.
49 *s*(*unt*): *est* aes.
Col. II 7 *utei* Ritschl: *uteive* aes, item II, *16*, sed confer II, *8*. *12*. *34*. *36*. *37*. *42*. *49*.

vorschreibt oder vorschreiben lässt, dass lediglich solche Personennamen und solche Munizipien, Siedlungen oder Ortschaften in der Prozessformel, die aus den oben zitierten Formeln zur Verwendung ausgewählt wurde, aufgenommen und aufgezeichnet werden, die unter Ausschluss jeder bösen Absicht darin hätten aufgenommen und aufgezeichnet werden müssen oder sollen; es ist unzulässig, dass demjenigen, der auf Grund des betreffenden Falles einen Prozess anstrengt oder als Kläger auftritt, aus diesem Grunde oder in Bezug auf diese Sache Nachteil entstehen könnte. Und es ist nicht gestattet, die in einer der oben erwähnten Prozessformeln angegebenen Personennamen oder (den Ortsnamen) Mutina in jene Prozessformel aufnehmen oder darin aufzeichnen zu lassen, es sei denn, dass die beiden Parteien, die die betreffende Prozessformel annehmen und für die die Streitfrage endgültig festgelegt wird, tatsächlich den in einer der oben genannten Prozessformeln angegebenen Personennamen tragen und der betreffende Prozess in Mutina geführt wird.

Und es ist nicht gestattet, dass ein (munizipaler) Magistrat oder Promagistrat, oder überhaupt jemand, der mit Autorität oder Verwaltungsbefugnissen ausgestattet ist, durch seinen Einspruch dieses vereitelt und ebensowenig, dass er etwas anderes unternimmt, um die Verleihung einer auf diese Weise aufgestellten Prozessformel zu diesem Fall und die Erteilung eines Urteils über diesen diesen Fall zu verhindern.

XXI. Falls von jemandem ein Darlehen, das aus einer bestimmten Geldsumme besteht, die mit dem Staatsstempel der römischen Nation versehen ist, — bis zu einem Höchstbetrag von 15.000 Sesterzen — in einer der in Gallia Cisalpina gelegenen Städte, Munizipien, Siedlungen, Präfekturen, Marktplätzen, kleinen Ortschaften, Versammlungsorten, Forts oder Grundgebieten zurückgefordert wird;

(1) und falls der Beklagte bei der gerichtlichen Voruntersuchung in Gegenwart desjenigen, dem an diesem Ort die Leitung der Rechtsprechung obliegt, gestanden hat, dass er dem Kläger oder demjenigen, in dessen Namen die Klage erhoben worden ist, gegenüber verpflichtet ist, die genannte Summe zu zahlen oder sie schuldig ist und trotzdem die Schuld, die er gestanden hat, weder zahlt noch auf andere Weise Genugtuung verleiht, oder falls der Schuldner es unterlässt, sich durch Ablegung eines Versprechens und durch Annahme einer Prozessformel wie vorgeschrieben zu verteidigen;

ibei d(e) e(a) r(e) in iure non / responderit, neque d(e) e(a) r(e) sponsionem faciet neque iudicio utei oportebit / se defendet: tum de eo, a quo ea pecunia peteita erit, deque eo, quoi eam // pecuniam d(arei) o(portebit), s(iremps) res lex ius caussaque o(mnibus) o(mnium) r(erum) esto, atque utei esset esseve / oporteret, sei is, quei ita confessus erit, aut d(e) e(a) r(e) non responderit aut se / sponsione iudicioque utei oportebit non defenderit, eius pecuniae iei, / quei eam suo nomine petierit quoive eam d(arei) o(portebit), ex iudicieis dateis iudi/careve recte iusseis iure lege damnatus esset fuisset. Qu*e*ique quomque // IIvir IIIIvir praefec(tus)ve *i*bei i(ure) d(eicundo) p(raeerit), is eum quei ita quid confessus erit / neque id solvet satisve faciet, eum<*ve*>, quei se sponsione iudiciove utei≪ve≫ / oportebit non defenderit aut in iure non responderit neque id solvet / satisve faciet, t(antae) p(ecuniae), quanta ea pecunia erit de qua tum inter eos am/bigetur, dumt(axat) [*HS*] $\overline{\text{XV}}$, s(ine) f(raude) s(ua) duci iubeto. Queique eorum quem, ad quem // ea res pertinebit, duxserit, id ei fraudi poenaeve ne esto; quodque ita fac/tum actum iussum erit, id ius ratumque esto. Quominus in

14 *queique*: *quoique* aes.
15 *ibei*: *ubei* aes.
16 *utei*: *uteive* aes, cf. adnot. ad II, 7.
19 [*HS*]: omisit aes spatio vacuo relicto.

(2) oder falls der Schuldner es unterlässt, dortselbst im Hinblick auf den betreffenden Fall bei der gerichtlichen Voruntersuchung zu erscheinen und sich ebensowenig dazu entschliesst, im Hinblick auf den betreffenden Fall (späterhin) ein Versprechen abzulegen und sich durch die Annahme einer Prozessformel wie vorgeschrieben zu verteidigen:

dann soll für alle, d.h. sowohl hinsichtlich desjenigen, von dem das Geld zurückgefordert wird, als hinsichtlich desjenigen, an den das Geld gezahlt werden muss, der Rechtsstreit, die Gesetzes- und Rechtsvorschrift und der Rechtsgrund in jeder Hinsicht in gleicher Weise zutreffen, als es der Fall wäre oder sein müsste,

wenn derjenige, der in einem solchen Fall ein Schuldbekenntnis abgelegt hat oder der im Hinblick auf den betreffenden Fall nicht erschienen ist und der es unterlassen hat, sich durch Ablegung eines Versprechens und durch Annahme einer Prozessformel wie vorgeschrieben zu verteidigen, bis zu dem betreffenden Geldbetrag (d.h. bis zu 15.000 Sesterzen) — zu Gunsten desjenigen, der jenen Betrag in eigenem Namen gefordert hat, oder desjenigen, an den er ausgezahlt werden muss — auf Grund einer für diesen Fall verliehenen Prozessformel und auf Grund eines gesetzmässig darin aufgenommenen Befehls zur Fällung eines Urteils mit Recht und entsprechend dem Gesetz (tatsächlich bereits) verurteilt worden wäre.

Und jeder, dem als Mitglied eines Duum- oder Quattuorvirats oder als Präfekt die Leitung der Rechtsprechung obliegt, soll anordnen:

(1) dass derjenige, der in einem solchen Fall ein Schuldbekenntnis abgelegt, aber weder gezahlt noch auf andere Weise Genugtuung erteilt hat, <oder aber> es unterlassen hat, sich durch Ablegung eines Versprechens oder durch Annahme einer Prozessformel wie vorgeschrieben zu verteidigen,

(2) oder dass derjenige, der es unterlassen hat, bei der gerichtlichen Voruntersuchung zu erscheinen und auch die Schuld zu zahlen oder auf andere Weise Genugtuung zu erteilen,

für die Summe, um die es sich in dem Rechtsstreit zwischen den beiden Parteien handelt, bis zu maximal 15.000 [Sesterzen] gegeiselt wird; und dieser Befehl darf ihm (dem Magistrat) nie zum Nachteile gereichen.

Und wenn jemand einen derjenigen, auf den der erwähnte Fall anwendbar ist, geiselt, so darf ihm dies keinen Nachteil oder Strafe einbringen; und was in einem solchen Fall getan, prozessiert oder aufgetragen worden ist, soll rechtsgültig zein.

eum, quei ita / vadimonium Romam ex decreto eius, quei ibei i(ure) d(eicundo) p(raeerit), non promeisserit / aut vindicem locupletem ita non dederit, ob e(am) r(em) iudicium recup(eratorium) is quei / ibei i(ure) d(eicundo) p(raeerit) ex h(ac) l(ege) det iudicareique d(e) e(a) r(e) ibei curet, ex h(ac) l(ege) n(ihilum) r(ogatur). ~ //

XXII. A quo quid praeter pecuniam certam creditam, signatam forma p(ublica) p(opulei) r(omanei) / in eorum quo o(ppido) m(unicipio) c(olonia) p(raefectura) *f(oro)* v(eico) c(onciliabulo) c(astello) t(erritorio)ve, quae sunt eruntve in Gallia cis Alpeis, / petetur quodve quom eo agetur, quae res non pluris HS $\overline{XV}$ erit, et sei / ea res erit, de qua re omnei pecunia ibei ius deicei iudiciave darei ex h(ac) l(ege) ≪d(are)≫ o(portebit); / sei is eam rem, quae ita ab eo petetur deve ea re cum eo agetur, ei quei eam // petet deve ea re aget, aut iei quoius nomine ab eo petetur quomve eo age/tur, in iure apud eum, quei ibei i(ure) d(eicundo) p(raeerit), d(are) *f(acere)* p(raestare) restituereve oportere aut / se debere, eiusve eam rem esse aut se eam habere, eamve rem de / qua arguetur se fecisse, obligatumve se eius rei noxsiaeve esse confes/sus erit deixseritve, neque d(e) e(a) r(e) satis utei oportebit faciet; aut sei spon//sionem fierei oportebit,

26 *f(oro)*: *e.* aes.
28 *ex h(ac) l(ege) ≪d(are)≫ o(portebit)*: interpositio mendosa sigli *d.* (i.e. *dare*) ex coniunctione usitata notarum *d.o.* (cf. II, *5. 10. 13*) effecta est.
31 *f(acere)*: *e.* fortasse aes.

Infolge dieses Gesetzes tritt keine einzige Bestimmung in Kraft, die (auch in anderen als den oben XXI, *3/4* erwähnten Fällen, d.h. auch bei Forderungen auf Grund von Gelddarlehen von mehr als 15.000 Sesterzen) verhindern könnte, dass der Magistrat, dem an diesem Ort die Rechtsprechung obliegt, kraft dieses Gesetzes dazu übergeht, gegen denjenigen, der es in dem hier behandelten Fall unterlassen hat — dem Befehl des Magistraten, dem an diesem Ort die Rechtssprechung obliegt, folgend —, eine Garantie für sein
24 Erscheinen (vor den Prätor) in Rom zu geben oder einen vermögenden Bürgen zu stellen, aus den soeben genannten Gründen eine Prozessformel für ein Schwurgericht und Anweisungen für das Aussprechen eines Urteils in einem solchen Fall dortselbst zu erteilen.

XXII. Falls von jemandem eine Schuld, die nicht auf ein Darlehen zurückzuführen ist, das aus einer bestimmten Geldsumme, die mit dem Staatsstempel der römischen Nation versehen ist, besteht, in einer der in Gallia Cisalpina gelegenen Städte, Munizipien, Siedlungen, Präfekturen, Marktplätzen, Ortschaften, Versammlungsorten, Forts oder Grundgebieten zurückgefordert wird, und falls gegen den Beklagten ein Prozess anhängig ist, und zwar hinsichtlich eines Streitwertes, der den Betrag von 15.000 Sesterzen nicht übersteigt, und wenn es sich um eine solche Sache handelt, dass man (d.h. der munizipale Magistrat) darüber an Ort und Stelle ausschliesslich unter Angabe des Geldwertes kraft dieses Gesetzes die rechtliche Prozedur vorschreiben und Prozessformeln erteilen muss;

(1) falls ausserdem der Beklagte gestanden oder erklärt hat, dass er dazu gehalten oder auch verpflichtet ist, die Sache, die in einem
30 solchen Falle von ihm zurückgefordert oder über die mit ihm ein Prozess geführt wird, an denjenigen, der die betreffende Sache fordert oder ihretwegen einen Prozess führt, oder demjenigen, in dessen Namen solches gefordert oder mit ihm prozessiert wird, zu übertragen oder ihn zu befriedigen, zu liefern oder zurückzugeben, oder (gestanden und erklärt hat), dass der Kläger Eigentümer des Streitgegenstandes ist, beziehungsweise dass er (der Beklagte) selbst den Gegenstand in seinem Besitz hat, oder dass er sich der Handlung, deren er angeklagt ist, tatsächlich schuldig gemacht hat oder dass er für die (ihm vorgeworfene) Sache oder für den (von einer in seiner Macht stehenden Person verursachten) Schaden haftbar ist; und falls es der Beklagte trotzdem unterlässt, hinsichtlich der betreffenden Sache die vorgeschriebene Genugtuung zu erteilen oder, wenn

sponsionem non faciet; <*aut*> non restituet / neque se iudicio utei oportebit defendet; aut sei d(e) e(a) r(e) in iure / nihil responderit neque d(e) e(a) r(e) se iudicio utei oportebit defendet: / tum de eo, a quo ea res ita petetur quomve eo d(e) e(a) r(e) ita agetur, deque / eo, quoi eam rem d(arei) f(ierei) p(raestarei) restitui satisve d(e) *e(a)* r(e) f(ierei) oportebit, // s(iremps) l(ex) r(es) i(us) c(aussa)q(ue) o(mnibus) o(mnium) r(erum) e(sto), atque utei esset esseve oporteret, sei is, quei ita / quid earum rerum confessus erit aut d(e) e(a) r(e) non responderit neq(ue) / se iudicio utei oportebit defenderit, de ieis rebus Romae apud pr(aetorem) / eumve quei de ieis rebus Romae i(ure) d(eicundo) p(rae)esset in iure confessus esset, / aut ibei d(e) e(a) r(e) nihil respondisset aut iudicio se non defendisset; // pr(aetor)q(ue) isve quei d(e) e(is) r(ebus) Romae i(ure) d(eicundo) p(raeerit) in eum et in heredem eius d(e) e(is) r(ebus) om/nibus ita ius deicito decernito eosque duci bona eorum possideri / proscreibeive veneireque iubeto, ac sei is heresve eius d(e) e(a) r(e) in / iure apud eum pr(aetorem) eumve quei Romae i(ure) d(eicundo) *p*rae<*e*>sse<*t*> confessus es/set aut d(e) e(a) r(e) nihil respondisse<*t*> neque se iudicio utei oportuis//set defendisset;

35 <*aut*> addidit Mommsen, CIL. I, 1ae impr. pag. 117.
39 *e(a)*: *f*. aes.
48 *i(ure) d(eicundo) prae<e>sse<t>*: *i. d. p. praesse* aes.

35 ein Versprechen abgelegt werden soll, ein solches Versprechen abzulegen; <oder> falls der Beklagte die Sache nicht zurückgibt und sich ebensowenig durch Annahme einer Prozessformel, so wie es vorgeschrieben ist, verteidigt;

(2) oder falls der Beklagte es unterlässt, hinsichtlich des betreffenden Falles bei der gerichtlichen Voruntersuchung zu erscheinen oder sich durch Annahme einer Prozessformel wie vorgeschrieben zu verteidigen:

dann soll für alle, d.h. sowohl hinsichtlich desjenigen, von dem die oben erwähnte Sache zurückgefordert oder gegen den über die Sache in dem oben erwähnten Rechtsstreit prozessiert wird, wie hinsichtlich desjenigen, demgegenüber er verpflichtet ist, die Sache zu übertragen oder zu erstatten, zu liefern, zurückzugeben oder Genugtuung zu erteilen, die Gesetzesvorschrift, der Rechtsstreit,
40 die Rechtsvorschrift und der Rechtsgrund in jeder Hinsicht in gleicher Weise zutreffen, als es der Fall wäre oder sein müsste,

wenn derjenige — der in einem solchen Fall hinsichtlich der betreffenden Sachen ein Schuldbekenntnis abgelegt hat oder der im Hinblick auf den betreffenden Fall nicht erschienen ist und der es unterlassen hat, sich durch Annahme einer Prozessformel wie vorgeschrieben zu verteidigen — hinsichtlich der erwähnten Sachen in Rom gegenüber dem Prätor beziehungsweise dem Magistrat, dem in Rom die Rechtsprechung obliegt, während einer (dortigen) gerichtlichen Voruntersuchung ein Geständnis abgelegt hätte oder es unterlassen hätte, dortselbst (in Rom) zu erscheinen oder sich durch Annahme einer Prozessformel zu verteidigen.

45 Und der Prätor oder derjenige, dem in Rom hinsichtlich der oben erwähnten Fälle die Rechtsprechung obliegt, soll gegen den Schuldner oder seinen Erben in all diesen Fällen von einem solchen Standpunkt aus seine rechtliche Prozedur formulieren und seine Entscheidung treffen und entsprechend einer derartigen Auffassung den Auftrag erteilen, die Schuldner zu geiseln, ihr Eigentum in Besitz zu nehmen, es als gepfändet zu erklären und zu verkaufen,

als ob der Schuldner oder sein Erbe hinsichtlich des betreffenden Falles bei der gerichtlichen Voruntersuchung gegenüber dem oben erwähnten Prätor oder dem oben erwähnten Magistrat, dem in Rom die Rechtsprechung obliegt, seine Schuld gestanden hätte beziehungsweise es unterlassen hätte, hinsichtlich des betreffenden Falles zu erscheinen und sich durch Annahme einer Prozessformel, wie es vorgeschrieben war, zu verteidigen.

dum ne quis d(e) e(a) r(e) nisei pr(aetor) isve quei Romae i(ure) d(eicundo) p(raeerit) / eorum quoius bona possiderei proscreibei veneire duceique / eum iubeat. ~/

Queiquomque in eorum quo o(ppido) m(unicipio) c(olonia) p(raefectura)
XXIII. f(oro) v(eico) c(onciliabulo) c(astello) t(erritorio)ve, quae in Gal/lia Cisalpeina sunt erunt, i(ure) d(eicundo) p(raeerit), is inter eos quei de fami//li*a* erceiscunda deividunda iudicium sibei darei reddeive / in eorum quo o(ppido) m(unicipio) c(olonia) p(raefectura) f(oro) v(eico) c(onciliabulo) c(astello) t(erritorio)ve quae s(upra) s(cripta) s(unt) postu/laverint, ita ius deicito decernito iudicia dato iudicare / iubeto, utei in eo o(ppido) m(unicipio) c(olonia) p(raefectura) f(oro) v(eico) c(onciliabulo) c(astello) t(erritorio)ve, in quo is quoius / ....

54 *familia*: *familiae* aes.
58 post *58* Mommsen, CIL. I, 1ae impr. pag. 117, supplevit: *de boneis agetur, domicilium habuerit, iudicium fiat*; cf. commentarium.

Es sei darauf hingewiesen, dass in einem solchen Fall kein anderer Magistrat als der Prätor oder derjenige, dem in Rom die Rechtsprechung obliegt, dazu befugt ist, den Befehl zu erteilen, das Eigentum eines der genannten Schuldner in Besitz zu nehmen, es einzuziehen und zu verkaufen und den Schuldner selbst zu geiseln.

XXIII. Der Magistrat, dem in einer der in Gallia Cisalpina gelegenen Städte, Munizipien, Siedlungen, Präfekturen, Marktplätzen, Ortschaften, Versammlungsorten, Forts oder Grundgebieten die Rechtsprechung obliegt, ist verpflichtet, bei einem Rechtsstreit zwischen denen, die in einer der oben erwähnten Städte, Munizipien, Siedlungen, Präfekturen, Markplätzen, Ortschaften, Versammlungsorten, Forts oder Grundgebieten den Wunsch geäussert haben, dass wegen der Verteilung des gemeinschaftlichen Vermögens untereinander eine Prozessformel zuerkannt oder erteilt wird, in dem Sinne rechtliche Prozeduren vorzuschreiben, Entscheidungen zu treffen, Prozessformeln zu erteilen und darin anzuordnen solche Urteile zu fällen,

dass in der Stadt, dem Munizipium, der Siedlung, Präfektur, dem Marktplatz, der Ortschaft, dem Versammlungsort, Fort oder Grundgebiet, in dem derjenige, dessen ....

KOMMENTAR

I. EINLEITUNG ZU CAPUT XIX. OPERIS NOVI NUNTIATIO

Literatur: H. BURCKHARD, Die operis novi nunciatio, Erlangen 1871; O. KARLOWA, Römische Rechtsgeschichte II, Leipzig 1901, S. 471-479 und 1225-1233; A. BERGER, RE. IX (1916) Sp. 1670-1677 s.v. ‚*interdictum*' Nr. 52; P. BONFANTE, Corso di diritto romano II, Rom [1]1926, S. 370-401 = Mailand [2]1966, S. 431-464; O. LENEL, Edictum Perpetuum, Leipzig [3]1927, S. 370-371 (sub Tit. XXVIII, *de operis novi nuntiatione*) und S. 483-485 (sub Tit. XLIII, *de interdictis*, § 257 *si opus novum nuntiatum erit*); G. BRANCA, La prohibitio e la denunzia di nuova opera come forme di autotutela cautelare, SDHI. VII (1941) S. 313-372; A. BERGER, RE. XVIII (1942) S. 558-579 s.v. ‚*operis novi nuntiatio*'; A. PALERMO, Il procedimento cauzionale, Mailand 1942, S. 38 f. et passim; M. KASER, Privatrecht I, München [2]1971, S. 408-409 (Anm. 41 und 43 für weitere Literatur); A. MOZZILLO, Contributi allo studio delle stipulationes praetoriae, Neapel 1960, S. 131 ff., stark kritisiert — vor allem hinsichtlich *operis novi nuntiatio* und *damnum infectum* — von G. BRANCA, IURA 12 (1961) S. 307 f.; G. I. LUZZATTO, Il problema d'origine del processo extra ordinem I, 1965, S. 182-184 und 314-343.

Ausserdem der Digestentitel 39, 1 *de operis novi nuntiatione*. Da im Laufe der Jahrhunderte die Verfahrensvorschriften des römischen Rechtes stark verändert worden sind, kann dieser Digestentitel in nur geringem Masse als sichere Informationsquelle für das uns interessierende 1. Jahrhundert vor Chr. dienen.

Auf der erhaltenen Bronzetafel der Lex Rubria steht oben in der linken Spalte das Ende eines Satzes, der mit dem darauffolgenden (*2 - 6*) den Rest einer Bestimmung über *operis novi nuntiatio*, „Protest gegen Neubau" (erwähnt unter *6*), bildet. Da die betreffende Bestimmung nicht vollständig überliefert ist, können wir nicht sicher wissen, ob die erhaltenen Zeilen ausreichen, um uns einen klaren Eindruck von dem Zweck des Caput XIX zu vermitteln. Wir müssen infolgedessen in erster Linie untersuchen, welche Regelung von der Anordnung über *operis novi nuntiatio* während des ersten Jahrhunderts vor Christus im Hintergrund von *1 - 6* steht. Dabei müssen wir berücksichtigen, dass die Lex Rubria kein Gesetz aus dem allgemeinen römischen Prozessrecht oder aus einem Teile desselben ist, sondern nur für ein beschränktes Gebiet (nähmlich die Poebene, vgl. XX, *7*, XXI, *3* und XXII, *26*) bestimmt war; durch diesen Umstand können Abweichungen von dem für Rom vorgeschrieben Verfahrensverlauf bedingt gewesen sein. Ausserdem wird aus den Einleitungen zu den vollständig erhaltenen Capita XX, XXI, und XXII hervorgehen, dass der Verfasser der Lex

Rubria die für unser Empfinden etwas merkwürdige Gewohnheit hatte, die von ihm besprochenen Verfahren nicht vollständig zu behandeln, sondern nur so weit, wie sich das Verfahren auf das Grenzgebiet der Kompetenzen von Prätor und Munizipalmagistrat erstreckte; ein ähnlicher Ausgangspunkt wird bei der Abfassung von Caput XIX eine Rolle gespielt haben.

Aus dem Inhalt von *1 - 6* geht hervor, dass *operis novi nuntiatio*, der „Protest gegen Neubau", verschiedene juristische Verfahren zur Folge haben konnte, die in den erhaltenen Zeilen zwar erwähnt, aber nicht beschrieben werden. Von der *nuntiatio* selbst ist nicht die Rede: es wird lediglich die Aufnahme einer *exceptio*, d.h. einer „Ausnahmeklausel" (vgl. Kommentar zu XIX, *4 - 5*, S. 71-73) in die bei den Verfahren benutzten Formeln vorgeschrieben. Da sich die Lex Rubria auf einige, für diese Materie sehr wesentliche Begriffe beschränkt, ist zunächst einmal eine Darstellung der Institution *operis novi nuntiatio* erforderlich.

Operis novi nuntiatio setzte voraus, dass ein Grundeigentümer oder Nutzungsberechtigter [1] Beschwerde erhob gegen Bauarbeiten (*opus novum*), [2] die auf einem Nachbargrundstück [3] ausgeführt wurden und die seiner Ansicht nach nachteilig für seinen eigenen

[1] Ulp. 71 ad ed., dig. 43, 25, 1, 3: *ius habet opus novum nuntiandi, qui aut dominium aut servitutem habet*, „Das Recht zu *nuntiare* hat der, der entweder Eigentümer ist oder ein dingliches Nutzungsrecht besitzt". In der Praxis wurden übrigens nur bestimmte Nutzungsrechte als Grundlage einer *nuntiatio* anerkannt; s. A. Berger, RE. XVIII Sp. 556, Z. 56-57. Ein besonderer, hier nicht näher erläuterter Fall ist die *nuntiatio* gegen Arbeiten, die auf öffentlichem Grund ausgeführt wurden. In diesem Fall waren alle Bürger zum Protest berechtigt und der Prätor selbst konnte einem Bürger den Auftrag erteilen zu protestieren (vgl. Ulp. 52 ad ed., dig. 39, 1, 3, 4 und Ulp. 13 ad ed., dig. 39, 1, 16). S. zu diesem letzten Fall A. Berger, IURA I (1950) S. 102-123, vor allem 102-108.

[2] d.h. jede Arbeit, die aus Errichten oder Abreissen eines Baues besteht, so dass sich das Gebäude in seiner Art verändert. Die Bezeichnung „Gebäude" oder „Bau" wird von Ulp. 52 ad ed., dig. 39, 1, 1, 12 mit den nichtssagenden Worten *opus solo coniunctum* umschrieben; in der Praxis erscheinen jedoch beträchtliche Einschränkungen zu bestehen. So müssen z.B. die Arbeiten noch andauern, so dass gegen einmal bestehende Gebäude auf diese Weise keine Beschwerde erhoben werden kann (Ulp. 52 ad ed., dig. 39, 1, 1, 1). Ausserdem werden Arbeiten an Bäumen oder Pflanzen nicht von der *nuntiatio* betroffen. Für beide Kategorien besteht ein anderes Verfahren, das sogenannte *interdictum quod vi aut clam*, bei welchem der Begriff „schädliche Arbeiten" viel weiter gefasst ist. S. vor allem M. David, Études sur l'interdit quod vi aut clam, Paris 1947, S. 15-92.

[3] Paulus 48 ad ed., dig. 39, 1, 8 *pr.*: *non solum proximo vicino, sed etiam superiori opus facienti nuntiare opus novum potero.*

Besitz sein könnten. Man kann an einen Neubau denken oder auch an Abbrucharbeiten, durch welche Einsturzgefahr droht. Um eine derartige Bedrohung zu beseitigen, konnte man mit Hilfe der *nuntiatio* Beschwerde erheben. Das Verfahren verlief folgendermassen: der bedrohte protestierte an Ort und Stelle [4] und erhielt allein auf Grund dieser Tatsache einen Rechtsschutz, der denjenigen, der das *opus novum* ausführen liess, dazu zwang, die Arbeiten unverzüglich einzustellen. Da in das *edictum praetorium* ein allgemeines Versprechen des Prätors aufgenommen worden war, der betreffende Magistrat würde auf ein Gesuch des „*nuntiator*" (in den Quellen: *is qui nuntiat*) hin den Befehl erteilen, alles nach der *nuntiatio* Erbaute wieder abzureissen, wurde der erwähnte Rechtsschutz automatisch gewährt. Dieser Befehl sollte in der Form eines Interdiktes (vgl. S. 65-68, Kommentar zu XIX, *2*) ergehen, dessen ursprüngliche Bezeichnung nicht bekannt ist; in modernen Handbüchern wird es „*interdictum demolitorium*" genannt.

Es ist bezeichnend für die *operis novi nuntiatio,* dass sie ohne Mitwirkung des Prätors oder eines anderen Jurisdiktionsmagistrates erfolgt; lediglich die eventuell noch folgenden Verfahren finden vor ihnen statt. Der Grund für diesen einigermassen merkwürdigen Verlauf liegt zweifellos in der Tatsache, dass gerade bei Neubau oder Abbruch derjenige, der Beschwerde führen will, schnell handeln können muss, ohne auf einen *dies fastus* oder ganz allgemein auf den Zeitpunkt, zu dem der Magistrat sein Gesuch behandeln konnte, warten zu müssen. Aus demselben Grund — Schnelligkeit des Handelns — war die *nuntiatio* nicht oder kaum an Formvorschriften gebunden.

In vielen Fällen wird keine der beiden Parteien mit dem Ergebnis der *nuntiatio* ganz zufrieden sein. Der *nuntiator* nicht, weil zwar die Arbeit eingestellt werden muss, aber der vor der *nuntiatio* erbaute Teil damit noch nicht abgerissen ist. Dies letztere muss der *nuntiator* mit Hilfe eines ganz anderen Verfahrens zu erreichen versuchen, nämlich mit dem auf S. 46 unter Anm. 2 erwähnten Interdikt *quod vi aut clam factum erit ut restituatur* (Ulp. 52 ad ed., dig. 39, 1, 1, 1). Dieses Interdikt jedoch fällt nicht in den Bereich der hier behandel-

[4] Diese Bedingung ist selbstverständlich, wenn man weiss, dass die *nuntiatio* formell *in rem,* und nicht in *personam* (Ulp. 52 ad ed., dig. 39, 1, 5, 2) erfolgte, so dass selbst der betreffende Eigentümer nicht anwesend zu sein brauchte, um die *nuntiatio* entgegenzunehmen. Es war lediglich erforderlich, dass irgendjemand im Namen des Eigentümers die *nuntiatio* entgegennahm. Vgl. Ulp. 52 ad ed., dig. 39, 1, 5, 3 und Paulus 11 ad Sab., dig. 39, 1, 11.

ten *operis novi nuntiatio*. Der „*nuntiatus*" — derjenige, gegen dessen *opus novum* Beschwerde geführt worden war—wird seinerseits in vielen Fällen bestreiten, dass ein gültiger Grund für die *nuntiatio* bestand. Aber der *nuntiator* hatte, wie schon erwähnt wurde, durch die blosse Tatsache der *nuntiatio* automatisch Rechtsschutz erhalten; der Betroffene muss sich darum mit dem Gesuch an den Jurisdiktionsmagistrat wenden, die *nuntiatio* und den auf ihr beruhenden Rechtsschutz wieder aufzuheben (*remittere*, vgl. *remissio*, „Unverbindlichkeitserklärung", Z. 6). In einem solchen Fall leitete der Magistrat eine Untersuchung ein (*causae cognitio*) und sprach danach das bindende Urteil aus, durch welches der auf der *nuntiatio* beruhende Rechtsschutz aufgehoben wurde oder nicht.

Eine andere Möglichkeit, das Recht zum Weiterbau zu erhalten, besteht für den *nuntiatus* in einer Sicherheitsleistung (*cautio*) an den *nuntiator*, was zugleich bedeutet, dass eventuell auftretender Schaden vergütet wird. In Ulp. 80 ad ed., dig. 39, 1, 21, 1-2 wird darüber gesprochen, aber wahrscheinlich stammt die Sicherheitsleistung in diesem Zusammenhang aus viel früherer Zeit als dem dritten Jahrhundert nach Christus. In demselben Ulpianus-Fragment (80 ad ed., dig. 39, 1, 21, 5) steht nämlich: *quaesitum est, si plures domini aedificent, an omnes cavere debeant, et ait Labeo unum cavere debere, quia restitutio operis pro parte non possit*. Meiner Ansicht nach liegt es nahe anzunehmen, dass der Jurist Labeo (gestorben zwischen 10 und 22 nach Christus) in diesem Zusammenhang das Verb *cavere* gewählt hat, weil er hierbei an die Hinterlegung einer *cautio* dachte, und zwar an die „Garantie, eventuell zur Wiederherstellung überzugehen" (*cautio de opere restituendo*). Falls diese Annahme berechtigt ist und wir davon ausgehen müssen, dass die erwähnte *cautio* bereits zu Beginn unserer Zeitrechnung landläufig war, so ist es sehr gut möglich, dass sie auch schon zur Zeit der Lex Rubria bekannt war.

In diesem Fall kann man annehmen, dass es während der Geltungszeit der Lex Rubria — ebenso, wie später in den Digestenfragmenten beschrieben — für den *nuntiatus* zwei Möglichkeiten gab, um nach einer *nuntiatio* weiterbauen zu können: er kann den Prätor um *remissio* ersuchen oder dem *nuntiator* eine *cautio de opere restituendo* anbieten. Beides hat zur Folge, dass die *nuntiatio* ihre Kraft verliert und der *nuntiatus* das Recht erhält, weiter zu bauen, und zwar ohne die Gefahr, dass ein „*interdictum demolitorium*" gegen ihn gefordert werden kann. Eine *cautio* hat ausserdem noch den Vorteil, dass der *nuntiatus* sein Recht zum Weiterbauen dadurch schützen kann, dass er um ein Interdikt bittet, nämlich das *interdictum ne vis fiat aedificanti* (Ulp. 71 ad ed., dig. 39, 1, 20, 9).

Die Anwendung von *remissio* ist aber bei näherer Betrachtung nicht so einfach, wie es zunächst scheint. Es ist zwar für den Magistrat nicht schwierig, festzustellen, dass *remissio* wegen des dringenden Charakters der Arbeiten erfolgen muss, so z.B. wenn sie zu den *opera, quorum mora periculum aliquod allatura est* (Ulp. 52 ad ed., dig. 39, 1, 5, 12) gehören. Und ebenso wenig ist es für den Magistrat problematisch zu folgern, dass *remissio* auf Grund der Tatsache abgelehnt werden muss, dass dem Bau *leges edictave principum* entgegenstehen (wie es Ulp. 52 ad ed., dig. 39, 1, 1, 17 formuliert), oder dass eine *servitus altius non tollendi* bestand, so dass die *nuntiatio* aufgehoben werden konnte, sofern (*quatenus*, Ulp. 52 ad ed., dig. 39, 1, 1 *pr.*, vgl. 43, 25, 1, 2) der Erbauer hiermit nicht in Konflikt geriet (letzteres ist ein Beispiel von BERGER, RE. XVIII, Sp. 575). Es war selbstverständlich auch möglich — vielleicht sogar in den meisten Fällen so —, dass der Magistrat während seiner Untersuchungen auf Grund eines Gesuchs auf *remissio* überhaupt nich zu einer klaren Entscheidung hinsichtlich des Rechtes zum Bauen gelangte. In diesem Fall konnte er keine *remissio* aussprechen und der Streitfall musste einem *iudex* vorgelegt werden. Von einem solchen vollständigen Prozess ist auch in unserem Caput XIX die Rede, und zwar in Z. *2 - 4*.

Eine vieldiskutierte Frage ist die nach der Form dieses Prozesses. Nach BERGER, RE. IX (1916) Sp. 1673, machte in einem solchen Fall der *nuntiator* von einer *actio negatoria* Gebrauch, die er dazu verwandte, um dem *nuntiatus* das Baurecht streitig zu machen. Der genannte Gelehrte versucht in einer ausführlichen Erörterung (RE. IX Sp. 1672 ff. und XVIII Sp. 573-575) die abweichenden Meinungen von H. BURCKHARD, Die operis novi nunciatio, Erlangen 1871, S. 389-390, und von P. BONFANTE, Corso II[1] S. 390 (= [2] S. 450), die eine sehr komplizierte Konstruktion unterstellten, zu widerlegen. Nach Ansicht der letzteren Gelehrten war die *remissio* ein *interdictum prohibitorium* mit der Klausel *quod ius sit illi prohibere* (vgl. Ulp. 71 ad ed., Dig. 43, 25, 1 *pr.* und LENEL, Edict. S. 484 sub tit. XLIII § 257), „so weit er das Recht hat zu verbieten"; Streit über diese Klausel führte zu einem Prozess. Ihre Argumentation stützte sich auf die Tatsache, dass sich Digestentitel 43, 25 *de remissionibus* im Digestenbuch 43 befindet, welches sich mit den Interdikten beschäftigt. BERGER entkräftet sie mit dem einleuchtenden Einwand, dass der *nuntiatus* mit dieser Mitteilung ebenso weit wie zuvor war und dass eine *remissio* in der Form, wie BURCKHARD und BONFANTE sie sahen, sinnlos ist. Man muss daher mit BERGER annehmen, dass die *remissio* nur sehr selten angewandt wurde, und zwar in den Fällen, in denen die *nuntiatio* auf leicht festzustellende Art und Weise die Rechte des Erbauers verletzte. In allen übrigen Fällen wurde der Streit durch eine *actio negatoria*, die das Recht zum Bauen betraf, geschlichtet. Ich muss noch darauf hinweisen, dass auch eine *cautio de opere restituendo* (vgl. S. 48) zu einem vollständigen Prozess führen konnte.

Schematisch könnte man den Verfahrensverlauf bei *operis novi nuntiatio* etwa wie folgt zusammenfassen:

I. Der *nuntiatus*, derjenige, der die Aufforderung erhält, mit den Arbeiten aufzuhören:

A. Der *nuntiatus* fügt sich und stellt die Arbeiten ein. Mit Hilfe des *interdictum quod vi aut clam* (vgl. S. 46 Anm. 2 und S. 47) kann der *nuntiator* daraufhin den Abbruch des bereits Erbauten verlangen.

B. 1. Der *nuntiatus* fügt sich nicht und ist seiner Sache sicher: er verlangt *remissio* (vgl. S. 48-49). Wird diese nicht zugestanden, leistete er eine *cautio* (vgl. S. 48).

2. Der *nuntiatus* fügt sich nicht, ist aber seiner Sache nicht sicher oder hat keine *remissio* erreichen können: er hinterlegt eine *cautio de opere restituendo*, wodurch die *nuntiatio* ihre Kraft verliert und er das Recht zum Weiterbauen erhält. Hierbei kann sogar Rechtsschutz gewährt werden, nämlich durch das dafür bestehende *interdictum ne vis fiat aedificanti* (vgl. S. 49).

C. Der *nuntiatus* baut einfach weiter: der *nuntiator* verlangt und erhält ein „*interdictum demolitorium*", um das nach der *nuntiatio* ohne Zustimmung Erbaute abreissen zu lassen (vgl. S. 47).

II. Der *nuntiator*:

A. Der *nuntiatus* fügt sich und stellt die Arbeiten ein: der *nuntiator* verlangt ein *interdictum quod vi aut clam* für den Abbruch des bereits Erbauten.

B. Der *nuntiatus* fügt sich nicht und:

1. Er verlangt *remissio*: der *nuntiator* verteidigt seine Sache bei der *causae cognitio* und ersucht, falls es nötig sein sollte, um einen Prozess (BERGER, RE. IX, Sp. 1673: wahrscheinlich *actio negatoria*).

2. Er leistet eine *cautio*: der *nuntiator* ist befriedigt, beginnt aber später, nachdem Schaden eingetreten ist, mit einer *actio ex stipulatu*; Zweck: *restitutio operis in integrum.*

C. Der *nuntiatus* baut einfach weiter: der *nuntiator* verlangt ein „*interdictum demolitorium*", um das nach der *nuntiatio* Erbaute abzureissen.

Wenn wir zum Schluss untersuchen, welche Teile des geschilderten Verfahrens in Caput XIX erhalten sind, so kann man folgendes feststellen: Das erhaltene Fragment unseres Caput befasst sich nur mit einem Verfahrensteil, nämlich mit den Folgen der *remissio,* „Unverbindlichkeitserklärung", bei der *nuntiatio.* Es bestimmt, dass ein Verfahren *apud iudicem* ungültig ist, wenn einmal eine *remissio* ausgesprochen wurde (Z. *1* mit den Ergänzungen von MOMMSEN). Deshalb musste in die Formeln der Interdikte (*quod vi aut clam* und „*demolitorium*"), die gegen den *nuntiatus* gerichtet sind, der Satzteil „es sei denn, dass eine *remissio* ausgesprochen worden ist" als *exceptio* aufgenommen werden; das gleiche galt für die Formeln von einer *sponsio praeiudicialis* und die darauf folgende Prozessformel (*iudicium*). [5] Darum hat *remissio* zur Folge, dass die *nuntiatio* wertlos wird und dass alle Schritte, die ein *nuntiator* vielleicht noch nach seiner *nuntiatio* unternehmen könnte, gleichfalls ungültig sind. Sollte der *nuntiator* doch noch um ein Interdikt oder ein Verfahren *apud iudicem* (*decretum interdictum sponsionem iudicium,* vgl. Kommentar S. 64-65 und 67-69) ersuchen, so kann gemäss Caput XIX der *nuntiatus* die Aufnahme einer *exceptio* in die betreffenden Formeln verlangen; konnte der *nuntiatus* dann beweisen, dass eine *remissio* ausgesprochen worden war und somit die *exceptio* zutraf, so wurden, wie auf S. 71-72 dargelegt, die

[5] Über den Prozess, der für diesen Fall in Frage kommt, die *actio negatoria,* vgl. oben S. 49.

erwähnten Formeln, in die die *exceptio* aufgenommen worden war, wertlos.

Kurz zusammengefasst setzt die Lex Rubria voraus, dass die örtlichen Magistrate *remissio* aussprechen durften. Um nun den *nuntiatus* zu schützen, wenn der *nuntiator* sich an den Prätor in Rom (vgl. Kommentar S. 63-64) wendet und Forderungen stellt, muss jede Formel, die der Prätor gebraucht, die Klausel: *qua de re operis novi nuntiationem IIvir IIIIvir praefectusve eius municipei non remisserit* enthalten. Wie sich aus dem oben Gesagten ergibt, musste sich der *nuntiator* für die Beantragung eines Interdikts oder eines Prozesses an den Prätor in Rom (somit nicht an den örtlichen Magistrat) wenden. Durch diese Bestimmungen sind die Kompetenzen des Prätors einerseits, die des örtlichen Magistrats andererseits deutlich abgegrenzt.

Angesichts der Tatsache, dass die Lex Rubria an erster Stelle den Zweck hatte, die Abgrenzung der Kompetenzen zwischen dem römischen Prätor einerseits und den örtlichen Munizipalmagistraten andererseits vorzunehmen, dürfte es sehr zweifelhaft sein, dass unser Caput XIX (von dem der Anfang auf Tafel III gestanden hat) noch mehr enthalten hat als die blosse Mitteilung, dass der Munizipalmagistrat *remissio*, ,,Unverbindlichkeitserklärung'', des den *nuntiatores* im *edictum praetorium* versprochenen Rechtsschutzes erteilen durfte.

II. KOMMENTAR ZU CAPUT XIX

Von Caput XIX besitzen wir — wie bereits oben, S. 45 gesagt — lediglich einen Teil. Wie dem Text zu entnehmen ist, beginnt die uns überlieferte Tafel IIII mit dem zweiten Teil eines Satzes, dem ein zweiter Satz folgt, der den Schluss von Caput XIX bildet. Über den Inhalt des nicht erhaltenen Teiles von diesem Caput ist in der Einleitung auf S. 51 f. gesprochen worden. Hinsichtlich des unvollständigen Anfangssatzes hat MOMMSEN (vgl. CIL. I, 2^2 S. 479 und schon CIL. I^1 S. 115 ff.) einen Ergänzungsvorschlag gemacht, der in meinen kritischen Apparat aufgenommen worden ist: *Quom ex h(ac) l(ege) operis novi nuntiationem IIvir IIIIvir praefectusve eius municipei remeisserit, quod d(e) e(a) r(e) iudicium datum iudicareve*—. Der darauf folgende, erhaltene Teil dieses Satzes lautet: —*iussum iudicatumve erit, id ratum ne esto.* MOMMSEN erteilt a.a.O keine Auskunft darüber, was ihn zu der zitierten Ergänzung veranlasst hat; es geht jedoch aus ihr hervor, dass er sich auf den Kontext, den erhaltenen Teil von Caput XIX, gestützt haben muss und dass er ausserdem einige in den übrigen uns bekannten Capita der Lex Rubria enthaltene Formulierungen verwandt hat.

Der Schluss von unserem Caput, der erhalten ist, gibt einen deutlichen Hinweis für die Ergänzung. In ihm wird nähmlich vorgeschrieben, dass ein dafür zuständiger Magistrat, der in verallgemeinernder Weise nur mit „jemand" oder „er" bezeichnet wird — gemeint ist der Prätor in Rom, vgl. Kommentar zu *2*, S. 63-64 — bei allen gerichtlichen Schritten den folgenden Satzteil als *exceptio* (Ausnahmeklausel, vgl. Kommentar zu *4-5*, S. 71-73) in die Formel aufnehmen muss: „(Dieses gilt) falls der örtliche Magistrat den Protest gegen Neubau nicht wieder aufgehoben hat". Der Inhalt dieses Satzteiles impliziert, dass örtliche Magistrate dazu befugt waren, *remissio,* d.h. „Aufhebung" der Folgen einer *operis novi nuntiatio* zu gewähren. Die *remissio* bewirkte, dass nach ihrem Erlass keine gesetzlichen Schritte mehr gegen denjenigen möglich waren, der trotz einer *operis novi nuntiatio* weiterbaute; falls nach einer *remissio* doch noch gesetzliche Sanktionen verhängt wurden, besassen sie keine Rechtskraft. Dies letztere wird in Caput XIX durch die Anordnung unterstrichen, eine *exceptio* in die Formeln aufzunehmen, die bei gerichtlichen Vorgängen verwandt wurden; eine solche *exceptio* sollte rechtsungültige Massnahmen verhindern.

An Hand der genannten Hinweise kann man den Inhalt des verstümmelten ersten Satzes mit grosser Wahrscheinlichkeit rekonstruieren. In den erhaltenen Wörtern des erwähnten Satzes wird nämlich eine bestimmte Handlung als „nicht rechtskräftig" (*id ratum ne esto, 1*) bezeichnet. Vergleicht man diese Worte mit *1 - 6,* den erhaltenen Zeilen, so ist in diesem Zusammenhang jeder gerichtliche Schritt „nicht rechtskräftig", der nach der *operis novi nuntiatio* erfolgt; ausgenommen ist die *remissio,* die Gegenstand der Bestimmungen in *1 - 6* ist. Der Beschluss des Magistrats, die Wirkung der *nuntiatio* „wieder aufzuheben" (*remittere*), macht eventuell darauf folgende Schritte unmöglich (vgl. *5*). In den Zeilen *2 -3* werden die Massnahmen namentlich aufgezählt, die noch nach der *nuntiatio* hätten getroffen werden können. Es handelt sich um: den Erlass eines Interdiktes durch den römischen Prätor, um gegen denjenigen vorzugehen, der nicht gewillt ist der *nuntiatio,* d.h. dem Rechtsschutz für den *nuntiator,* folge zu leisten. Ferner um die *sponsio,* d.h. um ein „rechtlich bindendes Versprechen", das der Prätor, der das Interdikt erteilt hat, den wegen des Interdikts Streitenden gewährt, um durch die auf diese Weise entstandene rechtliche Bindung einen Prozess möglich zu machen (*sponsio praeiudicialis*). Und schliesslich um den Prozess, *iudicium,* der auf der erwähnten *sponsio* beruhte und zum Ziel hatte, entweder das Recht zum Weiterbauen oder zum *nuntiare* nachzuweisen; die hierbei verwandte *formula,* gleichfalls *iudicium* genannt, wird in Z. *3* erwähnt. Im verloren gegangenen Teil des ersten Satzes kann somit von *interdictum, sponsio* und *iudicium* die Rede gewesen sein; da jedoch *iudicatum* auf einen Prozess oder eine Prozessformel (beides: *iudicium*) hinweist, und da das Verbum *erit* im Singular steht, kommt von den drei genannten Termini hier nur *iudicium* in Frage.

Wenn wir nun den Satz vervollständigen wollen, so müssen wir untersuchen, wie an anderer Stelle in diesem Gesetz die Tätigkeit eines Magistrats beschrieben wird, die zum Zustandekommen eines Prozesses (*iudicium*) führt. Wir stossen in diesem Zusammenhang auf folgende Formulierungen:

> XX, *19 - 20*: *de ea re quod ita i u d i c i u m d a t u m i u d i c a r e v e i u s s u m i u d i c a t u m v e e r i t, ius ratumque esto.*
>
> XXI, *13 - 14*: *ex i u d i c i e i s d a t e i s i u d i c a r e v e recte i u s s e i s iure lege damnatus esset fuisset.*

XXIII, *56 - 57*: *ius deicito decernito iudicia dato iudicare iubeto.*

Vergleicht man die obigen Formulierungen mit den erhaltenen Worten *iussum iudicatumve erit*, so kann man mit Recht — so wie MOMMSEN es tat — ergänzen: [*quod de ea re iudicium datum iudicareve*]. Der Inhalt des auf diese Weise entstandenen Satzes erhält jedoch erst in dem Augenblick Bedeutung, in dem der Munizipalmagistrat *remissio* der *operis novi nuntiatio* ausgesprochen hat. Diese Bedingung formuliert MOMMSEN, indem er sich der auch weiter unten in diesem Caput verwandten Formulierung der *exceptio* (*5 - 6 .... operis novi nuntiationem IIvir IIIIvir praefectusve eius municipei non remeisserit*) anschliesst, folgendermassen: *Quom ex hac lege operis novi nuntiationem IIvir IIIIvir praefectusve eius municipei remeisserit.* Seine Ergänzung ist in groben Umrissen von Zeile *5-6* übernommen und kann darum mit grosser Wahrscheinlichkeit als richtig angesehen werden; dies umso mehr, wenn man berücksichtigt, in wie hohem Masse die Gesetzessprache formalistisch ist. Was die Form *quom* an Stelle von *cum* anbelangt, vergleiche man noch: XIX, *2 quomq(ue)*, XXI, *2 quoquomq(ue)* und XXIII, *53 queiquomque.*

Die einzige Ergänzung dieser von MOMMSEN rekonstruierten Zeile, die einer etwas ausführlicheren Begründung bedarf, ist *ex hac lege*, welches sich an die am Anfang stehende Konjunktion *quom* anschliesst. Diese Worte, die auch in XXI, *24* und XXII, *28* begegnen, wollen besagen, dass Munizipalmagistrate ohne die in diesem Caput gegebene spezielle Ermächtigung nicht dazu befugt waren, *remissio* auszusprechen und darum nur auf Grund dieses Gesetzes dazu übergehen konnten. Und eine solche besondere Ermächtigung dürfte in der Tat notwendig gewesen sein; denn man muss sich vergegenwärtigen, was *remissio* eigentlich bedeutete: der Munizipalmagistrat erklärte, dass der durch den *nuntiator* vorgebrachte Protest unzulänglich begründet war und dass darum seine juristischen Folgen (d.h. Rechtsschutz des *nuntiator*) wieder aufgehoben wurden. Dieser Rechtsschutz bestand in dem Erlass des sogenannten „*interdictum demolitorium*" durch den Prätor. Man könnte es auch so formulieren, dass der Munizipalmagistrat durch seine *remissio* bekanntmachte, dass in dem Falle dass der *nuntiator* um ein „*interdictum demolitorium*" ersuchen würde, ihm dieses prätorische Schutzmittel nicht gewährt werden dürfe. Nun ist es naturgemäss ungewöhnlich, dass ein lokaler Munizipalmagistrat die Befugnis hatte anzuordnen, dass ein durch den römischen Prätor versprochener Rechtsschutz für einen bestimmten Fall nicht zulässig sei. Eine derartige Einschränkung der prätorischen Gewalt konnte deshalb lediglich vom römischen Gesetzgeber selbst mittels einer ausdrücklichen Ermächtigung für den Munizipalmagistrat verwirklicht werden. MOMMSENS Annahme, dass diese Ermächtigung durch die zusätzlichen Worte *ex hac lege* noch einmal besonders hervorgehoben worden sei, dürfte somit richtig sein.

Wie bereits oben S. 51-52 dargelegt wurde, ist es in der Tat sehr wahrscheinlich, dass der verlorene Anfang von cap. XIX, d.h. der Teil dieses Kapitels, der auf der dritten Tafel gestanden hat, eine Mitteilung über die Befugnis des Munizipalmagistrats enthalten hat, dem Nuntiatus *remissio* („Unverbindlichkeitserklärung") gegenüber dem Nuntiator zu gewähren. Die Worte *ex hac lege* bedeuten in unserm Zusammenhang somit etwa: „gemäss der Befugnis, die ihm in diesem Abschnitt des Gesetzes weiter oben erteilt wurde" (vgl. zu *ex hac lege* auch XXI, *24* [zweimal] und XXII, *28*).

1. **quodque quisque quomq(ue)** muss mit *et quodcumque quisque* identisch sein. Es handelt sich somit um eine Art Tmesis. Sie ist in den uns überlieferten Gesetzen bei *quicumque* noch einige Male zu finden; in den bei BRUNS-GRADENWITZ Additamentum I: Index, Tübingen 1912 angegebenen Fundstellen von *quicumque* kommen vier Fälle vor, nämlich: *lex Cornelia de XX quaestoribus* (81 v. Chr.; BRUNS Nr. 12 S. 89 ff.) Zeile *10 - 11*: *quosque quomque quaestores ex lege plebeive scito praecones legere sublegere oportebit, ei quaestores* . . . . ; Lex Rubria cap. XIX, *2* (unsere Stelle) und XXI, *14* und *lex Tarentina* (77 v. Chr.; BRUNS Nr. 27) Zeile *14*: *quique quomque comitia duovireis aedilibusve rogandeis habebit, is* . . . . .

Für eine derartige Trennung von *qui* und *cumque* lassen sich aus der lateinischen Literatur, namentlich aus dem älteren Schrifttum, mehrere Parallelen anführen. Ich zitiere aus J. MAROUZEAU, L'ordre des mots dans la phrase latine III, Paris 1949 S. 155 f., wo diese Fälle ausführlicher besprochen werden, einige Beispiele: Plaut. Persa 210 *quoi pol cumque* und Bacch. 252 *ubi fit cumque*; Ter. Andr. 63 *cum quibus erat cumque*; Cic. de orat. 3, 16, 60 *quam se cumque in partem* und de leg. 2, 18, 46 *quod ad cumque legis genus*; Vergil, Aen. 1, 610 *quae me cumque vocant* und 12, 61 *qui te cumque manent*; usw. In den meisten Beispielen handelt es sich nur um ein recht kurzes Wort, das zwischen *qui* und *cumque* eingeschoben wurde. Es gibt jedoch auch längere Einschiebsel, vgl. z.B. Lucr. 6, 85 *qua de causa cumque* und 6, 1004 *inter qui lapidem ferrumque est cumque locatus*; Hor. Od. 1, 9, 14 *quem fors dierum cumque dabit*; usw. Man bekommt jedoch den Eindruck, dass die längeren Einschiebsel, die sich, soweit ich sehe, nur bei Dichtern finden, einen recht artifiziellen Charakter haben. Das *quodque quisque cumque* unseres Lemmas dürfte ebenfalls ein Produkt der Kunstsprache gewesen sein; vielleicht war es eine Floskel der Kanzleisprache.

Es erhebt sich die Frage, ob auch die älteren Beispiele, z.B. die obigen Zitate aus Plautus, als künstliche Tmesis gewertet werden müssen. Manche Forscher sind der Meinung, dass *quomque* (*cumque*) im älteren Latein ein selbständiges Wort gewesen sei, das erst nachträglich den Charakter einer enklitischen Verallgemeinerungspartikel angenommen habe: so z.B. SKUTSCH, Festschr. C. F. W. Müller 1900 S. 85 ff. (= Kl. Schr. S. 155 ff.) und im Anschluss an ihn LEUMANN Stolz' Gr. 1926, S. 288. Nach der Ansicht dieser Gelehrten habe *qui quomque* ursprünglich „wer und wann" bedeutet. Gegen ihre Auffassung, für die sich keine einzige einwandfreie Beweisstelle anführen lässt und bei der ausserdem die Interpretation von *-que* als kopulatives „und" grosse Schwierigkeiten bereitet, ist von verschiedenen Seiten Einspruch erhoben worden; vgl. z.B. WALDE-HOFMANN L.E.W. ³1954, I S. 309 f. s.v. ‚*cumque*' (mit weiterer Lit.). Gemäss WALDE-HOFMANN a.a.O. (vgl. auch II S. 401 f. s.v. ‚*que*') sei von einem indefiniten und verallgemeinernden *-que* = „auch immer", „irgendwie" auszugehen (dieses *que* sei mit gr. τε, vgl. ὅσ-τε, und mit verwandten Partikeln aus anderen indogerm. Sprachen zu vergleichen; es lasse sich von demselben Stamm wie das Pronomen *qui* ableiten, sodass für *que* von einer alten relativen Bedeutung „wie" auszugehen sei, indefinit „irgendwie"). Das vorhergehende *quom* sei eine (anscheinend als selbständiges Wort aufzufassende) indefinite Konjunktion gewesen, etwa = „(irgend)-wann"; *qui cumque* hätte demnach ursprünglich „wer irgendwann" bedeutet (vgl. zur Herkunft des verallgemeinernden *-que* auch J. GONDA, Mnemos. 1954 S. 177 ff. und 265 ff., zu *quicumque* S. 289 f.; dieser Gelehrte möchte der Partikel *-que* und ihren indogerm. Verwandten nicht sosehr eine ursprüngliche indefinite als vielmehr eine „komplementäre" Bedeutung zuschreiben, etwa „auch", „einerseits" bzw. „andererseits"; eine vollständige Übersicht der Theorien inbetreff der ursprünglichen Bedeutung dieser Partikel gibt neuerdings C. J. RUIJGH, Autour de „te épique", Amsterdam 1971 S. 76 ff.).

Infolge des hypothetischen Charakters der oben zitierten sprachhistorischen Erörterungen sind wir leider nicht in der Lage, mit einiger Sicherheit in der Frage zu entscheiden, ob *cumque* (*quomque*) jemals im älteren Latein ein selbständiges Wort gewesen ist oder ob es auch in vorklassischer Zeit schon keine andere Funktion als die eines Enklitikums gehabt hat. Wenig förderlich für die Lösung unseres Problems ist schliesslich die in diesem Zusammenhang öfters zitierte Horazstelle Od. 1, 32, 15 *dulce lenimen mihi cumque* (so alle Hss. und Porphyrio). Seit LACHMANN ändern die meisten Editoren und Kommentatoren das schwer verständliche *mihi cumque* in *medicumque* ab (so neuerdings noch NISBET, Comm. on Hor. Od. I, 1970 S. 365 ff.). Aber auch wenn man *cumque* beibehalten will (so z.B. KLINGNER, vgl. ferner HOFMANN-SZANTYR Synt. S. 200, der für dieses Wort die Bedeutung „immer" vorschlägt), so kann das horazische *cumque* aus chronologischen Gründen höchstens als eine nachträgliche, durch häufige Tmesis verursachte (und allem Anscheine nach recht künstlich zustande gekommene) Verselbständigung aufgefasst werden; für das Vorhandensein einer frühlateinischen indefiniten (und selbständigen) Konjunktion *quomque* kann die Horazstelle keinen Beweis liefern.

quodque quisque quomq(ue) .... is in id decretum .... Das Suffix *-que*, „und", in *quodque* hat (falls man die Ergänzung MOMMSENS von Z. *1* im allgemeinen akzeptiert) eine gewisse folgernde Nuance. Es würde jedoch zu weit führen, diesem *-que* deshalb lediglich eine rein explikative Funktion („und zwar") beizumessen.

Die Bedeutung des Wortes *quod* ist in unserm Zusammenhang nicht sofort deutlich, da der Hauptsatz (die Apodosis) mit dem Wort *is* (*3*) beginnt und das mit *quod* respondierende Determinativpronomen (*in*) *id* (*decretum interdictum sponsionem iudicium*), Z. *4*, erst danach folgt. Durch die Voranstellung des Pronomens *is* in der Apodosis könnte man zu der Auffassung gelangen, dass *quod* kein Relativpronomen ist, sondern die Funktion einer Konjunktion hat: in dem Fall würde es ungefähr bedeuten: „wenn", „falls", „für den Fall, dass" oder auch „sofern — insofern". Tatsächlich begegnen wir dem Wort *quod* vor allem in der Gesetzessprache mit der Bedeutung „wenn" und „sofern"; man vergleiche für diese Anwendung von *quod* im Sinne von „wenn" HOFMANN-SZANTYR, Syntax S. 572

(§ 309 init.), S. 573 (§ 310), S. 580 (sub a) und S. 655 (§ 356 Zusatz a). Ein Beispiel findet man in der *lex agraria* (111 v. Chr.; BRUNS Nr. 11, S. 73 ff.) Z. *2*: .... *quod non modus maior siet, quantum unum hominem .... sibei sumere relinquereve licuit*, „wenn das Ausmass nicht grösser ist als die Menge, die ein Mann nehmen oder hinterlassen durfte"; vgl. in demselben Gesetz noch *3*, *18* und *33*.

In unserer Lex Rubria ist die Satzkonstruktion jedoch anders: hier können wir bei näherer Betrachtung in den Worten (Z. *1* ff.) *quodque .... decernet, is in id decretum* schwerlich etwas anderes sehen als eine Beziehung von Relativ- und Determinativpronomen, *quod .... id*. Auffallend ist vor allem, dass das Pronomen *is*, *3*, an ungewöhnlicher Stelle steht: an erster Stelle im Nachsatz, einem Platz, der eigentlich für das Determinativpronomen bestimmt ist, während rein grammatikalisch gesehen erst das auf *is in* folgende *id* diese Funktion zu erfüllen hat. Man kann darum in unserem Satz eine gewisse Nonchalance bei der Konstruktion der Beziehung von Relativpronomen zu Determinativpronomen beobachten. Es scheint, als ob das Wort *quod* vom formell-grammatikalischen Standpunkt aus gesehen als Determinativpronomen aufzufassen ist, dass aber in der Praxis — als Folge der Tatsache, dass das Determinativpronomen *id* auf einen verhältnismässig unerwarteten, zurückliegenden Platz gerückt ist — das Wort eine mehr unabhängige Funktion hat.

Man kann sich fragen, wie die Beziehung zwischen Hauptsatz und relativem Nebensatz so locker werden konnte. Die Antwort auf diese Frage wird durch die Tatsache erleichtert, dass in Gesetzestexten verhältnismässig viele Sätze auf ähnliche Weise aufgebaut sind: u.a. die soeben zitierte *lex agraria* (111 v. Chr.; BRUNS Nr. 11, S. 73 ff.), ferner die *lex Acilia* (122 v. Chr.; BRUNS Nr. 10 S. 55 ff.) und schliesslich die *lex Malacitana* (81 - 84 n. Chr.; BRUNS Nr. 30 b, S. 147 ff.) enthalten ähnliche Beispiele. Ein sehr auffallendes Charakteristikum des Satzbaues in den erwähnten Gesetzen ist die Gewohnheit, einen relativen Nebensatz an den Anfang des Satzes zu stellen, unter Umständen begleitet von einem erklärenden Substantiv, z.B. *quei ager* .... als Hinweis auf ein in dem Nachsatz folgendes *ager*; erst dann folgt der Hauptsatz mit dem dazugehörigen Antezedens. Der vorangestellte Nebensatz (Protasis) befasst sich mit den zur Sache gehörigen Umständen, der darauffolgende Hauptsatz (Apodosis) mit der vorgeschriebenen Behandlung. Als Beispiel sei aus der *lex agraria Z. 27* zitiert: *Quei ager ex privato in publicum commutatus est*, ...: *de eo agro siremps lex esto, quansei is ager* ....;

aber auch an anderen Stellen dieses Gesetzes findet man ähnliche Sätze. Der offensichtliche Vorteil eines solchen, aussergewöhnlich häufig vorkommenden Satzbaues besteht darin, dass alle zur Sache gehörenden Subjekte und Umstände vorn, d.h. in dem Vordersatz untergebracht werden; dieses Verfahren macht es für den Leser erheblich einfacher, lange Reihen von Gesetzesbestimmungen schnell zu überblicken.[1] Nun ist es selbstverständlich, dass bei Gesetzen die voranstehenden Nebensätze mehr oder weniger als Umschreibung des juristischen „Falles" fungieren,[2] und dass die Hauptsätze, die darauf folgen, die Mittel vorschreiben, die in einem solchen Fall angewandt werden müssen. Gleicherweise gilt natürlich, dass die in dem Hauptsatz vorgeschriebenen Mittel nur dann Anwendung finden, wenn die in dem voraufgehenden Nebensatz beschriebene Situation eintritt. Obwohl es sich also, grammatikalisch gesehen, um die Verbindung von zwei Satzteilen mit Hilfe eines Relativpronomens (in casu: *quei*) und eines Determinativpronomens (in casu: *de eo agro*) handelt, wird man in der Praxis doch unbewusst dazu neigen, die Protasis als Bedingung von der Apodosis anzusehen; durch diese Neigung wird die Beziehung Relativpronomen-Determinativpronomen recht locker.

Eine derartige Interpretation — die Protasis als Bedingung von der Apodosis — wird sehr gefördert durch die Neigung der Verfasser römischer Gesetzestexte, mittels Einfügung weiterer, dem Ganzen unterstellten und nähere Präzisierungen enthaltenden Satzteile ihre ohnehin schon langen Perioden noch weiter auszudehnen. Der Verfasser wird vor allem die in dem Vordersatz vorangestellten Umstände dadurch näher präzisieren wollen, dass er untergeordnete Nebenbedingungen einfügt, die durch die Konjunktion *si* eingeleitet werden. Das Satzschema wird dadurch natürlich noch komplizierter: 1. ein Nebensatz, eingeleitet mit *quei*; 2. ein nach dem *quei*-Satz eingefügter Nebensatz mit *sei*, der meist mit den Worten *sei is* .... beginnt; 3. der Hauptsatz (Apodosis), der das Determinativ-

[1] Einen anderen Satztyp mit entsprechenden Vorteilen hinsichtlich der Übersichtlichkeit findet man z.B. in *lex agraria Z. 15, 20* und *26*; *26* lautet: *Ager publicus populi romani, quei in Italia P. Mucio L. Calpurnio cos. fuit, eius agri* ..... Der Unterschied zwischen den beiden Satztypen liegt darin, dass man sich bei dem zuletzt zitierten Satz nicht die Mühe gegeben hat, das voranstehende Subjekt grammatikalisch mit dem Rest des Satzes zu verbinden; die ersten vier Worte des gerade gegebenen Beispiels, geschrieben in einer Art „*constructio pendens*", dienen somit mehr als Stichwörter.

[2] Zu dieser Satzkonstruktion vgl. übrigens auch D. DAUBE, Forms of Roman Legislation, Oxford 1956, S. 6 ff.

pronomen — oder ein anderes zurückverweisendes Wort — enthält und ausserdem noch eingeleitet wird mit dem Wort *tum*. Bei der gerade skizzierten komplizierten Satzkonstruktion gibt also der durch *quei* eingeleitete Vordersatz eine Aufstellung der wichtigsten Bedingungen, der danach eingefügte Satz mit *sei* die nachfolgenden Nebenbedingungen und der Hauptsatz schreibt die dazu gehörigen gesetzlichen Konsequenzen vor. Es ist auffallend, dass die Sätze zwar immer länger werden und das Determinativpronomen und das voraufgehende Relativpronomen immer weiter voneinander entfernt sind, dass aber doch Determinativpronomen und Relativpronomen, und zwar beide, stets gefunden werden können, sei es auch manchmal mit einiger Mühe. Dies ist umso merkwürdiger, wenn man bedenkt, dass bei sehr langen Sätzen der inhaltliche Zusammenhang Relativpronomen-Determinativpronomen verdrängt wird und der Vordersatz, wie oben schon bemerkt wurde, rein logisch gesehen den Charakter einer Bedingung bekommen kann. Letzteres ergibt sich vor allem aus dem Vorkommen von *tum* als Einleitung der Apodosis, ein Adverb, das man eher nach einem Vordersatz mit *si* erwartet als nach einem Vordersatz, der mit einem Relativpronomen eingeleitet wird.

Für diesen langgestreckten komplizierten Satztyp hatten die Verfasser der römischen Gesetze im letzten Jahrhundert der Republik eine ausgesprochene Vorliebe. Lückenhaft überlieferte Beispiele findet man u.a. in der *lex agraria* (111 v. Chr.; BRUNS Nr. 11, S. 73 ff.; Z. 35 und anderswo) und in der *lex Acilia de repetundis* (122 v. Chr.; BRUNS Nr. 10, S. 55 ff.; Z. *1 - 3, 9 medio, 11 fin., 25, 29 init., 59 - 60*). Ich zitiere exempli gratia:

> *lex Acilia, Z. 9 med.: Quei ex hac lege pequniam petet nomenque detulerit, quoius ex hac lege ante k. Sept. petitio erit, sei is volet sibei patronos in eam rem darei, pr(aetor) ...., ad quem ...., ei dato, ...*; und:
>
> *lex Acilia, Z. 11 fin.: Quei ex hac lege patronus datus erit, sei is moribus suspectus erit, is, quoius ex hac lege datus erit, eum reicito.*

In unserer Lex Rubria findet man schöne, lückenlos überlieferte Parallelen, nämlich:

XX, *12 - 16*: *Quei ...., sei ....: tum .... de ea re ....* (hier dient *ea* als Determinativpronomen, als ob *eius* dort stünde);

XXI, *2 - 9*: *A quoquomque ...., sei is ...., tum de eo ....*;
XXII, *25 - 38*: *A quo ...., sei is ...., tum de eo .....*

Wir begegnen jedoch noch einer weiteren Verkomplizierung des Periodenbaues, die dadurch erreicht wird, dass man sowohl in der Protasis wie in der Apodosis jeweils zwei oder drei (an Stelle von einem) miteinander korrespondierende Relativpronomina und Determinativpronomina aufnimmt. Als Beispiel für eine derartige dreifache grammatikalische Korrelation möchte ich XX, *8* unseres Gesetzes anführen: *Qua de re quisque et a quo .... accipere volet, et ab eo quei ibei iure deicundo praeerit postulaverit, idque .... iuraverit*: *tum is .... eum quei in ius eductus erit de ea re .... repromittere et .... satisdare iubeto decernito. Qua de re* korrespondiert hier mit *de ea re* und zugleich *a quo* mit *eum* und *ab eo quei* mit *is*. Dabei fällt auf, dass die Fassung dieses weitschweifigen Satzes ganz deutlich eine von vornherein bestimmte Wirkung hat. Die ersten Worte des besonders langen Satzes zählen alles übersichtlich auf, worüber gesprochen werden soll: das die Gefahr verursachende Objekt (*qua de re*), die Person, von der der Kläger die Sicherheitsleistung empfangen will (*a quo*), den Magistrat, an den der Kläger sich wenden muss (*ab eo quei*) und schliesslich in der Apodosis — als juristische Konsequenz — die Aufgabe des Magistrats in einem derartigen Fall. Dies zeigt deutlich, dass das Voranstellen bestimmter Teile einer langen Gesetzesbestimmung Vorteile besitzt, auch wenn dadurch die syntaktischen Zusammenhänge in gewisser Hinsicht unklar werden. Übrigens ist eine solche Konstruktion mit drei Relativpronomina ziemlich selten vorgekommen. Soweit mir bekannt ist, findet man eine vergleichbare Konstruktion nur noch in der *lex Malacitana* (81 - 84 n. Chr.; Bruns Nr. 30 b, S. 147 ff.) cap. 64, *20 - 34*: *Quicumque in municipio Flavio Malacitano in commune municipum eiius municipi praedes facti sunt erunt, quaeque praedia accepta sunt erunt, quique eorum praediorum cognitores facti sunt erunt; ii omnes et quae cuiiusque eorum tum <fuerunt> erunt .... obligati obligata≪e≫que sunto.* Die grammatikalische Verbindung von Protasis und Apodosis ist hier gleichfalls dreifach:

1. *quicumque—ii omnes*; 2. *quaeque praedia—quae* (d.h.: *ea quae*); 3. *quique—cuiiusque eorum.*

Zum Schluss komme ich noch einmal auf XIX, *1* zurück. Nach den vorangegangenen Beispielen für eine sehr lockere Verbindung von einem Relativpronomen in der Protasis und einem Determinativpronomen in der Apodosis weist das Relativpronomen *quod* in unserer Konstruktion kaum noch Schwierigkeiten auf. Formal grammatisch gesehen gehören *in id decretum* und *quod* zweifellos zueinander, inhaltlich jedoch weitaus weniger. Letzteres erklärt, wie es möglich ist, dass das Wort *is* am Anfang des Hauptsatzes steht, während man eigentlich an dieser Stelle *in id decretum* erwarten sollte. Die Frage, warum *is* tatsächlich an erster Stelle steht, wäre vielleicht durch einen Hinweis auf den Umstand zu beantworten, dass die Lex Rubria Befehle an Magistrate erteilt; aus diesem Grunde werden Worte, die Magistrate betreffen, anscheinend nach Möglichkeit an eine verhältnismässig auffällige Stelle gerückt.

1-2. **quisque.** Dieses unbestimmte Pronomen erfüllt, wenn es nach einer Konjunktion steht, die Funktion unseres heutigen „jemand", „man". Man vergleiche KÜHNER-STEGMANN, Satzlehre II, S. 485-486, sub b, wo festgestellt wird, dass man diese Anwendung von *quisque* meist in der Verbindung *ut quisque .... ita ....* findet.

Aber welcher rechtsprechende Magistrat ist nun mit dem unbestimmten Fürwort *quisque*, „jeder", „wer auch immer", „man" gemeint? Den wichtigsten Anhaltspunkt bietet die Tatsache, dass der fragliche Magistrat dazu befugt ist, *interdicta* zu erlassen. Man hat daher von altersher angenommen (vgl. z.B. A. BERGER, RE. IX, 1916, s.v. „*interdictum*" Sp. 1610 Z. 41 ff. mit der älteren Lit.), dass es sich hier entweder um einen Prätor oder um einen Prokonsul handeln muss, da allein sie diese Befugnis besassen. Den Munizipalmagistraten hingegen ist schon in der älteren Fachliteratur eine solche Befugnis immer aberkannt worden. Man ist zwar in Anbetracht der Leichtfertigkeit, mit der manchmal die älteren Forscher den Munizipalmagistraten des ersten Jahrhunderts v. Chr. bestimmte Kompetenzen absprachen, die ihnen in Wirklichkeit erst in den juristischen Quellen des dritten Jahrhunderts n. Chr. oder noch später aberkannt worden sind (vgl. S. 127-128, Kommentar zu XX, *51*), geneigt, die früheren Forschungsergebnisse mit einer gewissen Skepsis zu betrachten. Aber trotzdem geht auch aus der neueren Forschung (vgl. z.B. A. BERGER, Encyclopedic Dictionary of Roman Law, Philadelphia 1953, S. 493-494 s.v. „*imperium*", vor allem S. 494 Z. 11 ff.; F. LEIFER, Die Einheit des Gewaltgedankens im römischen Staatsrecht, München/Leipzig 1914, S. 92 ff.) und besonders aus einigen kürzlich erschienenen Werken, z.B. G. I. LUZ-

ZATTO, Il problema d'origine del processo extra ordinem I, 1965, S. 152 und 250 ff. (für neuere Literatur siehe weiter M. KASER, Zivilprozessrecht S. 318 Anm. 2) geht zur Genüge hervor, dass in keiner einzigen Quelle des römischen Rechtes von Munizipalmagistraten die Rede ist, die ein Interdikt erlassen. Darum muss man tatsächlich annehmen, dass mit *quisque* nur ein übergeordneter Magistrat gemeint sein kann. Rein theoretisch betrachtet, kommen hierfür zwei solche höheren Magistrate in Betracht: der römische Prätor oder der Prokonsul. Da zu der Zeit, als die Lex Rubria erlassen wurde (49 v. Chr. oder im gleich darauffolgenden Jahre, vgl. unten Anhang III S. 325), Gallia Cisalpina noch von einem Prokonsul (u.zw. Caesar) regiert wurde, ist hier die Möglichkeit, dass letzterer gemeint ist, nicht ohne weiteres auszuschliessen. Es sei darauf hingewiesen, dass jedenfalls in XX, *51*, wo von einer *intercessio* gesprochen wird, eine Rücksichtnahme auf den Prokonsul nicht ausgeschlossen ist (s. Komm. S. 128-129 zu XX, *51 neive quis pro quo imperio potestateve erit intercedito*). Da jedoch an sämtlichen Stellen der Lex Rubria, an denen ausdrücklich von einem übergeordneten Jurisdiktionsmagistrat die Rede ist, immer nur der Prätor und die Stadt Rom erwähnt werden (für den Prätor vgl. XXII, *42. 45. 48. 50*; für Rom XX, *24. 34*; XXI, *22*; XXII, *42. 43. 45. 48. 50*; vgl. auch das Fragm. Atest. *17 Romae revocatio*, unten S. 313 ff.), liegt es auf der Hand, dass auch in unserm Falle bei *quisque* in erster Instanz, wenn nicht ausschliesslich an diesen Magistrat gedacht werden muss. Die Lex Rubria spricht somit von einem an den Prätor gerichteten Befehl, eine *exceptio* aufzunehmen in Situationen, in denen ein Einwohner eines in Gallia Cisalpina gelegenen Munizipiums in Rom, weit entfernt von seinem Wohnort, um gerichtliche Massnahmen ersucht.

2. **decernet interdeicetve.** *Decernere*, ,,entscheiden'', wird in diesem Zusammenhang allgemein bei Magistratsbefehlen gebraucht. Das Verbum bedeutet dann: ,,nach der Durchführung einer Untersuchung entsprechend dem Sachverhalt entscheiden'', s. HEUMANN-SECKEL, S. 123 s.v. ,,*decernere*'' sub 1 c; THES. V, 1 (1934) Sp. 139 ff. s.v. ,,*decernere*'' sub III B Sp. 142, Z. 22 ff. ,,speciatim de magistratibus i.q. *edicere, statuere, constituere, iubere*''; HESKY, RE. IV (1901) Sp. 2289-2306, vor allem II a: ,,Die magistratischen Decrete'' (2291-2292); und M. KASER, Zivilprozessrecht, S. 138. Die Rechtsgrundlage der *decreta* ist die ,,Amtsgewalt'' des Magistrates, der das *decretum* erlässt (so HESKY, a.a.O. Sp. 2291). Die Befolgung des erteilten Befehls ist durch das Vorhandensein von Zwangsmitteln gesichert; darum wurde in den Edikten der Erlass eines Dekrets auch *cogere* genannt (vgl. KASER, Zivilprozessrecht, S. 138 mit Anm. 78). Vor allem wird das Wort *decretum* im Sinne von „magistratischen Anordnungen" jedoch auf einem enger begrenzten Gebiet verwandt, nämlich auf dem Gebiet der Rechtsssprechung; s. THES. V, 1 Sp. 139 sub 2 b: „de singulis: imprimis de ius dicentibus"; auch HESKY a.a.O., Sp. 2292-2294 und KASER, Zivilprozessrecht, S. 138. Alle in der Rechtsprechung vorkommenden Befehle werden *decreta* genannt. Handelt es sich um einen Prozess, so kann sich das Wort auf die Erteilung der konkreten Prozessformel beziehen, aber auch auf die Bestimmung eines *iudex* oder den Judikationsbefehl an diesen *iudex,* usw. Auch ausserhalb eines Prozesses können Befehle, *decreta,* erteilt werden, nämlich *remissio operis novi nuntiationis, interdicta,* und andere. In unserem Satzzusammenhang kann man an die schon erwähnten *decreta* denken, die in Zusammenhang mit einem Prozess stehen, oder an *interdicta* zum Schutze des *nuntiator* oder des Eigentümers, der *remissio* erhalten hat. Auch den Beschluss selbst, *remissio* zu erteilen, nennt man Dekret. An der hier zur Erörterung stehenden Stelle ist es jedoch nicht möglich, an das „Remissionsdekret" zu denken, da nämlich bei dem in unserem Caput XIX beschriebenen Verfahren die Erteilung von *remissio* gerade als *exceptio* in das *decretum* aufgenommen werden muss. Weiter unten (s. S. 68 f.) soll im Anschluss an die Behandlung des Wortes *interdeicet* versucht werden, die Bedeutung von *decernet* in unserem Kontext näher zu bestimmen: dabei wird sich herausstellen, dass zwischen den beiden Wörtern *decernet* und *interdeicet* hier kaum irgendein Unterschied vorhanden ist.

Interdicere, mit dem Substantiv *interdictum,* ist eine allgemeine Umschreibung von „verbieten", s. HEUMANN-SECKEL, S. 279 s.v. „*interdicere*" sub 1, und THES. VII, 1 (1963) Sp. 2173-2177. In der römischen Gesetzessprache bedeutet es jedoch als Terminus technicus: „ein Befehl oder Verbot des Prätors oder Prokonsuls — andere Magistrate kommen nicht in Frage, vgl. Kommentar zu *1 - 2,* S. 63-64—, das zu dem Zweck im voraus versprochen oder auf Antrag erlassen wurde, dass in bestimmten Fällen ein schneller Rechtsschutz verliehen werden konnte". Wegen des Zusammenhangs mit dem Verb *interdicere,* „verbieten", könnte man im ersten Augenblick meinen, dass sich *interdicta* ausschliesslich auf Verbote beziehen. Bei Gaius IV, 140 *init.* wird es somit so dargestellt: *vocantur autem decreta, cum fieri aliquid iubet, velut cum praecipit, ut aliquid exhibeatur aut restituatur, interdicta vero, cum prohibet fieri, velut cum praecipit, ne sine vitio possidenti vis fiat*; mit anderen Worten: *decreta* sind Befehle, *interdicta* Verbote. Diese terminologische Einteilung stimmt jedoch nicht mit der von Juristen und Magistraten befolgten Praxis überein, wie aus Gaius selbst am Schluss des erwähnten Caput 140 hervorgeht: *unde omnia interdicta aut restitutoria aut exhibitoria aut prohibitoria vocantur*; in diesem letzten Satzteil nennt Gaius die *decreta, ut aliquid exhibeatur aut restituatur* auch selbst *interdicta*, obwohl er vorher gesagt hatte, dass positive Befehle nicht als *interdicta* zu bezeichnen seien. Tatsächlich können in der Praxis die Interdikte sowohl positive wie auch negative Befehle umfassen [3]; s. auch M. KASER, Privatrecht I ([2]1971), S. 141 und 396-400; id., Zivilprozessrecht, S. 317-325; vgl. ferner HEUMANN-SECKEL, S. 279 s.v. ,,*interdicere*" und THES. VII, 1 (1963), Sp. 2173-2177 s.v. ,,*interdicta*", vor allem 2176-2177.

In den meisten Fällen (so auch in unserem Caput der Lex Rubria) dienen Interdikte der Sicherung von Eigentumsrechten; s. M. KASER, Zivilprozessrecht, S. 319 und id., Privatrecht I[2], S. 396-400. Bei Streitigkeiten über derartige Fragen nahm man nicht, wie sonst üblich, seine Zuflucht zu einem Zivilprozess (*actio*), sondern zu einem Interdikt, was bedeutete, dass der Prätor oder Prokonsul dem Beklagten einen Befehl oder ein Verbot erteilte, die Eigentumsrechte des Klägers nicht zu verletzen. Manchmal, bei unklaren Fällen, wurde das Interdikt in bedingter Form erteilt, d.h. unter Hinzufügung einer Klausel mit etwa den Worten: ,,falls das Eigentumsrecht des Klägers tatsächlich verletzt worden ist". Negierte der Beklagte auf Grund dieser Klausel das Interdikt, so konnte der Kläger einen Prozess anstrengen, um sein Recht feststellen zu

[3] Anscheinend ist das Verhältnis zwischen den Wörtern *decretum* und *interdictum* häufiger umstritten gewesen; in Inst. 4, 15, 1 wird hierzu gesagt: *sunt tamen qui putant proprie interdicta ea vocari, quae prohibitoria sunt, quia interdicere est denuntiare et prohibere: restitutoria et exhibitoria proprie decreta vocari; sed tamen optinuit omnia interdicta appellari, quia inter duos dicuntur*, ,,Manche sind der Auffassung, dass nur die *interdicta prohibitoria* Interdikte im eigentlichen Sinne sind, da *interdicere* ,öffentlich verbieten' bedeutet: und dass *interdicta restitutoria* und *exhibitoria* eigentlich als Dekrete bezeichnet werden müssten". Offensichtlich aber weiss der Autor den Begriff doch nicht so recht zu deuten, da er die widersinnige Worterklärung ,,da sie alle *inter duos dicuntur* (hinsichtlich zweier Parteien erlassen werden), sind sie doch alle *interdicta*" hinzufügt.

lassen. Die Formulierung, in der das Interdikt erteilt wurde, war in der Regel festgelegt in dem *edictum praetoris*; auf Antrag des Klägers erliess der Prätor (oder Prokonsul) das Interdikt. In Fällen, in denen die vorgeschriebenen Interdiktsformeln zu keinem befriedigenden Resultat führten, konnten der Prätor oder Prokonsul ein neues Interdikt formulieren und aussprechen. Eine Zusammenstellung der am häufigsten vorkommenden Interdiktsformeln findet man bei A. Berger, RE. IX (1916) Sp. 1609-1689 s.v. „*interdictum*"; die in unserem Fall anwendbaren Interdikte (das sogen. „*interdictum demolitorium*" und ähnliche) findet man unter Nr. 52, Sp. 1670-1677.

Falls die Person, gegen die das Interdikt gerichtet war, das Gebot oder Verbot nicht befolgte, so war eine gerichtliche Untersuchung nötig. In einem solchen Fall folgte auf Antrag des Klägers hin ein Verfahren mit gegenseitigen *sponsiones*, „rechtlich bindenden Versprechen" (vgl. unten S. 69-70), die als Grundlage für einen normalen Formularprozess dienten. Zu diesem Prozess gab aber, wie S. 66 bereits dargelegt wurde, meist schon die Formulierung des Interdikts dadurch Anlass, dass sie die *exceptio* enthielt: „falls die von dem Kläger inbetreff des Interdikts gegebene Darstellung des Falles zutreffend ist" (vgl. auch Kommentar zu XIX, *4* S. 72). War der durch das Interdikt Betroffene mit der gegebenen Darstellung des Falles nicht einverstanden, so konnte er es seinerseits zu einem Prozess kommen lassen, ohne eine Strafe wegen Nichtbefolgung eines Magistratsbefehles zu erhalten. Vgl. zu diesem ziemlich verwickelten Verfahren A. Berger, RE. IX (1916) Sp. 1691-1700 und M. Kaser, Zivilprozessrecht, S. 317-318 und 325-330.

Das Wort *interdicere*, „einen Befehl oder ein Verbot erteilen", wird ausserhalb der oben umschriebenen juristischen Terminologie immer mit „verbieten" übersetzt. Daraus ergibt sich schon, dass das Interdikt eine Entwicklungsgeschichte durchlaufen hat. Man vgl. M. Kaser, Eigentum und Besitz im älteren römischen Recht, Weimar 1943, S. 243-253 und Zivilprozessrecht, S. 322-323. Kaser kommt zu der Schlussfolgerung,[4] dass das *interdictum* spätestens zu Beginn des zweiten Jahrhunderts v. Chr. entstanden sei. In dieser Zeit sei es ausschliesslich als Verbot (und nicht als Gebot) erlassen worden, wie sich aus dem Wort selbst ergibt, und zwar

---

[4] Die ältesten Belegstellen für *interdicta* sind: Ter. Eun. 319 f. und *lex agraria* (111 v. Chr.) Z. *18* f. Man vergleiche M. Kaser, Zivilprozessrecht, S. 322 mit Anmerkung 43.

ohne Ausnahmeklauseln (*exceptiones*) und somit ohne irgendeine Bedingung (vgl. KASER, Eigentum, S. 248). Nichtbefolgung des Verbots habe eine Geldbusse (*multa*) als Strafe zur Folge gehabt, wie es bei Magistratsbefehlen üblich war; ein nachfolgender Prozess sei darum unmöglich gewesen (vgl. KASER, Eigentum S. 250).

Im ersten Jahrhundert vor Chr. jedoch, der Abfassungszeit der Lex Rubria, war ein solcher Prozess bereits möglich. Dies geht aus Cic. Caec. 8, 23 hervor: *His rebus ita gestis P. Dolabella praetor interdixit, ut est consuetudo, de vi hominibus armatis sine ulla exceptione* etc., ,,Als das so geschehen war, erliess der Prätor P. Dolabella wie üblich das Interdikt, das mit den Worten *de vi hominibus armatis* beginnt, ohne irgendeine *exceptio* darin aufzunehmen". Diese letzte Bemerkung zeigt deutlich, dass in der Zeit, in der diese Rede gehalten wurde (69 v. Chr.), die Aufnahme einer *exceptio* schon möglich war und dass das Fehlen einer solchen Klausel bereits als bemerkenswerte Tatsache dargestellt werden konnte (die Bemerkung wird von Cic. ibid. 22, 63 wiederholt). Nun ist aber gerade der Streit über die Richtigkeit einer *exceptio* der Anlass zu einem auf das Interdikt folgenden Prozess. Man muss also folgern, dass in diesem Jahrhundert ein Prozess nach einem Interdikt bereits möglich war.

Von einem solchen Interdikt mit einem darauffolgenden Prozess ist gleichfalls in unserem Caput XIX die Rede: falls der Beklagte sich nicht an das Interdikt hält, das ihm vorschreibt, die Arbeit einzustellen und das nach der *nuntiatio* Erbaute abzureissen (Z. 2), wird auf Gesuch desjenigen hin, der das Interdikt beantragte, eine *sponsio* und ein darauffolgender Prozess vorgeschrieben (2 - 3: *seive sponsionem fierei iudicareve iubebit iudiciumve quod de ea re dabit*).

Schliesslich kann man sich noch fragen, was in unserm Passus das Wort *decretum* neben *interdictum sponsionem iudicium* (Z. 4) tatsächlich noch bezeichnen kann. Ausgeschlossen sind die Befehle, die das Zustandekommen eines Verfahrens *apud iudicem* begleiten, denn diese Befehle werden in 2 - 3 besonders erwähnt (*seive sponsionem fierei iudicareve iubebit iudiciumve quod de ea re dabit*) und sie werden ausserdem von *decernet* durch das Wort *interdeicetve* getrennt. Das allgemeinere Wort *decernere* kann auch *interdicere* bedeuten, wie aus Gaius IV, 139 f. (näher erörtert auf S. 66: an dieser Stelle zeigte sich, dass Gaius *interdicta restitutoria* und *exhibitoria* auch *decreta* nennt) und Inst. 4, 15, 1 hervorgeht; vgl. dazu noch M. KASER, Zivilprozessrecht, S. 323; und G. I. LUZZATTO, Il problema d'origine del processo extra ordinem I (1965), S. 151 und 226. Für unsern Kontext dürfte sich somit eine andere brauchbare Interpretation als die von *decernere* als allgemeinem Begriff neben dem spezielleren Terminus *interdicere* kaum finden lassen. Die Verbformen *decernet interdeicetve* dürften sich deshalb in erklärender Juxtaposition befinden und man könnte sie etwa so übersetzen: „befiehlt, d.h. (= *-ve*) befiehlt durch Interdikt".

sponsionem, „rechtlich bindendes Versprechen". Wie in dem Kommentar zu XX, *8* S. 91 ff. s.v. „*restipulari*" näher erklärt wird, kannte das römische Recht — wenn wir uns auf die lückenhafte Überlieferung verlassen dürfen — in mehreren Fällen anscheinend keine gesetzliche Verantwortlichkeit, sofern diese nicht durch eine formelle Handlung geschaffen worden war. Diesem Zweck diente die *sponsio*. Um mit Aussicht auf Erfolg einen Prozess beginnen zu können, war daher der Abschluss einer *sponsio* zwischen den Parteien oft Voraussetzung. In dem Prozess wurde dann dem Namen nach die Entscheidung über die Eintreibung des Betrages gefällt, der „formell versprochen" war; in der Praxis jedoch wurde dadurch gleichzeitig über die Streitfrage selbst entschieden.

Der allgemeine Terminus für den Begriff *sponsio* ist — wie auf S. 93 dargelegt — *stipulatio*. Die *sponsio* unterscheidet sich somit, wenn man diesen Terminus in seiner engeren, ursprünglichen Bedeutung auffasst, nicht durch Verfahren von der *stipulatio*, sondern lediglich durch die Beschränkung in der Anwendung und durch die Festlegung auf eine spezifische Formulierung. Aus Gaius III 92-93 geht nämlich hervor, dass die *sponsio* genannte *stipulatio* auf den Rechtsverkehr mit römischen Bürgern beschränkt war; für den Rechtsverkehr mit Peregrinen standen andere *stipulationes* zu Gebote, z.B. die *fidepromissio*. Bei der *sponsio* wurde für die Formulierung der Frage und der darauf folgenden Bejahung das Verbum *spondere* verwendet (Gaius zitiert III 93 als Beispiel *dari spondes? spondeo*); die für die sonstigen Stipulationen zugelassene Zahl der Stichworte war viel grösser (etwa *fidepromittis? fidepromitto*; *fideiubes? fideiubeo*; *dabis? dabo*; usw.). Heumann-Seckel macht jedoch S. 551 s.v. „*sponsio 2*" darauf aufmerksam, dass infolge des Umstandes, dass im prätorischen Edikt manche Stipulationen (z.B. die Vadimoniumstipulationen) ungenau, d.h. ohne Rücksicht auf etwaige Beteiligung von Peregrinen, *sponsiones* genannt wurden, letzterer Terminus eine extensivere Verwendung bekommen hat und schliesslich jedes Versprechen in Stipulationsform bedeuten konnte. So erklärt es sich, dass Paulus 2 ad ed., dig. 50, 16, 7 behaupten konnte: „*sponsio*" *appellatur non solum quae per sponsus interrogationem fit, sed omnis stipulatio promissioque.* Über die sehr umstrittene Herkunft und ursprüngliche Bedeutung der Termini *sponsio* und *stipulatio* im altrömischen Recht vgl. die Erörterungen (mit Literaturangaben) von KASER, Das altrömische ius, Göttingen 1949, S. 256 ff. und 267 ff.; ders., Das röm. Privatrecht I² S. 168 ff. (hinzuzufügen wäre vielleicht noch der Aufsatz von J. C. VAN OVEN, Tijdschr. voor Rechtsgesch. 26, 1958, S. 409 ff.). Von *sponsio* spricht unser Gesetz noch in XIX, *4*; XXI, *6. 8. 12. 16*; und XXII, *34-35*. Zu einer besonderen Abart der *sponsio*, der *sponsio tertiae partis* (einer sogen. „gefährlichen" *sponsio*), vgl. Komm. S. 172 zu XXI, *6 - 7*

3. **iudicareve iubebit.** Auf der Gesetzestafel liest man *iudicaveritve*; doch kann dies, angesichts des Zusammenhanges, in dem sich das Wort befindet, nicht richtig sein. MOMMSEN (vgl. CIL. I², 2 ad loc.) will darum das Wort überhaupt streichen. Hiergegen ist jedoch einzuwenden, dass auch an anderer Stelle unseres Gesetzes *iudicium dare* und *iudicare iubere* mit einander verknüpft werden: XX, *16-17* .... *de ea re ita ius deicito iudicia dato iudicareque iubeto cogito*; XX, *19-20 de ea re quod ita iudicium datum iudicareve iussum iudicatumve erit*, ...; XX, *21-22* .... *iudicium det itaque iudicare iubeat*; XXI, *13-14* .... *ex iudicieis dateis iudicareve recte iusseis* ....; XXI, *23-24* .... *iudicium recuperatorium* .... *det iudicareique de ea re ibei curet* (die einzige Stelle, an der man *iudicare* nach *iubere* oder ähnlichen Verben im Passiv findet); XXIII, *57-58* .... *ita ius deicito decernito iudicia dato iudicareque iubeto* ..... Berücksichtigt man den sehr formellen Charakter der Lex Rubria, so dürfte auch hier die Wendung *iudicare iubere* gemeint sein, zumal die andere Hälfte, *iudicium dare*, auch in *3* vorkommt.

iudicareve iubebit iudiciumve quod d(e) e(a) r(e) dabit, „wenn jemand (d.h. ein Magistrat, u. zw. ein römischer Prätor) befiehlt, das Urteil zu fällen, oder wenn jemand eine Formel für diesen Prozess erteilt". In der Wendung *iudicium dare iudicareque* (bezw. *iudicareve*) *iubere* bedeutet *iudicium* anscheinend so viel wie „Anleitung für den *iudex*", also Prozessformel; danach wird dem *iudex* durch ein besonderes Dekret befohlen, das Urteil zu fällen. Vgl. dazu den Kommentar zu XX, *17*, S. 102 ff.

4-5. **exceptionem.** *Exceptiones,* „Ausnahmeklauseln", können in den Prozessformeln des Formularprozesses vorkommen; besonders häufig findet man sie in den Formulierungen von *interdicta.* Literatur: WENGER, RE. VI (1909) Sp. 1553-1565; HEUMANN-SECKEL, S. 180 ff. s.v. „*exceptio*"; F. SCHULZ, Classical Roman Law, Oxford 1951, S. 50 ff.; A. PALERMO, Studi sulla exceptio nel diritto classico, Mailand 1956 (grundlegend kritisiert von G. PUGLIESE, IURA VIII, 1957, S. 474-476); M. KASER, Zivilprozessrecht, S. 190-195 (Allgemeines), S. 227 und S. 321-322 (*exceptiones* in Interdikten).

In Interdiktsformeln findet man zwei verschiedene Arten von *exceptiones.* Zunächts einmal *exceptio* als Bezeichnung bestimmter festen *clausulae,* die eine nähere, einschränkende Bestimmung über die Anwendbarkeit von Interdiktsformeln enthalten und die von vornherein in die Interdiktsformeln des *edictum praetoris* aufgenommen worden sind; vgl. A. BERGER, RE. IX Sp. 1688 ff., G. I. LUZZATTO, Il problema d'origine del processo extra ordinem I (1965) S. 226 ff. und M. KASER, Zivilprozessrecht, S. 321-322. Ein Beispiel für diese Art von *exceptio* als „nähere Einschränkung" in Interdiktsformeln ist die sogenannte *exceptio vitiosae possessionis,* die folgendermassen lautet: *quod nec vi nec clam nec precario alter ab altero possidetis,* „sofern ihr den Streitgegenstand nicht durch Gewalt, heimlich oder in zeitlicher Leihe von der anderen Partei in Bezitz bekommen habt" (vgl. zu dieser *exceptio* M. KASER, Privatrecht I², 1971, S. 396-399). Diese Bedeutung der *exceptio* in Interdikten kann hier nicht gemeint sein, da eine solche *exceptio* nicht unter Umständen aufgenommen werden kann, sondern sich von vornherein in dem Interdikt befand.

Die andere, in diesem Zusammenhang wohl brauchbare Bedeutung des Wortes *exceptio* ist die einer *clausula,* die ausschliesslich in einem ganz bestimmten Fall in den Wortlaut eines Interdikts oder einer Prozessformel auf ein Gesuch des Beklagten hin aufgenommen werden kann. Diese *exceptiones* oder „Ausnahmeklauseln" (der Begriff stammt von M. KASER, Zivilprozessrecht, S. 53) sind sehr wichtige Einschiebsel. Es sind nämlich „Ausnahmen vom Kondemnationsbefehl". Das bedeutet, dass in dem Fall, dass dasjenige was in der *exceptio* einer Prozessformel behauptet wird während des Verfahrens *apud iudicem* zur Zufriedenheit des *iudex* bewiesen werden konnte, die Richtigkeit oder die Unrichtigkeit der von dem Kläger vorgebrachten Tatsachen, d.h. Richtigkeit oder Unrichtigkeit der *intentio* der *formula*, bedeutungslos geworden waren: der *iudex* war dann verpflichtet, den Beklagten freizusprechen.

Ebenso hat die Aufnahme einer *exceptio* in die Formel eines Interdikts zur Folge, dass der in dem Interdikt erteilte Befehl negiert werden kann, falls der Inhalt der *exceptio* im Widerspruch zu den Tatsachen steht. In den meisten Fällen — so auch bei dem Verfahren, das unser Caput XIX voraussetzt — wird ein nachfolgender Prozess nötig gewesen sein, um die tatsächliche Richtigkeit der *exceptio* zu untersuchen. Folglich befindet sich die *exceptio* nicht nur in dem Interdikt selbst, sondern auch in der sich eventuell daraus ergebenden *sponsio* und der Prozessformel (*iudicium*). Letzteres ergibt sich deutlich aus dem Wortlaut von Z. *4*: die *exceptio* muss *in id decretum interdictum sponsionem iudicium* aufgenommen werden.

Anlass für das Einfügen einer *exceptio* bestand dann, wenn der Beklagte der Forderung des *actor* („Klägers") ein besonderes, ihr widersprechendes Recht entgegenstellte und wenn das Bestehen dieses Rechtes bei dem Verfahren *in iure* vor dem Magistrat nicht ganz deutlich geworden war. Konnte jedoch schon zur Zufriedenheit des Jurisdiktionsmagistrates bewiesen werden, dass eine Schuld wegen des Versprechens, sie erst nach einer bestimmten Zeit zurückzufordern, nicht einklagbar war, so nahm der Magistrat nicht einmal eine *exceptio pacti conventi* (vgl. Gaius IV, 119. 121) auf, sondern er weigerte sich überhaupt, eine Prozessformel zu erteilen; in einem solchen Fall kam es überhaupt nicht zu einem Verfahren *apud iudicem*. Sah hingegen der Magistrat die *exceptio* als offensichtlich unbegründet an, so zwang er den Beklagten dazu, die *formula* ohne *exceptio* anzunehmen.

Die Tatsachen, die den Magistrat dazu veranlassen konnten, eine *exceptio* zuzugestehen, können in zwei Gruppen eingeteilt werden (vgl. M. Kaser, Zivilprozessrecht, S. 193-195). Es konnte sich um prozessrechtliche Gegebenheiten handeln, dass z.B. Formvorschriften nicht beachtet worden waren oder dass der Kläger sich an das nicht zuständige Gericht gewandt hatte (vgl. M. Kaser, Zivilprozessrecht, S. 179 ff.). Es war aber auch möglich, dass der Beklagte privatrechtliche Einwände vorzubringen hatte. Letzteres konnte bedeuten, dass ein Gesetz, Edikt oder *senatus consultum* bei Vorliegen bestimmter Umstände einen Prozess verbot, oder aber auch, dass der Möglichkeit zur Durchführung eines Prozesses ein neuer Rechtsgrundsatz entgegenstand, namentlich der vom Prätor eingeführte

Grundsatz der *bona fides* (*exceptio doli mali*, vgl. M. KASER, Zivilprozessrecht, S. 109-110 mit Anm.).

In dem speziellen, in unserem Caput XIX behandelten Fall widersprachen natürlich die Bestimmungen des *edictum praetorium* hinsichtlich der *remissio operis novi nuntiationis* sowohl dem Interdikt wie der *sponsio* und dem Prozess, d.h. es widersprachen die prätorischen Ediktsbestimmungen, dass eine amtliche *remissio* jeder sich auf eine *nuntiatio* basierenden Prozesshandlung die Rechtsgrundlage entzieht. Vgl. für eine allgemeine Übersicht über die uns bekannten *exceptiones* in Prozessformeln M. KASER, Zivilprozessrecht, Index S. 534-535 s.v. „*exceptio*".

5. **addito addive iubeto,** „muss hinzufügen oder hinzufügen lassen". Man kann sich die Frage stellen, auf welches der in Z. 4 aufgeführten Wörter *decretum interdictum sponsionem iudicium* man *addito*, und auf welches man *addive iubeto* beziehen muss. Da sich im Vorhergehenden gezeigt hat — s. S. 68 f. s.v. „*decernet interdeicetve*", Ende —, dass *interdictum* lediglich als erklärender und spezialisierender Zusatz für *decretum* verwendet worden ist, kann das allgemeinere *decretum* hier ausser Betracht bleiben; es handelt sich in der Praxis also um drei Begriffe: *interdictum, sponsio* und *iudicium* („Prozessformel"). Nun wird eine *sponsio*, wie jedes Rechtsgeschäft, zwischen den beiden Parteien selbst abgeschlossen; darum kann der Magistrat in eine *sponsio* auch etwas aufnehmen lassen, hingegen nicht selbst aufnehmen. *Addive iubeto* muss daher auf *sponsio* bezogen werden.

Bei den beiden anderen Verfahren, *interdictum* und *iudicium* (d.h. der Prozessformel), ist es anders. Ein *interdictum*, ein Befehl oder ein Verbot, wird natürlich nur von dem Magistrat erlassen, so dass sich hinsichtlich dieses Wortes *addito* am rechten Platz befindet. Da das Interdikt häufig als Grundlage für einen Prozess diente, wurde es jedoch gleichzeitig schriftlich festgelegt. Und in der Regel dürfte ein Stadtschreiber und nicht der Magistrat selbst den Text für ein solches Interdikt aufgesetzt haben. Aber es leuchtet ein, dass nur der Magistrat für die Aufzeichnung verantwortlich ist. Es liegt deshalb auf der Hand, auf diesen Vorgang das Wort *addito*, und nicht *addive iubeto*, zu beziehen.

Was die Prozessformel, das *iudicium* anbetrifft, so wird diese, um Schwierigkeiten zu vermeiden, sicherlich schriftlich niedergelegt worden sein (vgl. aber hierzu einige zweifelnde Bemerkungen bei

G. Jahr, Litiscontestatio, Köln/Graz 1960, S. 55 ff. und 165 ff.); ausserdem hat der Magistrat sie allem Anscheine nach selbst verkündet und auferlegt. Letzteres wird von M. Wlassak bestritten (vgl. u.a. ZSS. 25, 1904, S. 140-141), der die Ansicht vertritt, dass die Prozessformel nicht dadurch in Kraft trat, dass der Magistrat sie erteilte, sondern dadurch, dass die beiden Parteien sich auf eine bestimmte Formel als Grundlage für ein Verfahren *apud iudicem* einigten. Hierbei seien sie von dem Magistrat lediglich als Berater ohne eigene Machtbefugnisse unterstützt worden. Wlassak übersetzte *formula* und *iudicium* (vgl. zu diesen beiden Begriffen S. 123) folglich mit ,,Schriftformel" und verstand darunter das ,,Protokoll über den Vertrag zwischen den Parteien". Die Prozessformel könne deshalb nicht von dem Magistrat selbst mündlich erteilt worden sein. Wenn der Magistrat somit nur Berater gewesen ist, so hätte er durch die Lex Rubria nicht dazu verpflichtet werden können, selber hinzuzufügen (*addito*), sondern nur dazu, hinzufügen zu lassen (*addive iubeto*). Die Ansichten von Wlassak über die Rolle des Magistrats und die Funktion der Prozessformel sind jedoch später mit Recht von anderen Gelehrten abgelehnt worden; vgl. G. Jahr, Litiscontestatio, Köln/Graz 1960, passim (zusammenfassend S. 229); und hierzu die Rezension von Th. Mayer-Maly, ZSS. 78 (1961) S. 493-504; vgl. ferner M. Kaser, Zivilprozessrecht, S. 217 ff. (mit Anmerkungen) und 238 f. Wlassaks Ansichten lassen sich auch sehr schlecht mit dem vereinbaren, was wir in den Capita XXI und XXII unserer Lex Rubria lesen. Dort werden gegen Beklagte, die sich der Prozessverschleppung (bezw. der Indefension) schuldig machen, allerlei Zwangsmassnahmen vorgeschrieben, die teils vom römischen Prätor teils vom munizipalen Jurisdiktionsmagistrat angewandt werden können (vgl. zu diesen Zwangsmassnahmen weiter unten die Einleitungen zu den Kapiteln XXI und XXII, besonders S. 157 ff. und 193-197). Die Machtbefugnisse, die den Jurisdiktionsmagistraten gegenüber unfolgsamen Angeklagten zu Gebote stehen, sind derartig, dass man den Magistraten bei der Vorbereitung und der Führung von Prozessen auf keinen Fall — wie Wlassak es formulieren möchte — die Rolle eines einfachen ,,Beraters" zuschreiben kann. Man kann somit an der Ansicht festhalten, dass die Prozessformel von dem Magistrat ausgesprochen und von dem Stadtschreiber aufgezeichnet wurde, um dann später als Beweisstück vor dem *iudex* dienen zu können (s. M. Kaser, Zivilprozessrecht, S. 237 mit Anm. 10). Folglich kann zu *iudicium*

— ebenso wie zu *interdictum* — nur *addito* gehören und zu *sponsio*, wie schon im ersten Absatz gesagt wurde, nur *addive iubeto*.

6. **IIvir IIIIvir praefectusve,** „Angehöriger eines Duumvirats, eines Quattuorvirats oder aber ein Präfekt". Es handelt sich hier um einen der rechtsprechenden Magistrate in einem Munizipium oder in einer Colonia, die den Titel *duoviri* (so meistens in einer Colonia, s. S. 269) oder *quattuorviri iure dicundo* (d.h. zwei der vier *quattuorviri*; so meistens in einem Munizipium, s. S. 269) trugen. Ausserdem is hier von *praefecti* (*iure dicundo*) die Rede, Beamten mit den gleichen Rechten, die einerseits als zeitweilige Stellvertreter der erwähnten Magistrate, andererseits als ständige Magistrate in kleinen Orten ohne vollwertige eigene Verwaltung auftraten. Die *praefecti* wurden — im Gegensatz zu den *IIviri* und *IIIIviri* — nicht gewählt, sondern von dem römischen Prätor oder dem Duum- bezw. Quattuorvir bestimmt; Näheres Anhang II, S. 279 ff.

eius municipei. Im Zusammenhang mit den soeben zu *IIvir IIIIvir praefectusve* getroffenen Feststellungen ist es merkwürdig, dass hier nur *municipium* erwähnt wird. Denn im Anschluss an die oben zitierten Magistrate hätte man doch sicher auch die Erwähnung von *colonia, praefectura, forum* oder *conciliabulum* erwarten können, zumal da (wie aus Anhang I S. 259 hervorgeht) diese Städte oder Flecken wenigstens so viel Autonomie besassen, dass sie Jurisdiktionsmagistrate kannten. Man kann schwerlich annehmen, dass es sich hier um einen Textfehler handelt: die Bronzetafel zeigt zwar einige kleine Gravierfehler, doch es fehlen keine Reihen von Wörtern; und wenn man an unserer Stelle einen Textfehler unterstellen wollte, würde es sich tatsächlich um die Fortlassung von einer ganzen Reihe von Wörtern handeln. Vielmehr liegt die Vermutung nahe, dass hier *municipium* in allgemeiner Bedeutung verwandt worden ist, so dass auch *colonia* und *praefectura* unter diesen Begriff fallen. In den Lexica ist hierüber nichts zu finden; doch kann man annehmen, dass eine derartige allgemeine Bedeutung tatsächlich bestanden hat, da seit 89 v. Chr. das *municipium* in Italien die weitaus am meisten vorkommende Stadtform war. Der Kürze wegen soll deshalb hier *municipium* in dem Sinne verwendet werden, so dass damit „jeder Ort mit einem eigenen mit der Rechtsprechung beauftragten Magistrat" gemeint ist.

Trotzdem bleibt es im Kontext unseres Gesetzes auffallend,

dass nur eine einzige Ortsbezeichnung in den Text aufgenommen worden ist. An anderen Stellen der Lex Rubria befinden sich ausführliche Wortreihen, nämlich *o.m.c.p.f.v.c.c.t.ve* = *oppidum municipium colonia praefectura forum vicus conciliabulum castellum territoriumve* (s. XXI, *2-3*; XXII, *26*; XXIII, *53. 56. 58*); zusammenfassend könnte man diese Abkürzungsreihe mit „jeder beliebige Stadt- oder Dorftypus" übersetzen. An einer weiteren Stelle unseres Gesetzes (XX, *42*) begegnet man einer etwas kürzeren Wortreihe: *municipium colonia locus*. Der Unterschied ist wahrscheinlich dadurch verursacht, dass in XX, *42* nicht von allen soeben erwähnten Stadt- und Dorftypen die Rede ist, sondern nur von Städten, die über eine eigene Rechtsprechung verfügten. Da an der oben in unserem Lemma zitierten Stelle ebensowenig von allen nur möglichen Stadt- und Dorfformen die Rede ist, wurde auch hier — mit Recht — die lange Aufzählung nicht aufgenommen. Man kann daraus folgern, dass sowohl XX, *42* als auch XIX, *6* (unsere Stelle) notwendigerweise eine andere Ortsbezeichnung verwenden mussten als die übliche Folge von *o.m.c.p.f.v.c.c.t.ve*. Gleichzeitig jedoch kan man konstatieren, dass die Verfasser unseres Gesetzes anscheinend keine feste Umschreibung für den Begriff „Stadt mit eigener Rechtsprechung" kannten; diese Tatsache könnte uns erklären, warum sie diesen Begriff einmal (XX, *42*) als *municipium colonia locus*, an anderer Stelle aber (XIX, *6*) als *eius municipei* bezeichneten.

nuntiationem .... non remeisserit, „den Protest gegen Neubau nicht wieder aufgehoben hat". Man vergleiche HEUMANN-SECKEL, S. 506 s.v. ‚*remittere*' sub 4 diese Bedeutung von *remittere* („wieder aufheben").

III. EINLEITUNG ZU CAPUT XX: CAUTIO DAMNI INFECTI

Literatur: H. BURCKHARD, Die cautio damni infecti, Erlangen 1875; O. KARLOWA, Römische Rechtsgeschichte I, Leipzig 1885, S. 470-472, und II, Leipzig 1901, S. 479-482 und 1239-1255; P. BONFANTE, Corso di diritto romano II, Rom[1] 1926, S. 325-369 = Mailand[2] 1966, S. 381-429; O. LENEL, Edictum Perpetuum, Leipzig [3]1927, S. 53 (sub tit. I *de his, qui in municipio colonia foro iure dicundo praesunt*: § 3 *de cautione et possessione ex causa damni infecti danda*), S. 371-373 (Edikt, sub tit. XXIX), und S. 551-553 (Formeln der *cautio*, sub tit. XLV § 292); G. BRANCA, Danno temuto e danno dato da cose inanimate nel diritto romano, Padua 1937; G. GROSSO, Besprechung des vorhergehenden Werkes in SDHI. IV (1938), S. 555-563; G. BRANCA, Studi in memoria di Emilio Albertario, Mailand 1953, I S. 337 ff.; M. KASER, Das römische Privatrecht I, München [2]1971, S. 408 mit Anm. 38 u. 39 und weiterer Literatur und A. WATSON, The Law of Property in the Later Roman Republic, Oxford 1968, S. 125-154. Hinzu kommt der Digestentitel 39, 2 *de damno infecto et de suggrundis et proiectionibus*, der jedoch andere Vorschriften als Caput XX der Lex Rubria enthält und ausserdem aus viel späterer Zeit stammt.

Das erste, vollständig erhaltene Caput der Lex Rubria, Caput XX, enthält Bestimmungen, die sich auf das *damnum infectum*, den „drohenden Schaden" beziehen. Zunächst einmal wird in dem Caput vorgeschrieben, dass man sich in Fällen, in denen man „drohenden Schaden" für seinen Besitz befürchtet, an den örtlichen Jurisdiktionsmagistrat mit dem Gesuch um die Erteilung von *cautio*, „Sicherheitsleistung", für einen eventuell eintretenden Schaden wenden kann. Der Magistrat erhält die Befugnis, dem Eigentümer des gefahrbringenden Besitzes bezw. demjenigen, der die gefahrverursachenden Arbeiten ausführt, den Befehl zu erteilen, die erwähnte Sicherheit zu leisten.[1] Vgl. die Zeilen *7-13*.

Liest man diese Bestimmung und vergleicht sie mit anderen Vorschriften der Lex Rubria, so bekommt man entschieden den Eindruck, dass die Munizipalmagistrate ausschliesslich durch diesen Auftrag das Recht erhielten, die *cautio* anzuordnen und dass sie nicht von vornherein dazu berechtigt waren. Auch in anderen Bestimmungen unserer Lex Rubria wird ja vor allem dasjenige behandelt, für das die Befugnisse der örtlichen Magistrate nicht festgelegt waren oder aber bis dahin überhaupt nicht bestanden

---

1 In Form einer *stipulatio*, eines „rechtlich bindenden Versprechens"; vgl. Kommentar zu XX, *8*, S. 91-93 s.v. ‚*restipularei*'.

hatten; man vergleiche hierzu besonders die Einleitung zu Caput XXI, S. 159 ff. In unserem Fall von *damnum infectum* war darum das Auferlegen einer *cautio* ursprünglich nur dem Prätor vorbehalten gewesen, jetzt aber, durch Caput XX unseres Gesetzes, auch den Munizipalmagistraten zugestanden. Die gleiche Regelung bestand — gemäss Digestenzitaten aus dem dritten Jahrhundert — in späterer Zeit ebenfalls für *stipulationes praetoriae* und damit auch für die unter diesen Begriff fallenden *cautiones* (man vergleiche die Bemerkungen im Kommentar zu XX, *8*, S. 92 f.).

Es ist auffallend, dass in unserm Caput XX vieles nicht erklärt wird: so z.B. nicht, was nun genau unter „drohendem Schaden" verstanden werden sollte; ferner nicht, wodurch ein Schaden im Sinne dieses Gesetzes entstanden sein musste; auch nicht, wer die Sicherheitsleistung fordern und von wem sie gefordert werden konnte; und schliesslich nicht, welche Konsequenzen das Leisten einer Sicherheit mit sich brachte. Aus dem Fehlen einer Auseinandersetzung mit diesen essentiellen Begriffen geht wieder einmal hervor, dass sich die Lex Rubria bei der Behandlung von bestimmten Themen — die selbst nur ein Teil des gesamten römischen Rechtes sind — auf die Einzelheiten beschränkt hat, deren Besprechung für nötig gehalten wurde. Es ist aber für ein wirkliches Verständnis des in der Lex Rubria nur fragmentarisch beschriebenen Verfahrens eine ungefähre Kenntnis der oben genannten Fragen erforderlich.

Daher müssen wir uns der wichtigsten Informationsquelle zum *damnum infectum*, dem Digestentitel 39, 2, zuwenden. Leider ist auch in dieser ziemlich umfangreichen Fragmentensammlung nicht ausdrücklich von den juristischen Begriffen die Rede, um die es sich hier handelt; auch hier finden wir in erster Linie Besprechungen kleiner Details — eine besondere Vorliebe der römischen Juristen. Es wurde nur eine nichtssagende Definition von *damnum infectum* aufgenommen, die aus einem Werk des Gaius stammt, 28 ad ed. prov., dig. 39, 2, 2: *damnum infectum est damnum nondum factum, quod futurum veremur*. Und doch können wir uns an Hand der Digestenfragmente ein Bild von dem Zweck des *damnum infectum* machen. Der Anlass zum Verfahren, nämlich der „drohende Schaden", ist ein vager, ja unbeweisbarer Begriff. Gaius' Definition betont das noch: „ein Schaden, von dem wir befürchten, dass er eintreten wird" — eine Definition, die sich wirklicher Beweisführung entzieht. Der Magistrat, der ein Gesuch um einen Befehl zur Leistung von *cautio* behandeln muss, beschränkt sich gemäss *7-13* darauf, von dem Kläger einen Eid des Inhaltes zu fordern, dass er, der Kläger, sein Gesuch nicht mit böswilligen Absichten stellt (vgl. auch Ulp. 53 ad ed., dig. 39, 2, 7 *pr.* und 53 ad ed., dig. 39, 2, 13, 3). Man kann sich jedoch fragen, ob der Magistrat nicht noch eine bestimmte Argumentation verlangte, bevor er eine Sicherheitsleistung anordnete; von einem Beweis kann allerdings wohl kaum die Rede gewesen sein.

Dieser eigenartige Verfahrensverlauf, dass man nämlich von seinem Nachbarn eine Sicherheitsleistung für einen Schaden fordern konnte, der noch nicht eingetreten war, erscheint zunächst merkwürdig. Man kann sich fragen, warum ein Verfahren nicht angestrengt wurde, nachdem der Schaden eingetreten war. Das römische Recht kannte jedoch kein volständiges Verfahren, das den Ersatz von Schaden an Besitzungen regelte. Wie J. C. VAN OVEN, Leerboek van het romeins privaatrecht, Leiden³ 1948, S. 334 und 348-353, und KASER, Privatrecht I², S. 161 bemerken, konnte man eine Schadenersatzklage (mittels einer *actio legis Aquiliae*) nur dann einreichen, wenn der Täter Sklaven oder vierfüssiges Vieh eines anderen getötet hatte (lex Aquilia I, siehe VAN OVEN S. 349) oder verletzt hatte (III, siehe VAN OVEN S. 350) oder seinen übrigen Besitz beschädigt hatte (III, siehe VAN OVEN S. 350), aber nicht bei Schaden infolge von Nachlässigkeit (VAN OVEN S. 352). Was das letztere anbetrifft, so konnte man z.B. an einen Schaden denken, der auf angrenzenden Grundstücken durch das Einstürzen eines baufälligen Gebäudes entsteht. In einem solchen Fall gab es nur eine vorbeugende Massnahme, Schadenersatz zu erhalten: derjenige, der befürchtete, einen Schaden zu erleiden, konnte von dem Eigentümer eine Verpflichtung zum Schadenersatz für den Fall verlangen, dass der Schaden tatsächlich eintrat. Hierzu diente die *sponsio* oder *stipulatio*, das „rechtlich bindende Versprechen" (vgl. Kommentar zu XX, *8*, S. 91-93).

Im allgemeinen diente die *sponsio* dem Zweck, Verpflichtungen herzustellen, die durch die Rechtspraxis nicht ohne weiteres anerkannt wurden, die aber durch das Ablegen einer solchen *sponsio* in einem später folgenden Prozess als rechtlich verbindlich angesehen wurden. In unserem Fall konnte von dem Eigentümer eines gefahrbringenden Objektes oder von dem Erbauer eines gefahrbringenden Bauwerkes gefordert werden, dass er sich mittels einer *sponsio* dazu verpflichtete, den eventuell eintretenden Schaden zu vergüten.

Da diese *sponsio* nur bedingt für die Zukunft galt, nannte man sie „Sicherheitsleistung", *cautio*. Falls es nötig war, erzwang der Prätor die *cautio* mit Hilfe eines Dekrets, das durch ein alternatives Zwangsmittel verstärkt wurde, welches ich auf S. 86-87 näher besprechen werde; vgl. auch Branca, S. 98-99.

Welche Objekte und Handlungen den „drohenden Schaden" im Sinne von *damnum infectum* verursachen konnten, ist oben bereits beiläufig erwähnt worden. In den prätorischen Edikten sind sie nicht ausdrücklich definiert worden, sondern auf eine in der Rechtspraxis übliche Weise verarbeitet worden. Wir können sie nämlich wiederfinden in den in dig. 39, 2 veröffentlichten *cautio*-Formeln, die ursprünglich in die Ediktskommentare des Ulpianus aufgenommen — oder wenigstens in kurzer Zusammenfassung angedeutet — worden waren. Lenel stellt sie in seinem Edictum Perpetuum S. 551-553 folgendermassen zusammen:

1. *quod in flumine publico ripave eius opus fit, si quid operis vitio damni factum erit*, „für den Fall, dass im Zusammenhang mit Arbeiten, die in öffentlichen Gewässern oder auf ihren Ufern ausgeführt werden, ein Schaden durch den schädlichen Charakter eben dieser Arbeiten entsteht" (rekonstruiert aus Ulp. 81 ad ed., dig. 39, 2, 24 *pr.* und 1);

2. *quod aedium loci operisve vitio damnum factum erit*, „Schaden, der entsteht durch den schädlichen Charakter eines Gebäudes, eines Grundstücks oder einer Arbeit" (zitiert von Ulp. 81 ad ed., dig. 39, 2, 24, 2);

3. *si quid arborum locive vitio acciderit*, „falls etwas geschieht, was durch Mängel an Bäumen oder durch schädliche Beschaffenheit eines Grundstücks verursacht wurde" (zitiert von Ulp. 81 ad ed., dig. 39, 2, 24, 9 in einem Kommentar zu dem unter 2 Aufgeführten);

4. *si quid operis, quod in fundo meo aquae ducendae causa fit, vitio damni datum erit*, „wenn ein Schaden entsteht durch den schädlichen Charakter einer Arbeit, die an Wasserleitungen auf meinem Grundstück ausgeführt wird" (rekonstruiert aus Ulp. 81 ad ed., dig. 39, 2, 30).

Zusammengefasst: eine *cautio* konnte gefordert werden, wenn infolge von Arbeiten auf einem öffentlichen Grundstück oder Gewässer (1) oder von solchen auf einem Privatgrundstück (4), oder aber wenn infolge von Mängeln am unbeweglichen Besitz eines Nachbarn, die unter Umständen durch Arbeiten noch verschlimmert werden konnten (*aedium loci operisve vitio*) (2, evtl. auch 3), Schaden befürchtet wurde. Folgende Parteien sind dabei denkbar: eine Behörde und ein Bauunternehmer (1), eine Privatperson und ein Bauunternehmer (4) und schliesslich zwei Privatpersonen (meistens wohl zwei Nachbarn) (2). Der in dig. 39, 2, 24, 9 kaum näher besprochene Fall 3 bleibt besser ausser Betracht.[2] Was nun die soeben erwähnten verschiedenen Möglichkeiten [3] betrifft, wird in dig. 39, 2 besonders ausführlich auf Schaden eingegangen, der von einem Gebäude stammt; ein in diesem Zusammenhang viel besprochener Fall ist der Abbruch einer gemeinsamen Zwischenmauer (*paries communis*).

Aus obiger Übersicht geht hervor, dass die *cautio damni infecti* nicht nur für einen Schaden, der durch irgendeine Handlung entstehen konnte, gefordert wurde, sondern auch für Schaden, der auf Fahrlässigkeit beruhen konnte. Bei dem durch eine sachbeschädigende Handlung entstandenen Schaden konnte man auch — wie schon auf S. 79 erwähnt — hinterher, wenn der Schaden schon eingetreten war, mittels der *actio legis Aquiliae* Entschädigung verlangen, bei dem durch Fahrlässigkeit verursachten Schaden war das nicht möglich. Die *cautio damni infecti* ist darum am wichtigsten für die Fälle, in denen Schaden durch fahrlässige Verwahrlosung entstehen konnte.[4] Man kann sich die Frage stellen, warum es für den Schaden, der durch das Verhalten einer Person entsteht, zwei Möglichkeiten gibt, Schadenersatz zu fordern: nämlich zunächst — in dem Stadium in dem der Schaden lediglich befürchtet wurde — mit Hilfe einer *cautio* und dann — nachdem der Schaden bereits

---

[2] BRANCA, S. 353-354 betrachtet ihn lediglich als ein Beispiel für eine Unterabteilung von 2.

[3] Die u.a. von A. RUDORFF, Edictum Perpetuum, Leipzig 1869, § 309 getroffene Einteilung in *cautio de operis vitio* und *cautio de aedium vitio* stimmt mit dem Obigen in keiner Hinsicht überein. Sie ist zwar brauchbar als moderne, kurze Zusammenfassung und ausserdem von Bedeutung für die Frage, in welcher Form die *cautio* gefordert wurde (vgl. Kommentar zu XX, *11*, S. 97 f.), ist aber bestimmt nicht aus den Quellen abzuleiten. Zu starke Betonung dieser Zweiteilung, wie man sie noch bei BONFANTE, a.a.O. S. 324 ff. = ²384 ff. findet, ist ebenso ungewünscht wie verwirrend (dies bemerkt auch BRANCA, vgl. S. 7-8).

[4] Nicht richtig ist jedoch die Behauptung, dass der Wirkungsbereich der *cautio damni infecti* auf diese Fälle beschränkt war, wie O. KARLOWA, RRG. II, S. 1250 und P. BONFANTE, Corso II S. 326 (= II² S. 382) es tun; die soeben zitierten Ediktsfragmente beweisen deutlich das Gegenteil.

eingetreten war — mittels der *actio legis Aquiliae* (s. KASER, Privatrecht I² S. 161 und 619 ff.). Der Grund hierfür wird zweifellos in der Tatsache liegen, dass eine *cautio* mehr Sicherheit gibt, da die Grenze zwischen Handlung und Nachlässigkeit nicht immer deutlich ist: kam nun der *iudex*, in einer *actio legis Aquiliae*, zu dem Schluss, dass Fahrlässigkeit vorlag, so war eine Vergütung nicht mehr möglich. Ein Beispiel für einen solchen Grenzfall ist das Einstürzen einer baufälligen Zwischenmauer (*paries communis*), an der gearbeitet wird: kann in einem solchen Fall von Nachlässigkeit (Baufälligkeit) die Rede sein, oder von einem Schaden, der durch eine Handlung (Arbeiten) verursacht wird?

Im Vorhergehenden ist schon kurz dargestellt worden, welche Personen in einem *cautio*-Verfahren Partei sein können. Übereinstimmend mit der Art des befürchteten Schadens werden der Eigentümer eines unbeweglichen Gutes oder derjenige, der Arbeiten ausführt, von denen die Verursachung eines Schadens erwartet werden kann, zu *cautio* verpflichtet gewesen sein. Diejenigen, die einen Schaden befürchten und *cautio* fordern können, sind: der Eigentümer eines mehr oder weniger benachbarten Grundstückes, ein Mieter oder andere Personen, die sich auf dem Grundstück aufhalten. Für diese letzten beiden Kategorien finden wir einen beinahe zeitgenössischen Beweis in einer von Ulp. 53 ad ed., dig. 39, 2, 13, 5 aufgezeichneten Äusserung von Labeo: *vicinis plane inquilinisque eorum et inquilinorum uxoribus cavendum esse ait Labeo, item his qui cum his morentur.*

Manche moderne Forscher haben zu der Ansicht geneigt, dass der Wirkungskreis der *cautio damni infecti* im ersten Jahrhundert vor Chr. auf Streitfälle beschränkt geblieben sei, die sich auf Bauarbeiten in der Nachbarschaft, u. zw. besonders auf die soeben erwähnte *paries communis*, „gemeinsame Zwischenmauer", bezogen; für andere Fälle von „drohendem Schaden" sei in dieser Zeit noch keine Regelung mittels *cautio* vorhanden gewesen. In diesem Fall würde sich auch Caput XX unserer Lex Rubria nur auf „drohenden Schaden" beziehen, der durch den schlechten Zustand einer gemeinsamen Zwischenmauer, oder durch Arbeiten an ihr, entstehen kann. Zu den erwähnten Forschern gehören G. BRANCA, Danno temuto, 1937, S. 3-58 und 79-87 (vgl. G. GROSSO, SDHI. IV, S. 556) und A. MOZZILLO, Contributi allo studio delle „stipulationes praetoriae", Neapel 1960, S. 54-130. Sie verwandten diese Hypothese, um eine Lösung für das sehr schwierige Problem zu finden, das sich aus dem zähen, in den Quellen aber nicht näher begründeten Fortbestehen der *legis actio damni infecti* ergab. Durch die *leges Iuliae* (17 v. Chr.) wurden die *legis actiones* beseitigt — da sie zu formalistisch waren —, wie Gaius in IV, 30 berichtet; aber, so fügt der Jurist in IV, 31 hinzu, sie bestanden doch in zwei Fällen weiter: *damni infecti et si centumvirale iudicium futurum est.*

Die nur bei Gaius a.a.O. erwähnte, alte *legis actio damni infecti* ist anscheinend — ebenso wie die später entstandene *cautio damni infecti* — eine Vorsichtsmassregel gewesen. Sie wird zweifellos einen durch kein anderes Verfahren (auch nicht durch die *cautio damni infecti*) erreichten besonderen Aspekt, vielleicht sogar unter Umständen irgendeinen Vorteil, gehabt haben. Denn es ist sonst nicht erklärlich, dass sie im Jahre 17 v. Chr. nicht ebenfalls von der durch die *leges Iuliae* herbeigeführten Abschaffung alter, weitschweifiger Verfahren betroffen wurde. Wir wissen leider nur nicht, was dieser besondere Aspekt gewesen ist. Die oben genannten Forscher sahen den Unterschied zwischen den beiden Verfahren darin, dass die *legis actio damni infecti* im ersten Jahrhundert v. Chr. noch einen allgemeineren Charakter [5] gehabt hätte als die *cautio damni infecti*. Man habe sich somit damals mit Hilfe der *legis actio* gegen alle möglichen Fälle von *damnum infectum* schützen können, während die *cautio damni infecti* zu der Zeit nur noch auf einen einzigen ,,drohenden Schaden'' zugeschnitten gewesen sei, u. zw. lediglich auf den Schaden, der durch Arbeiten an einer ,,gemeinsamen Zwischenmauer'' entstehen konnte.

Man kann gegen diese Hypothese sofort einwenden, dass Gaius IV, 31 gerade das neuere Verfahren mit der Anwendung einer *stipulatio* gemäss dem prätorischen Edikt ,,handlicher und vollständiger'' (*commodius et plenius*) nennt. Die Beschreibung ,,handlicher'' ist selbstverständlich, da die *stipulationes* und Formularprozesse nicht zo kompliziert wie die *legis actiones* waren. Dass Gaius aber das neuere *cautio*-Verfahren ausserdem noch ,,vollständiger''

---

[5] Sehr umstritten ist übrigens die Frage, aus welcher allgemeineren *legis actio* sich die oben erwähnte *legis actio damni infecti* entwickelt haben könnte. BRANCA, Danno temuto (1937) S. 31 f. und KASER, Zivilprozessrecht (1966) S. 25, N. 13 wollen sie der *legisactio sacramento in personam* zurechnen; MOZZILLO, Contributi (1960) S. 34 ff. der *legis actio per iudicis postulationem*; WATSON, The Law of Property (1968) S. 128 ff. (im Anschluss an frühere Gelehrte) der *legis actio per pignoris capionem*. Man vergleiche zu diesem Problem schliesslich noch die Bemerkungen (mit weiterer Lit.) bei KASER, Privatrecht I ([2] 1971) S. 407 f. mit Anm. 38 f. und S. 553, Anm. 74.

nennt, spricht nicht für die Hypothese, dass die *cautio damni infecti* nur auf einen bestimmten Wirkungskreis beschränkt gewesen sei. Man müsste dann schon von der Annahme ausgehen, dass in der Zeit, welche zwischen den *leges Iuliae* und der Abfassung des gajanischen Lehrbuchs liegt, der Wirkungskreis der *cautio damni infecti* stark ausgedehnt worden sei. Für eine derartige Unterstellung besteht jedoch nicht der geringste Grund, zumal wenn man bedenkt, dass bei Plinius nat. 36, 2, 2, 6 ein Fall erwähnt wird, bei dem schon im Jahre 123 v. Chr. eine *cautio* für *damnum infectum* auf Grund von Arbeiten, nämlich eines gefährlichen Transportes, gefordert wurde. Die erwähnte Theorie — Branca selbst liess sie später, vgl. IURA 12 (1961) S. 309, teilweise wieder fallen — ist deshalb als unzutreffend zu bezeichnen, so dass sich das *damnum infectum* von Caput XX nach aller Wahrscheinlichkeit auf alle oben aufgezählten Fälle (vgl. S. 80), und nicht lediglich auf gemeinsame Zwischenmauern, bezogen hat. All diese Fälle werden demnach mittels einer *cautio* und einem eventuell folgenden Formularprozess erledigt; die Gründe für das Fortbestehen der alten *legis actio damni infecti* sind bisher noch nicht geklärt.

Wir können somit abschliessend feststellen, dass die Capita XIX und XX die Regelung des römischen Nachbarschaftsrechtes — so weit dies erforderlich war — enthalten; das erste Caput gab die Möglichkeit, schadenbringende Handlungen zum Stillstand zu bringen, das zweite, eine Sicherheitsleistung für einen eventuell eintretenden Schaden zu erhalten.

Die Fortsetzung des *cautio*-Verfahrens wird in Caput XX nicht besprochen, wohl hingegen, wie wir auf S. 85 sehen werden, eine besondere Einzelheit, nämlich der Verfahrensverlauf in dem Fall, dass der zur *cautio* Verpflichtete sich weigert, die Sicherheit zu leisten. Der normale Verfahrensablauf nach Leistung der *cautio* war somit zweifellos den Munizipalmagistraten überlassen, und zwar ohne dass dies in der Lex Rubria noch ausdrücklich ausgesprochen werden musste. Das Gleiche finden wir in den Capita XXI und XXII (vgl. S. 132-134), wo der normale Verfahrensablauf bei Schuldprozessen kaum erwähnt wird, es sei denn implizite, die schwierigeren Fragen aber — Obstruktion (Indefension) des Beklagten — ausführlich besprochen und mit genauen Verfahrensvorschriften versehen werden.

Wie aus den Digestenfragmenten unter dem Titel 39, 2 hervorgeht, verlief das übliche Verfahren nach *cautio damni infecti* folgendermassen: derjenige, der die Sicherheitsleistung hinterlegt hatte, konnte jetzt nicht mehr im Gebrauch seines Eigentums oder bei der Ausführung von Arbeiten behindert werden. Er wurde sogar durch Interdikte geschützt. Letztere werden von Ulpian 70 ad ed., dig. 43, 19, 3, 11; Ulp. 20 (?) ad ed., dig. 43, 19, 5, 4; Ulp. 70 ad ed., dig. 43, 21, 3, 9 und Ulp. 70 ad ed., dig. 43, 23, 1 *pr.* aufgezählt. Es ist aber selbstverständlich, dass der Gewährer der *cautio* — trotz der ihn schützenden Interdikte — jeden Schaden zu vermeiden versuchte, da der Empfänger der *cautio* ihn nach Schadenseintritt sofort und mit Erfolg haftbar machen konnte. Der beunruhigte Nachbar seinerseits brauchte sich, nachdem er die *cautio* empfangen hatte, nicht mehr um den Verlauf der Arbeiten oder den Zustand des baufälligen Gebäudes zu kümmern.

Entstand tatsächlich ein Schaden an seinem Besitz, so konnte er auf Grund der *cautio* ein Verfahren anstrengen, eine *actio ex stipulatione,* um die Höhe des erlittenen Schadens feststellen zu lassen. Bei dem Verfahren *in iure* wird der Magistrat zu untersuchen haben, ob der Kläger das Recht besass, die Sicherheitsleistung zu fordern (da die Entscheidung über eine *cautio*-Forderung schnell erfolgen musste, war damals, als lediglich von einem drohenden Schaden die Rede war, diese Frage nicht berücksichtigt worden). Ausserdem muss der Magistrat prüfen, ob die *cautio* für einen eventuellen durch eben dieses Gebäude oder eben diese Handlung entstehenden Schaden geleistet worden war, und nicht für einen möglichen Schaden, der auf etwas anderes zurückzuführen war. Bewilligte der Magistrat ein Verfahren *apud iudicem,* so hatte der *iudex* die Höhe des Schadenersatzes festzulegen; in Zweifelsfällen musste er auch darüber urteilen, ob der Kläger und der Beklagte das Recht bzw. die Pflicht gehabt hatten, die *cautio* zu fordern und zu leisten.

In den Zeilen *7-13* wird zunächst davon ausgegangen, dass derjenige, von dem die *cautio* gefordert wird, auch bereit ist, diese zu leisten. Aber es ist natürlich fraglich, ob diese Bereitwilligkeit tatsächlich in allen Fällen vorhanden ist und diese Unsicherheit ist für den Kläger ziemlich unangenehm. Denn die Vergütung eines eventuell eintretenden Schadens war besser gesichert, wenn schon eine *cautio damni infecti* erteilt worden war, als wenn der Benachteiligte noch mit einem gerichtlichen Verfahren beginnen musste. Darum wird in XX, *13-51* in einer ausführlichen und detaillierten Bestimmung vorgeschrieben, wie der Magistrat im Falle einer Weigerung des Beklagten die Interessen des Klägers auf *cautio* schützen konnte. Der Magistrat kann den sich Weigernden nicht direkt zwingen, sondern muss ein indirektes Zwangsmittel anwenden. Tritt nach einer — natürlich von dem Magistrat festgestellten — Weigerung, *cautio* zu leisten, Schaden ein, so ist es dem Magistrat gestattet, auf Gesuch hin eine *actio* zu erteilen, die man *actio „quasi ex stipulatu"* nennen könnte. Auf diese Weise war es trotz der Weigerung und des mit ihr zusammenhängenden Fehlens einer Rechtsgrundlage der Haftung doch möglich, einen Prozess stattfinden zu lassen, der die Vergütung des erlittenen Schadens zum Ziel hatte. Allerdings war es dem Munizipalmagistrat nicht gestattet, diese Massregel völlig nach eigenem Ermessen anzuwenden. In Caput XX wird ausdrücklich erwähnt, dass der örtliche Magistrat bestimmte Prozessformeln bei der Verleihung der *actio* (eine *actio ficticia*, da die Basis, die rechtliche Verbindlichkeit, fehlt) gebrauchen musste; hatte der Munizipalmagistrat diese Formeln nicht beachtet, so waren seine Handlungen nicht rechtswirksam.

Diese Vorschrift für den Fall einer Weigerung hat unsere Aufmerksamkeit deshalb erregt, weil gemäss den anderen, uns zur Verfügung stehenden Quellen — u.a. das Edikt in Ulp. 53 ad ed., dig. 39, 2, 7 *pr.* — im Laufe der späteren Jahrhunderte (jedenfalls im zweiten Jahrhundert n. Chr., die Zeit, aus der das Edikt stammt) in Rom ein anderes Zwangsmittel angewandt wurde. Das spätere römische Mittel wirkte direkter: es war eine *missio in possessionem*, d.h. die Weisung an den inbetreff der *cautio*-Forderung enttäuschten Kläger, das die Gefahr verursachende Gebäude oder das Grundstück oder beides [6] zeitlich als Nichteigentümer in Besitz zu nehmen.[7] Bei Andauern der Weigerung, die Sicherheit zu leisten, konnte der Kläger nach diesem späteren Recht sogar noch um eine

[6] Man muss sich wohl klarmachen, dass die *missio* gegen Eigentümer von unbeweglichem Gut gebraucht werden konnte, aber nicht bei Arbeiten *in publico* und *in alieno*. In den letzten beiden Fällen musste man seine Zuflucht zur *operis novi nuntiatio* (vgl. Caput XIX) nehmen, eventuell mit nachfolgender *cautio*, um die gefährlichen Arbeiten zu beenden; man s. Branca, S. 327 ff.

[7] In diesem Fall wird selbstverständlich nicht die Inbesitznahme des gesamten Eigentums des sich Weigernden gemeint sein, wie es bei *missio in possessionem* in allen anderen Fällen die Regel war, sondern nur die Inbesitznahme des gefährdenden Gegenstandes; vgl. Kaser, Zivilprozessrecht, S. 334 f. sub 3, und zu *missio* in diesem Zusammenhang auch Branca, S. 147 ff. und 172 ff.

Für diese zeitweilige Inbesitznahme verwandte man die Termini *in possessionem ire* bezw. *mittere*, vgl. Ulp. 53 ad ed., dig. 39, 2, 7 *pr.* und 15, 20. Der Kläger hatte den gefährdenden Gegenstand nur in seiner *custodia* (vgl. zu diesem Begriff Ulp. 52 ad ed., dig. 36, 4, 5 *pr.*).

zweite *missio in possessionem* ersuchen, wobei ihm das bonitarische Eigentum zuerkannt wurde.[8] Hiervon ist aber in unserem Caput XX nicht die Rede; statt dessen finden wir die schon besprochene *actio ficticia*, die übrigens im 2. Jahrhundert n. Chr. auch in Rom gebraucht wurde (vgl. Ulp. 53 ad ed., dig. 39, 2, 7 *pr.*), allerdings nur in dem besonderen Fall, dass der Beklagte sich der Zulassung des „*missus*" widersetzte. Ulpianus (gest. 228 n. Chr.) zitiert hierzu das in seiner Zeit bestehende *edictum praetorium: in eum, qui neque caverit neque in possessione esse neque possidere passus est, iudicium dabo ut tantum praestet, quantum praestare eum oporteret, si de ea re ex decreto meo .... cautum fuisset.* „Gegen denjenigen, der die Sicherheit nicht geleistet und ebensowenig gestattet hat, zeitlichen Besitz zu ergreifen bezw. die *possessio* auszuüben, werde ich eine Prozessformel erteilen um zu erreichen, dass er so viel gibt, wie er hätte geben müssen, falls er bezüglich der betreffenden Sache *cautio* geleistet hätte". Zu dieser späteren *actio ficticia* vgl. ferner Branca S. 230 ff. Es ist uns nicht bekannt, ob das oben beschriebene spätere Verfahren mittels *missiones* auch schon in dem ersten Jahrhundert v. Chr. in Rom gebraucht wurde; Angaben fehlen, so dass es nur die Möglichkeit gibt.

Wenn der Zwang mit Hilfe von *missiones* tatsächlich schon in der Abfassungszeit der Lex Rubria in Rom gebraucht wurde, kann man die Frage aufwerfen, warum unser Caput XX nicht ebenfalls diesen Zwang mittels *missiones* vorschreibt.[9] Diese Frage liegt umso

[8] Der Terminus hierfür war *possidere*, vgl. Ulp. 53 ad ed., dig., 39, 2, 7 *pr.* und 15, 21. Diese zweite *missio* war — auch wenn es eine Klage, die in einem italischen Munizipium erhoben war, betraf — dem Prätor vorbehalten, vgl. Anm. 10 und 11.

[9] Branca, Danno temuto, S. 62 ff. und S. 339-343 und andere Forscher neigten auf Grund einiger Digestentexte zu der Annahme, dass *missio in possessionem* den Munizipalmagistraten grundsätzlich nicht oblag und dass der Gesetzgeber dazu verpflichtet war, einen anderen Weg (in casu *actio ficticia*) vorzuschreiben. Es handelt sich um die folgenden Fragmente: Paul 1. ad ed., dig. 50, 1, 26: *ea quae magis imperii sunt quam iurisdictionis, magistratus municipalis facere non potest,* „Angelegenheiten, die mehr in den Bereich des *imperium* als in den der Rechtsprechung fallen, kann der Munizipalmagistrat nicht regeln", und Ulp. 1 ad ed., dig. 2, 1, 4: *iubere caveri praetoria stipulatione et in possessionem mittere imperii magis quam iurisdictionis sunt,* „Befehl zu erteilen zur Sicherheitsleistung mittels eines von dem Prätor vorgeschriebenen rechtlich bindenden Versprechens oder Befehl zu erteilen zur *missio in possessionem* fällt mehr unter *imperium* als unter Rechtsprechung". Die vagen und unsicheren Umschreibungen in den zitierten Stellen (vgl. z.B. das Wort *magis*) lassen ernsthafte Zweifel hinsichtlich des Zweckes und der Tragweite dieser Zitate entstehen. Aber dies ist nicht

näher, als zu Lebzeiten Ulpians, ca. 200 n. Chr., die Befugnisse der Munizipalmagistrate sehr beschränkt worden waren. Trotzdem blieben die erste *missio in possessionem* und die *cautio* ihnen überlassen;[10] lediglich die zweite *missio* oblag ihnen nicht.[11]

Enthält die Lex Rubria nun Vorschriften, die von den in Italien allgemein geltenden Bestimmungen abweichen, oder ist hier von einer, zur Zeit der Lex Rubria für alle italischen Kleinstädte geltenden Regelung mittels einer *actio ficticia* die Rede, welche später — d.h. jedenfalls vor Lebzeiten Ulpians — durch eine gleichfalls allgemeine mittels *missio in possessionem* ersetzt wurde? Letztere Annahme dürfte die wahrscheinlichere sein. Der Grund, warum die Lex Rubria nicht *missio* sondern *actio ficticia* vorschreibt, mag darin gelegen haben, dass die Magistrate kleinerer Städte nicht die polizeilichen Hilfsmittel besassen, die zur Durchführung einer *missio* unter Umständen erforderlich sein konnten. Darum schrieb das Gesetz das einfachere Verfahren einer *actio ficticia* vor.[12] Und

---

die grösste Schwierigkeit: auch die Schlussfolgerungen Brancas, denen diese Texte zu Grunde liegen, sind schwerlich aufrechtzuerhalten. Gemäss dem ersten der beiden oben zitierten Ulpianus-Fragmente gehört der Befehl zu einer *stipulatio praetoria* (zu denen auch die *cautiones* gehören) in den Bereich des *imperium*, das den örtlichen Magistraten aberkannt worden war; entsprechend der Lex Rubria hingegen können die örtlichen Magistrate doch den Befehl zu einer *cautio* erteilen, sei es auch ausschliesslich im Auftrag der Lex Rubria selbst. Infolgedessen sollte man meiner Ansicht nach in dem zitierten Fragment kein absolutes Verbot sehen, sondern lediglich eine gewisse Tendenz: daher die Verwendung des Wortes *magis*. Wenn nun die Lex Rubria den Munizipalmagistraten zugestand, den Befehl zur *cautio* zu erteilen, so kann man sich fragen, warum es ihnen nicht auch, und zwar auf Grund desselben Gesetzes, obliegen konnte, die *missio* anzuordnen. Hinsichtlich dieser Überlegungen scheint es besser zu sein, keine rechtshistorisch-dogmatische Erklärung für das Vorschreiben von *actio ficticia* in Caput XX zu geben, sondern eher auf den praktischen Vorteil der *actio ficticia* gegenüber den *missiones in possessionem* hinzuweisen. S. weiter S. 87-89, und Kaser, Zivilprozessrecht, S. 129.

[10] Ulp. 1 ad ed., dig. 39, 2, 4, 3: *duas ergo res magistratibus municipalibus praetor vel praeses (provinciae) iniunxit, cautionem et possessionem, cetera suae iurisdictioni reservavit.*

[11] Ulp. 1 ad ed., dig. 39, 2, 4, 4: *si forte duretur non caveri, ut possidere liceat (quod causa cognita fieri solet) non duumviros sed praetorem vel praesidem permissuros: item ut ex causa decedatur de possessione.*

[12] Branca, S. 92, vertritt ebenfalls die Ansicht, dass während des ersten Jahrhunderts v. Chr. in ländlichen Gemeinden die *actio ficticia* den Vorteil der leichteren Handhabung gehabt habe. Er kommt jedoch nicht zu dem Schluss, dass in dieser Zeit ausserhalb von Rom in ganz Italien *actio ficticia* die übliche Folge einer Weigerung, *cautio* zu leisten, gewesen sein dürfte.

Ob schliesslich die *missio in possessionem* während des ersten Jahrhunderts zwar gilt diese Tatsache, dass die polizeilichen Hilfsmittel nicht ausreichten, nicht allein für die Munizipien in der Poebene während des ersten Jahrhunderts v. Chr., sondern für das ganze italische Gebiet in jener Zeit (mit Ausnahme von Rom). Es ist darum wahrscheinlich, dass die Lex Rubria, was die *actio ficticia* anbelangt, den Geltungsbereich einer für die ländlichen Gemeinden des übrigen Italien schon vorher gültigen Bestimmung einfach auf die Poebene ausgedehnt hat, nachdem diese zu Italien gekommen war. Die Einführung der späteren Regelung (die in Rom schon im ersten Jahrhundert v. Chr. gegolten haben dürfte, vgl. Anm. 12 Ende), die den örtlichen Magistraten vorschreibt, bei Hartnäckigkeit *missio* anzuordnen, ist dann dadurch zu erklären, dass die Staatsmacht im Laufe der Zeit immer mehr zunahm. Der Nachweis, dass diese Hypothese auch tatsächlich zutrifft, ist natürlich nicht zu erbringen; doch dürfte der grosse Zeitunterschied zwischen der Lex Rubria (Mitte des ersten Jahrhunderts v. Chr.) und dem Werk Ulpians (Anfang des dritten Jahrhunderts n. Chr.) die Vermutung, dass eine solche Veränderung mit der späteren allmählich fortschreitenden Entwicklung der Staatsmacht zusammenhängt, zum mindesten wahrscheinlich machen.

---

v. Chr. auch schon in Rom als Zwangsmittel gebraucht wurde, ist nicht ganz sicher. BRANCA, Danno temuto S. 92, vermutet es, gibt aber selber zu, dass er dies nicht mit Sicherheit beweisen kann.

7. **qua de re quisque et a quo,** ,,Wenn jemand über eine Sache zu Lasten einer anderen Person''. Wie im Kommentar zu XIX, *1-2*, oben S. 58-63 dargelegt wurde, gibt es in der alten römischen Gesetzessprache häufiger an den Anfang eines Satzes gestellte Nebensätze (Protases), die eine Bedingung enthalten und durch Pronomina relativa eingeleitet werden. Eine nähere Erklärung dieses Satzbaues findet man ebenfalls an der erwähnten Stelle. Es kommt übrigens ziemlich selten vor, dass es sich um eine Satzkonstruktion handelt, die — wie hier — von zwei Relativpronomina zugleich eingeleitet wird; einige wenige Parallelen hierzu findet man im Kommentar zu XIX, *1-2*, S. 62 f.

quisque, ,,jemand, wer auch immer''. Vgl. Pompon. 5 ad Sabinum, dig. 28, 5, 29; *hoc articulo ,,quisque'' omnes significantur.* Natürlich bedeutet das noch nicht, dass tatsächlich jeder *cautio* verlangen kann. Zunächst einmal wird es sich um jemanden handeln müssen, bei dem die Vermutung naheliegt, dass ihn der drohende Schaden tatsächlich treffen kann; mit anderen Worten: es muss jemand sein, dessen Besitzung sich in unmittelbarer Nachbarschaft des die Gefahr verursachenden Objektes oder der so beschaffenden Arbeiten befindet. Ausserdem muss er die Voraussetzungen erfüllen, die ganz allgemein an ein Gesuch um Rechtsschutz geknüpft sind; Sklaven und Kinder in der *patria potestas* waren ausgeschlossen, *peregrini* hingegen nicht (vgl. KASER, Zivilprozessrecht, S. 148 und 150 und ders., Privatrecht I, ^{2}1971, S. 275 f.).

a quo, ,,zu Lasten von jemand''. Zur Bedeutung von *a* vgl. HEUMAN-SECKEL, S. 1 s.v. ,,*a* Nr. 3''; ausserdem VIR. I 31, 16 ff. und M. DAVID und H. L. W. NELSON, Kommentar zu Gaius' Institutiones, Leiden 1960, S. 315.

damnei infectei, ,,wegen drohenden Schadens''. Der Begriff *damnum infectum* ist in der Einleitung zu diesem Kapitel hinlänglich beschrieben und erklärt worden. Der hier verwendete Genetiv ist ein ,,Genetiv des Sachbetreffs'' (*relationis*), der — wie auch an unserer Stelle — vor allem bei *verba iudicialia* vorkommt und in dem Fall auch als *genetivus forensis* bezeichnet wird; *damnei infectei* hängt somit von *restipularei satisve accipere* ab (vgl. ähnliche Konstruktionen in XX, *18. 21. 23. 30. 31. 33* und *40*). Für weitere Beispiele des forensischen Genetivs vgl. HOFMANN-SZANTYR, S. 75 ff. In unserer Lex kommt ausser dem spezifischen forensischen Genetiv auch ein Beispiel für die Verwendung des allgemeineren Genetivs des Sachbetreffs vor, u. zw. in XXI, *10*: *tum .... siremps res lex ius caussaque .... omnium rerum esto*, „dann soll .... der Rechtsstreit, die Gesetzes- und die Rechtsvorschrift und der Rechtsgrund in jeder Hinsicht die gleiche Geltung haben" (vgl. hierzu Komm. S. 176).

8. **ex formula restipularei,** „sich entsprechend der Formel (die sich auf der Publikationstafel des Prätors, dem *album praetorium*, befindet) für ein rechtlich bindendes Versprechen (*stipulatio*) inbetreff drohenden Schadens (*damnum infectum*) eine Leistung versprechen lassen". Die Bezeichnung *formula* könnte verwirrend sein, da sie im Prozessrecht häufig im Sinne von „Prozessformel" des sogen. Formelprozesses verwendet wird, der im zweiten Jahrhundert v. Chr. von dem Prätor geschaffen wurde und im ersten Jahrhundert v. Chr. den alten *legis actio*-Prozess beinahe vollständig verdrängte. In unserem Fall ist es jedoch dem Satzzusammenhang eindeutig zu entnehmen, dass es sich um die von dem römischen Prätor für eine *cautio*, „Sicherheitsleistung", vorgeschriebene Formulierung handelt.

Literatur zu *stipulari, restipulari, stipulatio* und damit zusammenhängenden Begriffen: HEUMANN-SECKEL, S. 555-557 s.v. „*stipulari*" und S. 515 s.v. „*restipulari*"; E. WEISS, RE. IIIA (1927) Sp. 2540-2548 s.v. „*stipulatio*" und 1850-1857 s.v. „*sponsio*"; A. PALERMO, Il procedimento cauzionale nel diritto romano, Mailand 1942, S. 71 und 95 ff.; M. KASER, Privatrecht I², S. 538 ff. und ders., Zivilprozessrecht, S. 209 ff. und 335 ff.; F. PASTORI, Studi Urbinati 26 (1957-1958) N.S.A. Nr. 10 S. 259-283; A. MOZZILLO, Contributi allo studio delle „stipulationes praetoriae", Neapel 1960 (vgl. hierzu jedoch die kritischen Bemerkungen von G. BRANCA, IURA 12, 1961, S. 304-308).

Den Begriff *stipulatio* kann man ganz allgemein etwa so umschreiben: „die in festgelegter Form von einer Person an eine andere Person gestellte Frage, ob sie bereit ist, mündlich etwas zu versprechen". Danach muss die angesprochene Person in entsprechendem Wortlaut das Versprechen abgeben. Aber auch das Versprechen selbst wird *stipulatio* genannt; KASER, Privatrecht I², S. 538 ff. übersetzt das Wort *stipulatio* deshalb mit: „das mündliche formgebundene Leistungsversprechen". Diese Form von Versprechen hat bekanntlich im römischen Recht eine wichtige Funktion erhalten, da das Vorhandensein einer *stipulatio* rechtliche Verantwortlichkeit begründete und eben diese Verantwortlichkeit es möglich machte, dass man gegen einen Vertragsbruch mittels einer *actio ex stipulatu* vorgehen konnte (vgl. KASER, Privatrecht I², S. 542). Schwierigkeiten ergaben sich natürlicherweise dadurch, dass der Kläger sich bei einem eventuellen Prozess auf ein mündliches Versprechen berufen musste, und darum war es notwendig, dass beim Abschluss einer *stipulatio* Zeugen anwesend waren. Dies umso mehr, als ihr mündlicher Charakter im Vordergrund stand und eine eventuelle schriftliche Festlegung der *stipulatio* nicht ohne weiteres als beweiskräftig angesehen wurde.

Trotz solcher Schwierigkeiten war die *stipulatio* von grösster Bedeutung. Zunächst einmal war sie eine häufig verwendete Vertragsform im Handelsverkehr; hiervon ist aber in der Lex Rubria keine Rede. Ein zweiter Anwendungsbereich — u.a. in XXI, *6* erwähnt — war die Rechtsprechung, und zwar das Verfahren *in iure*. Der Prätor benutzte diese Form des Versprechens, um unbegründete Prozesse zu verhindern: er liess beide Parteien ein rechtlich bindendes Versprechen (*stipulatio*) des Inhaltes ablegen, dass die Partei, die den Prozess verlieren würde, als zuzügliche Busse eine bestimmte Geldsumme an die andere Partei zahlen musste. Im Kommentar zu XXI, *6*, S. 172 f., werde ich noch hierauf zurückkommen.

Ein dritter, häufig vorkommender — und uns an dieser Stelle besonders interessierender — Anwendingsbereich sind die sogenannten Sicherheitsleistungen (*cautiones*): man legt ein Versprechen in der Form einer *stipulatio* „für den Fall, dass eine bestimmte Situation eintreten sollte", ab. Diese Versprechen, eine Sicherheit zu leisten, wurden von dem Prätor formuliert; in anderen Quellen begegnet man deshalb auch dem Terminus *praetoriae stipulationes*. Es handelte sich bei ihnen zum Beispiel darum, dass jemand sich gegen eine möglicherweise erst später eintretende Gefahr sichern wollte, die ihm bei tatsächlichem Eintreten Schaden erbringen konnte, für welche er sich aber nicht mehr ohne weiteres zu diesem späteren Zeitpunkt mit Hilfe eines Prozesses entschädigen lassen konnte. Unser Caput XX enthält ein solches Beispiel. Das römische Recht kannte nämlich keinen Schutz für Eigentümer von (in erster Linie) unbeweglichem Gut für den Fall, dass durch ein baufälliges Gebäude auf einem Nachbargrundstück oder durch Arbeiten eines Bauunternehmers an ihrem Eigentum ein Schaden entstand. Statt dessen hatte der Prätor die Möglichkeit geschaffen, dass ein Eigentümer, der einen solchen Schaden befürchtete, im voraus Garantien mittels einer *stipulatio* verlangen konnte, ja, der Prätor hatte sich in seinem Edikt sogar dazu bereit erklärt, die *cautio* zu erzwingen, sofern es notig sei.

Wenn wir Obiges zusammenfassen, kommen wir zu dem Ergebnis, dass *stipulatio* der allgemeine Terminus für ,,rechtlich bindendes Versprechen'' darstellt, *cautio* hingegen ,,Sicherheitsleistung, die in der Form von *stipulatio* versprochen wurde'' bedeutet. Neben diesen Termini wurden verschiedene andere, spezifischere Bezeichnungen für dieselben Begriffe gebraucht, nämlich *fidepromissio, fideiussio* (beide nicht in der Lex Rubria), *sponsio* (s. Kommentar zu XIX, *2*, S. 69 f.) und *satisdatio* (s. Kommentar zu XX, *11*, S. 97 f.).

Nach diesen Ausführungen muss schliesslich der Begriff *restipulari* verdeutlicht werden. Es handelt sich, wie ersichtlich, um eine Zusammensetzung des soeben besprochenen *stipulari*, ,,ein rechtlich bindendes Versprechen verlangen'', mit der Vorsilbe *re-*. *Restipulari* bedeutet darum meistens (vgl. HEUMANN-SECKEL, S. 515 s.v. ,*restipulari*') ,,sich dagegen versprechen lassen'', ,,seinerseits auch eine *stipulatio* verlangen''. In unserem Fall jedoch eröffnet der Kläger (als erster) das Verfahren vor dem Magistrat und fordert bei dieser Gelegenheit *restipulatio*; von ,,dagegen'' kann nicht die Rede sein, so dass hier die Vorsilbe *re-* eine ähnlich abgeblasste Bedeutung hat wie z.B. in *recipere*, dass ausser ,,zurücknehmen'' auch ,,vom andern, von der Gegenpartei entgegennehmen'' bedeuten kann. In diesem Sinne aufgefasst würde *restipulari* ,,von der Gegenpartei ein rechtlich bindendes Versprechen entgegennehmen'' heissen können. Dieser Bedeutung von *restipulari* begegnet man auch in Cic. p. Q. Roscio com. 18, 56, wo der Kläger, Roscius, eine *stipulatio* fordert von Fannius, ohne dass letzterer sich seinerseits eine Leistung von Roscius hat versprechen lassen. Diese Cicero-Stelle ist die einzige Parallele die ich in Texten, die sich mit juristischen Gegenständen befassen, habe finden können. Ich kann jedoch noch darauf hinweisen, dass die Lex Rubria in ähnlicher Weise *repromittere* (und *repromissio*) statt *promittere* (*promissio*) verwendet

(s. Kommentar zu XX, *11*, unten S. 97): anscheinend bedeutet *repromittere* dort „der Gegenpartei auf ihr Gesuch hin ein Versprechen (*stipulatio*) leisten". Auch in der oben genannten Cicero-Stelle (p. Roscio com. 18, 56) begegnet man in demselben Satz dieser Bedeutung von *repromissio.*

8. **satisve accipere,** „ein rechtlich bindendes Versprechen, verbunden mit einer Sicherheitsleistung (also eine *satisdatio,* s. unten S. 97 f.) empfangen". Wie HEUMANN-SECKEL, S. 527 s.v. „*satis*" unter 7 bemerkt, hätte man statt dessen auch *satisdationem accipere* schreiben können. Diese Formulierung kommt jedoch in der Praxis nicht vor.

8-9. **ab eo quei ibei i(ure) d(eicundo) <p(raeerit)>,** „von demjenigen, dem dort die Leitung der Rechtsprechung obliegt". Welche Magistrate in der Poebene — und ganz allgemein ausserhalb Roms — mit der Rechtsprechung beauftragt waren und in welchen Orten sie auftraten, wird im Anhang II S. 267 ff. dargestellt. Aus XX, *15-16* geht schon hervor, welche Titel sie führen: *IIvir IIIIvir praefectusve.* Dem soeben zitierten Anhang kann man entnehmen, dass es diese Beamten vor allem in *municipia* und *coloniae* gab und dass in diesen beiden Stadttypen *praefecti* nur als zeitliche Vertreter amtierten. Die Bewohner von *vici* und *castella* besassen keinen eigentlichen Jurisdiktionsmagistrat, sondern unterstanden hinsichtlich der Rechtsprechung den entsprechenden Magistraten der *colonia* oder des *municipium,* zu welchen das Gebiet ihrer Ortschaft gehörte. Die Rechtsprechung für die Bewohner von *fora* und *conciliabula* oblag oft auch dem Prätor in Rom, der Vertreter entsandte, die gleichfalls den Titel *praefecti* trugen (das Amt dieser *praefecti* jedoch hatte, im Gegensatz zu den vorher genannten, einen dauerhaften Charakter). Ausserdem kommt noch die Ortsbezeichnung *praefectura* vor, die keine andere Bedeutung zu haben scheint als: „Ort, an dem ein *praefectus* die Leitung der Rechtsprechung hat"; es handelt sich hier also nicht um einen besonderen Ortstypus. So können sich also die Bewohner eines jeden Ortes der Poebene mit dem Gesuch, dem durch sie Beklagten eine *cautio damni infecti* aufzuerlegen, an einen örtlichen Jurisdiktionsmagistrat wenden.

Hinsichtlich der Ergänzung *p(raeerit)* ist noch zu bemerken, dass man in Inschriften auch die kürzere Schreibweise *p(raerit)* findet, nämlich in *tabula Heracleensis* (Bruns Nr. 18 S. 101) Z. 37: *eamve locationem palam in foro per q(uaestorem) urb(anum) eumve quei aerario praerit facito,* und ibid. 69: .... *quei vieis loceisque* .... *purgandeis praerunt.* Dieses Material ist jedoch zu gering, um daraus schliessen zu können, dass es sich hier nicht um einen Schreibfehler, sondern vielmehr um eine absichtlich abkürzende Schreibweise handelt. Darum ist eine Ergänzung, die in orthographischer Hinsicht korrekt und vollständig ist, *praeerit* vorzuziehen (Mommsen ua. schreiben *praerit*).

9. **postulaverit,** „ein Gesuch eingereicht hat". Der Magistrat erteilt den Befehl zu einer *stipulatio* nur auf ein Gesuch der interessierten Partei hin, vgl. S. 78 f. Das Fordern einer *stipulatio praetoria* (oder auch *cautio*) ist — wie auf S. 78 und S. 92 dargestellt wurde — sonst nur Sache des Prätors, aber in unserem Caput XX kann es auch, mittels Delegation, durch den Munizipalmagistrat geschehen. Nähere Einzelheiten findet man bei Kaser, Zivilprozessrecht, S. 336.

idque non k(alumniae) k(aussa) se facere iuraverit, „und wenn er geschworen hat, dass er das nicht mit böser Absicht tut"; mit anderen Worten: der Prätor machte es für die Erteilung einer *cautio damni infecti* zur Bedingung, dass der Kläger beeidete, „sein Gesuch nicht eingereicht zu haben, um zu schikanieren". Von strafrechtlichen Folgen eines Meineides ist nichts bekannt. Somit bemerkt Kaser, Zivilprozessrecht, S. 214 Anm. 16 mit Recht: „Der Eid erzeugte wohl auch hier nur eine religiöse und moralische Bindung" (vgl. hierzu auch die dort aufgeführte Literatur). Es ist sehr gut möglich, dass man darum ausser dem Eid eine rein rechtlich bindende Handlung verlangte, nämlich eine *stipulatio* des Inhaltes, dass der Kläger Schadenersatz zahlen würde, falls sich sein Gesuch um *cautio* als unbegründet erweisen sollte, z.B. dadurch, dass er überhaupt kein Recht hatte, eine *cautio* zu verlangen. Dem Ausdruck *non kalumniae kaussa* begegnet man auch in den *notae iuris* aus Probus bei Keil, Gramm. Lat. IV S. 274 Nr. 11 (N.K.C.).

is, quo d(e) e(a) r(e) in ius aditum erit, „derjenige, an den man sich mit der Bitte gewandt hat, dass er den Rechtsweg für zulässig erklärt". Die Funktion des Wortes *quo* in diesem Zusammenhang wird deutlich, wenn man entsprechende Wendungen vergleicht:

Ulp. 62 ad ed., dig. 2, 2, 16: ...., *neve quis, ad quem de ea re in ius aditum erit iudicatum facere cogat*; und Ulp. 29 ad ed., dig. 16, 1, 2, 1 (*senatus consultum Velleianum*): *arbitrari senatum recte atque ordine facturos* (sc. *esse*), *ad quos de ea re in iure aditum erit, si dederint operam, ut in ea re senatus voluntas servetur*. Offensichtlich steht in *9* *is quo* für *is, ad quem*. *Quo* ist somit ein Pronominaladverb, das an Stelle eines Pronomens steht. Aus den Bemerkungen zu dieser Konstruktion bei Hofmann-Szantyr, Syntax S. 208-210, geht hervor, dass man sie vor allem bei den Adverbien *unde* und *quo* findet. Das erste Beispiel einer Verwendung von *unde* in dieser Bedeutung findet man bei Ter. Eun. 11 *causum dicere prius unde petitur .... quam illic qui petit*, wo *unde petitur* den Beklagten („von dem gefordert wird") bezeichnet. Übrigens ist diese Konstruktion im allgemeinen juristischen Sprachgebrauch (über ihren Gebrauch in der spezifischen Gesetzessprache sind keine Einzelheiten bekannt) jedenfalls seit Cicero gebräuchlich, wie sich aus einer Untersuchung von Landgraf ergibt, vgl. Landgraf, De Ciceronis elocutione in oratione pro P. Quinctio et pro Sexto Roscio Amerino conspicua, Diss. Würzburg 1878, Anm. zu Rosc. 74; eine umfassendere Besprechung findet man in der Monographie von E. Palmén, Die lateinischen Ortsadverbia in Kasusbedeutung, Arctos N.S. 2 (1958) S. 104-142.

10. **quei in ius eductus erit,** „der vor das Gericht geladen worden ist". S. Thes. V, 2 Sp. 116 ff., vor allem 118, s.v. ‚*educo*, Nr. c.: in iudiciis (producere reos, testes, sim.)'. Den Ausdruck *in ius educere*, „vor Gericht laden", findet man häufiger, z.B. *lex Acilia repetundarum* (Bruns Nr. 10 [123/22 v. Chr.] S. 55 ff.) Z. 6: *is eum .... in ious ed[ucito]*; Varro, Frg. bei Gell. 13, 13, 4: *a privato ad praetorem in ius est eductus*; Cic. Quinct. 9, 33: .... *ut te in ius educerent*; Gell. 11, 17, 2: *si quis .... ad me eductus fuerit, qui dicatur .... fecisse ....* (aus dem *edictum praetorium*). Für weitere Belege vgl. Thes. a.a.O.

ex formula, „gemäss der offiziellen Formel (des Prätors)". Wie in den Bemerkungen zu *8*, vgl. S. 92, schon angedeutet wurde, befanden sich in dem *album praetorium* für alle üblichen Fälle von *cautio* Standardformeln, so dass der Prätor auf sehr einfache Weise den Auftrag zur Ablegung einer *cautio* oder *stipulatio praetoria* erteilen konnte. Man war verpflichtet, diese Formeln zu gebrauchen, eventuell versehen mit von dem Prätor erlaubten Änderungen.

11. **repromittere.** Bei diesem Kompositum handelt es sich um ein in juristischen Texten häufig verwandtes Synonym für *promittere*, „eine *stipulatio* leisten". Dies ergibt sich aus den Beispielen bei HEUMANN-SECKEL, S. 510 s.vv. „*repromittere*" und „*repromissio*"; das Substantiv *repromissio* findet man gleichfalls in diesem Caput unseres Gesetzes, nämlich in *14*. Wie oben auf S. 93 f. anlässlich des Terminus *restipulari* dargestellt wurde, wird die Vorsilbe *re-* in *repromittere* die Bedeutung von „auf ein Gesuch der Gegenpartei hin" haben und *repromittere* somit „der Gegenpartei auf ihr Gesuch hin ein Versprechen (*stipulatio*) leisten" bedeuten.

sei satisdarei debebit, satisdare. Der Gesetzgeber stellt *repromittere*, „eine einfache *stipulatio* leisten", und *satisdare*, „eine *stipulatio* leisten und ausserdem Bürgen stellen", als Alternativen auf. In dem zweiten Fall handelt es sich um eine Sicherheitsleistung (*cautio*, s. oben S. 92 f.), für welche der Beklagte eine *stipulatio* (s. oben S. 91 f.) leisten muss und zugleich Bürgen anführen muss. Letzteres geht hervor aus Ulp. 14 ad ed., dig. 46, 5, 7: *praetoriae satisdationes personas desiderant pro se intervenientium.* Trotzdem ist für den Beklagten eine *stipulatio* erforderlich, wie XX, *33-35* zeigen: *ea stipulatione .... satis dedisset*, „bei diesem rechtlich bindenden Versprechen Bürgen gestellt hätte". Man fragt sich, wie die Verantwortlichkeit der Bürgen zustande gebracht wurde. Wahrscheinlich sollten auch sie *stipulatio* leisten, wie erhellen könnte aus der oben zitierten Ulpianus-Stelle, und aus Ulp. 3 ad ed., dig. 5, 1, 2, 6 Ende: .... *eos qui satis pro eo dent.*

Wann eine einfache *stipulatio* und wann eine *satisdatio* erforderlich war, ist uns nur aus späterer Zeit bekannt, nämlich aus einem Zitat des *edictum praetorium* bei Ulpianus, 53 ad ed., dig. 39, 2, 7 *pr.*: *praetor ait: „damni infecti suo nomine promitti, alieno satisdari iubebo ei, qui iuraverit non calumniae causa id se postulare eumve cuius nomine aget postulaturum fuisse, in eam diem, quam causa cognita statuero. Si controversia erit, dominus erit necne qui cavebit, sub exceptione satisdari iubebo"*, „Der Prätor sagt: ‚was den drohenden Schaden anbetrifft, so werde ich befehlen, im eigenen Namen *stipulatio* und im Namen eines anderen *satisdatio* zu leisten zu Gunsten desjenigen, der zuvor geschworen hat, dass er oder die Person, in deren Namen er handelt, die Klage nicht eingereicht hat, um zu schikanieren; und zwar sind *stipulatio* oder *satisdatio* an dem Tag zu leisten, den ich nach Durchführung einer Untersuchung festlegen werde. Falls Streit über die Frage entsteht, ob derjenige, der die *cautio* leisten soll, Eigentümer ist oder nicht, werde ich den Befehl erteilen, *satisdatio* abzulegen (und keine einfache *stipulatio*), aber diesen Befehl mit einer Ausnahmeklausel versehen' "(wahrscheinlich des Inhaltes: „falls der Beklagte nicht Eigentümer ist"). Der letzte Satz dieses Zitats macht deutlich, dass für einen *dominus*, einen Eigentümer, einfache *stipulatio* genügte, dass aber andere ausserdem Bürgen stellen mussten (*satisdatio*). Nichteigentümer können in diesem Zusammenhang sein: Mieter von unbeweglichem Gut, das baufällig zu sein scheint, und Bauunternehmer, die auf einem fremden oder öffentlichen Grundstück arbeiten.

11-12. **iubeto decernito,** „befehlen und beschliessen muss". *Iubere* ist ein sehr allgemeiner Ausdruck für: „wünschen", „verlangen", „befehlen"; man vgl. LEWIS-SHORT S. 1014 s.v. „*jubeo*", und HEUMANN-SECKEL S. 290-291 s.v. „*iubere*". *Decernere* hingegen wird in diesem Zusammenhang vor allem für eine Entscheidung des Magistrats verwendet, vgl. THES. V, 1 Sp. 142 s.v. „*decernere*", besonders Sp. 145 sub III B, und HEUMANN-SECKEL S. 123-124 s.v. „*decernere*" sub c., mit vielen Beispielen. Wahrscheinlich ist die Aneinanderreihung dieser beiden Verben als explikative Juxtaposition zu bewerten, wie in XIX, *2*: *decernet interdeicetve*; vgl. den Kommentar zur Stelle, S. 69.

12. **ita,** „in der angegebenen Art und Weise", d.h. „der soeben erwähnten Massnahme des rechtsprechenden Magistrates folgend, um — nach der Ablegung eines Eides (*9*) — dem Beklagten zu befehlen, eine *cautio damni infecti*, eine Sicherheitsleistung wegen drohenden Schadens, zu hinterlegen".

13. **sei quid interim damni datum factumve ex ea re aut ob e(am) r(em) eove nomine erit,** „falls inzwischen ein Schaden zugefügt oder erlitten worden ist, der die Folge ist von, verursacht worden ist durch oder in Zusammenhang steht mit der Tatsache (, dass)". Aus diesem Zusammenhang geht hervor, dass die hieraufolgenden Zwangsmassnahmen gegenüber Verschleppung verursachenden Personen nicht auf Grund der Tatsache angewendet werden dürfen, dass sich jemand weigert, *cautio* zu hinterlegen, sondern dass ihre Anwendung erst dann gerechtfertigt ist, wenn der in diesem Satz erwähnte Schaden tatsächlich eingetreten ist. So ist es möglich, dass gegen einen Verschleppung verursachenden Beklagten überhaupt nichts unternommen werden kann, und zwar in dem Fall, dass der drohende Schaden überhaupt nicht eintritt.

quid damni datum factumve .... erit, „ein Schaden zugefügt oder erlitten worden ist". *Damnum dare,* „einen Schaden zufügen", findet man schon bei Cato re rust. 149 (zweimal); man vergleiche für weitere Belege Thes. V, 1 Sp. 23-25 s.v. „*damnum* B, locutiones iudiciales". *Damnum facere* hat eine nach unserem Sprachgefühl weniger auf der Hand liegende Bedeutung, nämlich „einen Schaden erleiden" (nicht: „zufügen"). Man vgl. Cic. Brutus 33, 125: *damnum enim illius immaturo interitu res romanae latinaeque litterae fecerunt,* „denn durch seinen frühen Tod haben die römische Welt und die lateinische Literatur Schaden erlitten", Pomponius 14 ad Sabinum, dig. 30, 56; und Ulp. 81 ad ed., dig. 39, 2, 26 Ende: *multumque interesse, utrum damnum quis faciat, an lucro quod adhuc faciebat, uti prohibeatur,* „und dass es ein grosser Unterschied ist, ob jemand einen Schaden erleidet, oder ob ihm der Gewinn entgeht, den er bis dahin machte". In dem letzten Beispiel findet man die Begriffe *damnum facere,* „einen Schaden erleiden" und *lucrum facere,* „einen Gewinn erzielen" nebeneinander. Womöglich ist die Wendung *damnum facere* erst nach Analogie des näherliegenden Ausdrucks *lucrum facere* entstanden. Für weitere Beispiele s. den aus dem Thes. zitierten Artikel und Heumann-Seckel, S. 204 s.v. „*facere*" sub 14.

13-14. **ex ea re aut ob e(am) r(em) eove nomine.** Es ist schwierig festzustellen, wo der genaue Unterschied zwischen diesen drei Begriffen liegt. Ich komme darauf weiter unten noch einmal zurück. Auf jeden Fall macht die Häufung von drei gleichartigen Ausdrücken deutlich, ja sie weist noch einmal besonders darauf hin, dass ein Gesuch um *actio ficticia* nach Hinterlegung einer *cautio* nur dann bewilligt werden kann, wenn der Schaden auf Grund der in der vorhergehenden *cautio* — d.h. *stipulatio* oder *satisdatio* — zu bestimmenden Ursache entstanden ist. Wenn z.B. ein Haus einstürzt und durch den Einsturz ein Schaden verursacht wird und die *cautio* schon vorher für eben solchen, nämlich durch Einsturzgefahr drohenden Schaden gefordert worden ist, so muss eine Vergütung folgen; stürzt ein anderes Gebäude desselben Eigentümers ganz unerwartet ein, so muss der Nachbar den Schaden selbst tragen.

Eine Reihe deutlicher Beispiele hierfür findet man bei Ulp. 81 ad ed., dig. 39, 2, 24, 2-12.

Was die einzelnen Teile der in dem obigen Lemma zitierten Redewendungen anbetrifft, so muss in diesem Zusammenhang das Wort *res* die „gefährliche Eigenschaft", nähmlich die Baufälligkeit, durch die ein Schaden entstehen kann, bezeichnen. Betrachtet man ferner die Präpositionen *ex* und *ob* und den präpositionalen Ausdruck *nomine* (*alicuius rei*), so scheint einerseits kaum ein Unterschied zwischen *ex* und *ob* denkbar zu sein. *Ex* bezeichnet eine „Quelle, Ursache, Grund" (vgl. HEUMANN-SECKEL, S. 178-179 s.v. ‚*ex*' sub 3), *ob* bedeutet „wegen" und gibt somit eine Ursache oder einen Zweck an; vgl. hierzu HEUMANN-SECKEL, S. 378-379 s.v. ‚*ob*'. Beide Ausdrücke kann man darum mit „als Folge von" oder „verursacht durch" übersetzen. Auf der anderen Seite ist die Wendung *eove nomine* offensichtlich weniger genau. V.I.R. IV Sp. 170-202 s.v. ‚*nomen*' (vor allem 190-202 sub IX ‚*alicuius rei nomine* = *alicuius rei causa, propter aliquam rem,* A. *nomine*') übersetzt sie mit: „wegen", „betreffend", HEUMANN-SECKEL, S. 369 s.v. ‚*nomen*' sub 1 d mit: „wegen", „in Bezug, im Hinblick auf etwas". Somit kann *eo nomine* sowohl eine engere kausale Relation wie auch einen loseren Zusammenhang bezeichnen. Allem Anscheine nach ist dieser Ausdruck nur deshalb noch hinzugefügt worden, um auch die Gründe für die Entstehung eines Schadens mit einzubeziehen, die nicht direkt „Ursache" sind. In der Praxis jedoch ist *nomine* häufig ein Synonym für *ex* und *ob*: vgl. z.B. Pomp. 21 ad Sabin., dig. 39, 2, 39 *pr.*, und Ulp. 81 ad ed., dig. 39, 2, 28: *si propter metum ruinae ea aedificia, quorum nomine sibi cavit, fulsit,* wo *nomine* nahezu dasselbe bedeutet wie *ob*. Die weitschweifige Dreiteiligkeit des Ausdrucks ist wohl nur deshalb angewandt worden, um alle nur erdenklichen Ursachen in weitgehendster Weise zusammenzufassen. Dem Ausdruck *ob eam rem* begegnet man auch in den *notae iuris* aus Probus bei KEIL, Gramm. Lat. IV S. 275 Nr. 6 (O.E.R.).

14-15. **utei damnei infectei repromissio satisve datio fieret, postulatum erit,** „das Gesuch wurde eingereicht, dass ein rechtlich bindendes Versprechen hinsichtlich des drohenden Schadens mit oder ohne Bürgen geleistet werden soll". Auf der Gesetzestafel lesen wir: *satisve datio fierei*. Die Schwierigkeit dieser Lesart besteht darin, dass man in dem mit *utei* beginnenden Satz ein Verbum finitum vermisst. MOMMSEN (vgl. CIL. I[1] S. 115 ff.) fügte darum eine Verbform hinzu, nämlich *iubeatur*. Es ist jedoch nicht leicht einzusehen, wie ein so langes Wort, das überdies in dieser Umgebung keine Veranlassung zu Haplographie geben kann, ausgefallen sein könnte. Einfacher ist darum eine Verbesserung von *fierei* in *fieret,* die einen in jeder Hinsicht befriedigenden Sinn bewirkt.

15. **mag(istratus) prove mag(istratu), IIvir IIIIvir praefec-(tus)ve.** Auf die hier genannten Magistrate wird ebenfalls in *27-28, 37* und *38,* und — mit einer Ergänzung — in *40-41* hingewiesen. Bei all diesen Hinweisen fehlen die Worte *magistratus prove magistratu,* so dass man annehmen muss, dass *magistratus prove magistratu* an unserer Stelle, Z. *15,* nichts anderes als eine zusammenfassende Bezeichnung der darauf folgenden Begriffe *IIvir IIIIvir praefectusve* ist. Da ein *praefectus* als Vertreter der *IIviri* und der zwei Jurisdiktionsmagistrate der *IIIIviri* auftreten konnte oder anderenfalls der höchste Magistrat in den kleineren Ortschaften war, die keine *IIviri* oder *IIIIviri* besassen, sind mit *magistratus* die *IIviri* und *IIIIviri* gemeint, und bezieht *pro magistratu* sich auf den *praefectus.* Für eine ausführlichere Besprechung dieser Begriffe vgl. S. 256 ff. unter Nr. 5 und 7: ‚*fora* und *conciliabula*', und S. 268 ff. s.vv. ‚*IIviri/IIIIviri*'.

16. **quoquomque.** Das pronominale Adverb *quoquomque* steht hier an Stelle des Pronomens *ad quemquomque.* Einem gleichen Fall sind wir schon in Z. *9* begegnet, wo das Wort *quo* an Stelle von *ad quem* verwendet wurde (vgl. oben S. 95 f.).

16-17. **ius deicito,** „muss die rechtliche Prozedur vorschreiben". Man könnte *ius dicere* ebenso wie Kaser, Zivilprozessrecht, S. 28 mit Anm. 25 (mit weiterer Literatur) umschreiben mit: „die Verkündung dessen, was im einzelnen Streitfall Recht ist". Da dies bei einem Prozess vor allem auf das Verfahren *in iure* zutrifft, bezieht sich in unserm Fall der Ausdruck *ius dicere* besonders auf das Verfahren *in iure* des nunmehr zugestandenen fiktiven Prozesses; vgl. Heumann-Seckel, S. 301 s.v. ‚*ius* 1 a γ *init.*, erste Spalte'. Denn mit Recht kann man das Verfahren *in iure* bezeichnen als „die Festlegung des Prozessprogramms" (Kaser, Zivilprozessrecht, S. 28).

Von den in Z. *16-17* genannten Termini *ius dicere, iudicia dare* und *iudicare iubere* gehört der erste mit Sicherheit zum Verfahren *in iure*, der letzte zum zweiten Teil des gerichtlichen Verfahrens, das sich vor dem *iudex* abspielt und worin die Entscheidung getroffen wird (siehe weiterhin Z. *20 iudicatumve erit*). Was den mittleren Terminus, *iudicium dare*, anbelangt, ist es nicht so leicht, eine Entscheidung zu treffen, mit welchem Teil des Verfahrens er in Zusammenhang steht; für eine eingehendere Besprechung des letzteren Begriffes vgl. das folgende Lemma.

17. **iudicia dato,** „muss Prozessformeln erteilen" (evtl.: „muss ein Verfahren vor dem Richter zugestehen"). Für die zuerst genannte Interpretation von *iudicium* sind wir in unserer Lex Rubria schon zwei Belegen begegnet, nämlich oben in XIX, *3* und *4*. An den beiden zuletzt genannten Stellen wurde nämlich von *iudicia* gesprochen, in die ein bestimmter Zusatz aufgenommen werden musste. Dieses ist jedoch nur möglich, wenn mit dem Wort *iudicium* eine Formulierung gemeint ist; darum liegt die Übersetzung „schriftliche Anleitung für den *iudex*", oder auch: „Prozessformel" nahe. Aus ähnlichen Gründen ist auch weiter unten, in XX, *42* und *47*, die Bedeutung von *iudicium* = „Prozessformel" leicht festzustellen, vgl. XX, *41-43 utei ea nomina et municipium colonia locus in eo iudicio .... includantur concipiantur* und *47-48 neive ea nomina .... aut Mutinam in eo iudicio includei concipei curet*. Und ebenfalls kann in XX, *21-22 dum in ea verba .... iudicium det itaque iudicare iubeat* (es folgt der Wortlaut einer schriftlichen Formel) und XX, *32 in ea verba iudicium det* (es folgt wiederum der Wortlaut einer schriftlichen Formel) *iudicium* nur „Prozessformel" bedeuten (vgl. zu *iudicium* in diesem Sinne auch die Ausführungen von Kaser, Zivilprozessrecht S. 217 f.). Zu der Frage, in wiefern sich in solchen Fällen noch ein Bedeutungsunterschied zwischen *iudicium* und *formula* ermitteln lässt (etwa *formula* = „abstraktes Schema einer Prozessformel" und *iudicium* = „konkrete — für einen bestimmten Prozess aufgestellte — Prozessformel"), siehe weiter unten den Komm. S. 123 f. zu XX, *46 formula*.

Was nun den Ausdruck *iudicia dare* anbelangt, der in unserm Lemma (*iudicia dato*) begegnet, so schlägt B. Kübler, Über die Bedeutung von *iudicium* und *formula* bei Cicero und in den übrigen Quellen der republikanischen Zeit, ZSS. 16 (1895) S. 137-181 eine andere Interpretation für *iudicium* vor, u. zw. „Verfahren vor dem Richter"; *iudicium dato* bedeutet somit nach seiner Meinung: „er muss ein Verfahren *apud iudicem* zugestehen"; evtl. sei *iudicium* auch die Bedeutung „Klagerecht" beizulegen (vgl. a.a.O. S. 155 und 172). Die Bedeutung „Prozessformel" jedoch sei nach der Ansicht dieses Gelehrten erst in späteren Jahrhunderten entstanden. Gegen KÜBLERS verallgemeinernde Interpretation des Begriffes *iudicium* können jedoch die bereits oben zitierten Stellen aus der Lex Rubria (XIX, *3. 4*; XX, *21/22. 32. 42. 46*) angeführt werden, die, soweit ich sehe, kaum eine andere Interpretation als „Prozessformel" zulassen.

Es erhebt sich aber die Frage, ob wir nun daraufhin in der Lex Rubria *iudicium* an sämtlichen Stellen mit „Prozessformel" übersetzen müssen. Man muss zugeben, dass an unserer Stelle — XX, *17* — die Übersetzung „er muss Verfahren *apud iudicem* zugestehen" für *iudicia dato* einen brauchbaren Sinn abgeben würde. Ähnliche Zweifelsfälle inbetreff der Festlegung der genauen Bedeutung von *iudicium* ergeben sich auch an anderen Stellen unseres Gesetzes, nämlich XX, *19. 23. 33. 48. 52*; XXI, *7. 8. 12. 13. 16. 23*; XXII, *28. 36. 42. 44. 49* und XXIII. *56*. Besonders die in cap. XXI und XXII häufig begegnende Wendung *se sponsione iudicioque* (bezw. *iudicio-ve) defendere* (XXI, *7. 8. 12. 16*; XXII, *36. 37. 42. 44. 49*) dürfte für *iudicium* beide Interpretationen zulassen: einmal „mit einer Prozessformel" (als schriftliches Instrument, mit dem man Recht sucht), und zum anderen „mittels eines Verfahrens *apud iudicem*" (als Mittel oder Gelegenheit, Recht zu erhalten). In unserm Kontext ist nämlich der Inhalt der beiden Übersetzungen für obige Wendung praktisch derselbe und deshalb ist es nicht möglich, an Hand des Zusammenhanges zwischen beiden Möglichkeiten eine Entscheidung zu treffen.

Leider liegt bisher, wenn wir von der oben erwähnten Studie von KÜBLER (aus dem Jahre 1895) absehen, keine ausführliche Einzeluntersuchung des (häufig begegnenden) Terminus *iudicium* vor. Wenig förderlich für unser Problem sind die recht polemischen Betrachtungen von M. WLASSAK in: Römische Processgesetze I, Leipzig 1888, S. 29-31 und II, Leipzig 1891, S. 10-59 (s. besonders S. 51-59). WLASSAK führt für die Verwendung des Terminus *iudicium* eine ganze Reihe von Beispielen an, die er teils mit „Formel" (I, u.a. S. 14), teils mit „Prozess" übersetzen möchte. Diese beiden Übersetzungen könnten auf den ersten Blick den Eindruck erwecken, dass sie mit den beiden oben gegebenen Interpretationen „Prozessformel" und „Verfahren *apud iudicem*" identisch seien. Es ist jedoch bekannt, dass WLASSAK den Begriffen „Formel" und

„Prozess" einen ganz anderen Inhalt geben möchte als den üblichen. Die Aufgabe des Jurisdiktionsmagistrats (d.h. das Verfahren *in iure*) beschränke sich seiner Ansicht nach auf die Erklärung der Zulässigkeit des Prozesses und auf die Beratung der streitenden Parteien. Der eigentliche „Prozess" fange in dem Augenblick an, in dem die Parteien daraufhin freiwillig zusammengekommen seien, um eine Art Prozesskontrakt aufzustellen (die Formel sei somit nichts anderes als ein freiwilliger Prozesskontrakt). Erst wenn dieser (freiwillig zustande gekommene) Prozesskontrakt vor Zeugen feierlich befestigt worden sei (WLASSAK möchte deshalb den sehr umstrittenen Terminus *litis contestatio* als „Streitbefestigung" interpretieren), erfolge der dritte Teil des Verfahrens, indem der Magistrat einen Befehl an den Richter erteile, um ein Urteil auszusprechen (*iudicare iubere*). Nur der zweite und der dritte Vorgang, d.h. die Aufstellung des Prozesskontraktes und der richterliche Urteilsspruch gehörten nach WLASSAKS Ansicht zum eigentlichen „Prozess". Wenn somit der Jurisdiktionsmagistrat *iudicium dat,* bedeute dies, dass er einen (in dem soeben beschriebenen Sinne aufgefassten) „Prozess" für zulässig erklärt. Gegen WLASSAKS merkwürdige Dreiteilung des römischen Prozesses und gegen seine Auffassung, dass der Jurisdiktionsmagistrat dabei nur die Rolle eines „Beraters" erfülle und dass die Prozessformel einen freiwilligen Kontrakt zwischen dem Kläger und dem Beklagten darstelle, sind inzwischen viele und grundlegende Bedenken erhoben worden, vgl. die Übersicht bei KASER, Zivilprozessrecht S. 220 ff. Auch in diesem Kommentar musste bereits an einer anderen Stelle, siehe oben S. 74 f. zu XIX, 5, WLASSAKS These, dass dem Jurisdiktionsmagistrat lediglich die Rolle eines „Beraters" zugeschrieben werden könne, abgelehnt werden. Man muss deshalb leider feststellen, dass WLASSAKS Ausführungen uns bei dem Versuch, die Bedeutung des Terminus *iudicium* genauer zu bestimmen, nicht weiterhelfen können.

Wir kommen somit zu der Schlussfolgerung, dass es sich nur an einigen Stellen (an insgesamt 6 von den 26 Stellen, an denen dieses Wort in unserer Lex belegt werden kann) mit Sicherheit feststellen lässt, dass der Terminus *iudicium* mit „Prozessformel" zu übersetzen ist; an den übrigen Stellen gibt auch die Interpretation „Verfahren *apud iudicem*" einen befriedigenden Sinn ab. Da jedoch der Kontext an den letzteren Stellen den Begriff „Prozessformel" mindestens ebenso gut zulässt, habe ich der Homogenität zuliebe für *iudicium* überall die Übersetzung „Prozessformel" verwendet.

iudicare iubeto cogito, „muss das Aussprechen von richterlichen Urteilen auferlegen und zwingend vorschreiben". Wie man weiss, musste für jeden konkreten Prozess ein *iudex* aus einer hierfür bestehenden Liste von verfügbaren Personen bestimmt werden. Man könnte vielleicht erwarten, dass diese Bestellung eines Richters noch besonders — also neben *iudicare iubere* — etwa mit einem Ausdruck wie *iudicem dare* erwähnt worden wäre (Belege für den Ausdruck *iudicem dare* aus der Zeit des Formularprozesses führt KASER, Zivilprozessrecht S. 141, 35 an, z.B. Lex Heracleensis [BRUNS S. 102 ff. Nr. 18: ca. 45 v. Chr.] Z. *44 iudicem iudiciumve ita dato*). Es dürfte jedoch nichts der Annahme entgegenstehen, dass *iudicare iubere* auf zwei Handlungen zugleich hinweist, auf die Bestellung eines Richters und den Auftrag an den Richter. Eine andere Möglichkeit läge höchstens noch darin, dass die Bestellung eines Richters nicht auf Grund des Befehls, *iudicare iubere,* sondern auf Grund des (soeben erwähnten) *iudicium dare,* somit im Anschluss an die ersten Worte der Formel (*iudicium*) erfolgte, nämlich *iudex esto* (vgl. XX, *22* und *32*). In unserem Fall ist das jedoch unwahrscheinlich, da die gleich unten, Z. *22*, folgende Formel die Worte *iudex esto* in der Weise erhält, dass für die Einfügung eines Namens kein Platz mehr vorhanden ist; sie kann somit nur „Es komme ein Richter" bedeuten.

Vielleicht lässt sich das Fehlen von *iudicem dare* an unserer Stelle dadurch am einfachsten erklären, dass die Begriffe *iudicare iubere* und *iudicem dare* so eng beisammen gehören, dass einer der beiden Begriffe auch fehlen kann. Für das Fehlen des anderen Begriffes, nämlich *iudicare iubere,* kann man auf die *lex agraria* (III v. Chr.; BRUNS Nr. 11 S. 73 ff.) Z. *33* hinweisen: [*neive magistratus prove magistratu de eo agro loco ious deicito dec*]*ernito neive iudicium n*[*eive iudicem r*]*ecuperatores dato.* Für den Verfahrensverlauf bei der Bestellung des *iudex* sei zum Schluss verwiesen auf KASER, Zivilprozessrecht, S. *222 fin.*

Zu dem Ausdruck *iudicare iubeto cogito* muss man einen Subjektsakkusativ *iudicem* hinzudenken. Die Worte *iubere* und *cogere* lassen keinen Zweifel darüber zu, dass die Obrigkeit von den *iudices* gute Erfüllung ihrer Aufgabe verlangte, obwohl die *iudices* keine Magistrate waren. Notfalls war der Jurisdiktionsmagistrat sogar dazu berechtigt, gegen einen nachlässigen Richter disziplinarisch vorzugehen. Ausserdem bestand der Grundsatz, dass ein *iudex,* durch dessen Nachlässigkeit eine Partei benachteiligt worden war, dieser gegenüber rechtlich verantwortlich war. Man vgl. hierzu M. Wlassak, Der Judikationsbefehl der römischen Prozesse, SB. Wien 197 (1922) 4. Abh. S. 27 ff. und Kaser, Zivilprozessrecht, S. 142. Auf der anderen Seite hat diese ausdrückliche Bestellung des *iudex* auch zur Folge, dass sein Urteil mehr Gewicht hatte als das jeder anderen, von den Parteien selbst zum Schiedsrechter gewählten Privatperson: der Jurisdiktionsmagistrat hat ihm ausdrücklich den Auftrag erteilt, ein Urteil zu fällen.

20. **iudicatumve erit.** Mit *iudicare* wird die gesamte Arbeit des *iudex* von dem Augenblick an bezeichnet, in dem er den Befehl des Prätors oder eines anderen Jurisdiktionsmagistrats erhalten hat, mit der Untersuchung entsprechend den Richtlinien zu beginnen, die in der Formel festgelegt worden sind (vgl. Heumann-Seckel, S. 293-294 s.v. *,iudicare'* sub 1). Vor allem wird das Verb *iudicare* für das Aussprechen des Urteils, die Entscheidung verwendet. Auch an unserer Stelle wird dies der Fall sein, so dass man übersetzen muss: „oder was als Urteil ausgesprochen wird".

Es ist merkwürdig, dass in Z. *17* (*iudicia dato iudicareque iubeto*) *-que,* und hier in *20* (*iussum iudicatumve erit*) *-ve* gebraucht wurde. Offensichtlich macht man in der Praxis häufig keinen Unterschied zwischen *-que* und *-ve.* Hofmann-Szantyr, S. 503, bemerkt sogar, dass diese Erscheinung im Altlatein (Ennius und Plautus; von diesem letzteren z. B. Asin. 636) häufiger anzutreffen und ebenfalls bei den klassischen Dichtern Lucretius und Vergilius (z.B. Aen. 9, 376), seit Tacitus auch oft bei Prosaikern zu finden ist. In unserem Fall könnte man vielleicht annehmen, dass diese Erscheinung ein archaisierendes gesetzessprachliches Moment ist. Anfangs des 3. nachchristlichen Jahrhunderts konstatierte Paul. 59 ad ed., dig. 50, 16, 53 *pr.* schon das Gleiche und fügte noch eine weitere Verwechslung hinzu, die von *-que* mit *aut*; vgl. von den Beispielen, die er a.a.O. gibt, unter anderem: *Nam cum dicitur apud veteres „adgnatorum gentiliumque", pro separatione accipitur, at cum dicitur „super pecuniae tutelaeve suae"* (so die Hss.; gemeint ist wohl: *super pecunia tutelave suae rei*), *tutor separatim sine pecunia dari non potest*: *et cum dicimus „quod dedi aut donavi", utraque continemus, cum vero dicimus „quod eum dare facere oportet", quodvis eorum sufficit probare* etc. Zu *-que* und *-ve* nebeneinander s. M. David und H. L. W. Nelson, Kommentar zu Gaius' Institutiones, Leiden 1954, S. 28. Für Beispiele von *-que* an Stelle von *aut* vgl. Hofmann-

Szantyr, S. 473-476; und für eine Betrachtung über derartige Wechsel J. Gonda, Mnemos. III, 7 (1954) S. 177 ff. und 265 ff. (vor allem 189-191), der die komplementäre Beschaffenheit gegensätzlicher Begriffe als Ursache der Wechsel betrachtet; *aut* an Stelle von *et* bespricht Hofmann-Szantyr, S. 499-500.

ius ratumque esto. In diesem Zusammenhang bedeutet *ius* „das durch richterlichen Ausspruch festgestellte Recht, die Unbestreitbarkeit" (Heumann-Seckel S. 301 s.v. ‚*ius*' sub 1 a δ), man vgl. Ulp. 24 ad Sab., dig. 30, 50, 1; *ius facit haec pronuntiatio*, und Paul. 2 quaest., dig. 5, 2, 17, 1: *ius ex sententia iudicis fieri*. Das zweite Wort, *ratum*, ist mehr oder weniger als ein Synonym hierzu zu betrachten.

22-40. Ist durch die Weigerung des Beklagten, eine Sicherheit in Form von *stipulatio* (s. zu XX, *8*, S. 91 ff.) oder *satisdatio* (s. zu XX, *11*. S. 97 f.) zu leisten, ein Schaden entstanden, so erteilt das Gesetz dem Munizipalmagistrat den Auftrag, einen Prozess einzuleiten auf Grund der Fiktion, dass der Beklagte sich doch durch Hinterlegung einer *cautio* für den Schaden verantwortlich erklärt hat. Der Gesetzgeber verbindet jedoch diese Zustimmung ausdrücklich mit der Bedingung, dass die erwähnten Magistrate sich an feste Formeln halten. Diese Formeln sind in *22-40* vollständig aufgezeichnet.

22. **i(udex) e(sto)**, „Es komme ein Richter". In dieses allgemeine Schema einer *formula* ist kein Richtername aufgenommen, wie es z.B. wohl geschah bei Cic. Verr. 2, 12, 31: *L. Octavius iudex esto*, ein Beispiel, bei dem es sich um eine Formel für einen ganz konkreten Fall handelt. Auf Grund des Cicero-Zitats hätte man auch an unserer Stelle in dem betreffenden allgemeinen Schema vor dem Wort *iudex* einen offenen Raum erwarten können, der darauf hingedeutet hätte, dass in der konkreten *formula* an der genannten Stelle der Name des Richters ausgefüllt werden müsste. Auf der Bronzetafel befindet sich jedoch keine unbeschriebene Stelle vor oder nach *i*(*udex*) *e*(*sto*), ebensowenig in den von Gaius zitierten *formulae* (IV, 34. 36. 37 und andere). Übrigens brauchte nicht immer in der *formula* für einen bestimmten Fall der Name des angewiesenen *iudex* zu stehen; es war nähmlich nicht nötig, dass der *iudex* schon in dem Augenblick bestellt war, in dem die *formula* erteilt wurde (vgl. Kaser, Zivilprozessrecht, S. 215 Anm. 1). Dem

Ausdruck *iudex esto* begegnet man auch in den *notae iuris* aus Probus bei KEIL, Gramm. Lat. IV S. 275 Nr. 1 (I.E.).

22-25. **s(ei) .... repromeississet.** Der Gebrauch des Irrealis lässt erkennen, dass die Formel von einer Fiktion ausgeht.

22-23. **antequam id iudicium q(ua) d(e) r(e) a(gitur) factum est,** „bevor die betreffende Rechtsformel aufgestellt worden war", d.h. bevor die *formula* bei dem Verfahren *in iure* festgelegt worden war und (etwa durch die *litis contestatio*, s. Anm. zu Z. *48*, *leisve contestabitur*, S. 125 f.) ihre definitive Form angenommen hatte. Aus dem Kontext ergibt sich deutlich, dass man sich den Sachverlauf folgendermassen vorstellen muss: jemand reicht einen Antrag bei dem Jurisdiktionsmagistrat ein, seinen Nachbar zu befehlen *cautio damni infecti* zu leisten und der Nachbar verweigert sich; späterhin tritt jedoch ein Schaden ein, und nun strengt kraft der Verfügungen des Caput XX der Beeinträchtigte eine *actio ficticia* an. In diesem Fall ermöglichen die Zeilen *22-23* dem sich weigernden Eigentümer, noch bis zum Augenblick der *litis contestatio* (*antequam id iudicium .... factum erat*) eine Schadensregelung durch Privatvertrag vorzunehmen (vgl. zu dieser Darstellung des Sachverlaufs auch F. STURM, ZSS. 82, 1965, S. 224, Anm. 41). Aus dem oben Gesagten geht hervor, dass ein Schaden bereits eingetreten sein musste, bevor eine *actio ficticia* beantragt werden konnte. Die Regelung der Lex Rubria weicht somit — wie in der Einleitung zu diesem Caput, S. 87 f., gesagt — von dem in Rom geltenden Verfahren ab; in der Hauptstadt ergreift der Magistrat unmittelbar nach der Weigerung, *cautio* zu leisten, Massnahmen gegen den Beklagten. PH. HUSCHKE, Gaius, Leipzig 1855, S. 221, hat diesen Unterschied nicht gesehen und gelangte daher zu der Schlussfolgerung, die Zeilen *22-23* seien nicht richtig formuliert worden. Seines Erachtens hätten die Zeilen lauten sollen: „bevor ein Schaden eintreten sollte", und nicht: „bevor die betreffende Rechtsformel aufgestellt worden war". Diese Meinung veranlasste HUSCHKE dazu, die Richtigkeit des Textes anzuzweifeln. Die Digesten jedoch, auf die er seine Argumentation baute, geben — wie wir gesehen haben — den in Rom geltenden und erst später im übrigen Reich eingeführten Verfahrensverlauf wieder. Dem Ausdruck *qua de re agitur* begegnet man auch in den *notae iuris* aus Probus bei KEIL, Gramm. Lat. IV S. 275 Nr. 4 (Q.D.R.A.).

23. **Q. Licinius** und **L. Seius.** In dem Edikt des Prätors kamen in den *formulae,* die als Schemata dienten, einige Namen *exempli gratia,* als Blankonamen, vor. So findet man bei Gaius sehr häufig *Lucius Titius* oder nur *Titius, A(ulus) Agerius* („derjenige, der den Prozess beginnt") und *Numerius Negidius* („derjenige, der zahlen muss aber leugnet"); die beiden letzten Namen werden wegen ihrer Bedeutung von Gaius ausschliesslich in Prozessformeln, und nicht in privatrechtlichen Formeln und Protokollen verwendet. Bei Gaius findet man in Prozessformeln noch *P(ublius) Mevius* (IV, 86), ein Name, der übrigens auch in II, 177 und in II, 277 in Erbformeln vorkommt. In diesem Zusammenhang wird auch unser Name *Seius* van Gaius einmal, in II, 199, gebraucht. Der in unserem Gesetz gewählte Name *L. Seius,* der dazu dient, eine beliebige Person zu bezeichnen, steht also in der uns überlieferten römischen juristischen Literatur keineswegs einzig da. *Q. Licinius* hingegen findet man an keiner anderen Stelle überliefert; aber dieses Faktum wird zweifellos auf den lückenhaften Zustand der uns aus der frühen Zeit überlieferten Rechtsquellen zurückzuführen sein. Für den Fall, dass dem antiken Benutzer nicht deutlich sein sollte, dass *Q. Licinius* und *L. Seius* hier *exempli gratia,* als Blankonamen verwendet werden, wird er weiter unten, Z. *41-50,* noch einmal daran erinnert.

24. **is quei Romae inter peregrinos ius deicet.** Dies war die feste Bezeichnung des Prätors, der die Rechtsprechung mit und unter *peregrini* ausübte. Erst im Beginn der Kaiserzeit, also nach der Lex Rubria, entstand die kurzere Bezeichnung *praetor peregrinus.* Daneben findet man noch die genauere Umschreibung *praetor qui inter cives et peregrinos ius dicit.* Belege für diese Termini verzeichnet F. SERRAO, La iurisdictio del pretore peregrino, Mailand 1954, S. 19 ff.; für weitere Literatur vgl. KASER, Zivilprozessrecht, S. 125, Anm. 4, 5 und 6.

Man kann sich die Frage stellen, warum die *cautio damni infecti* gerade in der Form hinterlegt werden musste, die in das Edikt des *praetor peregrinus* aufgenommen worden war, und nicht in der Form des *edictum praetoris urbani.* Eine wirklich beweisbare Erklärung für diese spezielle Erwähnung lässt sich nicht leicht geben. PH. HUSCHKE, Gaius (1955) S. 214 stellte die — seither oft wiederholte — Hypothese auf, dass das Edikt des *praetor urbanus* bis kurz vor Anfang unserer Zeitrechnung (17 v. Chr.) nur die alte (*legis*) *actio damni infecti* kannte, die den römischen Bürgern vorbehalten war. Der *praetor „peregrinus"* konnte diese *legis actio* nicht anwenden und er hätte darum die *cautio damni infecti* eingeführt, die nicht auf einem Gesetz beruhte und darum auch für *peregrini* brauchbar war. Und eben darum hätte die Lex Rubria vornehmlich das für jeden (sowohl für den *civis romanus* wie für den *peregrinus*) anwendbare Rechtsmittel, nähmlich die *cautio damni infecti*, vorgeschrieben, d.h. das Rechtsmittel, das sich in Rom im Edikt des *praetor peregrinus* befand. Zu den *legis actio*-Hypothesen mussten zwar oben in der Einleitung, vgl. S. 83-84, einige kritische Bemerkungen gemacht werden, aber davon abgesehen dürfte HUSCHKE das Problem doch insofern gelöst haben, als er mit Recht davon ausging, dass der *praetor peregrinus* weniger strenge Formulierungen einer *stipulatio* akzeptieren konnte und seine Fassungen deshalb innerhalb des Gebietes der Poebene mit seinen vielen *peregrini* den Vorrang verdienten (eine ähnliche Erklärung wie HUSCHKE hatte übrigens schon F. C. VON SAVIGNY, Vermischte Schriften III S. 398-400, Nachtrag 1842, vorgetragen).

Eine andere, aber meines Erachtens unbefriedigende Erklärung gibt F. SERRAO, a.a.O. S. 97 f. (zustimmend besprochen von M. W. FREDERIKSEN, JRS. 1964, S. 133 Anm. 23), der meint, dass die Verweisung an den Peregrinenprätor allein dazu dient, Streitfälle, die sich auf die in Caput XX vorgeschriebene *actio ficticia* beziehen (z. B. das Nichterscheinen des Beklagten), an den weniger beschäftigten *praetor peregrinus* abzuschieben. Ob der *praetor peregrinus* tatsächlich so viel weniger zu tun hatte als der urbane Prätor, ist nicht bekannt; und ebensowenig weiss man näheres von sonstigen Massnahmen, die den Zweck verfolgt hätten, bestimmte Prozesskategorien von dem einen Gericht an das andere zu verweisen.

26. **d(are) f(acere),** „hergeben oder leisten". Die Wortverbindung *dare facere* ist eine allgemeine Umschreibung aller möglichen Leistungen, die man bei einer *actio in personam* fordern kann (vgl. HEUMANN-SECKEL, S. 203 s.v. ‚*facere*' sub 2 a). In diesem Fall, nämlich einem Prozess der Schadenersatz betrifft, handelt es sich um Vergütung in Geld oder Naturalien.

quicquid .... d(are) f(acere) oporteret. Das Prinzip, dass alle Verurteilungen in einem römischen Prozess einen Geldbetrag angeben mussten, ist natürlich auch hier verwandt worden. Die

Umrechnung einer bestimmten Leistung in Geld erfolgte jedoch nicht durch den Magistrat bei dem Verfahren *in iure,* sondern durch den *iudex,* wenn er eine Verurteilung aussprach, und zwar in der sogenannten *litis aestimatio* (vgl. KASER, Zivilprozessrecht, S. 286-287). Die Formel enthält keinen besonderen Auftrag für die Umrechnung in Geld; dieser Auftrag ist bereits in dem indefiniten Ausdruck *quicquid,* „was auch immer", enthalten.

Aus dem Satzgefüge geht hervor, für welchen Augenblick der Schaden, für den im Prozess Vergütung gefordert wird, festgestellt wurde: *sei antequam id iudicium .... factum est, Q. Licinius .... eam stipulationem .... repromeississet, tum quicquid eum Q. Licinium ex ea stipulatione .... dare facere oporteret.* Es ist der bereits oben S. 108 f. zu XX, *22-23* erwähnte Augenblick, der dem *iudicium facere* bezw. der *litis contestatio* kurz vorhergeht. Weil es sich hier um eine *actio ficticia* handelt, ist — naturgemäss — der Konjunktiv verwendet worden. Meistens steht in der Formel das Präsens (*oportet*), d.h. dass für den Augenblick der *litis contestatio* selbst der Umfang des Schadens festgelegt werden soll (vgl. zu den Tempora, u.a. auch zu der eventuellen Verwendung eines Futurums, KASER, Zivilprozessrecht S. 225). Da es sich in unserm Falle um *bonae fidei iudicia* handelt, ist es jedoch dem *iudex* gestattet, Umstände aus der Zeit nach der Rechtshängigkeit zu berücksichtigen (KASER, a.a.O. S. 225 Anm. 9).

dare facere oporteret ex f(ide) b(ona), „nach Billigkeit verpflichtet wäre, herzugeben oder zu leisten". Dieselbe Wendung begegnet auch weiter unten in der zweiten Formel, Zeile *36.* Manche Forscher zeigten sich überrascht über die Verbindung von *oportere* mit *ex fide bona* bei einer *stipulatio.* Sie führten an, dass das Wort *oportere* in Stipulationsklagen nicht die allgemeine Bedeutung von „sich gehören", „sich gebühren" haben könne, sondern in solchen Klagformeln „gemäss dem *ius civile* verpflichtet sein" bedeute und dass darum der Zusatz „nach Billigkeit" unmöglich sei; streng rechtliche Verpflichtungen könnten nicht gleichzeitig auf Billigkeitserwägungen fussen. Eine Übersicht über die Literatur, in der diese Theorie vertreten wird, findet man bei F. STURM, ZSS. 82 (1965) S. 212 Anm. 3. Die äussersten Konsequenzen dieser Ansicht werden von G. VON BESELER, Acta congressus iuridici internationalis Romae, 1935, I S. 342 gezogen; dieser Gelehrte stellt fest, dass in der gesamten römischen Rechtsliteratur *ex fide bona* in einer *stipulatio* nicht noch ein zweites Mal vorkommt (eine Feststellung die von Kaser, Oportere und ius civile, ZSS. 83, 1966, S. 11 ff. nochmals bestätigt worden ist); und deshalb sei gemäss Beseler Caput XX an dieser Stelle nicht richtig abgefasst worden. Der genannte Gelehrte erklärt das Vorkommen des (seiner Ansicht nach) unrichtigen Zusatzes *ex fide bona* dadurch, dass es sich bei der Lex Rubria um einen nachlässig zusammengestellten, nicht für die Publikation bestimmten Gesetzesentwurf handele, der von Antonius nach dem Tode Cäsars übereilt veröffentlicht worden sei (allerdings hätten die „übereilten" Schreiber des Antonius dann zweimal denselben Fehler gemacht: denn, wie gesagt, begegnet die Formel *oporteret ex fide bona* weiter unten, Zeile *36*, noch einmal).

Man fragt sich jedoch, ob diese Schlussfolgerungen inbetreff des sogenannten unfertigen Zustandes unserer Lex gerechtfertigt sind. Leider kann ich im Rahmen dieses Kommentars auf den Ursprung der Stipulation nicht näher eingehen. Ich möchte aber darauf hinweisen, dass die Frage, ob sämtliche Stipulationen auf der Grundlage des *ius civile* beruhen, noch immer eine umstrittene ist. Manche Forscher (so z.B. W. Kunkel, Festschrift Koschaker II, 1939, S. 1 ff. und neuerdings Kaser, ZSS. 83, 1966, S. 12 ff. und 43 f., vgl. ebenfalls Zivilprozessrecht S. 111, Anm. 35) sind der Ansicht, dass die Stipulationsklagen nur zum Teil in alter bürgergesetzlicher Sphäre entstanden seien; die übrigen Ansprüche, z.B. diejenigen die nicht mit dem Verpflichtungswort *spondeo* begründet sind (vgl. dazu oben S. 69 Komm. zu XIX, *2*), seien lediglich als zusätzliche, öfters erst durch das Peregrinenrecht beeinflusste Erweiterungen zu betrachten. Wenn diese — m.E. nicht unwahrscheinliche — Erklärung zu recht besteht, dürfte es nicht ohne Bedeutung sein, dass in unserer Formel ausdrücklich auf das Edikt des Peregrinenprätors hingewiesen wird: vgl. XX, *24/25 eam stipulationem, quam is quei Romae inter peregrinos ius deicet in albo propositam habet.*

Es darf aber nicht unerwähnt bleiben, dass mit der soeben vorgetragenen Ansicht die Erklärungsmöglichkeiten für den Zusatz *ex fide bona* noch keineswegs erschöpft sind. Wie man weiss, handelt es sich in unserm Falle nicht um eine echte Stipulation, vielmehr um eine fiktizische. Der Kläger kann seinen Anspruch nicht auf ein Versprechen gründen, das der Beklagte tatsächlich gegeben hat, sondern nur auf ein solches, das er hätte geben sollen. Für die Feststellung des Inhalts eines fiktizischen Versprechens dürfte kaum das *ius civile,* vielmehr lediglich die *bona fides* die rechtliche Basis abgegeben haben.

Und schliesslich fragt man sich, ob nicht auch die Tatsache, dass in dieser auf einer rechtlichen Fiktion beruhenden Stipulation eine Taxation angegeben werden muss (Z. *27 dumtaxat HS*; darauf folgt ein freier Raum für die Wertangabe, s. unten), dazu beigetragen hat, dass der rubrische Gesetzgeber noch einmal besonders auf die *bona fides* hinwies: vielleicht wurde dem Richter erst dadurch ein gewisser Bemessungsspielraum gewährt. Gegen diese schon von F. WIEACKER, ZSS. 80 (1963) S. 18 ua. geäusserte Vermutung ist von KASER, ZSS. 83 S. 15 der Einwand gemacht worden, dass die Bemessungsfreiheit des Richters bereits in dem vorhergehenden *quidquid* (Z. *35*) zur genüge zum Ausdruck gebracht worden sei. In Ermangelung weiterer Anhaltspunkte dürfte es schwer sein, hinsichtlich dieser Frage eine Entscheidung zu treffen.

27. **d(um)t(axat) HS**, „und zwar zu einem Maximum von (freie Stelle, die den Raum von etwa zwei Buchstaben beschlägt) Sesterzen". Aus dieser Ergänzung geht hervor, dass der Magistrat die genaue Schätzung des Wertes für gewöhnlich dem *iudex* überliess — wie in den Anmerkungen zu „*quicquid*", oben S. 110 f. dargelegt wurde —, dass aber der Magistrat das Recht hatte, von vornherein ein Maximum festzulegen, unter dem der *iudex* bei seiner Schätzung in jedem Fall bleiben musste. Vgl. KASER, Zivilprozessrecht, S. 242 und Gaius IV, 43. Zu *dumtaxat* vgl. M. LEUMANN, „*taxare* und *dumtaxat*", Mus. Helv. 25 (1968) S. 243-247.

eius .... c(ondemnato) (*31*), „zu diesem Betrag sollst Du ihn verurteilen". Der Genetiv ist ein Genetivus forensis (eine Species des Genetivs des Sachbetreffs), wie er bereits in XX, 7 vorkam; man vgl. S. 90 f. s.v. ‚*damnei infectei*'.

ex decreto IIvir(ei) IIIIvir(ei) praefec(tei)ve .... repromittere noluit, „sich geweigert hat, um — der Entscheidung eines Mitglieds des Duum- oder Quattuorvirats oder auch des Präfektes folgend — ein rechtlich bindendes Versprechen abzulegen". Ersucht jemand den Prätor um eine *cautio damni infecti,* so erteilt dieser Magistrat dem Beklagten mittels eines *decretum* den Befehl, eine *cautio* zu hinterlegen. Auch Anordnungen anderer Magistrate, wie hier zum Beispiel von Munizipalmagistraten, nennt man *decreta.*

Dieser Begriff wird sogar für die Beschlüsse des Rates von *decuriones* in Munizipien und Coloniae gebraucht, vgl. z.B. *lex Ursonensis* (BRUNS Nr. 28 S. 122) cap. 92, *13* (S. 130) *decurionem decreto*; ferner THES. V, 1 Sp. 152 s.v. ‚*decernere*'.

27-29. **ex decreto IIvir(ei) ...., quod .... <is> IIvir IIIIvir praefec(tus)ve ex lege Rubria .... decreverit.** Da Munizipalmagistrate normalerweise nicht dazu befugt sind, *cautio*, d.h. ein Rechtsinstitut, das der Prätor geschaffen hatte, aufzuerlegen und diese Befugnis ihnen ausschliesslich durch dieses Caput verliehen wird, muss noch einmal nachdrücklich auf die Delegation dieser Rechtsbefugnisse hingewiesen werden. Ohne eine solche Befugniserklärung würde der Prozess nicht rechtskräftig sein (so schon F. C. VON SAVIGNY, Vermischte Schriften III, 1842, S. 384 und PH. HUSCHKE, Gaius, S. 238).

27-28. **IIvir(ei) IIIIvir(ei) praefec(tei)ve Mutinensis.** Auf S. 119, unter *41-50* wird dargestellt, dass die Angabe des Ortsnamens *Mutina* nur *exempli gratia* erfolgt (also als Blankoname, ebenso wie die Personennamen *Q. Licinius* und *L. Seius* in *23*, vgl. S. 109), so wie es eigentlich auch in einem Entwurf für eine Prozessformel zu erwarten ist. Trotz dieser Erklärung hat die Hinzufügung von *Mutinensis* Anlass zu Missverständnissen gegeben. F. C. VON SAVIGNY, Vermischte Schriften III, S. 322 (es handelt sich um einen Artikel aus dem Jahre 1838), G. F. PUCHTA, Kleine civilistische Schriften, S. 535 (ein Artikel aus dem Jahre 1842) und selbst noch E. G. HARDY, Six Roman Laws (1911) S. 111 vertraten mit anderen die Ansicht, dass *Mutinensis* lediglich mit dem vorhergehenden *praefectus* zu verbinden sei, und gelangten zu der Schlussfolgerung, dass in Gallia Cisalpina gerade nur noch Mutina die besondere Stellung einer *praefectura* besass. Es ist jedoch bekannt, dass Mutina — zur gleichen Zeit wie Parma — als *colonia* errichtet wurde: vgl. Livius 39, 55 (*a.u.c.* 751 = 183 v. Chr.): *eodem anno Mutina et Parma coloniae civium romanorum sunt deductae.* SAVIGNY und die oben erwähnten Gelehrten mussten also von der Annahme Ausgehen, dass Mutina den Status einer *colonia* in späterer Zeit wieder verloren hatte, etwa durch eine Strafmassnahme. Hiervon ist jedoch nichts bekannt; Cic. Phil. 5, 9, 24 (44 v. Chr.) schreibt vielmehr: *circumsedet* (sc. *Antonius*) *Mutinam, firmissimam et splendidissimam populi romani coloniam.* Das Wort *firmissimam* wäre bestimmt nicht so leicht gebraucht worden, wenn Mutina zu Bestrafungen Anlass gegeben hätte. Deshalb kann Mutina nur schwerlich eine *praefectura* gewesen sein.

Übrigens wird die Ansicht von SAVIGNY und den anderen Autoren schon durch die Zeilen *41-50* widerlegt, die die Warnung enthalten, das Wort *Mutinensis* nicht ohne weiteres aufzunemen, es sei denn, der Prozess spiele sich tatsächlich in Mutina ab. Ausserdem muss man noch die Tatsache berücksichtigen, dass es in der Poebene bestimmt in mehr als einem Ort einen *praefectus* gab. Ihm oblag einerseits die zeitliche Vertretung eines *IIvir* oder *IIIIvir iure dicundo*, auf der anderen Seite war er der Jurisdiktionsmagistrat in Orten ohne Stadtrecht (vgl. S. 252 ff.). Es wäre in dem Falle ausserordentlich merkwürdig, dass der Gesetzgeber ausschliesslich den — eventuellen — *praefectus* von Mutina, nicht aber auch alle anderen *praefecti* der Poebene erwähnt hätte. *Mutinensis* ist also ein Blankoname. Es dürfte deshalb recht wahrscheinlich sein, dass das Adjektivum *Mutinensis* nicht nur zu *praefecteive* gehört, sondern auch zu den beiden vorhergehenden Genetiven *IIvirei IIIIvirei*. In dem Falle muss man annehmen, dass es üblich war, in Prozessformeln bei der Erwähnung von Munizipalmagistraten jedesmal den Namen ihres Amtssitzes in adjektivischer Form hinzuzufügen.

29. **ex lege Rubria seive id pl(ebei)sc(itum) est** [Aes: *pl(ebei)-vesc(itum) est*]. Die in diesem Lemma zitierte Formulierung (wir finden sie noch einmal in *39*) ist auch in anderen uns aus dem zweiten und ersten Jahrhundert v. Chr. überlieferten Gesetzen enthalten: *lex agraria*, 111 v. Chr. (BRUNS Nr. 11 S. 73 ff.) Zeile *3*: *ex lege plebeive scito*, und an anderen Stellen dieses Gesetzes; Fragmentum Atestinum, 49 v. Chr. (BRUNS Nr. 17 S. 101; s. auch unten S. 313 f.) Zeile *12* ff.: *ante legem seive illud plebeiscitum est quod L. Roscius .... populum rogavit.* Offensichtlich war dies die offizielle technische Bezeichnung, seit *lex* und *plebeiscitum* durch die *lex Hortensia* aus dem Jahre 287 v. Chr. einander gleichgestellt worden waren. Diese Gleichstellung wird uns von Pomponius enchir., dig. 1, 2, 2, 8; Plinius nat. 16, 37; Laelius Felix bei Gell. 15, 27, 4 und von Gaius I, 3 mitgeteilt; letzterer schreibt: *unde olim patricii dicebant plebiscitis se non teneri, quia sine auctoritate eorum facta essent; sed postea lex Hortensia lata est, qua cautum est, ut plebiscita universum populum tenerent: itaque eo modo legibus adaequata sunt.* Man vgl. ferner E. STAVELEY, Atheneum 33 (1955) S. 2 ff.

Seit dem vorigen Jahrhundert hat man öfters die Frage erörtert, ob das Nebeneinanderstellen von „Gesetz" und „Volksbeschluss" nicht doch noch eine besondere Bedeutung hatte. So äusserte G. F. PUCHTA, Civilistische Abhandlungen, 1823, S. 72-76 = Kleine civilistische Schriften, 1851, S. 71-73, die Vermutung, dass die Formel *ex lege plebeive scito* in Gesetzestexte aufgenommen wurde, wenn es sich noch um ein Konzept handelte und es noch nicht sicher war, in welcher Volksversammlung, *comitia* oder *concilium plebis*, das Gesetz angenommen werden sollte. Und TH. KIPP, Geschichte der Quellen des römischen Rechts, Leipzig [4]1919, S. 41 f. Anm. 11 vertrat die Ansicht, dass der Zusatz „oder ein Volksbeschluss" darauf hinwies, dass es sich eigentlich um ein *plebiscitum* handelte, da dieser Zusatz gewiss nicht bei einer *lex* erwartet werden könne, und noch weniger bei einer sogen. „*lex data*": denn die „*lex data*", die als magistratische Verordnung einer anderen Kategorie angehörte als die auf Beschlüsse der Volksversammlungen fussenden Gesetze (*leges rogatae* und *plebiscita*), könne sich selbst nur mit Ausdrücken wie *lex, hac lege* uä. bezeichnen.

Wie man weiss (vgl. auch weiter unten, Anhang III S. 326), ist der Terminus *lex data* ein in den antiken Quellen selbst nicht vorkommender Begriff, der von MOMMSEN, Staatsrecht II, S. 725 f. und III S. 310 ff. zu dem Zweck geprägt wurde, Verordnungen zu bezeichnen, die nicht als Ganzes in der Volksversammlung behandelt worden waren, sondern für die die Volksversammlung eine Ermächtigung an eigens mit der Gesetzgebung beauftragte Personen erteilt hatte. Dieses Verfahren, so führt MOMMSEN a.a.O. aus, sei vor allem bei der Aufstellung von Verfassungsurkunden für neue *coloniae* und Munizipien angewandt worden. Weil nun auch das Gesetz, aus dem die velejatische Inschrift uns eine Tafel erhalten hat, eine Gemeindeordnung (u. zw. für die cisalpinischen Ortschaften) enthielt, sei es ebenfalls eine „*lex data*" gewesen.

Seitdem MOMMSEN diese These aufgestellt hat, ist die Frage, ob unser Fragment von Veleia einer „*lex data*" oder vielmehr einer „*lex rogata*" angehört habe, öfters erörtert worden. Für die Zugehörigkeit zur Kategorie der „*lex data*" erklärten sich, ausser MOMMSEN Wien. Studien XXIV (1902) S. 238 f. (= Jur. Schr. I, 1905, S. 192 f.) und Jur. Schr. I S. 152 f. (= Ephem. Epigr. IX, 1913, S. 4 f.), GIRARD-SENN, Textes de droit romain, [3]1937, S. 72 ff. (Nr. 13), RICCOBONO (der die Tafel von Veleia in seinen FIRA. I, [2]1941, S. 169 ff. [Nr. 19] unter der Rubrik der „*leges datae*" publiziert hat), ua.; für die Kategorie der *„lex rogata"*: ausser KIPP a.a.O., HARDY, Six Roman Laws 1911 S. 124, DE RUGGIERO Diz. epigr. IV, 1956, S. 730, WENGER, Die Quellen des röm. Rechts 1953 S. 375, ua. Mit der Diskussion über die Frage, welcher der beiden genannten Kategorien die Tafel von Veleia zuzurechnen sei, ist eine weitere Streitfrage verknüpft, u. zw. ob die Tafel von Veleia mit der Lex Rubria bezw. dem rubrischen Plebiszit identisch sei oder nicht. Die Forscher, die eine Zugehörigkeit der velejatischen Tafel zur Gruppe der sogen. *„leges datae"* befürworten, sehen sich gezwungen, diese Identität zu bestreiten, da das rubrische Gesetz, wie die Worte unseres Lemmas (und ebenfalls in XX, *38/39*) *ex lege Rubria seive id plebeiscitum est* deutlich zeigen, ein in einer Volksversammlung (*comitia* oder *plebis concilium*) gefasster Beschluss ist (nach MOMMSENscher Terminologie somit eine *„lex rogata"*). Für diese Forscher sind deshalb die *lex de Gallia Cisalpina* und die *lex Rubria* zwei völlig verschiedene Gesetze. Von den Forschern hingegen, welche die velejatische Inschrift für ein Fragment aus einer *„lex rogata"* halten, treten die meisten für die Identität des Gesetzes von Veleia mit der Lex Rubria ein. Nur DE RUGGIERO a.a.O. macht hier eine Ausnahme: trotzdem er aufgrund der Worte *ex hac lege nihilum rogatur* in XXI, *24* das Gesetz von Veleia der Kategorie der *„leges rogatae"* zuschreiben möchte, befürwortet auch dieser Gelehrte (mit einer kurzen und recht undeutlichen Begründung) die Lostrennung der Lex Rubria vom Gesetz von Veleia (vgl. seine separaten Artikel im Diz. epigr. IV: S. 729 f. *,lex Rubria'*, S. 730 *,lex de Gallia Cisalpina'*).

Dass aber unsere Bronzetafel von Veleia mit der Lex Rubria identisch sein muss, ist schon im Jahre 1823 von G. F. PUCHTA, Civilistische Abhandlungen S. 72-76 nachdrücklich betont worden: „denn (so führt PUCHTA aus) die Erlassung der Verfügung, welche nach der Formel *ex lege Rubria* geschah (vgl. XX, *22-31* und *32-40*), hatte sie (d.h.: die Bronzetafel von Veleia) selbst am Eingange dieses Abschnittes vorgeschrieben". Viele Jahre später wurde dasselbe Argument, sei es mit etwas anderen Worten, von TH. KIPP noch einmal mit grossem Nachdruck wiederholt (Gesch. der Quellen des röm. Rechts ^{4}1919 S. 41 f. Anm. 11). Und man wird, so glaube ich, noch immer zugeben müssen, dass PUCHTA's Argument kaum entkräftet werden kann (für eine ausführlichere Erörterung dieser Streitfrage sei noch auf Anhang III E, unten S. 325 ff., hingewiesen).

Was nun die bereits oben gestreifte Frage betrifft, ob die Lex Rubria ein von den Komitien gefasster Beschluss (somit eine *lex* im engeren Sinne) war oder vielmehr ein Plebiszit, so hängt die Antwort hierauf von der weiteren Frage ab, welches Amt der Urheber des Gesetzes, irgendeine Person mit dem Gentilnamen Rubrius, bekleidet hat. Wir werden weiter unten (Anhang III S. 323) sehen, dass einige (sei es auch recht wenige) Anzeichen dafür vorhanden sind, dass dieser Rubrius ein Volkstribun war. In dem Falle wäre unsere *lex Rubria* ein Plebiszit.

Zum Schluss noch eine Bermerkung zu der fehlerhaften Textgestaltung sowohl an dieser Stelle (Z. *29*) wie in XX, *38/39*: EX. LEGE.RVBRIA.SEIVE.ID.PL.VE.SC.EST, d.h. *ex lege Rubria seive id plebeivescitum est.* Das *-ve* ist hier — nach *seive* — überflüssig. Wahrscheinlich hat der Schreiber (evtl. auch der Kupferstecher) sich einer Kontamination schuldig gemacht: er verknüpfte die Formel *ex lege plebeive scito* (vgl. Lex agraria *3*, s. oben) mit einer Wendung wie *ante legem seive illud plebeiscitum est* (vgl. Frgm. Atest. *12/13*). Die vielen Abkürzungen dürften das Ihrige dazu beigetragen haben, die Satzkonstruktion an dieser Stelle unübersichtlich zu machen und eine Aufdeckung des Fehlers zu erschweren.

31. **c(ondemnato) .... a(bsolvito).** Wahrscheinlich sind diese Verbformen als zweite Person gemeint, da man auch bei Gaius IV dieses Gebot in ähnlichen Zusammenhängen wiederholt in der zweiten Person ausgedrückt findet, vgl.:

IV, 43: *iudex, ... condemna. si non paret, absolve.*
iudex .... condemna. si non paret, absolvito.
iudex .... condemna (et rel.).
IV, 46: *recuperatores sunto. .... recuperatores .... condemnate. si non paret, absolvite.*
IV, 50: *iudex .... condemna. si non paret, absolve.*
IV, 51: *idem*
...., iudex, ... condemna. si non paret, absolvito.
IV, 86: *...., iudex, ... condemna. si non paret, absolve.*

Dem Ausdruck *si non paret, absolvito* begegnet man auch in den *notae iuris* aus Probus bei Keil, Gramm. Lat. IV S. 275 Nr. 12 (S. zu *31* und *40*).

p(aret). Eventuell kann man diese Ergänzung folgendermassen buchstabieren: *p(arret)*, und zwar wenn man die Bemerkung von Festus 262, 16 (Lindsay) berücksichtigt: „*parret, quod est in formu-*

lis, debuit et producta priore syllaba pronuntiari, et non gemino r scribi, ut fieret „paret", quod et inveniatur, ut „comparet", „apparet". Auf welchen Quellen diese Bemerkung von Festus basiert, ist nicht klar. Gaius IV schreibt gemäss der Überlieferung stets *paret*; ERNOUT-MEILLET [4]1959 S. 482 s.v. *‚pareo'* und F. SOMMER, Handbuch der lateinischen Laut- und Formenlehre, Heidelberg [2]1914 S. 202 ff. geben für diese Schreibweise mit doppeltem *r* keine Erklärung, sie verweisen nur auf die erwähnte Festus-Stelle. Vielleicht liesse sich die Doublette *paret-parret* am besten mit orthographischen Varianten vergleichen wie *paricida-parricida, litera-littera, baca-bacca* und *sucus-succus,* die auf dem Bedürfnis beruhen dürften, die Länge des vorhergehenden Vokals (bezw. der betreffenden Silbe) schriftlich zum Ausdruck zu bringen.

31 und 40. **c(ondemnato); s(ei) n(on) p(aret) a(bsolvito).** Diese und ähnliche Abkürzungsreihen sind einfach zu ergänzen mit Hilfe der Abkürzungssammlung aus Probus bei KEIL, Gramm. Lat. IV, S. 271 ff., in unserm Falle S. 275 Nr. 12: S.N.P.A. = *si non paret absolvito.*

32-40. **i(udex) .... s(ei) n(on) p(aret) a(bsolvito).** Diese Formel ist gleich der von *22-31,* ausser dass hier *repromittere* (*25* und *30*) durch *stipulatione satisdare* (*34-35*) oder *satisdare* (*40*) ersetzt worden ist. Es bestehen wohl orthographische Unterschiede, nämlich die Abwechslung zwischen *ei* und *i* (*23 damni, 33 damnei*; *24 peregreinos, 34 peregrinos*). Man findet auch einige Schreibfehler, nämlich Auslassung von *is* (*28*), *eactum* statt *factum* (*33*), *inffctei* statt *infectei* (*33*), den Fortfall von *HS* mit dem dazugehörigen Spatium hinter dieser Abkürzung (*36*), *Licinius* (*37*) an Stelle von *Licinium* (*26*) und die fehlerhafte Auslassung von *-ve* in *38.* Hieraus geht noch einmal hervor, dass wir auch in den anderen Teilen unseres Gesetzes mit Gravierfehlern und anderen kleinen Irrtümern rechnen müssen.

41-50. **dum IIvir IIIIvir .... sei Mutinae ea res agetur.** Diese umständliche Warnung, dass *Q. Licinius, L. Seius* und *Mutina* nur fiktive Namen (Blankonamen) sind, ist ein beredtes Beispiel dafür, wie beliebt verbaler Formalismus im römischen Recht war; in Cic. p. Murena 12, 27 wird hierüber gespottet und als Beispiel die unbegründete Verwendung des Blankonamens *Gaia* genannt. Denn meiner Ansicht nach ist eher Formalismus der Anlass fur die Entstehung solcher Zeilen gewesen, als Mangel an Scharfsinn bei den Munizipalmagistraten. Letzteres wurde nämlich von E. G. HARDY unterstellt, vgl. Six Roman Laws, Oxford 1911, S. 128 Anm. 14. Übrigens hat sich schon in dem oben Gesagten (vgl. S. 114 f.) herausgestellt, dass für manche modernen Gelehrten diese Deutlichkeit noch nicht deutlich genug war.

Es ist indessen sehr merkwürdig, dass *41-44 dum .... debebitve* das Gleiche zum Ausdruck bringt wie *46-50 neive .... ea res agetur*, nämlich die Warnung: „Die Magistrate dürfen nicht vergessen, die Blankonamen durch die Namen der in Wirklichkeit Prozessführenden und durch die Namen der tatsächlichen Gerichtsorte zu ersetzen". Man kann darum mit O. GRADENWITZ, Versuch einer Dekomposition, S. 37-39, bezweifeln, dass dieses Kapitel sorgfältig redigiert wurde. Die Lösung, die er vorschlägt, ist allerdings sehr anfechtbar und überflüssig kompliziert. GRADENWITZ nimmt nämlich an, dass diese Verdoppelung (Zeile *46-50* neben *41-44*) erst in einer Zeit entstanden ist, in der das Gesetz in Rom schon längst erlassen worden war, und zwar handle es sich um einen Zusatz aus der Kanzlei von Veleia; dort hätten Juristen und Magistrate Anmerkungen *in margine* gemacht, die in einen späteren Text aufgenommen wurden, und das Ganze sei danach auf der Bronzetafel aufgezeichnet worden (a.a.O., *passim*).

Schon an sich ist diese Vermutung nicht sehr wahrscheinlich, da ein bereits erlassenes Gesetz kaum erst einige Jahrzehnte später auf einer Bronzetafel aufgezeichnet wurde. Ausserdem hat FR. VON SCHWINDT, Zur Frage der Publikation im römischen Recht, München 1940, S. 40-42, zum mindesten wahrscheinlich gemacht, dass auch für Gesetze, die ausserhalb von Rom Geltung haben sollten, ein (in dem Gesetz selbst angegebenes) Publikationsgebot bestand, für das eine ziemlich kurze Frist angesetzt war. Es erscheint somit nicht recht glaubhaft, wenn GRADENWITZ von der Voraussetzung ausgeht, dass eine Frist von Jahren zwischen dem Erlass der Lex Rubria und ihrer Publikation verstrichen wäre. Diese lange Frist braucht GRADENWITZ jedoch, um seine Auffassung von dem interpolierten Charakter des in Veleia publizierten Textes glaubhaft zu machen. Auf Grund dieser Erwägungen sind wir auch an dieser Stelle berechtigt zu sagen, dass uns der Erklärungsversuch von GRADENWITZ der Lösung der Frage nicht näher bringt, wie die beiden soeben genannten Abschnitte, welche inhaltlich die gleiche Bedeutung haben, in das Gesetz aufgenommen werden konnten. Die Ursache hierfür wird vielmehr in der Arbeitsweise der Kanzlei in Rom zu suchen sein; dort hat man zweifellos bei der Redigierung der Gesetze Texte und Formulierungen von bestehenden ähnlichen Gesetzen und Dekreten verwendet. Darum muss man zu der Schlussfolgerung kommen, dass man es in der römischen Kanzlei versäumt hat, den Text noch einmal kritisch durchzulesen und ihn von teils kleineren teils grösseren Überflüssigkeiten und Unebenheiten zu reinigen, ehe man ihn für die Publikation freigab. Hinzu kommt, dass die römischen Kanzlisten, wie aus vielen Stellen der Lex Rubria hervorgeht, an Weitschweifigkeit des Wortlauts Gefallen fanden.

Gradenwitz versucht noch zu beweisen, dass *41-44* ursprünglich nur eine Warnung hinsichtlich der Personennamen enthielten und *46-50* die gleiche Warnung hinsichtlich der Ortsnamen. Die seiner Ansicht nach unsorgfältig formulierten Worte *municipium colonia locus* (*42*) und *ea nomina .... scripta sunt* (*46*) betrachtet er daher als spätere Einschiebsel. Die beiden genannten Satzteile sind jedoch nicht im geringsten verdächtig (vgl. den Kommentar zu ihnen, Z. *42* und *46*), so dass diese Art der Textemendation als unzulässig anzusehen ist.

41. **curetve.** Dieser Zusatz nach *dicat* weist anscheinend darauf hin, dass der Munizipalmagistrat für gewöhnlich einen Stadtschreiber mit der Aufzeichnung der Rechtsformel für einen bestimmten Prozess beauftragte.

42. **municipium colonia locus.** Es ist einigermassen auffällig, dass hier nicht, wie an anderen Stellen unseres Gesetzes (XXI, *2-3*; XXII, *26*; XXIII, *53. 54. 56*) von der längeren Aufzählung *oppidum municipium colonia praefectura forum vicus conciliabulum castellum territoriumve* Gebrauch gemacht wird. Dieser Umstand hat Gradenwitz, Versuch einer Dekomposition S. 38 Anlass zu der Vermutung gegeben, dass es sich bei unserer Stelle um eine Interpolation handelt. Hiergegen ist einzuwenden, dass die betreffende Aufzählung in diesem Zusammenhang sogar unangebracht gewesen wäre, weil an dieser Stelle nicht, wie an den Anfängen von cap. XXI (*2-3*), XXII (*26*) und XXIII (*53. 54. 56*), zum Ausdruck gebracht werden sollte, dass eine nun folgende Anordnung für sämtliche Ortschaften und Territorien von Gallia Cisalpina ihre Rechtsgültigkeit hatte, sondern nur, dass man bei der Ausfüllung eines Ortsnamens in einem Prozessformular sich nicht von fehlerhaften Vorstellungen leiten lassen sollte. Da nun in den beiden vorhergehenden *formulae* jedesmal von drei Arten von Jurisdiktionsmagistraten die Rede war, vgl. Z. 27-29 und 37-38 (vgl. ausserdem die Zusammenfassung Z. 40/41), *IIvir, IIIIvir* und *praefectus*, lässt der Redaktor hiermit drei Ortsandeutungen übereinstimmen: *IIvir* korrespondiert (für gewöhnlich jedenfalls) mit *colonia, IIIIvir* (*iure dicundo*) mit *municipium* und *praefectus* mit dem neutralen und mehrere Möglichkeiten zusammenfassenden *locus* („Ortschaft"). Denn wie bekannt, wurden *praefecti* als Jurisdiktionsmagistrate nach Ortschaften geschickt, die zu klein oder zu unbedeutend waren, um selbst aus der eigenen Bürgerschaft solche Magistrate wählen zu können (für eine nähere Darstellung der Verwaltungsformen der unterschiedlichen Ortstypen und der Befugnisse ihrer Magistrate s. Anhang I S. 235 ff. und II S. 267 ff.). Der einzige Vorwurf, den man dem Redaktor machen könnte, besteht darin, dass er — etwas nachlässig — *municipium colonia locus* geschrieben hat, in dieser Reihenfolge, und nicht *colonia municipium locus*.

43. **accipietur, includantur concipiantur.** So nach MOMMSEN (und im Anschluss an ihn LOMMATZSCH CIL. I, 2^2 S. 481). Auf der Bronzetafel lesen wir *accipientur includentur concipiantur*. Offensichtlich haben die drei aufeinander folgenden Verbformen mit ihren einander sehr ähnlichen Passivendungen bei dem Kupferstecher (oder demjenigen, der für den Kupferstecher das Konzept angefertigt hat) einige Verwirrung hervorgerufen. In jedem Fall muss bei dem vorausgehenden Subjekt *quod* (*42*) eine Verbform im Singular stehen, so dass das Streichen des *n* in *accipientur* auf der Hand liegt. Was *includentur* anbetrifft, so ist dieses Verb, ebenso wie das darauf folgende *concipiantur*, von *utei* (*41*) abhängig und muss darum im Konjunktiv stehen. Zu den asyndetischen Synonymenhäufungen (wie unser *includantur concipiantur*) — ein Kennzeichen der Gesetzessprache — vgl. HOFMANN-SZANTYR, Syntax S. 786 und diesen Kommentar zu XXIII, 55, S. 231.

44. **oportebit debebitve.** Auf der Bronzetafel lesen wir *oporteret debebitve*. Zu dieser auf der Bronzetafel vorkommenden unregelmässigen Zusammenfügung von zwei mehr oder weniger synonymen Verben gibt es keine Parallele. Man erwartet *oportebit debebitve*, ähnlich dem *aget petetve* in *46*; eventuell wäre auch eine Abänderung in *oporteret deberetve* möglich. MOMMSEN, CIL. *ad locum*, will *oportere ei videbuntur* lesen; aber dieser letzte Berichtigungsversuch ist zu kompliziert, um überzeugend sein zu können. Da auch an anderen Stellen auf der Bronzetafel kleinere Schreibfehler vorkommen (man siehe den kritischen Apparat), ist eine einfache Verschreibung von *oporteret* für *oportebit* viel wahrscheinlicher. Vielleicht stand dem Kupferstecher noch das zweimalige *oporteret* aus dem vorherigen Text (Z. *26-27* und *36*) vor Augen.

45. **captionei .... esse possit,** wörtlich: „von Nachteil sein kann". *Captio* = „Täuschung, Betrug, sowie der dadurch herbeigeführte Vermögensnachteil; überhaupt u.a. Schaden, Verlust" (vgl. HEUMANN-SECKEL, S. 55 s.v. ‚*captio*').

Wie kann es für den Kläger von Nachteil sein, wenn nicht die richtigen Namen in die *formula* aufgenommen wurden? Der *iudex*, der den Inhalt der *formula* als einzigen Leitfaden hatte, war ausschliesslich dazu befugt, über das in ihr Behauptete zu urteilen. Nannte die *formula* unrichtigerweise einen gewissen Seius als Beklagten, so konnte der Richter nichts anderes tun, als feststellen, dass Seius vollkommen zu Recht keine *cautio* hinterlegen wollte, da die Angelegenheit ihn überhaupt nichts anging. Und so erfolgte daraufhin ein Freispruch und der Kläger musste den Magistrat um eine neue Prozessformel ersuchen. Eine solche Verzögerung wird in unserem Caput gemeint sein, wenn dort über „Schaden", *captio* gesprochen wird.

46. **formula,** „Prozessformel". Nach der Meinung von B. KÜBLER ZSS. 16 (1895) S. 137 ff. läuft der Unterschied zwischen *formula* und *iudicium* (das auch die Bedeutung „Prozessformel" haben kann, s. oben S. 102 ff.) auf folgendes hinaus: *formula* bezeichnet ein „abstraktes Schema einer Prozessformel" und *iudicium* eine „Prozessformel, wie sie für einen bestimmten Prozess aufgestellt wird". KASER, Zivilprozessrecht S. 235 f., Anm. 2, bemerkt hierzu, dass KÜBLERS These, dass *formula* das abstrakte Schema bedeute (etwa das Blankett im prätorischen Edikt), zwar im allgemeinen zutrifft, dass es aber an Ausnahmen nicht fehlt. Anscheinend sei der römische Sprachgebrauch hierin lange Zeit „unstarr" geblieben. Was nun unsere Lex Rubria anbetrifft, so ist KÜBLERS Unterscheidung in der Tat zutreffend: *formula* bezeichnet an den Stellen, an denen das Wort vorkommt (XX, *46* und *49*), „die in *22-31* und *32-40* vorgeschriebenen Schemata für Prozessformeln" und *iudicium* hat an den zitierten Stellen tatsächlich die Bedeutung von „für einen bestimmten Prozess aufgestellte Formel". Aber dieses Material reicht selbstverständlich nicht aus, die von Kübler für *formula* und *iudicium* vorgeschlagenen Bedeutungen als allgemein gesichert zu betrachten.

qua<e> in earum qua formula ≪quae≫ s(upra) s(cripta) s(unt). Das Wort *quae* in der Mitte dieses Lemmas ist in unserem Kontext sinnlos. Möglicherweise ist es auf diesen Platz gekommen, weil eine in juristischen Texten gebräuchliche Abkürzungsweise, *Q.S.S.S.* = *quae supra scripta sunt* (vgl. die *notae iuris* aus Probus bei Keil, Gramm. Lat. IV, S. 274 Nr. 9), auch hier nachlässigerweise verwendet worden ist. Ein anderer Verbesserungsversuch stammt von F. Ritschl, Legis Rubriae pars superstes, Berlin 1851: er schlug vor, die im Lemma zitierten Worte durch Hinzufügung von *scripta sunt* zu verlängern. Hierdurch wird zwar der Satzbau geordnet, aber stilistisch gesehen ist der Satz, der auf diese Weise entsteht, sehr holperig (zweimaliges *scripta sunt* hinter einander). Der hier vorgeschlagene Wortlaut *quae in earum qua formula supra scripta sunt* begegnet übrigens weiter unten, Z. *49*, noch einmal (sei es mit einem anderen Fehler: *est* statt *sunt*).

48. **quos inter id iudicium accipietur.** *iudicium accipere*, „eine Prozessformel annehmen" wird von beiden Prozessparteien gesagt, wie aus *quos inter* hervorgeht. Man vgl. G. Jahr, Litiscontestatio, Köln/Graz 1960, S. 183-191. Kaser, Zivilprozessrecht, S. 218 mit Anm. 23 und ders., ZSS. 84 (1967) S. 6 geht zu Unrecht von der Voraussetzung aus, dass sich dieser Ausdruck allein auf den Beklagten bezieht. Möglicherweise ist Kaser hier von der unrichtigen Ansicht von M. Wlassak beeinflusst, der in seinen Arbeiten davon ausging, dass der Beklagte das *iudicium* aus den Händen des Klägers in Form einer Urkunde, die die Formel enthielt, entgegennahm, und nicht, dass die beiden Prozessparteien die Formel vom Prätor oder einem anderen Jurisdiktionsmagistrat empfingen; dieser letzten Ansicht widerspricht übrigens Kaser selbst: vgl. ZSS. 84 (1967) S. 38 mit Anm. 157 und 158. Dass die soeben erwähnte Ansicht von Wlassak unrichtig ist, geht schon aus der Tatsache hervor, dass von dem Prätor — und nicht on dem Kläger — gesagt wird, dass er *iudicium dat*; s. KASER, a.a.O. S. 7 mit Anm. 32.

Das hierauf folgende *litem contestari* (s. unten) wird von dem Kläger oder vom Kläger und Beklagten zusammen ausgesprochen. Die Verbindung von *iudicium accipere* mit *litem contestari* findet man häufiger, namentlich in einigen Ulpianus- und Paulus-Fragmenten (vgl. KASER, ZSS. 84, S. 7 Anm. 31).

leisve contestabitur, „und die Streitfrage endgültig festgelegt wird". Das Deponens *contestari* hat laut THES. IV, Sp. 688-691 s.v. *‚contestor'* zwei aktivische Bedeutungen, nämlich „als Zeugen aufrufen" und „bezeugen, dass", ausserdem eine passivische „(unter Zeugen) festgestellt werden" (vgl. THES. IV, Sp. 690 und KASER, ZSS. 84, 1967, S. 5 mit den Quellen in Anm. 19). Die zuletzt genannte passivische Bedeutung findet man in unserer Lex an dieser Stelle (XX, *48*) und bei Ulp. 76 an ed., dig. 44, 6, 1, 1; ausserdem bei verschiedenen nachklassischen Autoren wie Tert., Siricius (Papst 384-399), Ennodius und anderen mehr (zitiert im THES. IV, Sp. 690 sub B 1 b). Der passivische Gebrauch an unserer Stelle ist somit die früheste Belegstelle.

Litis contestatio und das damit zusammenhängende *litem contestari* stammen anscheinend aus der Zeit der *legis actiones*; vgl. KASER, a.a.O. S. 26 ff. und G. JAHR, Litiscontestatio, Streitbezeugung und Prozessbegründung im Legisaktionen- und im Formularverfahren, Köln/Graz 1960, S. 59 ff. Sie bezeichneten allem Anscheine nach ursprünglich die feierliche Festlegung der Streitfrage am Ende des Verfahrens *in iure*, und zwar in Gegenwart von Zeugen, *testes*. Auch in der Zeit der Formularprozesse wurden diese Begriffe noch verwendet. Nach JAHR, a.a.O. S. 209-211, erklären die Prozessparteien sich bei der *litis contestatio* mit dem *iudicium* (Prozessformel) einverstanden, in Gegenwart von Zeugen (für Einwände gegen seine Deutung der *litis contestatio* als „privater Urkundsakt" [S. 26] s. TH. MAYER-MALY, ZSS. 78, 1961, S. 496). KASER, Zivilprozessrecht S. 222 hingegen sieht in der *litis contestatio* des Formularprozesses nur eine Reminiszenz an die schon erwähnte ältere Prozessform. In dem Formularprozess sei nach KASER die *litis contestatio* keine besondere Handlung, sondern lediglich ein allgemeiner Ausdruck für das endgültige Zustandekommen des Verfahrens *apud iudicem*. Wie dem auch sei (KASER, Zivilprozessrecht S. 22 spricht von einer „hoffnungslosen Quellenlage"), das Verfahren *apud iudicem* kommt mit der *litis contestatio* definitiv zustande. Definitiv insofern, als die Formel von dem Magistrat verliehen und von beiden Parteien in der Form akzeptiert wurde; ausserdem noch insofern definitiv, als der Magistrat nach dieser Zustimmung seitens der Parteien nur das Urteil des *iudex*, der jetzt ernannt wird oder schon gleichzeitig ernannt ist, sanktionieren und keinen neuen Prozess akzeptieren wird. Über die Probleme der *litis contestatio* und die darüber geführte Diskussion s. M. Kaser, Zivilprozessrecht S. 102-103 und S. 219-222, wo die Auffassungen von anderen Gelehrten besprochen werden, insbesondere die oben genannte Arbeit Jahrs; seitdem: J. G. Wolf, Die litis contestatio im römischen Zivilprozess, Karlsruhe 1968 (vgl. die Besprechung von K.-H. Ziegler, Gnomon 42 (1970) S. 310-312).

50-52. **neive quis .... detur iudiceturque.** Man vgl. für einen ähnlichen Zusatz S. 179-180.

50. **quis mag(istratus) prove mag(istratu),** „ein Magistrat oder ein Promagistrat". Diesem Ausdruck begegneten wir schon in XX, *15*, wo er fortgeführt wurde durch *IIvir IIIIvir praefectusve* (s. S. 101). Wir sind dort zu der Schlussfolgerung gelangt, dass die letzten drei Worte eine nähere Erklärung von *magistratus prove magistratu* darstellen.

51. **neive quis pro quo imperio potestateve erit intercedito,** „(und es ist nicht gestattet, dass ....) oder dass (ganz allgemein) jemand, der als Promagistrat mit Autorität oder Verwaltungsmacht ausgestattet ist, durch seinen Einspruch dies vereitelt". *Intercedere*, „dazwischen treten", „Einspruch erheben", bezeichnet das Recht eines Magistrates, die Handlungen eines Kollegen ihrer Wirkung zu berauben. Das ist nicht gegen schon ausgestellte Befehle gerichtet, sondern nur gegen Befehle, die noch ausgestellt werden müssen. So konnte ein Magistrat mit Hilfe der *intercessio* nicht verhindern, dass ein *iudex* ein Urteil fällte, da der *iudex* schon von dem betreffenden Jurisdiktionsmagistrat den Auftrag zur Urteilsfällung erhalten hatte (*iudicare iubere, Z. 20*) und nur dieser den Auftrag wieder zurücknehmen konnte (*iudicare vetare*, vgl. Kaser, Zivilprozessrecht, S. 223 mit Anm. 58). Wohl konnte ein anderer Magistrat das *iudicium dare*, die Verleihung der Formel, von vornherein verhindern und er konnte auch — nach einem Urteil des *iudex* —

dem Jurisdiktionsmagistrat untersagen, Zwangsmittel (*ductio, multa* und dergleichen, vgl. KASER, Zivilprozessrecht, S. 125-126) zur Durchsetzung des Urteils zu verwenden. In dem in unserem Caput XX behandelten Fall kann die *intercessio* ausserdem noch dazu verwendet werden, um gegen ein Dekret des Munizipalmagistrats vorzugehen, das eine *actio ficticia* gegen jemanden, der keine *cautio damni infecti* hinterlegen wollte, ermöglichen soll. All diese *intercessiones* werden jedoch durch die in unserem Lemma enthaltene Bestimmung unmöglich gemacht.

Inzwischen wird der Ausdruck *intercessio* auch gebraucht, um anzudeuten, dass sich ein höherer Magistrat gegen Amtshandlungen eines niederen Magistrates wendet, wenn letzterer die Grenzen seiner Befugnisse überschritten hat: vgl. F. LEIFER, Die Einheit des Gewaltgedankens im römischen Staatsrecht, München/Leipzig 1914, S. 277-278. Verschiedene Rechtshistoriker, so u.a. bereits MOMMSEN, Über den Inhalt des rubrischen Gesetzes, Jahrb. des gemeinen Rechts II (1858) S. 332 ff. (= Jur. Schr. I S. 173 f.), ferner z.B. GRADENWITZ, Versuch einer Dekomposition 1915 S. 46, dachten auch in unserem Fall gerade an diese Möglichkeit, da bei den im Lemma angeführten Wörtern der Begriff *imperium* verwandt wird, der — so bezeugten sie — allein Konsuln, Prätoren und Provinzgouverneuren zukommt. Die genannten Gelehrten konnten auf Texte hinweisen wie Paulus ex Festo pag. 43, *15* ff. LINDSAY: *,cum imperio est' dicebatur apud antiquos, cui nominatim a populo dabatur imperium; ,cum potestate est' dicebatur de eo, qui a populo alicui negotio praeferebatur.* Ferner Ulp. 1 ad ed., dig. 2, 1, 4 *iubere caveri praetoria stipulatione et in possessionem mittere imperii magis est quam iurisdictionis*; und Paul. 1 ad ed., dig. 50, 1, 26 *ea quae magis imperii sunt quam iurisdictionis, magistratus municipalis facere non potest.* Und ganz allgemein kann man beim Lesen verwaltungsrechtlicher Texte die Beobachtung machen, dass in ihnen eine gewisse Tendenz vorherrscht, gerade die Machtbefugnisse der erwähnten höheren Magistrate als *imperium* zu bezeichnen (vor allem, da häufig von militärischer Gewalt die Rede ist; vgl. LEIFER, a.a.O. S. 128-129) und das Ergreifen von „Massnahmen, die stärker in die Freiheit des einzelnen eingreifen" nur ihnen zusteht (vgl. KASER, Zivilprozessrecht, S. 133 mit Anm. 16).

Trotz dieser Tendenz hinsichtlich des Gebrauchs von *imperium* scheinen aber auch die Machtbefugnisse der niederen Magistrate — zu denen die Munizipalmagistrate zu rechnen sind — gleichfalls an manchen Stellen mit diesem Begriff, nämlich *imperium*, bezeichnet worden zu sein. Dies konnte geschehen, weil entweder die Trennung zwischen höheren und niederen Magistraten nicht immer konsequent durchgeführt wurde, oder aber, weil die niederen (also auch: die Munizipal-) Magistrate die allgemeinen Machtbefugnisse der *imperium*-Träger, deren Bevollmächtigte sie waren, teilten. So finden wir in der *lex Ursonensis* (BRUNS Nr. 28 S. 122 ff.; etwa 45/44 v. Chr.) einige deutliche Stellen, an denen von den Munizipalmagistraten gesagt wird, dass sie *imperium* besitzen: vgl. cap. 94, *30*; 125, *14*; und 128, *12* ff. Die letzte Stelle lautet: *II(vir) aed(ilis) pra<e>f(ectus) c(oloniae) G(enetivae) I(uliae) quicumque erit, is suo quoque anno mag(istratu) imperioq(ue) facito curato* ..... Der Begriff *imperium* kann somit doch auch gleichzeitig die Machtbefugnisse der Munizipalmagistrate umschreiben, und vollkommen zu Recht wird diese Möglichkeit auch von MOMMSEN, Staatsrecht I (^{3}1887) S. 23, Anm. 4 noch einmal ausdrücklich betont. (Merkwürdigerweise zitiert MOMMSEN in diesem Zusammenhang auch das *imperium potestasque,* das sich an unserer Stelle — Lex Rubria XX, *51* — findet, und betrachtet es als einen Beleg für seine ,,Anwendung auf Munizipalbeamte''; er unterlässt es hier, darauf aufmerksam zu machen, dass er in einer früheren Publikation — aus dem Jahre 1858, s. oben — die Worte *quis pro quo imperio potestateve erit* [XX, *51*] unter Berufung auf Paulus ex Festo pag. 43, *15* ff. LINDSAY ausschliesslich für die ,,Beamten und Beauftragten des Reiches'' reserviert hatte und dabei bemerkt hatte, dass sie eine ,,Hindeutung auf den Statthalter der Provinz'' enthielten).

Es dürfte nicht unwahrscheinlich sein, dass in unserm Kontext die Worte *neive quis pro quo imperio potestateve erit* eine allgemeinere Bedeutung gehabt haben als das vorhergehende *prove magistratu.* Mit dem letzteren Terminus war, wie wir bereits oben S. 101 zu XX, *15* gesehen haben, allem Anscheine nach nur ein stellvertretender Munizipalmagistrat, ein *praefectus,* gemeint. Und ein *praefectus* stand, wie die häufigen Formeln *IIvir IIIIvir praefectusve* beweisen (XIX, *5*; XX, *15. 27. 28. 37. 38. 40*; XXI, *15*), auf derselben Ebene wie die übrigen Munizipalmagistrate, die *IIviri* und *IIIIviri.* Wenn wir uns nun aber nach einem höheren Magistrat umsehen müssen, der mittels *intercessio* gegen die Handlungen der unter ihm stehenden Munizipalmagistrate einschreiten konnte, und wenn dieser höhere Gewalthaber gleichzeitig eine sogen. Promagistratur innehaben musste, so kommt dafür lediglich ein Statthalter in Frage.

Durch die verallgemeinernde Formel *neive quis pro quo imperio potestateve erit,* die dem Terminus *prove magistratu* angehängt wurde, sollte deshalb allem Anscheine nach zum Ausdruck gebracht werden, dass sogar der Proconsul in einem solchen Falle nicht das Recht hatte zu interzedieren. Ich möchte aber nicht im Anschluss an E. G. HARDY, Six Roman Laws (1911) S. 128, Anm. 15 und E. DE RUGGIERO, Diz. epigrafico IV, 2 (1942) S. 45 ff. (s. besonders S. 46 b) die Interpretation der zur Erörterung stehenden Formel derart einengen, dass sie ausschliesslich einen Hinweis auf den Proconsul von Gallia Cisalpina selbst enthielte. Gerade wegen der Verallgemeinerung des Wortlauts dürfte es auf der Hand liegen, dass auch die mit der Jurisdiktion betrauten Vertreter des Statthalters, etwa seine *legati* und *quaestores,* damit gemeint sind (vgl. für diese Vertreter MOMMSEN, Staatsrecht I³ S. 231 f.; II, 1³ S. 700). Und schliesslich dürfte es nicht völlig ausgeschlossen sein, dass der Redaktor unseres Gesetzes durch den Zusatz der generalisierenden Worte *quis pro quo imperio potestateve erit* auch, was die stellvertretenden Beamten auf der unteren — der munizipalen — Stufe, d.h. die *praefecti,* anbelangt, noch einmal ausdrücklich betonen wollte, dass hier auf keinen Fall eine gegenseitige *intercessio* zugestanden werden könne, ganz einerlei ob es sich um einen vom römischen Prätor ernannten Präfekten handle oder aber um einen solchen, der von den örtlichen Behörden bestellt worden ist.

Was ferner *potestas* anbelangt, das zweite Wort in der im Lemma zitierten Wendung *imperio potestateve,* so sei noch bemerkt, dass dieser Terminus eine sehr allgemeine Bedeutung hat: er kann sich auf alle möglichen Magistrate beziehen und bezeichnet nichts anderes als „Befugnis" (vgl. MOMMSEN, Staatsrecht I³ S. 22 ff.; E. MEYER, Röm. Staat u. Staatsgedanke ³1964 S. 111 ff.; vgl. ausserdem das obige Paulus ex Festo-Zitat).

Eine Abweichung vom klassischen Sprachgebrauch stellt die Verwendung von *quis* als Relativpronomen dar: man hätte *qui* erwartet. Für das Durcheinander von *qui* und *quis* sowohl im Altlatein wie im späteren Vulgärlatein vgl. HOFMANN-SZANTYR Synt. S. 554 f. (vgl. für *quis* = *qui* in indefiniten Relativsätzen auch noch SOMMER Handb. S. 435).

Man beachte schliesslich noch die Vorliebe unseres Redaktors für die kurze Form des indefiniten Pronomens *qui(s)* im Vergleich zu dem längeren *aliqui(s)*. So in unserm Lemma *quo* = *aliquo* in *neive quis pro quo imperio* (hier wird *quo* trotz der Fernstellung von *neive* verwendet). Vgl. ferner XX, *46* und *49* *in earum qua formula* (etwas ungewöhnliche enklitische Anlehnung an *earum*); XXI, *2*. XXII, *26*. XXIII, *53* und *56* *in eorum quo oppido*; XXI, *19* *queique eorum quem*; XXII, *51* *eorum quoius bona*; XXI, *15* und XXII, *41* *quei ita quid* (ungewöhnliche Anlehnung an *ita*); XXII, *25* *a quo quid praeter pecuniam* (Anlehnung an das Pronomen relat. *quo*).

52. **neive quid aliud facito quominus de ea re iudicium detur iudiceturque.** An welchen konkreten Fall die Verfasser des Gesetzes bei den in diesem Lemma zitierten Worten gedacht haben, ist schwierig festzustellen. So dachte M. Wlassak, Judikationsbefehl S. 210 ff. (s. auch schon vorher S. 188 ff.) daran, dass es sich um eine Zurücknahme des von dem Munizipalmagistrat erteilten *iudicare iubere* seitens des Prätors handle. So wie der Magistrat seinen eigenen ,,Judikationsbefehl'' widerrufen konnte, so konnte nach der Ansicht von Wlassak der Prätor auch den ,,Judikationsbefehl'' des unter ihm stehenden Munizipalmagistrates widerrufen. Von einem solchen Verfahren ist jedoch nichts bekannt; überdies würde ein solches Vorgehen der schon im Vorhergehenden erwähnten *intercessio* gleichkommen. Der einzige andere Rechtshistoriker, der — so weit ich sehe — eine andere Erklärung vorgeschlagen hat, ist G. Dirksen, Observationes (Diss. Berlin 1812). Auf S. 42 des zitierten Werkes erwägt er die Möglichkeit, dass ein Kollege des Magistrats den Angeklagten wegen einer anderen Sache in Haft nehmen lässt, um zu verhindern, dass dieser Angeklagte bei einer *actio ficticia* wegen *damnum infectum* erscheinen kan. Allerdings ist diese Ansicht kaum mehr als eine vage Vermutung. Die soeben beschriebene Handlungsweise ist zwar ein möglicher Fall der Prozessverschleppung, aber nicht eine ganz besonders naheliegende Möglichkeit; es liessen sich dafür auch andere Manöver ausfindig machen. Es dürfte überhaupt nicht ersichtlich sein, weshalb ein Gesetz, das sich sonsthin mit Einzelheiten nicht beschäftigt, es sei denn dass sie das Verhältnis von Prätor und Munizipalmagistrat betreffen, gerade diesen weit hergeholten Fall der Prozessverschleppung erwähnen würde; zumal, da unser Lemma in sehr allgemeinen Worten gefasst ist. Es dürfte daher viel wahrscheinlicher sein, dass der Redaktor am Ende der Reihe von möglichen Eingriffen, die den Fortgang eines Prozesses verhindern könnten, eine allgemeine Formulierung verwendet hat, ohne dass er an einen konkreten Fall gedacht hat. Unser Lemma ist somit als ein Beispiel für übertriebenes Streben nach Vollständigkeit der Formulierung anzusehen, dessen Ziel es war, jeden Eingriff und jeden Widerstand, welcher Art auch immer, gegen die Anwendung der *actio ficticia* von vornherein zu brechen.

V. EINLEITUNG ZU CAPUT XXI

A. Kurze Inhaltsübersicht der Capita XXI und XXII

Literatur: Vom materiellen Standpunkt aus betrachtet befassen sich sowohl dieses Caput (XXI) wie das nächste (XXII) mit dem Obligationenrecht: es handelt sich hier um schuldrechtliche Verpflichtungen. Da das Obligationenrecht in jedem Handbuch des römischen Zivilrechts meistens recht ausführlich behandelt wird, kann ich mich mit einem kurzen Hinweis auf die neuesten Werke dieser Art begnügen: M. Kaser, Das römische Privatrecht, Bd. I, München [2]1971, S. 474 ff. („Obligationenrecht"); B. Biondi, Istituzioni di diritto romano, Mailand [4]1965, S. 335 ff. („Obligazioni"); ausserdem sei noch eine auf unsere Zeit und unser Thema spezialisierte Arbeit erwähnt: A. Watson, The Law of Obligations in the Later Roman Republic, Oxford 1965.

Der grösste und wichtigste Platz wird jedoch in den beiden Kapiteln XXI und XXII von einem Thema aus dem Zivilprozessrecht eingenommen: es ist eine Erörterung der Massnahmen, welche Munizipalmagistrate gegen diejenigen verklagten Schuldner anwenden können, die sich der Indefension und sonstiger Verschleppungsmanöver schuldig machen. Was nun das Prozessrecht im allgemeinen anbelangt, kann ich mich hier auf einen Hinweis auf M. Kaser, Das römische Zivilprozessrecht, München 1966 beschränken. Genauere Angaben für die Literatur, die sich auch mit den speziellen prozessrechtlichen Problemen der Capita XXI und XXII der Lex Rubria befasst, findet man weiter unten S. 138 ff. Für die Frage, in wiefern sich im prätorischen Edikt eine Parallele zu unsern beiden Kapiteln aufweisen lässt, vgl. die Bemerkungen im Anhang III S. 299 f. und 303 f.

In Caput XXI wird der Fall behandelt, dass ein Beklagter, von dem ein Gelddarlehen (*pecunia certa credita*) zurückgefordert wird sich der Prozessverschleppung bezw. der Indefension schuldig macht. Wenn das Darlehen weniger als 15.000 Sesterze beträgt, hat der munizipale Jurisdiktionsmagistrat das Recht gegen diesen Beklagten wie gegen eine bereits verurteilte Person einzuschreiten (die sogenannte Damnationsfiktion). Dies hat zur Folge, dass der Munizipalmagistrat dem Kläger die Erlaubnis geben darf, den Beklagten zu geiseln.

Was die übrigen Fälle anbelangt, d.h. sowohl diejenigen, in denen die Genehmigung der Geiselung des säumigen Beklagten nicht die gewünschte Auswirkung hat und deshalb zu der Beschlagnahme seines Vermögens übergegangen werden muss, wie die, in denen es sich um Gelddarlehen von mehr als 15.000 Sesterzen handelt, bekommt der munizipale Magistrat ebenfalls das Recht, gegen den Beklagten vorzugehen. Wenn nämlich dieser Beklagte dem munizipalen Befehl, eine Garantie für sein Erscheinen vor dem römischen Prätor zu hinterlegen, nicht nachkommt, kann der örtliche Magistrat mittels einer dementsprechenden Formel einen sogen. Rekuperatorenprozess gegen ihn anstrengen.[1]

Während in Cap. XXI die Gelddarlehen behandelt werden, findet sich in Cap. XXII eine Regelung für Prozesse aufgrund von sonstigen Forderungen, Gelddarlehen ausgenommen (*res praeter pecuniam certam creditam*). Auch in diesem Caput handelt es sich um Forderungen, deren Höchstwert nicht mehr als 15.000 Sesterze beträgt. Und ebenfalls wird in diesem Kapitel lediglich auf den Fall näher eingegangen, dass der Beklagte sich der Prozessverschleppung bezw. der Indefension schuldig macht. Damit hört aber die Parallelität zwischen beiden Kapiteln auf. Denn während im vorherigen Kapitel der munizipale Jurisdiktionsmagistrat die Befugnis bekommen hatte, in einem solchen Falle selber Zwangsmassnahmen gegen den säumigen Beklagten vorzunehmen, bleibt in Cap. XXII diese Befugnis dem römischen Prätor vorbehalten. Es wird jedoch die Bestimmung hinzugefügt, dass der Prätor gegen eine solche Person, die sich den Munizipalmagistraten gegenüber eine Kontumaz hatte zuschulden kommen lassen, in der gleichen Weise mit Zwangsmassnahmen einschreiten soll wie gegen einen Beklagten, der sich ihm selbst — dem Prätor — gegenüber unbotmässig gezeigt hatte. Hierbei wird noch einmal ausdrücklich hervorgehoben, dass der römische Prätor allein das Recht hat, den Befehl zu erteilen, dass das Eigentum eines solchen Beklagten beschlagnahmt, eingezogen bezw. verkauft werde und dass der Schuldner selbst gegeiselt werde.[2]

Die soeben paraphrasierten Anordnungen könnte man auch anders zusammenfassen: die munizipalen Jurisdiktionsmagistrate waren in erster Instanz sowohl für Prozesse aufgrund von Darlehensforderungen wie aufgrund sonstiger Forderungen bis zu einem Maximum von 15.000 Sesterzen zuständig. Erst wenn Komplikationen auftraten, besonders wenn der Beklagte seine Mitwirkung

[1] Die Rekuperatorengerichte, vor denen derartige Prozesse geführt wurden, konnten in einem solchen Fall eine Geldstrafe auferlegen (s. unten S. 165).

[2] Aus dem Obigen geht deutlich hervor, dass die Geiselung nach römischer Anschauung eine weniger ernsthafte Massnahme war als das Einschreiten gegen das Vermögen, d.h. die Beschlagnahme, das Einziehen und schliesslich der Zwangsverkauf (*bonorum possessio, proscriptio* und *venditio*). Deshalb war auch bei Prozessen aufgrund von Gelddarlehen den Munizipalmagistraten lediglich der Befehl zur Geiselung gestattet.

verweigerte und wenn mit Zwangsmassnahmen gegen die Person bezw. das Eigentum des Beklagten vorgegangen werden musste, wurde der Umfang der munizipalen Kompetenzen verschieden eingestuft: bei Darlehensprozessen konnten die örtlichen Magistrate bis zur Geiselung vorgehen, bei sonstigen Forderungsprozessen mussten sie sämtliche Zwangsmassnahmen dem römischen Prätor überlassen. Es fällt auf, dass die Befugnisse, die, wie soeben gesagt wurde, den Munizipalmagistraten in erster Instanz gewährt werden, in den Kapiteln XXI und XXII nirgends ausdrücklich erwähnt werden: sie können nur implizite dem Wortlaut der beiden Kapitel entnommen werden; denn die darin verzeichneten Verordnungen befassen sich, wenn man sie wortwörtlich betrachtet, lediglich mit der Regelung jener Zwangsmassnahmen, die (sozusagen) erst in zweiter Instanz notwendig sein könnten.

Die soeben geschilderte, einigermassen verklauselte oder jedenfalls indirekte Art, in der die Befugnisse der munizipalen Jurisdiktionsmagistrate dargestellt werden, bereitet uns aber keineswegs die grössten Schwierigkeiten bei der Interpretation der beiden Kapitel XXI und XXII; viel mehr Probleme ergeben sich, wenn wir uns mit einem sehr wichtigen Detail daraus beschäftigen, und zwar mit der Frage, welche und wie viele Arten der Prozessverschleppung bezw. der Indefension [3] vom Redaktor unserer Lex behandelt worden sind. Wir wollen uns nunmehr im folgenden Abschnitt erst diesem Problem zuwenden, u.zw. zunächst anhand des Textes von Caput XXI.

B. Welche und wie viele Fälle der Prozessverschleppung behandelt Caput XXI?

Das grösste Problem sowohl unseres (XXI) wie des nächsten Kapitels (XXII) besteht darin, dass wir die Details, die sie hinsichtlich unrechtmässigen Verhaltens bei Prozessen enthalten, nicht

---

[3] Das Finden eines passenden Terminus für die Verhaltensweisen der säumigen Schuldner bereitet einige Schwierigkeiten. Die Termini „Indefension" und „Einlassungsverweigerung" eignen sich am besten für solche Fälle, in denen der Schuldner von vornherein nicht bereit ist, an der Prozedur mitzuwirken. Die Lex Rubria erörtert jedoch, wie wir unten sehen werden, auch die Möglichkeit, dass der Beklagte zwar *in iure* erscheint und seine Schuld eingesteht aber weiterhin seine Mitwirkung verweigert. Der Terminus „Kontumaz" ist etwas zu drastisch, da er für gewöhnlich einen *dolus malus* voraussetzt (für die Verwendung des lateinischen Terminus *contumacia* vgl. die Literaturangaben bei Kaser, Zivilprozessrecht S. 260, Anm. 36). Ich habe deshalb die neutralere Bezeichnung „Prozessverschleppung" gewählt.

genau in den Verlauf eines allgemeinen Schuldprozesses oder überhaupt in ein allgemeines Prozessrecht einordnen können, so wie es in der Zeit der Lex Rubria, also dem ersten Jahrhundert v. Chr., gültig hätte sein können. Unsere Kenntnis des Prozessrechtes dieser Zeit ist dazu viel zu lückenhaft, was allerdings nicht bedeuten soll, dass wir nicht über die Grundregeln des Formularprozesses unterrichtet sind.[4] Sobald es sich jedoch um kompliziertere Fälle handelt, z.B. um den Verfahrensverlauf bei unrechtmässigem Verhalten des Beklagten, reichen die Kenntnisse bereits nicht mehr aus. Aber eben diese Frage ist in Caput XXI und XXII behandelt worden, denn in diesen Capita ist — unter Übergehung des normalen Verfahrensverlaufs — von Fällen die Rede, in denen der Beklagte Verschleppungsmanöver anwendet. Dies kann er anscheinend dadurch bewerkstelligen, dass er zwar bei dem Verfahren *in iure* erscheint, bei dem Prozessablauf aber seine Mitwirkung verweigert, oder aber gar nicht erst *in iure* erscheint. Der Grund dafür, dass gerade dieses Detail hier so ausführlich behandelt wird, liegt darin, dass ein normal verlaufender Prozess, in dem keine allzu grossen Geldsummen auf dem Spiel standen, ruhig den Munizipalmagistraten überlassen werden konnte, dass aber die Anwendung von Zwangsmassnahmen gegen Personen, die den Prozessablauf verschleppten, für diese Munizipalmagistrate problematisch war, da ihre Macht und Befugnisse beschränkt waren. Aus diesem Grunde werden die ihnen für solche Fälle gewährten Befugnisse von der Lex Rubria ausführlich umschrieben. Ferner wird dargetan, dass in anderen Fällen, in denen die Munizipalmagistrate nicht zuständig sind, die Prozesse als Ganzes oder wenigstens teilweise (so in Caput XXII) nach Rom überwiesen werden müssen.

Wie schon gesagt wurde, wissen wir von den Zwangsmassnahmen, die in der ersten Zeit des Formularprozesses angewandt werden konnten, aus anderen Quellen wenig oder gar nichts. Denn die uns

[4] Es ist sicher, dass es sich in Caput XXI und XXII um den Formularprozess handelt. Lediglich WIEDING, Der Justinianische Libellprozess, Wien 1865, S. 657 f. und 662 f. (zitiert von G. DEMELIUS, Die Confessio im römischen Civil-Process, Graz 1880, S. 127 Anm. 1) und GRADENWITZ, Versuch einer Dekomposition (1915) S. 21, dachten an eine *legis actio*, nämlich an die *per condictionem*. Diese Ansicht ist höchst unwahrscheinlich, zunächst einmal, da schon in Caput XX von dem Formularprozess die Rede war, vgl. *16* ff. und *46* ff., so dass es a priori kaum auf der Hand liegen kann, an eine *legis actio* zu denken. Ausserdem war Mitte des ersten Jahrhunderts v. Chr. der Formularprozess die übliche Art des Privatprozesses, vgl. KASER, Zivilprozessrecht, S. 117.

überlieferten Quellen, in denen diese Materie behandelt wird, stammen alle aus späteren Jahrhunderten, als die zunehmenden obrigkeitlichen Bemühungen schon erhebliche prozessrechtliche Veränderungen zur Folge gehabt hatten. Wir müssen darum versuchen, sofern es überhaupt möglich ist, den Text der Lex Rubria aus sich selbst heraus zu interpretieren. Dabei muss sogar die Frage, die manche Forscher in diesem Zusammenhang häufig stellen, ob nämlich der in der Lex Rubria besprochene und für Gallia Cisalpina geltende Verfahrensverlauf mutatis mutandis auch für Rom gültig war, vorläufig im Hintergrund bleiben.

Nachdem bereits etwa ein Jahrhundert über die Interpretation unserer Capita XXI und XXII diskutiert worden war, begann GRADENWITZ in seinem Artikel ‚Versuch einer Dekomposition des rubrischen Fragmentes' (1915) an der Möglichkeit einer eindeutigen Erklärung überhaupt zu zweifeln. Er nahm seine Zuflucht zu der Theorie, dass unsere beiden Capita erheblich interpoliert seien. Hierdurch dehnte er die sogenannte „Interpolationenforschung", die er selbst wie viele andere zeitgenössische Gelehrte in hohem Masse bei Studien über die Digestenfragmente angewandt hatten, auf die Lex Rubria aus. Bei einem auf einer Bronzetafel direkt überlieferten römischen Gesetzestext sollte man jedoch zu dieser Methode nur im äussersten Notfall seine Zuflucht nehmen. Und heutzutage ist diese Methode in unserem Fall umso weniger nötig, da neuere Fortschritte in der prozessrechtlichen Forschung im allgemeinen und in der Erforschung unserer Capita XXI und XXII im besonderen [5] zu zwei wichtigen Ergebnissen geführt haben, deren Fehlen früher eine zusammenfassende und schlüssige Erklärung der beiden Capita sehr erschwert hatte. Es handelt sich zunächst einmal um die inzwischen gewonnene Erkenntnis, dass ein Schuldbekenntnis *in iure* von wesentlichen Beschwerden gegen die Einforderung dieser Schuld begleitet sein konnte, so dass trotz der *confessio* ein Prozess möglich, ja mitunter sogar notwendig war.[6] Hieraus geht somit hervor, dass auch nach einer *confessio*, sofern es erforderlich war, noch ein *iudicium* folgen konnte — wie es in XXI, *7* ff. und XXII, *3* ff. gemeint gewesen sein muss — und nicht, wie man früher annahm, nur die Exekution. Und zum anderen ist man in der neueren Zeit immer mehr zu der Einsicht gekommen — aber

---

[5] Vgl. vor allem die unten S. 141 zitierte Arbeit von WLASSAK.

[6] Vgl. jetzt z.B., kurz zusammenfassend, KASER, Zivilprozessrecht S. 202 f. über *exceptiones* und Einwendungen gegen die Anerkenntnisschuld.

schon bei HARTMANN [7] war sie mehr oder weniger vorhanden —, dass von den drei nicht gleich lautenden Umschreibungen der Arten von Verschleppung des Prozessablaufs, die als Ausgangspunkt für die Bestimmungen von Caput XXI dienen (wir wollen uns vorläufig ausschliesslich auf dieses Caput beschränken), zweifellos die erste (*4-9*) die deutlichste Darstellung gibt. Wo die beiden anderen Umschreibungen (*11-12* und *15-18*) den Eindruck unsorgfältiger Formulierung erwecken, wird man die erste als Ausgangspunkt nehmen müssen.

Wir wollen zunächst die erste der drei Umschreibungen von Verschleppung des Prozessablaufs von der Seite des Beklagten her untersuchen. In XXI, *4-9* lesen wir:

sei is eam pecuniam in iure .... dare oportere debereve se confessus erit, neque id quod confessus erit solvet satisve faciet, aut se sponsione iudicioque utei oportebit non defendet;

seive is ibei de ea re in iure non responderit, neque de ea re sponsionem faciet neque iudicio utei oportebit se defendet.

Dieser lange Satzteil lässt sich auf Grund von grammatikalischen Kriterien ganz einfach aufteilen. Der wichtigste Ausgangspunkt ist die Zeitform der verschiedenen Verben. Es ist nämlich eine bekannte Tatsache (vgl. O. LENEL, Beiträge zur Kunde des prätorischen Ediktes, Stuttgart 1878, S. 2), dass in dem *edictum praetoris* und in den ihm entliehenen Digestentiteln und -fragmenten jede besondere Situation im Futurum exactum erscheint und dass eventuelle, ihr untergeordnete Nebenbedingungen im Futurum simplex nachstehend hinzugefügt werden. Wendet man dies auf den oben zitierten Passus an, so scheint es sich um zwei verschiedene Fälle zu handeln: A) der Satzteil *confessus erit .... non defendet*; d.h. jemand bekennt, zahlt aber nicht, erteilt nicht auf andere Weise Genugtuung und verteidigt sich ebensowenig dadurch, dass er ein Versprechen (*sponsio*) abgibt und daraufhin ein *iudicium* akzeptiert (d.h. im allgemeinen ein Verfahren *apud iudicem*; in der Praxis denkt man dabei besonders an eine Prozessformel, vgl. S. 102 ff.). Und B) der Satzteil *non responderit .... se defendet*; d.h. jemand weigert sich, vor dem Gericht (*in iure*) zu erscheinen — er „antwortet" also nicht [8] — und ebensowenig verteidigt er sich (später)

---

[7] Über das römische Contumacialverfahren, Göttingen 1851, S. 105 ff.

[8] Dass *non respondere*, „nicht antworten", in der Praxis ein Synonym für „nicht erscheinen" ist, wird unten S. 173 im Komm. zu XXI, *8* näher ausgeführt.

dadurch, dass er ein Versprechen (*sponsio*) abgibt und ein *iudicium* akzeptiert.

Aus dieser Einteilung von *4-9* dürfte sich ein sehr verständliches Resultat ergeben. Ausserdem wird die soeben vorgeschlagene Einteilung durch die Tatsache gestützt, dass an den Anfang von beiden Teilen die Konjunktionen *sei* und *seive* gestellt sind; an anderer Stelle findet man diese Wörter nicht (so schon HARTMANN a.a.O., S. 103). Die Schwierigkeit besteht jedoch darin, dass die beiden anderen Umschreibungen von Verschleppung des Prozessablaufs eine abweichende Formulierung enthalten, und zwar eine Formulierung, die beim ersten Anblick der von *4-9* zu widersprechen scheint (bzw. *11-12* und *15-18*). Nebeneinander gestellt lauten die zweite und dritte Umschreibung folgendermassen:

11-12: *sei is quei ita confessus erit, aut de ea re non responderit, aut se sponsione iudicioque utei oportebit non defenderit.*

15-18: *eum, quei ita quid confessus erit neque id solvet satisve faciet, eum<ve>, quei se sponsione iudicio-ve utei oportebit non defenderit, aut in iure non responderit neque id solvet satisve faciet.*

Abgesehen von den — gewiss nicht unwichtigen — anderen Unterschieden, und zwar sowohl untereinander als auch hinsichtlich *4-9*, fällt sofort auf, dass in *11-12* und *15-18* drei Mal ein Futurum exactum vorkommt (*confessus erit*; *non responderit*; *se non defenderit*; in *15-18* ist die Reihenfolge der beiden letzten Futura exacta jedoch umgekehrt). Man könnte somit den Eindruck bekommen, dass es sich hier um drei verschiedene Fälle von Verschleppung des Prozessablaufs handelt. Dies steht im Widerspruch zur ersten Umschreibung (*4-9*), in der wir nur zwei Fälle von Verschleppung des Prozessablaufs fanden. Da jedoch die Umschreibung von *4-9* an erster Stelle steht, dürfte sie a priori als die wichtigste zu betrachten sein und wir müssen deshalb zunächst einmal untersuchen, ob auch *11-12* und *15-18* entsprechend zu erklären sind. Argumente hierfür finden wir schon bei den Forschern, die früher eine Zweiteilung befürwortet haben.

Bevor wir fortfahren, folgt hier zunächst eine Übersicht über die wichtigsten Autoren, die sich zu diesem Problem geäussert haben:

Für eine Dreiteilung traten ein: O. KARLOWA, Der römische Civilprocess zur Zeit der Legisactionen, Berlin 1872, S. 335 und Römische Rechtsgeschichte II, 1 (1901) S. 596 mit Anm. 1; G. DEMELIUS, Die Confessio im römischen Civil-Process, Graz 1880, S. 129-139; M. WLASSAK in einer seiner früheren Publikationen: Römische Prozessgesetze I, Leipzig 1888, S. 94 ff. (später jedoch änderte dieser Forscher seine Meinung und schloss sich denjenigen an, die eine Zweiteilung befürworteten); ferner P. F. GIRARD, Manuel élémentaire du droit romain, Paris 1911, S. 934, Anm. 1; A. GIFFARD, La „confessio in iure" étudiée spécialement dans la procédure formulaire, Diss. Paris 1900, S. 62 ff. (der Autor folgt in der Hauptsache den Ansichten von DEMELIUS); H. H. PFLÜGER, Zur Lex Rubria, ZSS. 64 (1944) S. 360-367; und neuerdings M. W. FREDERIKSEN, The Lex Rubria: Reconsiderations, JRS. LIV (1964) S. 129-134. Die Ausführungen dieser Gelehrten gehen, wenn wir von allerhand kleineren gegenseitigen Differenzen absehen, kurz zusammengefasst dahin, dass die zweite und dritte Umschreibung (d.h. XXI, *11-12* und *15-18*, s. oben), jeweils mit drei Futura exacta, die Möglichkeiten der Prozessverschleppung genauer darstellen als die erste (XXI, *4-9*). Es wird ferner von ihnen immer wieder der Versuch gemacht, auch in die erste Umschreibung eine Dreiteilung hineinzuinterpretieren.[9] Gemäss DEMELIUS und GIFFARD handle es sich um folgende Verschleppungsmanöver: „gestehen" (*confiteri*), aber Verweigerung weiterer Mitwirkung; „nicht antworten" (*non respondere*); und „sich nicht verteidigen" (*se non defendere*). Es gelingt den beiden Forschern jedoch nicht, in überzeugender Weise darzulegen, wie wir uns den Unterschied zwischen *non respondere* und *se non defendere* in concreto vorstellen müssen. Nach ihrer Meinung seien zu *se non defendere* die Worte „wenn der Beklagte widersprochen bezw. geleugnet hat" hinzuzudenken: *se non defendere* sei deshalb in der Praxis gleichbedeutend mit *infitiari*. Den Ausdruck *non respondere* müsse man aber ganz buchstäblich mit „die Antwort verweigern", u. zw. *in iure*, übersetzen (der Fall, dass der Beklagte überhaupt nicht *in iure* erscheint, wird von den beiden Autoren nicht in Betracht gezogen). Abweichend von der soeben erwähnten ist FREDERIKSENS

---

[9] DEMELIUS, GIFFARD ua. wollen dies dadurch erreichen, dass sie den Satzteil XXI, *6/7 aut se sponsione iudicioque utei oportebit non defendet* von den vorhergehenden Worten lostrennen und sie als einen besonderen Fall der Prozessverschleppung betrachten. FREDERIKSEN gibt zu, dass von einer derartigen Lostrennung nicht die Rede sein kann; er ist deshalb der Meinung dass der dritte Fall der Verschleppung irgendwie in der zweiten Umschreibung (XXI, *7-9 seive is .... non responderit eqs.*) einbegriffen sein muss („he must lurk behind the description of the *non respondens*", vgl. a.a.O. S. 129).

DEMELIUS will übrigens nicht nur der Dreiteilung zuliebe Z. *6/7 aut se sponsione iudicioque utei oportebit non defendet* von Z. *4-6 sei is .... confessus erit neque .... solvet satisve faciet* loslösen, sondern auch, um die Verknüpfung der *confessio* mit einem *iudicium* zu beseitigen. Da nämlich nach seiner Ansicht ein *confessus* unter allen Umständen *pro iudicato* sei, könne nach einer Schuldbekenntnis kein Prozess, somit auch kein *iudicium*, mehr stattfinden (s. hierzu unten S. 151 f.). FREDERIKSEN, der, wie gesagt, Z. *4-9* anders als DEMELIUS interpretiert, weicht ebenfalls in der Beurteilung des soeben genannten Problems von DEMELIUS ab; seiner Ansicht nach sei auch nach einer Schuldbekenntnis ein Prozess sehr wohl möglich (s. unten S. 154). Was schliesslich GIFFARD anbelangt, sei noch bemerkt, dass dieser Forscher sich, trotzdem er der von DEMELIUS vorgeschlagenen Lostrennung von Z. *6/7 aut se .... non defendet* beipflichtet, für die Möglichkeit der Edierung eines *iudicium* nach vorhergehender *confessio* ausgesprochen hat: er denkt in diesem Zusammenhang an eine *actio iudicati*. Wir werden weiter unten, S. 152 ff., bei einer ausführlicheren Erörterung dieses Problems sehen, dass GIFFARDS Auffassung nicht recht wahrscheinlich ist (vgl. auch S. 140, Anm. 10 die Bemerkungen anlässlich der von PÜSCHEL postulierten „*actio confessi*").

Interpretation: seiner Meinung nach bedeute *se non defendere* „überhaupt nicht erscheinen" (der Beklagte könnte sich sogar versteckt haben, vgl. a.a.O. S. 130); zu *non respondere* hingegen sei *in iure* hinzuzudenken. FREDERIKSEN muss jedoch zugeben, dass der Fall, dass der Beklagte *in iure* eine „förmliche Antwort verweigerte", ein „seltener" gewesen sein dürfte. In den nachfolgenden Zeilen soll dargelegt werden, dass die Dreiteilung aus mehreren Gründen nicht glaubhaft ist.

Für eine nur scheinbare Zweiteilung, bei der jedoch infolge gegenseitiger Kontamination die richtigen Grenzen zwischen beiden Teilen, wenn nicht völlig ausgelöscht, so doch wenigstens stark verwischt worden sind, erklärten sich folgende Gelehrte: O. GRADENWITZ, Versuch einer Dekomposition des rubrischen Fragmentes, SB. Heidelberg, Ak. d. Wiss., ph.-hist. Kl. 6 (1915), 9. Abh.; W. PÜSCHEL, Confessus pro iudicato est, Heidelberg 1924 (der Autor ist hauptsächlich bestrebt, die von GRADENWITZ in nicht immer leichtverständlicher Weise vorgetragenen Thesen zu erklären und zu ergänzen); L. WENGER, Institutionen des römischen Zivilprozessrechts, München 1925, S. 106-108 (vgl. aber auch die amerikanische Bearbeitung von WENGER-FISK, Institutes of Roman Law of Civil Procedure, New York 1940, S. 111 ff., in der WENGER S. 111, in einem Zusatz zu Anm. 44, wieder von GRADENWITZ abrückt und die von WLASSAK im Jahre 1934 [s. unten] vorgeschlagenen Lösungen der von GRADENWITZ aufgeworfenen Probleme als „sehr plausibel" bezeichnet). Nach der Ansicht von GRADENWITZ hat der Redaktor des velejatischen Gesetzes zwei völlig verscheidene Gesetzestexte durch einander geworfen (es gebe somit zwei „Schichten"); einerseits eine Bestimmung, derzufolge der *confessus* als ein *damnatus* betrachtet werden sollte; andererseits eine Verfügung, aufgrund derer der *indefensus* durch besondere Massnahmen, namentlich *ductio*, zu einer Verteidigung *in iure*, d.h. zur Annahme eines *iudicium*, gezwungen werden sollte. Was nun unsern Text von Veleia anbelangt, lasse sich weder der Fall des *confessus* mit einer *ductio* reimen,[10] noch der Fall des *indefensus* mit der Fiktion, er sei als ein *iudicatus* zu betrachten. Man müsse somit, um den richtigen Sachverhalt herauszufinden, beide „Schichten" von einander „dekomponieren". Diese Thesen von GRADENWITZ sollen in den nachfolgenden Zeilen ebenfalls widerlegt werden. Es sei jedoch vorgreifend bereits an dieser Stelle betont, dass die Annahme,

---

[10] Im Gegensatz zu DEMELIUS (s. oben Anm. 9) halten GRADENWITZ und PÜSCHEL an der Möglichkeit fest, dass nach vorhergehender *confessio* noch ein *iudicium* ediert werden kann. PÜSCHEL widmet dem Problem, wie man sich in solchen und ähnlichen Fällen das *iudicium* in concreto vorstellen muss, sogar den grösseren Teil seines Buches (von S. 79 bis 291, d.h. bis ungefähr an das Ende; davon befassen sich S. 79 bis 125 mit der Interpretation von *iudicium* in XXI, *7*; die übrigen Seiten mit der Deutung dieses Wortes an einer mehr oder weniger vergleichbaren Stelle im nächsten Caput, XXII, *36*). Wir werden weiter unten, S. 152 f., sehen, dass die von PÜSCHEL für XXI, *7* vorgeschlagene Konkretisierung dieses Terminus wenig überzeugend ist (unter dem *iudicium* sei nach seiner Meinung an dieser Stelle eine sogen. „*actio confessi*" zu verstehen, eine Prozedur, die in den Quellen zwar nicht vorkomme, aber trotzdem als Parallele zur *actio iudicati* rekonstruiert werden könne; die diesbezüglichen Ausführungen von PÜSCHEL stützen sich auf eine ähnliche, bereits im Jahre 1900 von GIFFARD vorgetragene These, vgl. oben Anm. 9). Für die Bedeutung von *iudicium* in XXII, *36* vgl. unten S. 204 ff.

dass an der Wand der velejatischen Basilika, d.h. an der Wand des örtlichen Gerichtsgebäudes, einige völlig gesetzwidrige prozessrechtliche Anordnungen öffentlich ausgehängt worden seien, schon a priori recht unwahrscheinlich genannt werden muss.

Für eine tatsächliche Zweiteilung sprachen sich aus: O. E. HARTMANN, Über das römische Contumacialverfahren, Göttingen 1851 S. 105 ff.; BETHMANN-HOLLWEG, Der römische Zivilprozess zur Zeit der Legisaktionen II, Bonn 1865, S. 543, Anm. 16; A. H. J. GREENIDGE, The Legal Procedure of Cicero's Time, Oxford 1901, S. 253-254; ferner, nach anfänglicher Befürwortung einer Dreiteilung (s. oben), M. WLASSAK, Konfessio in iure und Defensionsverweigerung nach der Lex Rubria de Gallia Cisalpina („ein antikritischer Versuch", der sich gegen die von GRADENWITZ vorgenommene „Dekomposition" richtet), SB. Bayer. Ak. d. Wiss., ph.-hist. Abt., 1934, Heft 8 (im Folgenden zitiert als: WLASSAK, Konfessio, 1934); S. DI PAOLA, Confessio in iure I, Mailand 1952, S. 11 ff. Diese Gelehrten bevorzugen alle die Umschreibung der Verschleppungsfälle, die sich in den Zeilen *4-7* findet, weil sie die erste und die ausführlichste ist.[11] Bei einer hierauf basierenden Zweiteilung ergibt sich als wichtigstes Problem die Frage, wie es zu erklären ist, dass laut Z. *6/7* dem *confessus* noch die Gelegenheit geboten wird, sich *sponsione iudicioque* zu verteidigen (vgl. zu diesem Problem bereits oben Anm. 9 und 10). Die Lösungen, die von den Befürwortern der Zweiteilung bisher vorgeschlagen wurden, waren recht verschieden. So waren BETHMANN-HOLLWEG und GREENIDGE der Meinung, dass eine *confessio* frei widerruflich gewesen sei: nach einem solchen Widerruf müsse ein Prozess wieder von vorne anfangen, zunächst mit einer *sponsio tertiae partis* (vgl. zu diesem Begriff unten S. 151), daraufhin mit einem *iudicium* (für eine *actio certae creditae pecuniae*; vgl. zu dieser These unten S. 155). Viel weniger umfassend sind die Möglichkeiten, die gemäss WLASSAK nach einer vorhergehenden *confessio* noch offenstehen (vgl. a.a.O. S. 68 ff.): der Beklagte könnte eventuell die Richtigkeit einer *confessio* bestreiten (und behaupten, das Eingeständnis beruhe auf einem Irrtum) oder sogar die Existenz einer *confessio* überhaupt in Abrede stellen. In dem Falle, so vermutet WLASSAK im Anschluss an PÜSCHEL (s. oben Anm. 10), deute *iudicium* in XXI, 7 auf eine sogen. „*actio confessi*" (oder „*actio ex confesso*"); es sei jedenfalls ein anderes Verfahren gewesen als das im nächsten Satzteil, d.h. in XXI, *8*, erwähnte *iudicium*: letzteres bezeichne nämlich, da es sich auf einen *indefensus* bezieht (somit auf einen Beklagten, von dem noch kein Eingeständnis vorliegt), eine regelrechte *actio certae creditae pecuniae* (und die dazu gehörige Sponsio eine *sponsio tertiae partis*; inbetreff der Frage, ob es wahrscheinlich ist, dass *iudicium* in XXI, 7 eine andere Bedeutung hat als in XXI, *8* vgl. unten S. 153 f.).

Trotz der Tatsache, dass die Befürworter der Zweiteilung sich bisher öfters widersprochen haben und dass ihre Interpretationsversuche auch anderweitig nicht immer überzeugend gewirkt haben, sieht der Verfasser dieser Arbeit in der Annahme einer tatsächlichen Zweiteilung die einzige Möglichkeit für eine befriedigende Interpretation sowohl von Cap. XXI wie von Cap. XXII. Für die Richtigkeit dieser Ansicht hofft er in den untenstehenden Zeilen die benötigten Argumente vorbringen zu können. Zunächst beschränken wir uns auf Cap. XXI.

---

[11] Vgl. für die philologische Begründung der Zweiteilung die bereits oben S. 137 ff. besprochene Analyse des Satzes XXI, *4-9*.

Wie bereits gesagt wurde, bezeichnen die Forscher, die für Zweiteilung eintreten, XXI, *11-12* und *15-18* — meines Erachtens mit Recht — als eine Rekapitulation von *4-9*: „In der That aber wird (bei der Rekapitulation) nur der Kürze halber zusammengefasst, was in dem eigentlichen *tenor legis* den beiden Hauptfällen untergeordnet ist" (vgl. Bethmann-Hollweg, a.a.O. S. 543 Anm. 16). Und gewiss dürfte es nicht unwahrscheinlich sein, dass der Verfasser der Lex Rubria nach einer ersten deutlichen Erörterung (Z. *4-9*) im weiteren Verlauf seines Textes sich mit einer etwas nachlässigen Wiederholung zufriedengestellt hat. Diese Nachlässigkeit hat dann die oben konstatierte scheinbare Dreiteilung zur Folge gehabt. Auch Giffard, La „confessio in iure" (1900) S. 67-68, hält diese Erklärung für möglich, obwohl er schliesslich doch eine vollständige Dreiteilung befürwortete; er folgte dabei der Ansicht von Demelius, vgl. S. 132 (hatte hierfür aber auch noch andere, nebensächliche Gründe, vgl. Kommentar S. 172 zu XXI, *7* s.v. ‚*non defendet*'). Die Diskussion über die Zergliederung der dritten Umschreibung (*15-18*) wird noch dadurch erschwert, dass uns in Zeile *16* ein recht auffälliges Asyndeton begegnet, das durch *eum quei* eingeleitet wird: vielleicht liegt hier aber ein einfaches Versehen des Kupferstechers vor, so dass wir eine kurze Konjunktion ergänzen müssen: Mommsen schlug *eum<ve>* vor. Wie dieser Fehler zustande gekommen sein könnte, wird unten auf S. 146 besprochen. Übrigens bleibt auch nach dieser Emendation die genaue Zergliederung dieses Passus — d.h. die Antwort auf die Frage, ob eine Drei- oder Zweiteilung vorliegt — problematisch und beide Einteilungen haben auch nach dem Einschub von *-ve* ihre Vertreter gefunden.

Die dritte Umschreibung (*15-18*) erhält nach Ansicht der Befürworter der Dreiteilung folgende Möglichkeiten für die Verschleppung des Prozessablaufs: 1) der Angeklagte unterlässt, nachdem er gestanden hat (*confessus erit*), *solutio* oder *satisfactio*; 2) er verteidigt sich nicht (*se non defenderit*) mittels *sponsio* oder *iudicium*; und 3) er antwortet überhaupt nicht auf die Fragen des Magistrats (*non responderit*) und gewährt ebenfalls keine *solutio* oder *satisfactio*. Für die zweite Umschreibung (*11-12*) liesse sich auf Grund der Tatsache, dass hierin ebenfalls drei Futura exacta vorkommen, eine ähnliche Dreiteilung finden: nur die Reihenfolge von Nr. 2 und Nr. 3 muss, wie bereits gesagt, umgekehrt werden. Der ersten Umschreibung (*4-9*) jedoch kann man dieses dreiteilige System unmöglich aufdrängen: die Verschleppungsart, die in obiger dreiteiliger Übersicht der dritten Umschreibung (*15-18*) als Nr. 2 einen Platz bekommen hat, würde dann im Passus *4-9* zweimal erwähnt worden sein: nämlich zuerst in *6-7 aut se sponsione iudicioque .... non defendet,* zum anderen in *8-9 neque .... sponsionem faciet neque iudicio .... se defendet.* Ein Befürworter der Dreiteilung, Demelius, Die Confessio (1880) S. 135, Anm. 1, möchte deshalb den Satzteil *8-9 neque .... se defendet* für einen versehentlichen Einschub halten. Ein solcher Eingriff in den Text der Bronze ist jedoch nicht recht überzeugend.

Durch die soeben erwähnten Schwierigkeiten wird die Schlussfolgerung nahegelegt, dass der Streit „Zweiteilung oder Dreiteilung?" nicht ausschliesslich durch reine formell-grammatikalische Interpretation zu entscheiden ist. Hinsichtlich des Inhaltes nun geht es bei der Erklärung um einen wichtigen Punkt, der von Püschel, Confessus pro iudicato est (1924), S. 24 folgendermassen formuliert worden ist: „Für den, der dreiteilig liest, spricht die Lex Rubria weder bei dem *certam pecuniam confessus* noch bei dem *confessus* des Caput 22 von einem *iudicium*". Mit anderen Worten, es geht bei der Erklärung des Inhaltes auch um die Frage, ob nach einer *confessio in iure* noch ein *iudicium* (vgl. *6-7 aut se sponsione iudicioque .... non defendet*) möglich war, oder ausschliesslich Exekution wie nach einer Verurteilung. Demelius, der die Dreiteilung befürwortete, war davon überzeugt, dass eine *confessio in iure* definitiv gewesen sei und notwendigerweise zur Exekution hätte führen müssen.[12] Andererseits aber macht Zweiteilung die Annahme erforderlich, dass auch nach einer *confessio in iure* noch ein vollständiger Prozess möglich war. Um die Ansicht von Demelius zu verstehen und gleichzeitig zu sehen, was nun genau in der Umschreibung der Fälle von Verschleppung des Prozessablaufs zum Ausdruck gebracht wird, werden wir weiter unten (s. S. 151 f. und 155 f.) noch näher prüfen, auf Grund welcher Quellen dieser Gelehrte annimmt, dass eine *confessio in iure* auf alle Fälle ein *iudicium* ausschliessen müsste. Um hier einstweilen vorzugreifen möchte ich schon an dieser Stelle darauf hinweisen, dass sich herausstellen wird, dass Beweisstellen für eine solche Auslegung von XXI, *6-7* recht schwer zu finden sind, und — sofern sie überhaupt vorkom-

---

[12] Vgl. Die Confessio (1880) S. 136 und 140 ff. Dass jedoch nicht alle Befürworter der Dreiteilung in diesem Punkt der gleichen Ansicht wie Demelius waren, ist bereits oben S. 139, Anm. 9 in der Literaturübersicht dargelegt worden.

men — für die weitere Auffassung, dass eine *confessio in iure* unwiderrufliche Folgen gehabt habe, nicht ausreichen. Es wird nämlich aus den Belegstellen hervorgehen, dass zwar in der alltäglichen Praxis eine *confessio in iure* sehr oft die gleichen Folgen wie ein *iudicium* hatte, dass aber, sobald man aus bestimmten Gründen von dieser Praxis abwich, sehr wohl ein *iudicium* folgen konnte.

Wenn nun das Problem der Deutung von *iudicium* in XXI, 7 wegfällt, wird gleichzeitig das einzige materielle Argument beseitigt, das für eine Dreiteilung sprechen könnte. Wir müssen aber andererseits feststellen, dass gerade die These, die Lex Rubria behandle im XXI. Kapitel (und ebenfalls im XXII.) drei Fälle von Prozessverschleppung, uns vor interpretatorische Schwierigkeiten stellt. Denn wir müssen uns fragen, wie wir uns diese drei Fälle in concreto vorzustellen haben. Gemäss Demelius, Die Confessio (1880) S. 136 ff. könnte man sich die drei folgenden Möglichkeiten vorstellen: der Beklagte gesteht (aber leistet keine Zahlung oder sonstige Befriedigung), er widerspricht (leugnet), oder er verweigert jegliche Erklärung (er antwortet somit nicht auf die Fragen des Jurisdiktionsmagistrats).[13] Im Lateinischen liessen sich hierfür folgende Termini verwenden: *confiteri*, *infitiari* und *non respondere*. Nun begegnen in Cap. XXI zwar die Termini *confiteri* und *non respondere*, das Verbum *infitiari* jedoch findet sich dort nicht. Der einzige dritte Terminus, der sich (besonders wenn man von den Umschreibungen in Z. *11-12* und *15-18* ausgeht) aufführen liesse, ist *se non defendere*. Und aus diesem Grunde halten Demelius und Giffard *se non defendere* für gleichbedeutend mit *infitiari*. Demelius a.a.O. S. 137 erklärt die von ihm vorgeschlagene Sinnverwandtschaft beider Begriffe folgendermassen: „Hätte in möglichster Vollständigkeit geredet werden sollen, so würde es (XXI, 6/7) etwa heissen: *aut <sei is infitiatus erit> se sponsione iudicioque utei≪ve≫ oportebit non defendet.* Die Voraussetzung des *infitiari* konnte aber füglich weggelassen werden, da es sich, wenn es zum Processe kommen soll, von selbst versteht, dass nicht *confessio* sondern *infitiatio* stattgefunden hat". Es braucht hier kaum noch besonders hervorgehoben zu werden, dass eine solche Ergänzung, für die sich keine einzige Parallele finden lässt, sich durchaus nicht „von selbst versteht".

In der Literaturübersicht oben S. 139 f. ist ferner schon darauf

[13] Vgl. auch die ähnlichen Darlegungen bei Giffard, La „confessio in iure" (1900) S. 73 ff.

hingewiesen, dass auch die Modifizierung, die FREDERIKSEN an der Dreiteilung vorgenommen hat (1. *confiteri*, 2. *non respondere* = „nicht antworten auf die Fragen des Magistrats", 3. *se non defendere* = „nicht erscheinen"), aus sachlichen Gründen wenig glaubhaft ist. Man kann sich den Fall, dass der Beklagte zwar *in iure* erscheint aber nicht antwortet, recht schwer vorstellen; für *se non defendere* = „nicht erscheinen" fehlt jegliche Parallele.[14] Wenn wir das Obige zusammenfassen, kommen wir zu dem Ergebnis, dass gewichtige materielle Argumente eine Dreiteilung geradezu zu verbieten scheinen.

Wenn wir nun zu den zwei wiederholenden Umschreibungen von Verschleppung des Prozessablaufs zurückkehren, nämlich zu *11-12* und *15-18* mit ihrer scheinbaren Dreiteilung (s. oben S. 142), so können wir gewiss eine psychologische Erklärung dafür finden, wie diese Dreiteilung zustande kommen konnte. Im Passus *11-12* wurden zunächst die zwei Möglichkeiten, das Gestehen (*sei is quei ita confessus erit*) und das Nichterscheinen (*aut de ea re non responderit*) erwähnt; erst dann aber realisierte der Verfasser des Gesetzestextes sich anscheinend, dass ohne weitere Komplikationen keiner der beiden Fälle zu den in XXI, *10-19* genannten Sanktionen führen konnte und dass es sich bei dem ersten Fall ohne den Zusatz überhaupt nicht um Verschleppung des Prozessablaufs handelte. Deshalb fügte er (*11-12*) diese nachträglichen Komplikationen hinzu (*aut se sponsione iudicioque utei oportebit non defenderit*), verwendete jedoch, noch unter dem Einfluss der vorhergehenden Futura exacta, in dem Zusatz nicht das erforderliche Futurum simplex.

Die Zeilen *15-18* sind noch unordentlicher ausgefallen als *11-12*. Zunächst werden hier, grammatikalisch korrekt, die ersten Worte der ersten Möglichkeit von Verschleppung des Prozessablaufs mitgeteilt (*15*, *eum, quei ita quid confessus erit*). Aber sobald der Redaktor unserer Lex, nunmehr zum dritten Male, zu der Aufzählung der nachträglichen Komplikationen gelangte, wurde er erst recht nachlässig und infolgedessen undeutlich: er erwähnte nur die Möglichkeit des „Nicht-Bezahlens" und des „Unterlassens, Genugtuung zu erteilen" (*neque id solvet satisve faciet*). Die „Verteidigung mittels einer *sponsio* und eines *iudicium*", die in der ersten Umschreibung (*8-9*) zu finden ist, wurde mit Hilfe einer etwas

[14] Wir werden unten S. 173, Komm. zu XXI, *8*, sogar feststellen, dass *non respondere* in unserm Zusammenhang die Bedeutung „nicht erscheinen" haben muss.

ungeschickten Fortsetzung der komplizierten Periode, die in *15* mit *is eum quei* begann, gleichsam in den folgenden Absatz (und damit in den folgenden Fall von Verschleppung des Prozessablaufs) hineingezogen: als Verbindungsmittel wählte der Redaktor nämlich nicht die deutliche disjunktive Konjunktion *aut* (wie in XXI, *6*), sondern eine einfache Wiederholung der schon am Anfang (in *15*) stehenden Wörter *eum quei*. Zwar ist es, wie wir oben S. 142 gesehen haben, nicht unwahrscheinlich, dass er in seinem Konzept *eumve quei* geschrieben hatte und dass das durch Ausfall von *-ve* verursachte Asyndeton nur dem Kupferstecher zur Last gelegt werden muss, aber auch nach Einschaltung von *-ve* bleibt der Satzbau recht ungelenk. Denn *eumve* suggeriert an dieser Stelle einen wichtigeren Einschnitt. Wenn wir jedoch von der Parallele der ersten Umschreibung (*6-7*) ausgehen, gehören die Worte *quei se sponsione iudiciove .... non defenderit* noch eng zum Vorhergehenden, während der wirkliche grosse Einschnitt erst bei dem nunmehr folgenden *aut* (*17*) anfängt: hier wird nämlich der zweite Fall eingeleitet, d.h. die Möglichkeit der Prozessverschleppung von Anfang an (*aut in iure non responderit*). Fragt man nach der Ursache, die zur Verwendung dieses an unserer Stelle weniger gut passenden *eumve* geführt haben könnte, so müssen wir, glaube ich, an erster Stelle die auch sonst in unserer Lex zu Tage tretende Vorliebe für archaisierende Kanzleifloskeln dafür verantwortlich machen.[15] Denn archaisierende stilistische Bestrebungen dürften auch für andere schwerfällige und deshalb auf den ersten Blick weniger leicht verständliche Satzwendungen, welche die Lex Rubria aufweist, verantwortlich zu machen sein, vgl. z.B. die Wörter *quo* (XX, *9*) und *quocumque* (XX, *16*), die pronominal aufgefasst werden müssen (= *ad quem* und *ad quemcumque*; s. S. 95 f.), ferner die Tmesis von *quod-quomque* und *qui-quomque* in XIX, *1-2* und XXI, *14* (s. weiter S. 56 ff.).

Es ist allerdings auffallend, dass die Umschreibungen von Verschleppung des Prozessablaufs alle drei unvollständig sind; schon bei der zweiten Möglichkeit von Verschleppung, die uns in der ersten (im übrigen doch recht vollständigen) Umschreibung begegnet (*8-9*), fehlen *solutio* und *satisfactio*. Anscheinend gab der Redaktor des Textes sich damit zufrieden, wenn seine Texte nur im grossen und ganzen genommen vollständig waren und sich dort, wo kleinere oder grössere Lücken auftraten, gegenseitig ergänzten. Er hielt, so

[15] Man vgl. zu diesem *-ve*, das unter anderem dem Stilempfinden der römischen Kanzlisten sehr entgegenkam, HOFMANN-SZANTYR S. 503.

müssen wir annehmen, pompöse Kanzleifloskeln und stilistische Abwechselung für erstrebenswerter als exakte Vollständigkeit. Man erhält vielleicht mit Hilfe der unten S. 148 f. folgenden Übersicht am besten ein deutliches Bild von seiner Arbeitsweise.

C. Nähere Ausführungen zu den zwei Fällen von Verschleppung des Prozessablaufs

Nachdem im Vorherigen gezeigt worden ist, dass wir bei der Analyse der prozesshindernden Verhaltensweisen von einer Zweiteilung auszugehen haben, möchte ich in diesem Abschnitt näher den Inhalt selbst von Caput XXI und den Zweck der darin vorkommenden Bestimmungen eingehen. Gegen welche Arten von Verschleppung des Prozessablaufs *in iure* richtet sich das Caput? Gehen wir bei unserer Analyse von der oben befürworteten Zweiteilung aus:

1. Erste Form von Verschleppung des Prozessablaufs: *sei is .... in iure .... confessus erit neque id quod confessus erit solvet satisve faciet aut se sponsione iudicioque utei oportebit non defendet* (*4-7*), „Falls der Beklagte gestanden hat und, obwohl er die Schuld gestanden hat, nicht zahlt und auch nicht auf andere Weise Genugtuung erteilt, oder falls er (der Schuldner) es unterlässt, sich durch Ablegung eines (rechtlich bindenden) Versprechens und durch Annahme einer Prozessformel wie vorgeschrieben zu verteidigen". Ausgangspunkt ist das persönliche Geständnis des Beklagten *in iure*, und zwar in Gegenwart des Jurisdiktionsmagistrats, des Klägers oder dessen Vertreters (*4-5*), aufgrund eines Gelddarlehens eine gewisse Summe zu schulden. Nachdem das Geständnis in dieser Weise abgelegt worden ist, entspricht es dem normalen Verfahrensverlauf, dass Zahlung oder eine anders geregelte Genugtuung für den Kläger erfolgt (*6*). XXI, *6* geht davon aus, dass dies nicht geschieht (*neque id solvet satisve faciet*).

Es ist bemerkenswert, dass nicht von einer Frist die Rede ist, innerhalb derer Zahlung erfolgen muss. Dass aber in Wirklichkeit eine Frist bestand, liegt schon theoretisch auf der Hand und ist uns aus früherer und späterer Zeit auch überliefert. Man vergleiche für eine viel frühere Zeit die Bestimmung III, *1* aus der Lex XII tabularum, die folgendermassen lautet: *Aeris confessi rebusque iure iudicatis triginta dies iusti sunto.*[16] Für den Fall, dass das Geständnis

[16] Für die grammatische Interpretation dieses Satzes vgl. E. Warmington, Remains of Old Latin III (Loeb, ^{2}1957) S. 436; *aeris confessi* betrachtet Warmington als einen von *dies* abhängigen Genetiv.

1. Fall: Der Beklagte gewährt anfänglich seine Mitarbeit	Nachher versucht der Beklagte durch folgende Verhaltensweisen Verschleppung des Prozessablaufs zu bewirken	2. Fall: Der Beklagte versucht von Anfang an Verschleppung des Prozessablaufs zu bewirken	Er ergänzt seine ersten Verschleppungsversuche durch weitere Formen von prozesshinderndem Verhalten.
	1. UMSCHREIBUNG:		
4 - 6	*6 - 7*	*7 - 8*	*8 - 9*
sei is .... in iure .... confessus erit	*neque .... solvet satisve faciet aut se sponsione iudicioque .... non defendet* d.h. er unterlässt: 1. *solutio* 2. *satisfactio* 3. *sponsio* 4. *iudicium*	*seive is .... in iure non responderit*	*neque .... sponsionem faciet neque iudicio .... se defendet* d.h. er unterlässt: 1. *sponsio* 2. *iudicium* (nicht erwähnt werden: 3. *solutio* 4. *satisfactio*)
	2. UMSCHREIBUNG:		
11		*11*	*11 - 12*
sei is quei .... confessus erit	(keine einzige Verschleppungsart wird erwähnt; *11-12* [vgl. 4. Spalte] *aut se .... defenderit* muss darum wohl gewissermassen ἀπὸ κοινοῦ gelesen werden und auch zur Ergänzung dieser Spalte herangezogen werden)	*aut .... non responderit*	*aut se sponsione iudicioque .... non defenderit* d.h. er unterlässt: 1. *sponsio* 2. *iudicium* (nicht erwähnt werden: 3. *solutio* 4. *satisfactio*)

3. UMSCHREIBUNG:

15	*16*	*17*	*17 - 18*
eum quei .... confessus erit	*neque id solvet satisve faciet* d.h. er unterlässt: 1. *solutio* 2. *satisfactio* Die zwei anderen, hier nicht erwähnten Verschleppungsarten sind vielleicht dem undeutlichen Passus *16-17* zu entnehmen (vgl. rechts unten).	*aut in iure non responderit*	*neque .... solvet satisve faciet* d.h. er unterlässt: 1. *solutio* 2. *satisfactio* (nicht erwähnt werden: 3. *sponsio* 4. *iudicium* oder sie werden doch erwähnt, falls der undeutliche Passus *16-17* auch zu dieser 4. Spalte gehört).

sowohl zu Fall 1 wie zu 2 gehören vielleicht die Verschleppungsarten von

16 - 17

eum<ve> quei se sponsione iudiciove .... non defenderit
d.h. er unterlässt:
3. *sponsio*
4. *iudicium*

einer Geldschuld vorliegt und wenn der Fall nach dem geltenden Recht beurteilt worden ist, muss dafür eine Frist von dreissig Tagen zugestanden werden", nämlich um die Schuld zu bezahlen. Dass letzteres gemeint ist, geht aus der darauf folgenden Bestimmung (Tab. III, *2*) hervor: *post deinde manus iniectio esto*, „danach muss der Schuldner durch den Kläger weggeführt werden (als Schuldsklave)". Auch zweieinhalb Jahrhunderte nach der Lex Rubria wird noch über Zahlungsfristen gesprochen, und zwar bei Ulp. 5 de omn. tribunal., dig. 42, 2, 6, 7: *confessi utique post confessionem tempora quasi ex causa iudicati habebunt*, „diejenigen die gestanden haben, werden nach ihrem Geständnis gewissermassen auf Grund einer Verurteilung auf jeden Fall Fristen erhalten". Wenn diese an sich fast selbstverständliche Bedingung sowohl im alten wie auch im klassischen römischen Recht die Regel war, so dürfen wir wohl annehmen, dass sie in Caput XXI stillschweigend in Kraft blieb [17] und nicht, dass das Schweigen der Lex Rubria an diesem Punkt zu der Schlussfolgerung führen muss, Caput XXI hätte die unmittelbare Exekution vorgeschrieben (so, zweifelnd, Wlassak, Konfessio, 1934, S. 36 f.). Caput XXI sieht darum zunächst einmal vor, dass jemand, der zwar seine Schuld anerkannt hat, aber nicht innerhalb der vorgeschriebenen Frist zahlt oder eine Zahlungsregelung trifft, danach als Verurteilter behandelt werden musste (*10-19*) und infolgedessen auch gegeiselt werden konnte. Der Befehl zur Geiselung (*duci iubere*) wurde jedoch von dem Magistrat erst nach einer Untersuchung der Rechtssache (*causae cognitio*) erteilt; anscheinend fand nach Ablauf der Zahlungsfrist auf ein Gesuch des Klägers hin ein neues Verfahren *in iure* statt, bei dem der Magistrat die Berechtigung der Forderung untersuchte und — falls der Schuldner tatsächlich nicht gezahlt zu haben schien — dem Kläger *ductio* zugestand.[18]

Der betreffende Passus (*6-7*) gibt ausserdem noch eine zweite Verhaltensweise an, zu der der Schuldner sich nach seiner *confessio* entschliessen konnte, nämlich das Akzeptieren einer *sponsio* und im Anschluss daran das Akzeptieren einer Prozessformel (*iudicium*). Dieser Passus wird nicht von allen Forschern übereinstimmend

---

[17] So auch schon Giffard, La „confessio in iure" (1900) S. 99-100 (mit noch weiteren Belegen).

[18] Für die Frage, wie wir uns dieses neue (zweite) Verfahren eventuell vorstellen müssen, vgl. die Erörterungen unten S. 152 anlässlich des von einigen Gelehrten (u.a. von Püschel und Wlassak) dafür vorgeschlagenen Terminus „*actio confessi*".

ausgelegt. Die *sponsio* als Einleitung eines Prozesses ist zwar bekannt,[19] aber was für ein Prozess gemeint ist, lässt sich nicht so leicht feststellen. Dies im Gegensatz zu dem im nächsten Satzteil verwendeten Terminus *iudicium*: vgl. Z. 7-9, wo die zweite Art von Verschleppung des Prozessablaufs angegeben wird: *seive is .... non responderit, neque de ea re sponsionem faciet neque iudicio utei oportebit se defendet,* „falls er nicht erschienen ist und ebensowenig in dieser Angelegenheit eine *sponsio* leistet und sich mit Hilfe einer Prozessformel wie vorgeschrieben verteidigt". In diesem letzten Kontext kann *se sponsione iudicioque defendere* kaum etwas anderes bedeuten als: sich schliesslich hinterher doch noch dadurch verteidigen, dass man an einem Prozess mitarbeitet, und zwar an dem normalen Prozess wegen einer Schuld aus dem Gelddarlehen, der sogenannten *actio certae creditae pecuniae,* die der Schuldner auch schon zu dem Zeitpunkt hätte akzeptieren müssen, an dem er nicht erschienen war. Da nämlich in diesem zweiten Fall der Beklagte seine Schuld noch nicht anerkannt hat, ist in seiner Rechtslage auch noch keine prinzipielle Änderung eingetreten. Ausser der Prozedur steht übrigens in dem zweiten Falle auch die *sponsio* fest: es ist die zur *actio certae creditae pecuniae* gehörige *sponsio tertiae partis* (s. Anm. 19).

An der vorhergehenden Stelle jedoch, Z. 6-7, stehen *sponsio* und *iudicium* in einem ganz anderen rechtlichen Zusammenhang. Hier wird von der ersten Möglichkeit ausgegangen, d.h. von dem Fall, dass der Beklagte bereits ein Schuldbekenntnis abgelegt hat. Gemäss Demelius, Die Confessio (1880) S. 140 ff. hat in einer solchen Situation die Vorbereitung eines Prozesses mittels eines *iudicium* und die Bestellung eines *iudex* keinen Sinn mehr. Denn ein *iudex,* so argumentiert dieser Forscher, wird doch nur in den Fällen ernannt,

[19] Es handelt sich hier somit um ein rechtlich bindendes Versprechen (*sponsio*), das beide Parteien vor dem Beginn gewisser Prozesse zu leisten hatten. Hierbei versprachen sowohl der Kläger wie der Beklagte, im Falle des Unterliegens einen gewissen Strafzuschlag zu der Klagsumme zu zahlen. Diese Massnahme war anscheinend getroffen worden, um grundlose oder gar missbräuchliche Prozessführung zu verhindern. Aus Gaius IV, 171 wissen wir, dass vor Anfang eines Prozesses aufgrund eines Gelddarlehens (einer *actio certae creditae pecuniae*; vgl. dazu auch Gaius IV, 50) eine Sponsion mit einem Strafzuschlag in Höhe eines Drittels gefordert wurde (*sponsio tertiae partis*) und vor Beginn eines Prozesses aufgrund eines besonderen Zahlungsversprechens (einer *actio constitutae pecuniae*) eine solche mit einem Zuschlag in Höhe der Hälfte der Klagsumme (*sponsio dimidiae partis*). Vgl. hierzu ferner A. Giffard, SDHI. IV, 1938, S. 152-162 und Kaser, Zivilprozessrecht S. 213. Für die *sponsio* vgl. noch oben S. 69 f., Komm. zu XIX, 2.

in denen sich die Prozessparteien nicht einig sind. Wenn aber der Beklagte seine Schuld eingestanden hat, bleibe für den *iudex* keine Aufgabe mehr übrig. Der Ausweg aus dieser Schwierigkeit war für DEMELIUS die oben S. 183 ff. besprochene Dreiteilung.

Andere Gelehrte, besonders PÜSCHEL und WLASSAK (s. oben S. 140 mit Anm. 10), suchten das Problem dadurch zu lösen, dass sie dem Terminus *iudicium* an der ersten Stelle (Zeile *7*), d.h. dort wo vom *confessus* die Rede ist, eine andere Bedeutung beilegten als an der darauf folgenden Stelle (Zeile *8*), d.h. dort wo der Fall desjenigen erörtert wird, der *non responderit*. Sie knüpften dabei an eine bereits von GIFFARD, La „confessio in iure" (1900) S. 99-103, entwickelte Theorie an (s. oben S. 139 Anm. 9). Letzterer hatte nämlich aufgrund der Voraussetzung, dass ein *confessus* mit einem *iudicatus* gleichzustellen sei (s. zu dieser These unten S. 156), die Vermutung geäussert, dass gegen einen säumigen *confessus* dasselbe Exekutionsverfahren eingeleitet werden konnte wie gegen einen Verurteilten, der innerhalb der Frist, die ihm nach dem Urteilsspruch gewährt worden war (30 Tage), das *iudicatum* nicht erfüllt hatte; d.h. es wäre auch inbetreff eines säumigen *confessus* möglich gewesen, gegen ihn eine *actio iudicati* geltend zu machen.[20]

Da sich jedoch in unsern Quellen keine eindeutigen Belege für die Vermutung finden lassen, dass die *actio iudicati* auch gegen einen *confessus* angewendet werden konnte, haben W. PÜSCHEL, Confessus pro iudicato est (1924) S. 81 ff. (besonders S. 98 ff.) und — im Anschluss an ihn — WLASSAK, Konfessio (1934) S. 45 ff. (vgl. auch S. 65 ff.) eine einigermassen modifizierte Version der von GIFFARD vorgebrachten These vertreten: es habe im römischen Zivilprozessrecht per analogiam zu der *actio iudicati* auch eine Prozedur gegeben, die man mit dem (in den Quellen nicht vorkommenden) Terminus „*actio confessi*" bezeichnen könnte.[21] Dies sei ein „Exekutionsverfahren aufgrund einer *confessio in iure*" gewesen.

---

[20] Vgl. zu der *actio iudicati* jetzt KASER, Zivilprozessrecht S. 297 f. Der säumige *iudicatus* wird nach 30 Tagen erneut vom Kläger vor den Jurisdiktionsmagistrat voziert. Wenn er dann die Judikatsschuld anerkennt, kann der Magistrat auf Antrag des Klägers sofort die Durchführung der Vollstreckung anordnen (etwa Personalexekution, *ductio*; der Prätor konnte auch Vermögensexekution zugestehen). Bestreitet der *iudicatus* jedoch die Behauptung des Klägers, so folgt ein erneuter Prozess; im Falle des Unterliegens droht ihm die Verdoppelung der Urteilssumme (vgl. z.B. Gaius IV, 7 *adversus infitiantem in duplum agimus*; und IV, 171).

[21] Der Terminus „*actio confessi*" (oder „*actio ex confesso*") war übrigens schon früher geprägt worden; vgl. DEMELIUS, Die Confessio (1880) S. 216,

Auch derjenige, der gegen manche hypothetische und komplizierte Details der von PÜSCHEL gemachten Ausführungen seine Bedenken hat, wird die Möglichkeit zugeben müssen, dass es zur Zeit der Lex Rubria ein Verfahren gegeben haben kann, bei dem der Jurisdiktionsmagistrat nach Ablauf der Zahlungsfrist auf ein Gesuch des Klägers hin erneut die Berechtigung der Schuldklage untersuchte und für den Fall, dass der Schuldner säumig geblieben war, dem Kläger Zwangsmassnahmen zugestand (s. oben S. 150 mit Anm. 18). Gewiss liessen sich auch dann, wenn man den Terminus „*actio confessi*" (oder „*actio ex confesso*") und die Analogie mit der *actio iudicati* ablehnen muss, für die Existenz eines solchen Verfahrens wohl noch Argumente finden. Es ist aber sehr fraglich ob in XXI, 7 ein solches Verfahren, das, wie oben bemerkt, erst nach einer Frist von 30 Tagen stattfinden konnte (und deshalb nur als ein „zweites Verfahren" bezeichnet werden konnte), gemeint ist. Muss man denn a priori jede Möglichkeit ausschliessen, dass der Beklagte sich schon gleich beim ersten Verfahren *in iure* trotz seines Schuldbekenntnisses (*confessio*) mittels Annahme einer *sponsio* bereit erklären konnte, sich auf eine *actio certae creditae pecuniae* einzulassen? Auf diese Möglichkeit, die auf den ersten Blick vielleicht etwas merkwürdig erscheinen könnte, soll gleich unten näher eingegangen werden.

Einstweilen soll aber noch auf eine weitere, recht merkwürdige Konsequenz der Interpretationsversuche von PÜSCHEL und WLASSAK hingewiesen werden: wenn beide Forscher recht bekämen, hätte das Wort *iudicium* in XXI, 7 eine ganz andere Bedeutung als in der nächsten Zeile (XXI, *8*): an ersterer Stelle hätte es ein „Exekutionsverfahren aufgrund einer *confessio in iure*" bezeichnet, an letzterer hingegen ein „Verfahren aufgrund einer Klage wegen

---

Anm. 2, wo in diesem Zusammenhang ältere Forscher wie DONELL, PLATNER und DEGENKOLB zitiert werden. Es sei jedoch hervorgehoben, dass keiner der früheren Forscher diesem Problem eine derartig ausführliche Besprechung gewidmet hat wie PÜSCHEL. Letzterer gibt sich vor allem viel Mühe, weitere Digestentitel zu finden, die auf die Existenz einer „*actio confessi*" hinweisen könnten. Viele der von PÜSCHEL zitierten Stellen sind jedoch hinsichtlich des Problems, das uns interessiert, alles andere als deutlich zu nennen. Hinzu kommt, dass alle von PÜSCHEL angeführten Zitate aus viel späterer Zeit stammen als die Lex Rubria. Der wichtigste Einwand gegen PÜSCHELS These beruht jedoch darauf, dass er von der Voraussetzung ausgeht, dass man das Wort *iudicium* in XXI, 7 zu einem Verfahren, das erst nach Beendigung einer Frist von 30 Tagen (somit erst in zweiter Instanz) stattfinden kann, in Beziehung setzen muss (s. dazu den nächsten Abschnitt).

eines Gelddarlehens", d.h. eine *actio certae creditae pecuniae* (s. oben S. 151 mit Anm. 19). Man kann kaum ableugnen, dass ein derart jäher Bedeutungswechsel innerhalb 2 Zeilen, wenn er wirklich vom Gesetzgeber beabsichtigt wäre, für den Benutzer des Gesetzes eine recht verwirrende Auswirkung gehabt hätte. Und noch viel verwirrender wäre dann die Sachlage in den kurzgefassten Wiederholungen der Umschreibungen der beiden Verschleppungsfälle in XXI, *11-12* und XXI, *15-18* gewesen,[22] weil dort das Wort *iudicium* jeweils nur einmal begegnet: *iudicium* würde dann an den genannten Stellen jedes Mal zwei völlig verschiedene *actiones* zugleich bezeichnet haben. Eine solche Vermutung dürfte nicht recht wahrscheinlich sein.

Alle Schwierigkeiten werden jedoch ohne weiteres behoben, wenn wir annehmen, dass gleich beim ersten Verfahren *in iure* auch ein Geständnis unter Vorbehalt möglich war, bei dem nicht das Bestehen der Schuld, wohl aber das Bestehen der Zahlungsverpflichtung bestritten wurde. In einem solchen Fall gestand der Schuldner zwar, dass eine Verpflichtung aus einem Darlehen bestand, gab aber eine *exceptio* an, die ihn — zum mindesten in diesem Augenblick — von der Zahlungsverpflichtung befreien sollte. Dem Begriff *exceptio*, „Klausel", sind wir schon früher begegnet (vgl. oben S. 71 ff. Kommentar zu XIX, *4-5*). Zu solchen Klauseln kann in unserem Zusammenhang z.B. das *pactum de non petendo*, d.h. die „Vereinbarung, das Geliehene nicht zurückzufordern", gehören. Wenn nun der Kläger das Bestehen einer derartigen *exceptio* leugnete, dann machte ein hieraus entstehender Streit die Bestellung eines *iudex* für eine vollständigere Untersuchung im Rahmen einer *actio certae creditae pecuniae* erforderlich, und eben hierzu gehörten eine *sponsio* (die *sponsio tertiae partis*, s. oben S. 151 Anm. 19) und eine Prozessformel (ein *iudicium*). Die Frage, ob eine Schuld bestand, spielte bei einem solchen *iudicium* selbstverständlich eine nur untergeordnete Rolle; bei der Streitfrage ging es in der Hauptsache um das Bestehen oder Nichtbestehen der *exceptio*. Für die Richtigkeit dieser Interpretation von *iudicium*, die von Pflüger, ZSS. 64 (1944) S. 364 f. und Frederiksen, JRS. 1964 S. 130 ua. vorgeschlagen worden ist, spricht auch ein Passus aus Gaius, nämlich IV, 116: *item si pactus fuero tecum, ne id, quod mihi debeas, a te petam, nihilo minus id ipsum a te petere possum dari mihi oportere, quia*

[22] Vgl. zum Aufbau der Umschreibungen in XXI, *11-12* und XXI, *15-18* die oben S. 142-146 gemachten Bemerkungen.

obligatio pacto convento non tollitur; sed placet debere me petentem per exceptionem pacti conventi repelli, „ebenso wenn ich mit dir vereinbart habe, dasjenige, was du mir schuldest, nicht zurückzufordern, so kann ich trotzdem dir gegenüber (in einem Prozess) die Forderung stellen, dass es mir zurückgegeben werden muss, da die rechtliche Verpflichtung nicht durch eine private Vereinbarung aufgehoben wird; aber es ist unter Juristen eine allgemein anerkannte Auffassung, dass meine Forderung mit Hilfe einer *exceptio* zurückgewiesen werden muss, eben weil eine private Vereinbarung getroffen worden ist".

Bei der soeben vorgeschlagenen Deutung von XXI, *6/7* wurde davon ausgegangen, dass es — jedenfalls zur Zeit der Lex Rubria — möglich war, *in iure* vor dem Jurisdiktionsmagistrat ein Schuldbekenntnis unter Vorbehalt abzulegen. Sowohl bei der Literaturübersicht oben S. 138 ff. wie an anderen Stellen hat sich ergeben, dass infolge der Spärlichkeit der diesbezüglichen Quellen die Ansichten der Rechtshistoriker inbetreff des Charakters einer römischen *confessio* recht verschieden sind. BETHMANN-HOLLWEG und GREENIDGE (s. oben S. 141) waren der Meinung, dass eine *confessio* frei widerruflich gewesen sei: nach einem solchen Widerruf hätte ein Prozess, in unserem Falle eine *actio certae creditae pecuniae,* wieder von vorne anfangen müssen. In neuerer Zeit hat S. DI PAOLA, Confessio in iure I, Mailand 1952, S. 5-15, eine ähnliche These vertreten. Man wird dieser Auffassung nicht leicht beipflichten können. Denn wenn der *iudex* noch einmal die gesamte Schuldfrage untersuchen musste, nachdem der Beklagte bereits *in iure* gestanden hatte, worin bestand dann eigentlich der Wert einer vorhergehenden *confessio in iure*?

Nur das Gegenteil kann richtig sein. Eine *confessio in iure* muss als etwas sehr Wichtiges angesehen worden und zweifellos rechtlich verbindlich gewesen sein (d.h., dass danach im allgemeinen kein Prozess mehr stattfinden konnte, sondern ausschliesslich ein Exekutionsverfahren). In diesem Punkt wird man z.B. DEMELIUS, Die Confessio (1880), S. 114 und 118, PÜSCHEL, Confessus pro iudicato est (1924) S. 228 (in anderem Zusammenhang) und BETTI, SDHI. I (1935) S. 431 (es handelt sich um eine Rezension von WLASSAKS Konfessio 1934) recht geben müssen. Aber, so werden wir — im Gegensatz zu den genannten Forschern — hinzufügen müssen, dies kann zu der Zeit der Formularprozesse nur für eine vorbehaltlose *confessio* gelten, d.h. eine *confessio,* die nicht von einer *exceptio* begleitet wird (vgl. auch KASER, Zivilprozessrecht, S. 53 f.). Eine einfache *confessio* hingegen (ohne *exceptio*) dürfte, wie schon gesagt wurde, ganz gewiss zur Exekution geführt haben. Unsere Quellen sind zwar in dieser Hinsicht sehr kurzgefasst, machen aber die obige Ansicht doch wahrscheinlich. Die Diskussion hierüber basiert auf den (S. 147.150 bereits genannten) Zwölftafelfragmenten III, *1-2* (1. *aeris confessi rebusque iure iudicatis triginta dies iusti sunto*; 2. *post deinde manus iniectio esto*) und auf dem vielzitierten Paulusfragment 56 ad ed., dig. 42, 2, 1 *confessus pro iudicato est, qui quodammodo sua sententia damnatur*, „derjenige, der gestanden hat, gilt als Verurteilter, da er in gewissem Sinne durch eigenen Ausspruch verurteilt wurde". Zwar ist das alleinstehende Paulus-Fragment reichlich unbestimmt in der Formulierung, dafür ist aber das Zwölftagelfragment deutlich: sowohl nach *iudicatio*, d.h. einer Entscheidung des Richters, wie nach *confessio* wird Exekution angeordnet. Darum muss eine *confessio in iure*, die nicht von Beschwerden gegen die Zahlungsverpflichtung begleitet war, definitiv gewesen sein.

Fassen wir das Obige zusammen, so kommen wir zur Schlussfolgerung, dass weder die von einigen Forschern befürwortete freie Widerruflichkeit einer *confessio*, noch die von anderen Autoren verfochtene These, für die Zeit der Lex Rubria sei lediglich eine unklausulierte *confessio* akzeptabel gewesen, uns bei der Interpretation von XXI, *6/7* weiterhelfen kann. Nach allem, was zur Interpretation dieser Stelle gesagt worden ist, erscheint die zuletzt gegebene Lösung des Problems immer noch die plausibelste: es war auch nach einem Geständnis vor dem Magistrat noch möglich, einen Prozess (d.h. eine *actio certae creditae pecuniae*) über die Rechtmässigkeit einer *exceptio* anzustrengen. Wenn der Beklagte aber auch dies unterliess, konnte der Jurisdiktionsmagistrat dem Gläubiger die Erlaubnis erteilen, ihn zu geiseln.

2. Zweite Form von Verschleppung des Prozessablaufs: *seive is ibei de ea re in iure non responderit, neque de ea re sponsionem faciet neque iudicio utei oportebit se defendet* (7-9), „oder falls es der Schuldner unterlässt, daselbst im Hinblick auf den betreffenden Fall bei der gerichtlichen Voruntersuchung zu erscheinen [23] und sich ebensowenig dazu entschliesst, ein (rechtlich

[23] Dass *non responderit* hier die Bedeutung „nicht erschienen ist" haben muss, wird unten S. 173 im Kom. zu XXI, *8* näher ausgeführt.

bindendes) Versprechen zu leisten, und sich durch Annahme einer Prozessformel wie vorgeschrieben zu verteidigen".

Dieser Passus gibt zu Anmerkungen wenig Anlass. Er bestimmt kurz und klar: Derjenige, der vor dem Magistrat (*in iure*) dadurch nicht mitarbeitet, dass er nicht erscheint und ebensowenig eine *sponsio* und auch kein (daran anschliessendes) *iudicium* (gemeint sind die *sponsio tertiae partis* und die *actio certae creditae pecuniae*[24]) akzeptiert, muss als verurteilt angesehen werden und somit gegeiselt werden. Wie man sich ferner den Verfahrensverlauf in concreto vorstellen muss, geht aus dem beigefügten „und ebensowenig eine *sponsio* und ein *iudicium* akzeptiert" hervor. Bei erster Betrachtung scheint diese Verhaltensweise in *non responderit* impliziert zu sein: ohne aktive Mitarbeit beider Parteien kann weder eine Prozessformel (*iudicium*) noch ein Versprechen (*sponsio*) zustande kommen. Da trotzdem *neque .... se defendet* hinzugefügt worden ist, wird das wohl darauf hinweisen, dass *non respondere* nicht unmittelbar zu der in *19* angeführten Massnahme, nämlich Geiselung (*duci iubere*), führte, sondern erst nach einiger Zeit. Dem Beklagten, der sich weigerte, wurde offensichtlich eine Frist gegeben, in der seine Bereitwilligkeit aufs neue geprüft wurde. Stellte es sich das zweite Mal dadurch, dass er doch bei der Behandlung *in iure* erschien, heraus, dass er nun mitarbeiten wollte, so konnte, wie üblich, eine Prozessformel aufgestellt werden; weigerte sich der Beklagte auch dieses Mal, so wurde *ductio* befohlen (*19*). So weit der Text.

Giffard, La ‚confessio in iure' (1900) S. 7 f. und 38 ff. und Wlassak, Der Gerichtsmagistrat im gesetzlichen Spruchverfahren, ZSS. 25 (1904) S. 81 ff. (besonders S. 109 ff.) haben den Versuch gemacht, die Frage zu beantworten, wie die in der Lex Rubria für Gallia Cisalpina vorgeschriebene Fiktion, dass ein *non respondens* als ein Verurteilter zu betrachten sei, aus der Entwicklung des römischen Prozessrechts heraus zu erklären sei. Denn für die in unserer Lex angeordnete Damnationsfiktion gibt es im allgemeinen römischen Recht (d.h. im stadtrömischen Recht) keine Parallele.

[24] Für die Prozedur bei Geldschuldprozessen, die *sponsio tertiae partis* und die *actio certae creditae pecuniae*, vgl. oben S. 151 Anm. 19. Oben (S. 151) wurde ebenfalls schon darauf hingewiesen, dass auch im Falle, dass der Schuldner anfangs durch Nicht-Erscheinen seine Mitwirkung *in iure* verweigert hatte, sobald er sich gefügig zeigte, die normale Geldschuldprozedur angewandt wurde. Über die Dauer der ihm allem Anscheine nach für eine Sinnesänderung gewährte Frist siehe gleich unten.

Die beiden genannten Gelehrten schlugen für den Werdegang dieser rubrischen Prozedur folgende Erklärung vor: Es wird allgemein angenommen,[25] dass in dem alten *legisactio*-Verfahren (welches übrigens schon in der Zeit unserer Lex Rubria nicht mehr verwendet wurde) eine *confessio certae pecuniae* dem mit *in iure cessio* bezeichneten Verfahren gleichgestellt wurde. Bei der *in iure cessio* liess man vor Gericht eine offizielle Besitzübertragung zu: der Prätor bestätigte diese Übertragung dadurch, dass er dem neuen Besitzer das Eigentumsrecht „zuwies" (*addicere*). Wenn nun die *in iure cessio* mit der *confessio certae pecuniae* gleichgestellt wurde, muss auch nach letzterer eine solche *addictio* in analoger Weise möglich gewesen sein. GIFFARD und WLASSAK dehnen nun diese Gleichstellung auf das in Caput XXI und XXII begegnende *non respondere* aus, indem sie eine Stelle aus Gaius anführen, nämlich II, 24: *deinde postquam hic vindicaverit, praetor interrogat eum, qui cedit, an contra vindicet; quo negante* (sc. *se contra vindicare*) *aut tacente tunc ei qui vindicaverit eam rem addicit.* Wie man sieht, besagt der Schluss des zitierten Satzes, dass eine *in iure cessio* dann stattfand, „wenn der vorige Eigentümer sagte, dass er keine Ansprüche mehr geltend machen würde oder wenn er schwieg (*tacente*)". Nach der Ansicht von GIFFARD und WLASSAK wäre nun *tacere* mit *non respondere* gleichzustellen, so dass *non respondere* von seiten des Angeklagten bei der Behandlung *in iure* eines Rechtsfalles gleichfalls *addictio* zur Folge hätte.

Gegen diese Überlegung ist viel einzuwenden. Zunächst einmal wird das in unserem Caput mehrmals gebrauchte *non respondere* nirgends mit *tacere* gleichgestellt. Ersteres bedeutet ausserdem in juristischen Texten nicht etwa „anwesend sein und schweigen", sondern einfach „nicht erscheinen" (für Parallelen s. S. 173, Kommentar zu XXI, *8*). Und überhaupt ist es sehr unsicher, ob Schweigen bei der Behandlung *in iure* je *addictio* zur Folge gehabt hätte. Vor allem aber ist es, wie KASER, Zivilprozessrecht S. 29, S. 55 mit Anm. 23 und S. 134 Z. 18 und 19, darlegt, keineswegs sicher, dass die Parallele zwischen *in iure cessio* und *confessio in iure*, die in dem anfänglichen Stadium des *legisactio*-Prozesses bestand (z.B. zur Zeit des Zwölftafelgesetzes), in den späteren Jahrhunderten vor der Entstehung des Formularverfahrens (etwa in der zweiten Hälfte des

---

[25] Vgl. zu der Parallele zwischen *in iure cessio* und *confessio* neuerdings KASER, Zivilprozessrecht S. 54 f. (mit neuerer Literatur seit GIFFARD und WLASSAK).

zweiten Jahrhunderts v. Chr.) noch in derselben Weise gehandhabt wurde. Die genannten Gelehrten hätten deshalb vor allen Dingen beweisen müssen, dass diese Parallele mit der *confessio in iure* auf den Formularprozess übergegangen ist; denn dass in der Lex Rubria noch *legisactiones* verwendet werden, nehmen sie auch selbst nicht an. Im gesamten Formularprozess ist jedoch an keiner Stelle die Regel zu finden, dass Schweigen bei der Behandlung *in iure* einem Geständnis gleichzusetzen sei; und darum ist die Überlegung, dass ein schweigender Beklagter einem Verurteilten gleichzustellen sei, ebensowenig gerechtfertigt.

Da nun der Versuch, Parallelen zwischen unserer Regelung in der Lex Rubria und den aus anderen Quellen bekannten römischen Rechtshandlungen nachzuweisen, fehlgeschlagen ist, dürfte es nahe liegen, von der Voraussetzung auszugehen, dass es sich im Falle der Lex Rubria um partikulares Recht, vielleicht sogar um eine Neuschaffung des Gesetzgebers [26] handelt. Letzterer hat diese Bestimmung anscheinend deshalb in seine Lex aufgenommen, weil ihm das Ziel vor Augen stand, dem lokalen Magistrat, der kaum über Zwangsmittel verfügte, jedenfalls eine einfache Waffe gegen eventuelle Verschleppung des Prozessablaufs zu verschaffen. Zu dem gleichen Zweck war — wir haben es bereits in der Einleitung zu Caput XX (oben S. 86 ff.) festgestellt — in Caput XX für Personen, die sich nicht an die Bestimmungen zur Regelung des „drohenden Schadens" hielten, eine Regelung vorgeschrieben, die von dem was in Rom üblich war, abwich. Da wir nun für die in Caput XXI vorgeschriebenen Bestimmungen ebenfalls keine römischen Parallelen finden können, dürfte die Annahme, dass es sich in diesem Caput um eine spezielle, von der stadtrömischen abweichende Regelung handelt, nicht unberechtigt sein.

Der normale Verfahrensverlauf bei einem Prozess, der in Rom *in personam* geführt und durch Verschleppung des Prozessablaufs behindert wurde, bestand darin, dass der Prätor dem Kläger den Auftrag erteilte, den Streitgegenstand zeitweilig in seinen Besitz

---

[26] Man muss immer mit der Möglichkeit rechnen, dass die vom stadtrömischen Recht abweichenden Bestimmungen der Lex Rubria auf früheres Recht zurückzuführen sind, das vor der generellen Verleihung des Bürgerrechts (somit vor dem Jahre 49 v. Chr.) in Gallia Cisalpina gegolten hatte. Vgl. zu der früheren staatsrechtlichen Situation in dieser Provinz die Bemerkungen unten (Anhang III) S. 286 ff. und S. 318 f. In diesem Falle hätte der rubrische Gesetzgeber nicht eine Neuerung geschaffen, sondern einfach früheres Recht in seine Lex inkorporiert.

(*missio in possessionem*) oder den Beklagten in Privathaft zu nehmen (*duci iubere*); vgl. Kommentar zu XXII, *46-47*, S. 225 ff. Ziel dieser beiden Massnahmen war es, den Beklagten, der sich weigerte, doch noch zur Mitarbeit bei dem Zustandekommen eines Prozesses zu zwingen. Die *ductio* jedoch, die gemäss XXI, *19* der Lex Rubria in Gallia Cisalpina vorgeschrieben wird, war — im Gegensatz zu dem in Rom üblichen Verfahrensverlauf — ganz deutlich eine endgültige Exekutionsmassnahme. Sie wurde, wie wir S. 147 f. gesehen haben, in Gallia Cisalpina erst nach Ablauf der in erster Instanz gewährten Frist befohlen und ein Prozess konnte danach nicht mehr geführt werden (vgl. XXI, *10-19*). Da in Rom eine *ductio* mit einer solchen endgültigen Wirkung nicht ohne einen vollständigen Prozess zustande kommen konnte, müssen wir Caput XXI der Lex Rubria als eine aussergewöhnliche Regelung betrachten, die aus dem Charakter des Gesetzes als „partikulares Recht" zu erklären ist (es handelt sich also eine Abweichung vom „gemeinen Recht"; vgl. zu diesen Begriffen auch WLASSAK, Konfessio 1934, S. 24 Anm. 32). Es muss übrigens noch einmal darauf hingewiesen werden, dass diese endgültige *ductio* auch für den ersten Fall von Verschleppung des Prozessablaufs (Verweigerung der Mitarbeit trotz anfänglichen Geständnisses) vorgeschrieben ist, vgl. oben S. 150. Denn für beide Gruppen von Beklagten gilt dieselbe Damnationsfiktion.

D. Warum schreibt Caput XXI ein anderes als das in Rom geltende Rechtsmittel gegen Verschleppung des Prozessablaufs vor?

Die soeben gegebene Erklärung, bei der Lex Rubria handle es sich um eine aussergewöhnliche Regelung — WLASSAK verwendete hierfür, wie wir gesehen haben, den Terminus „partikulares Recht"—, wurde von O. GRADENWITZ, Versuch einer Dekomposition (1915), passim, nicht akzeptiert und ebensowenig von W. PÜSCHEL, Confessus pro iudicato est, 1924 (vgl. S. 64-66 und an anderer Stelle). Beide Autoren gingen davon aus, dass die Lex Rubria das geltende römische Recht auch im Gebiet der Poebene für unverändert anwendbar hätte erklären müssen. Sie hatten, um an dieser Theorie festhalten zu können, sogar kein Bedenken, unser Caput XXI eingreifend zu „verbessern", als handle es sich um eine schlecht erhaltene, durch spätere Bearbeiter stark interpolierte Handschrift. Über diese Art, nicht sofort verständliche Textstellen zu entfernen, ist schon auf S. 120 f. gesprochen worden, und zwar in dem Kommentar zu XX, *41-50* und oben, S. 136.

Vor allem auf unsere Capita XXI und XXII hat GRADENWITZ die „Interpolationenforschung" sehr weitgehend (mehr als auf die Capita XIX und XX) angewendet. Das Resultat war, dass er annahm, dass Caput XXI (und auch XXII) ein sehr widersprüchliches Gemisch sei, das aus zwei „Schichten", d.h. aus zwei Bestimmungen ganz verschiedener Herkunft, aufgebaut sei.[27] Ausserdem habe die Verschmelzung der zwei „Schichten" zu allerhand „Auflagerungen" Anlass gegeben: es seien Worte und Wendungen hinzugesetzt worden, welche die beiden Teile mit einander verbinden sollten, und nebenbei seien auch noch andere Einschiebsel angefertigt worden. Was die „Schichten" selbst anbelangt, handle es sich nach der Meinung von GRADENWITZ um die beiden folgenden Bestandteile: einerseits um die Rechtsregel, dass ein *confessus* wie ein *iudicatus* beurteilt werden muss, und andererseits um den (auch in Rom geltenden) Grundsatz, dass derjenige, der sich *in iure* nicht wie vorgeschrieben verteidigt (und somit ein *indefensus* ist), durch *ductio* zur Defension gezwungen werden muss. GRADENWITZ ist dadurch zu dieser Theorie gekommen, dass er nicht akzeptierte, dass in Caput XXI der Lex Rubria — im Gegensatz zu dem soeben auf S. 159 f. skizzierten, in Rom üblichen, Verfahrensverlauf — ein Beklagter, der *in iure* den Prozessablauf durch Nicht-Erscheinen verschleppte, nach Ablauf seines Termins als Verurteilter angesehen und infolgedessen zur Exekution gegeiselt wurde (unser Fall 2, s. oben S. 156-157). Seiner Ansicht nach enthielt die Lex Rubria ursprünglich auch die (in Rom geltende) Regel, dass jemand durch *ductio* nur zur Defension gezwungen werden sollte; in diesem Stadium könne somit von einer Exekution noch nicht die Rede sein, denn der Angeklagte werde in diesem Augenblick noch nicht als Verurteilter angesehen.

Wegen dieser Schwierigkeiten nimmt GRADENWITZ unter anderem an, dass die in Caput XXI vorkommende Umschreibung des ersten Falles, Zeile *4-7* „Derjenige, der nicht *in iure* erscheint, wird als Verurteilter angesehen" erst durch ein Missverständnis bei der Redaktion des Caput — und zwar in der Kanzlei von Veleia — entstanden und vom römischen Gesetzgeber selbst niemals in dieser Form beabsichtigt gewesen sei. Gegen diese Theorie muss natürlich

[27] Vgl. hierzu auch die bereits oben S. 140 f. in der Literaturübersicht gemachten Bemerkungen.

bemerkt werden, dass eine so weitgehende Verwirrung nicht sehr nahe liegt und darum nur akzeptiert werden kann, wenn jeder Versuch, den überlieferten Text auf andere Weise zu erklären, fehlschlägt. GRADENWITZ und nach ihm PÜSCHEL waren wohl allzu rasch mit ihrem Urteil fertig, als sie, ausgehend von den nur sehr fragmentarischen Angaben über das römische Recht des ersten Jahrhunderts vor Chr., den uns überlieferten Text der Lex Rubria als in sich widersprüchlich, ja selbst unmöglich bezeichneten. Sie haben gewiss recht, wenn sie darauf hinweisen, dass in dem Text einige ,,Unebenheiten" und ,,Holperigkeiten" vorkommen, die bei der Interpretation Schwierigkeiten verursachen. Diese Unebenheiten liegen aber wohl eher auf einer stilistischen als auf einer inhaltlichen Ebene; und für die krasse These, einige Kanzlisten von Veleia hätten aus reiner Unkenntnis auf eigene Faust zwei ganz verschiedene Rechtsregeln durcheinander gemischt, dürften solche Unebenheiten überhaupt keine Stütze abgeben. Soweit die stilistischen Eigentümlichkeiten dem richtigen Verständnis einige Schwierigkeiten bereiten könnten, werden sie in dem unten folgenden Kommentar noch ausführlicher zur Erörterung kommen. An dieser Stelle sei vorgreifend nur dazu bemerkt, dass sie zum grössten Teil darauf zurückzuführen sind, dass die Redaktoren, die im zweiten und ersten Jahrhundert vor Chr. Gesetzestexte verfertigen mussten — F. SCHULZ, Geschichte der römischen Rechtswissenschaft, Weimar 1961 S. 113 ff. spricht von dem ,,umständlich-schwerfälligen, pedantisch-ängstlichen Stil" der ,,hellenistischen Periode" der römischen Gesetzessprache —, durch übermässigen Gebrauch von Floskeln aus der Kanzleisprache und allzu weitschweifigen Satzbau ihre Texte auch für Eingeweihte manchmal recht unübersichtlich machen konnten. Das Streben nach ,,pedantischer Umständlichkeit" hat in unserem Fall den Redaktoren sogar soviel Mühe gemacht, dass tatsächlich in der Lex Rubria Satzgebilde vorkommen, welche gegen die strenge Logik verstossen.[28] Nähert man sich jedoch dem Text mit einem bereitwilligeren Verständnis für eben diese Eigentümlichkeiten, so dürfte es bei unserem Caput XXI durchaus möglich sein, daraus eine eindeutige Regelung zu rekonstruieren, der kein anderer Satz aus demselben Kapitel widerspricht.

Es ist allerdings richtig, dass in unseren lückenhaften Quellen aus der Zeit der Lex Rubria an keiner anderen Stelle von einer solchen

[28] Vgl. in dieser Beziehung z.B. die Ausführungen oben S. 58 ff. im Komm. zu XIX, *1*.

Kondemnationsfiktion die Rede ist. Die Bestimmung, dass „derjenige, der sich vor Gericht weigert mitzuarbeiten, sobald er eine ihm noch bewilligte Frist hat verstreichen lassen, als ein durch den *iudex* Verurteilter gilt", ist sicher etwas Aussergewöhnliches in einer Zeit, in der jedenfalls nach dem stadtrömischen Zivilrecht den Prozessführenden noch so viel Freiheit zugestanden wurde, dass ohne Mitwirkung der beiden Parteien überhaupt kein *iudex* ernannt werden konnte. Zwar erzwang in der Praxis der Prätor in Rom diese Mitarbeit, falls es nötig sein sollte, auf indirekte Weise (mit Hilfe seiner honorarrechtlichen Befugnisse, die *ductio* oder *missio* oder beides gestatteten), aber dadurch wurde im Prinzip die Freiheit der Prozessführenden nicht angetastet. Mit Recht hat PÜSCHEL, Confessus pro iudicato est (1924), S. 71 in diesem Zusammenhang darauf hingewiesen, dass der Prätor in Rom in dieser Zeit noch kein Kontumazialverfahren anwenden konnte, d.h. dass er noch keine direkte gesetzliche Möglichkeit besass, einen Prozess unter Umständen auch trotz des Widerstandes einer Prozesspartei stattfinden zu lassen. Dies war somit gemäss unserer Quellen aus dem ersten Jahrhundert vor Chr., die sich mit Zivilprozessen befassen, die Sachlage in Rom.

Es erhebt sich nun die folgende Frage: wenn in Rom die Handlungsfreiheit des Angeklagten in dieser Hinsicht noch so gross war, konnte sie dann ausserhalb Roms in den Munizipalstädten beiseite geschoben werden? Auf diese Frage kann nur geantwortet werden, dass wir in der Lex Rubria ein Gesetz vor uns haben, das für die Poebene tatsächlich Regelungen vorschrieb, die in diesem Punkte von den in Rom gebräuchlichen abwichen. Hier liegt somit ein Gegensatz vor, den man, wie oben S. 160 bereits gesagt wurde, kurz mit den Worten „partikulares und gemeines Recht" charakterisieren könnte. Das Resultat der obigen Überlegungen besteht also darin, dass wir die Bestimmung aus Caput XXI hinnehmen müssen, auch wenn es sich herausstellt, dass hier kein in Rom geltendes Recht vorliegt.

E. Die Schlussbestimmung aus Caput XXI und die in diesem Caput nicht behandelten Fälle

Caput XXI schliesst mit einer Bestimmung (*21-24*), die in sich selbst zwar deutlich ist, aus der aber nicht hervorgeht, auf welche Fälle sie sich bezieht. Kurz zusammengefasst besagt der Abschnitt das Folgende: „Schuldner, die es unterlassen, ihr Erscheinen in

Rom durch Erstellung von Bürgen zu garantieren, dürfen von den örtlichen Autoritäten vor ein (ebenfalls örtliches) Gericht von *recuperatores* gebracht werden". In welchen Fällen musste nun ein Beklagter in Rom und nicht in dem eigenen Munizipium erscheinen, und in welchen Fällen verlangte der örtliche Magistrat von ihm eine Garantie für sein Erscheinen in Rom mit dem örtlichen Recuperatorengericht als Sanktion?

Um diese Frage beantworten zu können, müssen wir uns zunächst klarmachen, welche Fälle in XXI, *2-21* schon behandelt worden sind, und welche anderen Möglichkeiten noch übrig bleiben. In den ersten zwanzig Zeilen (*2-21*) von Caput XXI ist ausschliesslich von einem einzigen eng umschriebenen Fall die Rede gewesen: ein Beklagter, von dem eine Schuld aufgrund eines Gelddarlehens in der Höhe von nicht mehr als 15.000 Sesterzen zurückgefordert wird (*dumtaxat HS XV*, Z. *19*), behindert auf irgendeine Weise den Fortgang des Verfahrens *in iure*. Der örtliche Jurisdiktionsmagistrat bekommt dann nach Ablauf einer bestimmten Frist das Recht, gegen ihn als gegen einen Verurteilten vorzugehen und Geiselung (*ductio*) anzuordnen. Bis Zeile *21* ist somit über drei weitere Möglichkeiten noch nicht gesprochen: zunächst einmal über Prozesse, die ohne eine Verschleppung des normalen Prozessablaufs verlaufen; zweitens über Prozesse, in denen eine Schuld, die mehr als 15.000 Sesterze beträgt, zurückgefordert wird; und schliesslich — drittens — über das Problem, welche rechtliche Massnahme noch getroffen werden kann, wenn im Falle einer Schuld von weniger als 15.000 Sesterzen der vom munizipalen Magistrat erteilte Befehl, den unwilligen Beklagten zu geiseln, seine Wirkung verfehlt. Wir müssen also untersuchen, wie man diese Fälle behandelt hat. Erst daraus wird hervorgehen, welchen Zweck die Zeilen *21-24* haben.

Was in Prozessen geschah, bei denen es um weniger als 15.000 Sesterze ging und die ohne irgendeine Verschleppung des normalen Ablaufs verliefen, kann man sich leicht vorstellen: sie werden im Munizipium selbst behandelt worden sein.[29] Sogar in dem schwierigeren Fall, nämlich bei Verschleppung des Prozessablaufs *in iure*, blieb, wie wir gesehen haben, der Fall dem Munizipium vorbehalten; umso mehr wird dies bei normalen Prozessen der Fall gewesen sein. Es bleiben also nur noch die zweite und dritte Möglichkeit offen, nämlich die Erledigung von Prozessen, deren Streitwert grösser als

[29] Vgl. hierzu auch die bereits oben S. 133 f. (im Abschnitt A) gemachten Bemerkungen.

15.000 Sesterze ist, und die Anordnung von Zwangsmassnahmen, die über eine einfache Geiselung hinausgehen. Unsere Schlussfolgerung muss daher lauten: die *vadimonium*-Bestimmung bezieht sich nur auf diese beiden zuletzt genannten Fälle.

Wurde aber ein Schuldner, von dem mehr als 15.000 Sesterze zurückzufordern waren, vor einen örtlichen Jurisdiktionsmagistrat zitiert, so war es Aufgabe dieses Magistrates, von ihm ein *vadimonium* zu verlangen oder ihn dazu aufzufordern, eine vermögende Person zu benennen, die sich für das Erscheinen des Schuldners in Rom persönlich verbürgte (*vindex*, vgl. S. 185, Kommentar zu XXI, *23*). Stimmte der Beklagte keiner dieser Möglichkeiten zu, so war der örtliche Magistrat dazu befugt, ihn vor ein (anscheinend munizipales, s. unten) Rekuperatorengericht zu bringen. Auf welche Weise der Beklagte, der sich weigerte, hierzu gezwungen werden konnte, können wir leider nicht mehr genau feststellen. Theoretisch könnte man aber an polizeiliche Hilfe denken, oder an eine Regelung, durch die der Prozess auch ohne die Anwesenheit des Beklagten weitergeführt werden konnte. Man kann zwischen diesen Möglichkeiten nur schwer eine einigermassen begründete Wahl treffen, da von Rekuperatorenprozessen nur sehr wenig bekannt ist (vgl. Kommentar zu XXI, *23*, S. 185 ff.). Dasjenige jedoch was wir über die Art dieser Prozesse wissen, dürfte ausreichen für die Behauptung, dass es den *recuperatores* in viel stärkerem Masse als dem einzelnen *iudex* möglich war, ihrem Verfahren im öffentlichen Interesse eine straffere Gestaltung zu geben: sie konnten die Fristen für die Richtereinsetzung und für die Urteilsfällung verkürzen, die Zahl der Zeugen begrenzen und schliesslich demjenigen, der magistratischen Befehlen zuwider handelte, eine Geldbusse auferlegen.[30]

Auch in unserem Falle dürften die Rekuperatoren es sich lediglich zur Aufgabe gemacht haben, dem angeklagten Schuldner, der sich weigerte, sein Erscheinen vor dem römischen Prätor zu verbürgen, eine Geldbusse aufzuerlegen. Die eigentliche Streitfrage (nämlich die Zahlung der Schuld von mehr als 15.000 Sesterzen) wäre somit, wenn diese Vermutung richtig ist, nicht vor dem Rekuperatorengericht erledigt worden: die Erledigung dieser Angelegenheit blieb

---

[30] Vgl. zur Beschleunigung des Verfahrens durch Rekuperatoren KASER, Zivilprozessrecht S. 144 f.; zur Möglichkeit, Geldstrafen aufzuerlegen: B. SCHMIDLIN, Das Rekuperatorenverfahren, Freiburg/Schweiz, 1963, S. 71 ff., und unten Komm. zu XXI, *23*, S. 187 f.

dem römischen Prätor vorbehalten; die Rekuperatoren konnten aber durch Auferlegung einer Geldstrafe dafür sorgen, dass der Schuldner sich nunmehr gezwungen sah, sein ablehnendes Verhalten aufzugeben und durch Leistung eines *vadimonium* doch noch sein Erscheinen vor dem römischen Prätor zu verbürgen. Diese Unterstellung dürfte schon deshalb wahrscheinlich sein, weil sonst jeder Schuldner, von dem mehr als 15.000 Sesterze zurückgefordert wurden, auf sehr einfache Weise zu einem Prozess in seinem Munizipium anstatt in Rom kommen konnte, nähmlich allein dadurch, dass er sich weigerte, ein *vadimonium* zu leisten. Die Zeilen *21-24* sollten hingegen den örtlichen Autoritäten lediglich ein Zwangsmittel und somit die Möglichkeit geben, durchzusetzen, dass Prozesse über mehr als 15.000 Sesterzen in Rom geführt wurden.

Aus der Formulierung *iudicareique de ea re ibei curet* (Z. *24*) ist schliesslich zu entnehmen, dass hier an ein örtliches, munizipales Rekuperatorengericht (und nicht etwa an ein römisches) gedacht werden muss: denn *ibei* bedeutet hier ebenso „an Ort und Stelle", d.h. im Munizipium, wie im gerade vorhergehenden Relativsatz *is quei ibei iure deicundo praeerit.* Anscheinend werden wir davon auszugehen haben, dass ein örtlicher Magistrat aus den ihm zur Verfügung stehenden Richterlisten nicht nur *iudices*, sondern auch *recuperatores* benennen konnte. In der Praxis wurde die Zahl dieser *recuperatores* anscheinend meistens auf 3 oder 5 festgesetzt (vgl. KASER, Zivilprozessrecht S. 143 f.).

Zum Schluss muss noch inbetreff der Prozesse wegen eines Gelddarlehens von weniger als 15.000 Sesterzen die Möglichkeit besprochen werden, dass der vom Munizipalmagistrat erteilte Befehl, den unwilligen und — nach Ablauf einer gewissen Frist — von der Damnationsfiktion betroffenen Beklagten zu geiseln, nicht die gewünschte Auswirkung hatte. Leider sind wir über die Einzelheiten der Personalexekution schlecht informiert.[31] Wir bekommen aber den Eindruck, dass in der römischen Gesellschaft die Vermögensvollstreckung als eine viel schwerwiegendere und deshalb auch effektivere Massnahme als die Personalexekution betrachtet worden ist. Vor allem aber dürfte Beschlagnahme des Vermögens in jenen Fällen den einzigen Ausweg aus den Schwierigkeiten bedeutet haben, in denen es sich um einen Beklagten handelte, der sich versteckt hielt. Da die Geldbusse (*multa*), welche, wie wir soeben

---

[31] Vgl. dazu KASER, Zivilprozessrecht, S. 300.

gesehen haben, anscheinend von dem Rekuperatorengericht auferlegt werden konnte, eine Massnahme mit strafrechtlichem Charakter war, bot sie den Magistraten ein wirksameres Mittel, um auch gegen Beklagte einzuschreiten, die der Geiselung dadurch entgangen waren, dass sie sich verborgen hielten: die rekuperatorische Geldstrafe konnte eventuell mittels einer Pfändung oder gar Konfiskation eingetrieben werden.[32] Es dürfte daher nicht unwahrscheinlich sein, dass die Munizipalmagistrate, die selbst, wie wir oben S. 134 gesehen haben (vgl. auch XXI, *19*), lediglich Geiselung anordnen durften, auch im Falle des Versagens eines Duktionsbefehls das Rekuperatorengericht eingeschaltet haben, um ein *vadimonium Romam* zu erzwingen. Denn nur der römische Prätor hatte bei Privatprozessen die Befugnis, das Vermögens des Beklagten beschlagnahmen zu lassen.[33]

---

[32] Vgl. MOMMSEN, Strafrecht, S. 1022 ff. Es muss hier noch bemerkt werden, dass die Frage, ob der Rekuperatorenprozess genau genommen zum Strafrecht gehört, umstritten ist (s. unten S. 187 f., Komm. zu XXI, *23*). Es lässt sich aber nicht leugnen, dass dieser Prozess zumindest einige auffällige strafrechtliche Züge aufwies.

[33] FREDERIKSEN, JRS. 54 (1964) S. 133 f. hat die Ansicht vertreten, dass die munizipalen Magistrate bei Prozessen wegen eines Gelddarlehens von weniger als 15.000 Sesterzen ausser der Geiselung (*ductio*) auch die Beschlagnahme (*missio in possessionem* usw.) anordnen konnten. Lediglich weil diese Befugnis so selbstverständlich gewesen sei, sei sie in Cap. XXI der Lex Rubria nicht noch ausdrücklich erwähnt worden. Man sieht jedoch nicht ein, weshalb in diesem Falle die Geiselung nicht ebenfalls hätte fortgelassen werden können. Gerade der Umstand, dass nur die *ductio* in XXI, *19* namentlich genannt wird, dürfte ganz entschieden gegen FREDERIKSENS Annahme sprechen.

Welches Verfahren vor dem Prätor in Rom gegen einen Beklagten angestrengt wurde, der bereits mit einer munizipalen Damnationsfiktion belastet war, lässt sich, wie man weiss, aufgrund unserer Quellen nicht nachweisen. Es dürfte jedoch nicht ausgeschlossen sein, dass für einen solchen Fall eine *actio iudicati* ediert wurde (vgl. zu diesen Begriff oben S. 152 mit Anm. 20).

VI. KOMMENTAR ZU CAPUT XXI

2. **A quoquomq(ue) .... petetur.** Über die konditionale Nebenbedeutung dieses am Anfang stehenden Nebensatzes ist auf S. 60 ff. anlässlich eines ähnlichen Falles in XIX, *1* gesprochen worden. Der Hauptsatz beginnt Zeile *9*: *tum de eo, a quo ea pecunia peteita erit eqs.*

pecunia certa credita, signata forma p(ublica) p(opulei) r(omanei), „ein Darlehen, das aus einer bestimmten Geldsumme besteht, die mit dem Staatsstempel der römischen Nation versehen ist". Die umständliche Präzision dieses Ausdruckes soll deutlich machen, dass die betreffende Schuld auf einem Gelddarlehen beruhte und in römischer Münze berechnet werden musste.

2-3. **o(ppido) m(unicipio) c(olonia) p(raefectura) f(oro) v(eico) c(onciliabulo) c(astello) t(erritorio)ve.** Für eine Besprechung dieser Begriffe — die in der Lex Rubria auch in XXII, *26* und XXIII, *53. 56. 58* vorkommen — s. Anhang I S. 235 ff.

3. **in Gallia Cisalpeina.** Aus diesem Zusatz geht hervor, dass die Lex Rubria im ganzen Gebiet Gallia Cisalpina angewendet werden sollte.

3-4. **quae res non pluris HS $\overline{\text{XV}}$ erit,** „bis zu einem Höchstbetrag von 15.000 Sesterzen". Die Bestimmung der Betragshöhe wurde in späterer Zeit bei Fällen, in denen es gerade um die Frage ging, ob der Betrag kleiner oder grösser als die Summe von 15.000 Sesterzen war, folgendermassen geregelt: Ulp. 6 fideicommissorum, dig. 2, 1, 19, 1: *Quotiens de quantitate ad iurisdictionem pertinente quaeritur, semper quantum petatur quaerendum est, non quantum debeatur*; mit anderen Worten dienten die Angaben des Klägers als Massstab bei der Beurteilung der Frage, ob der betreffende Fall in den Kompetenzbereich des Munizipalmagistrates fiel. Diese selbstverständliche Regelung wird wohl auch im ersten Jahrhundert vor Christus angewandt worden sein. In diesem Zusammenhang ist eine ergänzende Bemerkung von Paulus (1 ad ed., dig. 50, 1, 28) von Interesse: *inter convenientes et de re maiori apud magistratus munici-*

pales agetur, „Wenn sich die Parteien darüber einig sind, kann auch ein Prozess, bei dem es sich um einen grösseren Betrag handelt, vor den Munizipalmagistraten geführt werden". In der Lex Rubria ist jedoch in den Capita XX bis einschliesslich XXII von keiner Übereinstimmung zwischen den Parteien die Rede; es werden vielmehr Fälle von Verschleppung des Prozessablaufs durch den Beklagten behandelt. Somit bleibt die von Paulus erwähnte Regelung unberücksichtigt; die Frage, ob sie im ersten Jahrhundert vor Christus schon gegolten hat, lässt sich nicht mit Sicherheit beantworten. Es sei jedoch darauf hingewiesen, dass im Atestiner Fragment der diesbezügliche Wortlaut etwas eindeutiger sein dürfte (vgl. Z. *6*; Text und Übersetzung unten S. 313 f.): „infolge dieses Gesetzes tritt keine einzige Bestimmung in Kraft, welche verhindern könnte, dass an dem genannten Ort ein Richter zuerkannt wird, wenn der Streitbetrag den Wert von 10.000 Sesterzen nicht überschreitet". Der zitierte Satz, der wegen der doppelten Verneinung einen etwas umständlichen Eindruck macht, will anscheinend implizite besagen, dass die Zuerkennung eines Richters für Sachen, deren Streitbetrag höher als 10.000 Sesterzen ist, gemäss den Bestimmungen des Gesetzes auf alle Fälle nicht zulässig ist. Wenn wir nun wegen der zeitlichen Nähe auf den Text von Ateste ein grösseres Gewicht legen dürfen als auf obige Paulus-Stelle, so würde dies bedeuten, dass auch für unsere Lex Rubria die Summe von 15.000 Sesterzen die absolute Maximalgrenze inbetreff der örtlichen Gerichtsbarkeit gewesen ist.

4-5. **is .... ei quei eam petet aut ei quoius nomine ab eo petetur,** „(dass) er dem Kläger oder demjenigen, in dessen Namen die Forderung erhoben worden ist (, etwas schuldet)". Aus dieser sorgfältigen Umschreibung, vor allem aber aus den Worten *quoius nomine ab eo petetur*, geht deutlich hervor, dass für eine gültige *confessio* der Beklagte persönlich anwesend sein musste, der Kläger sich jedoch auch durch einen anderen vertreten lassen konnte.

in iure apud eum, quei ibei i(ure) d(eicundo) p(raeerit), „bei der gerichtlichen Voruntersuchung in Gegenwart desjenigen, der an diesem Ort die Rechtsprechung leitet". Die zweite Voraussetzung für eine gültige *confessio* bestand somit darin, dass das Bekenntnis in Gegenwart des Jurisdiktionsmagistrates während der Behandlung *in iure* abgelegt wurde. Ein formloses Bekenntnis konnte darum nicht als Ausgangspunkt für die Bestimmungen von Caput XXI dienen.

Der Munizipalmagistrat wird in Caput XXI und XXII mit *is quei ibei iure deicundo praeerit* bezeichnet (wie in den *notae iuris* aus Probus bei KEIL, Gramm. Lat. IV S. 274, Nr. 1: I.D.P.E. = *iure dicundo praeerit*); in Caput XIX und XX (vgl. z.B. XIX, 6) wird jedoch meist eine andere Bezeichnung verwendet, und zwar die Titel *IIvir IIIIvir praefectusque*. Man vergleiche zu den letzteren Anhang II S. 268 ff.

Die Gründe für die Wahl der Schreibweise *p(raeerit)* — und nicht *p(raerit)* — sind schon im Zusammenhang mit Caput XX, 9 (vgl. S. 94) dargelegt worden.

5. **d(are) o(portere) debereve,** „auf Grund einer förmlichen Verpflichtung zahlen muss oder anderweitig schuldet". Es ist wegen des Fehlens sonstiger Quellenzeugnisse aus dieser Zeit kaum möglich, die Existenz eines Unterschiedes zwischen den Termini *dare oportere* und *debere* nachzuweisen. Die Vermutung dürfte jedoch auf der Hand liegen, dass mit *dare oportere* auf ein Gelddarlehen hingewiesen werden sollte, bei dem der Gläubiger sich mittels einer förmlichen *stipulatio* zur Rückgabe des Geldes (d.h. der geliehenen Summe, eventuell auch der verabredeten Zinsen) verpflichtet hatte. Der Begriff *debere* würde dann für Rückzahlung von Gelddarlehen übrig bleiben, die auf weniger förmliche Art (durch blosse Willenseinigung der Parteien) zustande gekommen sind: zu dieser allgemeinen Bedeutung von *debere* vgl. HEUMANN-SECKEL S. 122 s.v. ‚*debere* 2: aus irgendeinem Rechtsgrunde, nach Zivilrecht oder nach prätorischer Satzung .... etwas schulden'.

GRADENWITZ, Versuch einer Dekomposition des rubrischen Fragmentes (1915), S. 25-26 Anm. 35 hatte Einwände gegen die Wendung *debereve,* da das Wort in *10 quoi eam pecuniam darei oportebit* nicht neben *oportebit* wiederholt wird; er bezeichnet es darum als einen Einschub aus späterer Zeit („Auflagerung"). Von dem Redaktor unserer Lex Rubria und überhaupt von einem römischen Gesetzgeber aus dieser Zeit wird man jedoch eine so weitgehende Exaktheit bei der Wiederholung gewisser Worte kaum erwarten dürfen.

Über das Vorkommen der Abkürzung D.O. = *dare oportere* im gajanischen Codex Veronensis und in anderen juristischen Handschriften vgl. STUDEMUND, Gaii Inst. Apographum (1873) S. 264.

5-6. **confessus erit** steht — ebenso wie *8 non responderit* — im Futurum exactum; bei den anderen in *4* bis *9* vorkommenden Verben findet man das Futurum simplex (*solvet satisve faciet .... non defendet* und *sponsionem faciet neque .... se defendet*). Gerade dieser Unterschied im Tempusgebrauch gab bei der Analyse dieses Passus in der Einleitung (s. oben S. 137 ff.) die Basis ab für die Einteilung in Arten der Prozessverschleppung: weil wir hier zwei Futura exacta vorfinden, welche als die Hauptmomente der Verschleppungsmanöver zu betrachten sind (*confessus erit* und *non responderit*), müssen wir annehmen, dass dem Redaktor der Lex ebenfalls zwei solche Handlungsweisen vor Augen standen: 1) anfängliches Geständnis der Schuld (daraufhin jedoch Verweigerung der Mitarbeit am Prozessablauf) und 2) Nicht-Erscheinen (von Anfang an und ebenfalls später keine Mitwirkung). Man kann sich fragen, ob man den Gegensatz zwischen den Futura exacta einerseits und den Futura simplicia anderseits als Tempusunterschied oder als Aktionsunterschied charakterisieren soll (vgl. hierzu, im allgemeinen, HOFMANN-SZANTYR, S. 323, mit Lit.). Aus dem logischen Zusammenhang dürfte hervorgehen, dass die beiden Futura exacta immer das wichtigere Moment angeben, das als Ausgangspunkt des Auftretens zu betrachten ist, die Futura simplicia hingegen die darauf folgenden zusätzlichen Verhaltensweisen. Man könnte etwa so paraphrasieren: „wer .... erst ein Geständnis ablegt (ablegen wird), es dann aber unterlässt (unterlassen wird) Genugtuung zu geben oder sich .... zu verteidigen"; und: „wer.... erst nicht einmal zur Verteidigung erscheint (erscheinen wird) und es dann auch unterlässt (unterlassen wird) ein rechtlich bindendes Versprechen abzulegen und (im Anschluss daran) sich .... zu verteidigen". Die Futura haben hier wie an anderen Stellen unserer Lex eine generelle Bedeutung und nähern sich dadurch dem Präsens (vgl. zu diesem generellen Aspekt des Futurums HOFMANN-SZANTYR S. 310 sub a α).

6. **satisve faciet,** „oder (hierfür auf andere Weise) Genugtuung gibt". *satis facere,* „Genugtuung geben" (vgl. HEUMANN-SECKEL, S. 526 s.v. ‚*satis*' sub 1) wird in juristischen Texten als Alternative zu „bezahlen" (*solvere satisve facere*) verwendet, wie aus Ulp. 73 ad ed., dig. 20, 6, 6, 1: *qui vero non solvere, sed satisfacere paratus est* etc., Gaius 9 ad ed. prov., dig. 13, 7, 10 und Ulp. 58 ad ed., dig. 42, 1, 4, 3 hervorgeht.

6-7. **se sponsione iudicioque utei oportebit non defendet,** ,,(oder wenn der Schuldner) es unterlässt, sich durch Ablegung eines rechtlich bindenden Versprechens und (im Anschluss daran) durch Annahme einer Prozessformel wie vorgeschrieben zu verteidigen''. Ein Vergleich dieses Passus mit einigen Stellen aus Cic. Quinct. (61. 62. 63. 64. 66. 87) und mit einem Ulpianus-Fragment (s. unten) lässt erkennen, dass diese Wendung folgendermassen zu erklären ist: das ,,sich gebührend verteidigen'' erfolgt durch das Ablegen einer *sponsio* und die Annahme eines *iudicium*. Man vgl. Ulp. 9 ad ed., dig. 3,3,35,3 (de procuratoribus et defensoribus): *Defendere autem est id facere quod dominus in litem faceret, et cavere idonee ..... Praeter satisdationem procurator ita defendere videtur, si iudicium accipiat.* Gemäss Ulpian verteidigt sich eine Prozesspartei gebührend, wenn sie das *iudicium* (d.h. sowohl Prozessformel wie Prozess *apud iudicem,* vgl. S. 102 ff.) akzeptiert und die für Prozessparteien vorgeschriebene *cautio* leistet. In dieser Hinsicht ist auch Cic. Quinct. 62 von Interesse: *Et audes, Sex. Naevi, negare absentem defensum esse Quinctium, ... cum is iudicium acceperit pro Quinctio, ..., conaris hoc dicere, neminem exstitisse, qui Quinctium iudicio defenderet.* Am Ende dieses Zitats findet man gleichfalls die in unserem Lemma vorkommende Wendung (*se*) *iudicio defendere,* ,,(sich) im Prozessweg verteidigen'', wie es M. Wlassak, ZSS. 25 (1904) S. 124 f. ausdrückt. In unserem Lemma hingegen ist ausserdem von *se sponsione defendere* die Rede. In der Einleitung zu diesem Caput, vgl. S. 151 mit Anm. 19, wurde dargelegt, dass es sich hier um eine *sponsio* anlässlich einer *actio certae creditae pecuniae* handelt. Wie aus Gaius IV, 13. 171 und Cic. Rosc. com. 5, 14 hervorgeht, war bei einem solchen Prozess eine *sponsio tertiae partis* (der Beklagte verspricht dem Kläger einen Strafzuschlag in Höhe eines Drittels für den Fall seines Unterliegens und umgekehrt) die Regel (man vgl. zu der *actio certae creditae pecuniae* und der dazugehörigen *sponsio tertiae partis* oben S. 151, und ferner Kaser, Privatrecht I^2 S. 531 f., und Zivilprozessrecht S. 213).

Streng grammatischen Regeln entsprechend hätte *non* nicht zu *defendet* hinzugefügt werden dürfen, da es sich bei *aut .... defendet* um eine Alternative zum vorherigen (Z. 6) *neque .... solvet satisve faciet* handelt; Demelius, Die Confessio (1880) S. 132, Giffard, La ,confessio in iure' (1900), S. 69 und Pflüger, ZSS. 64 (1944), S. 362/3 kommen darum auf Grund des Vorhandenseins von *non* zu dem Schluss, dass der Satz *aut .... non defendet* einen dritten, besonderen Fall von Verschleppung des Prozessablaufs umschreibt. Für diese dreiteilige Interpretation ist jedoch das Futurum simplex von *defendet* (anstelle eines Futurum exactum) ein schwerwiegendes Hindernis (s. oben S. 137 f.); ausserdem ist bei einem so langen Satz der Hinweis auf ein etwas abundantes *non* ein kaum ernsthaft in Betracht kommendes Argument.

8. **seive is ibei d(e) e(a) r(e) in iure non responderit,** „oder falls der Schuldner es unterlässt, dort hinsichtlich des betreffenden Falles zu der gerichtlichen Voruntersuchung zu erscheinen". Die Worte *non responderit* könnten zunächst Verwirrung stiften, wenn man für *non respondere* an eine Übersetzung mit „nicht antworten" denkt. Es ist jedoch sehr unwahrscheinlich, dass der Schuldner zwar zu dem Verfahren *in iure* erscheint, auf die Fragen des Magistrats aber nicht antwortet (vgl. bereits oben S. 156), und man tut besser daran, an einen anderen, zweifellos häufig vorkommenden, Fall zu denken, der gleichfalls mit *non respondere* umschrieben werden kann, nämlich an ein „Nicht-Erscheinen". Diese Bedeutung von *respondere,* „erscheinen, um sich vor Gericht zu verteidigen" finden wir häufig sowohl in juristischen Texten wie in der sonstigen Literatur, vgl. Lewis-Short, S. 1581 s.v. ‚*respondere*' sub II, 2b, Heumann-Seckel, S. 514 s.v. ‚*respondere*' sub 1f und V.I.R. V, 177-178 s.v. ‚*respondere*' sub II; ausserdem: Cic. fin. 2, 16, 54: *Profectus in exsilium Tubulus est nec respondere ausus* und Hor. sat. 1, 9, 34-36: *ventum erat ad Vestae, quarta iam parte diei / praeterita, et casu tum respondere vadato / debebat; quod ni fecisset, perdere litem* (letzteres eine Übertreibung von: „sein *vadimonium* verloren haben"). Beispiele, in denen *non respondere* vorkommt, finden wir bei Cic., Verr. II, 2, 40, 98: *citat reum: non respondit; citat accusatorem: citatus accusator .... non respondit, non adfuit;* Mod. 12 pandectarum, dig. 48, 17, 5 *pr.*: *si neque responderit neque qui se defendant habuerint, tunc post annum bona in fiscum coguntur;* und Ulp. 4 de omn. trib., dig. 5, 1, 73 *pr.*: .... *tunc absens citari debet: et sive responderit sive non responderit, agetur causa et pronuntiabitur, non utique secundum praesentem, sed interdum vel absens.* Vor allem das letzte Beispiel zeigt deutlich, dass *non respondere* und *abesse* fast Synonyme sein können.

9/10. **tum de eo, a quo ea pecunia peteita erit, deque eo, quoi eam pecuniam d(arei) o(portebit), s(iremps) res lex ius**

caussaque o(mnibus) o(mnium) r(erum) esto, atque utei esset eqs.: ,,dann soll sowohl hinsichtlich desjenigen, von dem das Geld zurückgefordert wird, als hinsichtlich desjenigen, an den das Geld gezahlt werden muss, d.h. für alle, der Rechtsstreit, die Gesetzes- und Rechtsvorschrift und der Rechtsgrund in jeder Hinsicht in gleicher Weise zutreffen, als es der Fall wäre usw." Für die einzelnen Bestandteile dieses komplizierten Satzes vergleiche man die untenstehenden separaten Lemmata; hier soll nur auf die Gesamtkonstruktion näher eingegangen werden. In den von Bruns herausgegebenen Leges finden sich im ganzen 8 Belege für die in der römischen Kanzleisprache anscheinend recht beliebten Wendungen mit *siremps*, ,,gleich" (zu diesem Wort s. unten zu Z. *10*). Manche davon sind recht einfach konstruiert; vgl. die Lex agraria (Bruns Nr. 11) *27*, S. 79 (etwa 111 v. Chr.) *de eo agro siremps lex esto, quansi is ager eqs.*; die Lex Ursonensis (Bruns Nr. 28) III, 2, *36*, § 95, S. 132 (44 v. Chr.) *deq(ue) e(a) r(e) siremps lex resque esto, quasi* [Aes: *quos*] *si eqs.*; und die Lex civitatis Narbonensis de flaminio provinciae (Bruns Nr. 29) *21*, S. 142 (Zeit von Kaiser Augustus) *siremps lex ius causaque esto quae eqs.* Etwas komplizierter, besonders infolge der Hinzufügung eines archaischen Genetivs des Sachbetreffs *omnium rerum*, ,,in jeder Hinsicht" (vgl. dazu unten ad Z. *10*), sind die Lex latina tabulae Bantinae (Bruns Nr. 9) *12*, S. 54 (etwa zwischen 133 und 122 v. Chr.) *eiq(ue) omnium rerum siremps lexs esto, quasei sei is eqs.*; die Lex Acilia repetundarum (Bruns Nr. 10) *73* (*80*), S. 71 (123/22 v. Chr.) *praetori quaestorique omnium rerum, quod ex hace lege factum non erit, siremps lex esto, qua[sei eqs.* (,,für jenen Prätor und jenen Quästor soll in jeder Hinsicht, sofern etwas nicht gemäss den Vorschriften dieses Gesetzes erledigt ist, das Gesetz in derselben Weise zutreffen, wie usw."). In seiner Abundanz schon einigermassen mit unserer Stelle vergleichbar ist folgender Beleg: Lex Quinctia de aquaeductibus (Bruns Nr. 22, aus Frontin, de aquaeductu urbis Romae c. 129) *29/30*, S. 114 (9 v. Chr.) *et adversus eum siremps lex ius causaque omnium rerum omnibusque esto, atque utei esset esseve oporteret, si eqs.* (,,auch ihm gegenüber und für alle soll die Gesetzes- und Rechtsvorschrift in jeder Hinsicht in derselben Weise zutreffen, wie sie zutreffen würde oder zutreffen sollte, wenn usw."): besonders *adversus eum .... omnibusque* ist hier ähnlich abundant wie *de eo .... deque eo .... omnibus* in unserer Lex Rubria. Man vergleiche zum Schluss noch die zwei ebenfalls sehr komplizierten Wendungen in der Lex Cornelia de XX quaestoribus (BRUNS Nr. 22; 81 v. Chr.): I, *38-40*, S. 90 *sirempsque eis viatoribus deque eis viatoribus q(uaestori) omnium rerum iuus lexque esto, quasei si ei viatores eqs.* („inbetreff jener Boten und hinsichtlich jener Boten soll für den Quaestor die Rechts- und Gesetzesvorschrift in jeder Hinsicht in derselben Weise zutreffen, wie wenn jene Boten usw."); und II, *1-3*, S. 90/91 *sirempsque eis praeconibus deque eis praeconibus quaestori omnium rerum iuus lexque esto, quasei sei ei praecones eqs.* („inbetreff jener Herolde und hinsichtlich jener Herolde usw."): wie man sieht, hat der Dativ *eis viatoribus* (*praeconibus*) eigentlich genau dieselbe Funktion wie die praepositionale Wendung *deque eis viatoribus* (*praeconibus*). Wir werden somit auch an unserer Stelle eine Art Tautologie für die präpositionalen Wendungen *de eo .... deque eo ....* (Z. *9*) einerseits und den Dativ *omnibus* (Z. *10*) andererseits annehmen müssen.

10. **s(iremps).** Die Ergänzung von *s.* zu *siremps* erscheint durch das Vorkommen des benachbarten Wortes *lex* gesichert. Man vergleiche hierfür ferner die Bemerkungen zum folgenden Lemma *s(iremps) res lex ius caussaque o(mnibus) o(mnium) r(erum) esto* und den dortigen Hinweis auf Probus. Die Wortableitung von *siremps* ist nicht ganz sicher; ERNOUT-MEILLET DEL. ([4]1967) S. 629 s.v. bringt die Silbe *sir-* mit umbr. *surur* = *item* („desgleichen") zusammen, das deiktische *-em* mit *it-em*; die Partikel *-ps(e)* findet man z.B. in *ea-pse* wieder.

10. **s(iremps) res lex ius caussaque o(mnibus) o(mnium) r(erum) esto.** Diese lange Abkürzungsreihe gehörte (wenn wir von dem einen *o* = *omnibus* absehen) zu den normalen Formeln, die von den Gesetzesschreibern häufig verwendet wurden. Sie ist auch in der Abkürzungssammlung aus Probus, KEIL Gramm. lat. IV, S. 272 Nr. 3 in der Form SRLRICQORE = *siremps lex res ius causaque omnium rerum esto* zu finden. Die Ergänzung des einen der beiden *o* zu *omnibus* beruht auf einem Vergleich mit der oben (ad *9/10*) bereits zitierten Stelle aus der Lex Quinctia (Frontin aqu. 129), *29/30 siremps lex ius causaque omnium rerum omnibusque esto.*

Von den vier Worten *res lex ius caussaque* ist *res* eine sehr allgemeine Bezeichnung für „Rechtssache", „Rechtsstreit" (vgl. HEUMANN-SECKEL, S. 511 s.v. ‚*res*' sub 1 e). Unter *lex* versteht man eine zivilrechtliche „Vorschrift", die schriftlich festgelegt sein kann oder nicht (vgl. Heumann-Seckel, S. 311 s.v. ‚*lex*' sub 1 b und 1 c). In unserem Fall wird das Wort *lex* wohl eine „Gesetzesvorschrift" bezeichnen, die bei einem bestimmten Prozess verwandt wird. In der Verbindung von *lex* mit *ius* handelt es sich bei *ius* entweder um das ungeschriebene Recht (vgl. Kaser, Das altrömische ius, Göttingen 1949, S. 63-74, vor allem S. 71-72) oder aber das sogenannte „magistratische Recht", d.h. Entscheidungen und Dekrete der Jurisdiktionsmagistrate (so Heumann-Seckel, S. 301 s.v. ‚*ius*' sub 1 a γ, S. 301 init.). Eine Wahl zwischen diesen beiden Möglichkeiten ist nicht leicht; man ist jedoch geneigt, eher an das „magistratische Recht" zu denken, da mit der Verbindung *lex ius* wohl an erster Stelle der gesamte Komplex der zur Sache gehörigen Rechtsvorschriften gemeint sein dürfte. Schliesslich erhält man den Eindruck, dass sich *caussa* auf den „Rechtsgrund" bezieht (vgl. (vgl. Heumann-Seckel, S. 59 s.v. ‚*causa*' sub 1 c).

Über den Genetiv bei *omnium rerum*, „in jeder Hinsicht", einen archaischen Genetiv des Sachbetreffs, vgl. Hofmann-Szantyr, Syntax S. 74 ff. und David-Nelson, Komm. zu Gaius II, 224, S. 417 (anlässlich des Zwölftafelspruchs V, 3 *uti legassit suae rei, ita ius esto*). Über eine Abart dieses Genetivs, den Genetivus forensis, ist bereits oben S. 90 f. im Komm. zu XX, 7 gesprochen worden.

11. **ita confessus erit aut d(e) e(a) r(e) non responderit aut se sponsione iudicioque utei oportebit non defenderit** (vgl. zu diesem Lemma das Schema auf S. 148 f.). Die beiden in *4-9* erwähnten Möglichkeiten der Verschleppung des Prozessablaufs werden in diesem Lemma noch einmal genannt, allerdings in gedrängter Form. Die Worte *aut se sponsione iudicioque utei oportebit non defenderit* müssen — da sie in der ersten Aufzählung sowohl in *6-7* (der ersten Möglichkeit der Verschleppung) wie auch in *8-9* (der zweiten Möglichkeit) vorkommen, sich aber in unserem obigen Lemma nur hinter *aut de ea re non responderit* (der zweiten Möglichkeit) befinden — sowohl auf *quei ita confessus erit* (die erste Möglichkeit) wie auch auf *aut de ea re non responderit* (die zweite) bezogen werden (somit gewissermassen ἀπὸ κοινοῦ gemeint sein).

Die Möglichkeit, dass der Beklagte es auch nach einer *confessio* unterlassen kann, zu zahlen oder Genugtuung zu geben (*solvere satisve facere*), dürfte hier der Kürze wegen fortgelassen worden sein. Wlassak, Konfessio, 1934 S. 63 nimmt an, dass sie hier mit *ita* umschrieben wird, „ebenso wie (weiter unten) in *15* und *40*". Wlassaks Interpretation ist, noch ganz abgesehen von anderen Schwierigkeiten, schon deshalb unmöglich, weil weiter unten in demselben Zusammenhang (*15-16*) trotz des Vorhandenseins von *ita* die Worte *neque id solvet satisve faciet* doch vorkommen. Es ist darum besser und auch näher liegend, *ita*, „auf diese Weise", zu erklären mit: „bei dem Verfahren *in iure* vor dem Jurisdiktionsmagistrat". *Ita* verweist auf die Bedingungen einer gültigen *confessio*; die Möglichkeit *solvere satisve facere* ist wohl vom Redaktor weggelassen worden, weil er nach seiner vorhergehenden vollständigeren Umschreibung dieser Möglichkeit, oben in Z. *5-7*, eine genaue Wiederholung für überflüssig hielt.

13. **ex iudicieis dateis.** Die Wendung *iudicia dare*, „Prozessformeln erteilen", ist schon auf S. 102 ff., Kommentar zu XX, *17* s.v. ‚*iudicia dato*' besprochen worden.

iudicareve recte iusseis. Der Ausdruck *iudicare iubere* bezieht sich auf die Anweisungen für das auszusprechende Urteil, die der Jurisdiktionsmagistrat in das Prozessformular (*formula* oder *iudicium*) aufnehmen lässt. Vgl. Kommentar zu XX, *17* s.v. ‚*iudicareque iubeto cogito*', S. 105 f.

14. **queique quomque.** Für den hier auftretenden Fall von Tmesis (*queique quomque* anstatt *et quicumque*) s. S. 56 ff., Kommentar zu XIX, *1-2*.

16-17. **eum<ve> quei se sponsione iudiciove utei≪ve≫ oportebit non defenderit.** Auffallend ist der Platz, den diese Worte in der gesamten dritten Umschreibung der Fälle von Verschleppung des Prozessablaufs einnehmen. In Hinblick auf die zweite Umschreibung (*11-12*), in der diese Worte anscheinend als gemeinsamer Zusatz zu den beiden vorher genannten Fällen von Prozessverschleppung zugleich beabsichtigt sind, könnte man erwarten, dass auch in diesem Fall von einer solchen Verwendung die Rede ist. Die Stellung der im Lemma zitierten Worte innerhalb des Ganzen von Z. *15-18* bleibt jedoch auffallend: die Worte, dass der Beklagte es unterlässt, sich auf gebührende Weise vor Gericht zu verteidigen (*se sponsione iudiciove defendere*), gehören nicht nur zur ersten Möglichkeit von Verschleppung (*15-16*), sondern auch zur (noch nicht erwähnten) zweiten (*17-18*). Wie bereits in der Einleitung, vgl. S. 145 ff., gesagt wurde, hat der Redaktor das Hinzufügen dieser Worte hinter *17-18 solvet satisve faciet* wohl als etwas Selbstverständliches unterlassen. Er fühlte sich hierzu anscheinend um so mehr berechtigt, als er schon an zwei vorherigen Stellen, Z. *4-9* und *11-12*, eine Umschreibung der in Frage kommenden Möglichkeiten gegeben hatte, von denen besonders die Umschreibung an der erstgenannten Stelle sehr ausführlich ausgefallen war.

18. **de qua tum inter eos ambigetur.** GRADENWITZ, Versuch einer Dekomposition (1915), S. 32 und PÜSCHEL, Confessus pro iudicato est (1924), S. 67 stellen fest, dass das Verb *ambigetur* nur für den Fall verwendet werden kann, in dem ein Beklagter seine Schuld zwar gestanden hat, sich dann aber nicht entsprechend den Regeln verhält (*confessus erit neque ....*); in einem solchen Fall gebe es aber keinen „Zweifel" über das Bestehen der Schuld. Diese Auffassung beruht jedoch auf einem Missverstandnis; es ist zwar nicht von einem Streit über das Bestehen der Schuld die Rede, wohl aber davon, dass der Prozess wegen der Schuld noch nicht zu einem Resultat geführt hat (vgl. S. 154 ff.): *ea pecunia .... de qua tum inter eos ambigetur* bedeutet hier somit „die Geldsumme, um die es sich im Prozess handelt" oder „die Geldsumme, um die der Prozess geführt wird" (und nicht etwa: „die Geldsumme, die angezweifelt wird"). Für *ambigere* in der Bedeutung „einen Prozess führen" vgl. z.B. noch Cic. II Verr. 2, 18, 44 *illius hereditatis, de qua ambigebatur, quae erat HS triciens, ... Syracusanis possessio traditur,* „von seiner Erbschaft, um die der Prozess geführt wurde, die sich auf 3 Millionen Sesterze belief, wurde der Besitz den Syrakusanern überwiesen" (es wäre unmöglich, hier etwa zu übersetzen: „von seiner Erbschaft, an der gezweifelt wurde, usw.").

19. **dumt(axat) HS $\overline{\text{XV}}$.** Wie bei Grenzfällen festgestellt wurde, ob ein Fall noch in den Kompetenzbereich des Munizipalmagistrats fiel oder nicht, wurde auf S. 168 f. Komm. zu XXI, *3/4* erklärt: die Angaben des Klägers dienten als Ausgangspunkt. In diesem Zusammenhang kann noch darauf hingewiesen werden, dass das römische Recht die Möglichkeit bot, zu hohe Forderungen zurückzuweisen; der *iudex* konnte nämlich nicht von dem geforderten und in die *formula* (*iudicium*) aufgenommenen Betrag abweichen. War der eingeklagte Betrag zu hoch, so sprach der Richter den Beklagten frei. Hierzu s. Gaius IV, 52. 57.

s(ine) f(raude) s(ua), „(dieser Befehl) darf ihm (d.h. dem Magistrat) nicht zum Nachteile gereichen". Wie aus der Sammlung der *notae iuris* des Probus, KEIL, Gramm. Lat. IV, S. 273 Nr. 25: SFS = *sine fraude sua* hervorgeht, handelt es sich auch hier um eine feste, häufig vorkommende Abkürzung. Inbetreff der Bedeutung von *fraus* in dieser und in ähnlichen Wendungen vgl. HEUMANN-SECKEL s.v. ‚*fraus*' sub 5, S. 221 (etwa = „Nachteil", „Gefahr"; gemäss Ulp. 1 ad ed. aedil. cur., dig. 21, 1, 23, 2 ist *fraus* in alten gesetzlichen Wendungen bisweilen geradezu ein Synonym für *poena*).

Die Nachdrücklichkeit, mit der an unserer Stelle hervorgehoben wird, dass es dem örtlichen Magistrat „nicht zum Schaden (oder gar zur Strafe) gereichen darf", wenn er einen Beklagten, der sich bei einer Forderung aufgrund eines Gelddarlehens einer Prozessverschleppung schuldig macht, als einen Verurteilten betrachtet und ihn daraufhin geiseln lässt, führt uns zu der Vermutung, dass rechtswidrige Massnahmen der Munizipalmagistrate unter Strafe gestellt waren. Wir dürfen daher annehmen, dass an einer anderen — nicht mehr erhaltenen — Stelle unserer Lex eine Strafbestimmung, eine sogen. *sanctio*, gestanden hat, die etwa folgendermassen gelautet haben könnte: „Handelt der örtliche Magistrat einer Bestimmung dieses Gesetzes zuwider, so soll gegen ihn wegen Amtsmissbrauch ein Strafprozess angestrengt werden". Solche *sanctiones* befanden sich, wie MOMMSEN, Strafrecht S. 882 ausführt, oft am Ende eines Gesetzes (vgl. hierzu auch unten, Anhang III S. 301 ff. mit Anm. 22).

Die in unserm Lemma zitierten Worte dürften uns ferner zu der Schlussfolgerung berechtigen, dass die hier dem Munizipalmagistrat zuerkannte Befugnis, den Befehl der Geiselung zu erteilen, mehr oder weniger als ein Ausnahmefall betrachtet werden muss. Die Vermutung, dass in den meisten Fällen lediglich der römische Prätor eine Geiselung anordnen durfte, scheint auch durch den Wortlaut von XXII, *50-52* bestätigt zu werden; wir lesen dortselbst: „Es sei darauf hingewiesen, dass in einem solchen Fall kein anderer Magistrat als der Prätor oder derjenige, dem in Rom die Rechtsprechung obliegt, dazu befugt ist, den Befehl zu erteilen, ... den Schuldner selbst zu geiseln".

Vielleicht hat die Lex Rubria sogar gleich am Anfang eine allgemein formulierte Bestimmung enthalten, in der die Unterordnung der örtlichen magistratischen Kompetenzen unter die Amtsgewalt des römischen Prätors ausdrücklich hervorgehoben wurde. Sie könnte etwa folgenden Wortlaut gehabt haben: „Der örtliche Magistrat soll keine Streitsachen behandeln und keine Massnahmen treffen, die dem Prätor in Rom vorbehalten sind". Leider ist der Anfang unserer Lex nicht erhalten — die überlieferte Tafel ist, wie man weiss, Nr. IIII —; man könnte jedoch als ungefähre Parallele die Einleitung zu der Lex Antonia de Termessibus anführen (BRUNS Nr. 14 S. 92 ff.; 71 v. Chr.), Z. *8-11*, welche folgende allgemeine Bestimmung enthält: *eique legibus sueis ita utunto, itaque ieis omnibus sueis legibus Thermensis maioribus Pisideis utei liceto, quod advorsus hanc legem non fiat*: „und sie sollen ihre eigenen Gesetze haben und es soll ihnen, den Einwohnern von Thermessus maior in Pisidien, gestattet sein, ihre sämtlichen Gesetze anzuwenden, sofern sie diesem Gesetze (in dem die Verhältnisse zu Rom geregelt sind) nicht zuwider sind".

duci iubeto. Mit Hilfe dieser „Personalexekution", der Geiselung, konnte der Kläger, dessen Forderung im Prozess anerkannt worden war, die Zustimmung erhalten, den unwilligen Schuldner zur Zahlung zu zwingen. Nachdem nun nach Ablauf der Zahlungsfrist ein neues Rechtsverfahren stattgefunden hatte, erteilte der Jurisdiktionsmagistrat dem Kläger die Genehmigung, den Schuldner auf eigene Faust zu geiseln (in Privathaft wegzuführen, *ducere*). Aus dem, was KASER, Zivilprozessrecht S. 20, hierüber mitteilt, geht hervor, dass wir über Einzelheiten des Verfahrensverlaufs kaum weitere Informationsquellen besitzen. Unsere Kenntnisse stammen offensichtlich lediglich aus dem Zwölftafelgesetz (III, *3* und *4*[1]); das Alter dieser Bestimmungen macht es jedoch unmöglich, aus dem Zwölftafelgesetz Schlussfolgerungen über den Verfahrensverlauf im ersten Jahrhundert v. Chr. zu ziehen. Man kann sich auch noch fragen, wie die Geiselung bei Abwesenheit des Beklagten verwirklicht wurde; wahrscheinlich war es in einer kleinen Gemeinschaft weniger leicht möglich, sich unbemerkt zu verbergen, aber trotzdem dürfte das Auffinden des Beklagten öfters eine schwierige Angelegenheit gewesen sein.

20. **id ei fraudi poenaeve ne esto.** Die in Caput XXI vor-

[1] Lex XII Tab. III, *3*. *Ni iudicatum facit, aut quis endo eo in iure vindicit, secum ducito, vincito aut nervo aut compedibus XV pondo, ne maiore, aut si volet minore vincito. 4. Si volet suo vivito. Ni suo vivit, qui eum vinctum habebit, libras farris endo dies dato. Si volet, plus dato.*

geschriebene Gleichstellung eines unwilligen Beklagten mit einem *iudicatus* ist keine normale Regelung des in der Stadt Rom gültigen Rechts; in Rom nämlich wurde gegen einen unwilligen Beklagten nur mit indirektem Zwang vorgegangen (vgl. S. 159 f.). Ohne die in unser Caput aufgenommene Bestimmung hätte somit ein Munizipalmagistrat nicht das Recht gehabt, einen solchen Beklagten einem Verurteilten gleichzustellen. Das heisst, dass man, wenn diese Bestimmung nicht aufgenommen wäre, dagegen hätte protestieren können, und dass dieser Protest ausser für den Magistrat auch für den Kläger nachteilige Folgen hätte haben können. Das genannte Recht sollte hier offensichtlich noch einmal besonders hervorgehoben werden.

20-21. **quodque ita factum actum iussum erit, id ius ratumque esto.** Diese Ergänzung soll wahrscheinlich auf den endgültigen Charakter der in Caput XXI befohlenen Gleichstellung eines der Verschleppung des Prozessablaufs überführten Beklagten mit einem Verurteilten (*iudicatus*) hinweisen und auch auf die Endgültigkeit des Befehls zur *ductio*. Darum ist der Prozess über den betreffenden Fall hiermit endgültig abgeschlossen (so auch schon GIFFARD, La ,confessio in iure', 1900, S. 108).

ita: d.h. vermöge einer besonderen Damnationsfiktion, die wegen unwilligen Verhaltens beim Verfahren *in iure* verhängt wurde.

actum. *agere* kann bezeichnen: ,,die ganze Tätigkeit des Klägers beim Verfahren *in iure*, auch dann, wenn es zu keinem Prozess kommt" (vgl. L. WENGER, Zur Lehre von der actio iudicati, Graz 1901, S. 169). Zu einem *iudicium* ist es, wie wir oben sahen, in unserem Fall infolge der Verweigerung der Mitwirkung von seiten des Beklagten nicht gekommen. Man könnte somit mit WENGER (a.a.O. S. 173) sagen, dass *agere* an dieser Stelle mehr oder weniger ein Synonym des in 5 und 9 vorkommende *petere* (,,zurückfordern") ist.

WENGER macht S. 110-111, Anm. 18 noch darauf aufmerksam, dass *actum* kein Hinweis auf eventuelle Verwendung von *legis actiones* ist: ,,*agere* nämlich ist nicht technisch wie *actio* (Spruchformel im Gegensatz zu *iudicium* = Schriftformel)". Der S. 135 Anm. 4 gemachten Feststellung, dass die Lex Rubria von dem Formularprozess ausgeht, wird darum durch das Vorhandensein des Wortes *agere* nicht widersprochen. *Actum* unterscheidet sich an dieser Stelle dadurch vom vorhergehenden *factum*, dass es mehr zum Bereich der juristischen Terminologie gehört, während *factum* eine recht generelle Bedeutung hat.

21-24. **quominus in eum iudicium recup(eratorium) .... det iudicareique d(e) e(a) r(e) ibei curet, ex h(ac) l(ege) n(ihilum) r(ogatur).** Zur Behandlung der Frage, wie dieser Abschnitt an den Rest von Caput XXI anschliesst, vgl. oben S. 163 ff. An der genannten Stelle wurde darauf hingewiesen, dass in den vorherigen Zeilen *2-21* zumindest ein Fall ausdrücklich vom Übrigen abgetrennt und unbesprochen gelassen wurde: die Prozesse wegen einer Geldschuld von über 15.000 Sesterzen. Es dürfte aber, wie wir a.a.O. gesehen haben, noch eine zweite Möglichkeit hinzukommen: der Fall, dass bei Prozessen wegen einer Darlehensschuld von weniger als 15.000 Sesterzen eine über einen unwilligen Beklagten verhängte Damnationsfiktion und ein eventuell daraufhin erteilter Geiselungsbefehl nichts ausgewirkt hatten. Weil der örtliche Jurisdiktionsmagistrat, im Gegensatz zu dem römischen Prätor, keine Beschlagnahme des Vermögens zugunsten des Gläubigers anordnen konnte, musste auch in diesem Fall die endgültige Erledigung der Rechtssache nach Rom weitergeleitet werden (s. hierzu oben S. 166 f.; und was das Verfahren in Rom anbelangt, S. 167 Anm. 33).

In den Fällen, in denen der Magistrat dazu verpflichtet war, Prozesse nach Rom zu verweisen, konnte er von dem Beklagten eine persönliche Garantie (*vadimonium*) oder eine Bürgschaft (*vindex locuples*) fordern, um sein Erscheinen vor dem Prätor sicherzustellen. Wenn der Beklagte sich unwillig zeigte, konnte der Munizipalmagistrat schliesslich mittels eines Rekuperatorengerichts gegen ihn einschreiten (zu den Begriffen *vadimonium, vindex locuples* und *iudicium recuperatorium* siehe unten die betreffenden Lemmata).

Die wegen ihrer doppelten Verneinung etwas umständlich anmutende Wendung *quominus ...., ex hac lege nihilum rogatur*, „auf Grund dieses Gesetzes ist (beim Volke) nichts beantragt worden, das verhindern könnte, dass ....", d.h. in der Praxis: „infolge dieses (Volks-)Gesetzes tritt keine einzige Bestimmung in Kraft, die verhindern könnte, dass usw.", begegnet in lateinischen Gesetzestexten häufiger. Bisweilen weist der Wortlaut eine kleine Abweichung auf, vgl. z.B. Lex Antonia de Termessibus (Bruns Nr. 14, S. 92 ff.; 71

v. Chr.) II Z. *29/30 quominus ...., eius hac lege nihilum rogatur*; die gleiche Formel begegnet auch in der Lex Heracleensis (Bruns Nr. 18, S. 102 ff.; etwa 45 v. Chr.) Z. *50-52* (statt *eius* enthält die Bronze fehlerhaftes *eum*), *65, 66-67, 77-79, 80-81, 82*. Dieselbe Wendung wie in unserm Lemma findet man z.B. noch im Fragmentum Atestinum (Bruns Nr. 17; s. auch unten S. 313 ff.) Z. *6-9* und in der Lex Heracleensis Z. *75-76*. Auch das positive Gegenstück zu unserer Formel, *quo magis ...., ex hac lege nihilum rogatur*, „es tritt infolge dieses Gesetzes keine einzige Bestimmung in Kraft, welche das Recht geben könnte usw.", lässt sich belegen, vgl. die Lex Ursonensis (Bruns Nr. 28, S. 122 ff.; ca. 44 v. Chr.) cap. 95, *26-28* und — wenn die Ergänzungen richtig sind — das Fragm. Atest. Z. *17-21*. Inbetreff des Ausdrucks *legem rogare* vgl. noch die unten S. 329 (in Anhang III) gemachten Bemerkungen.

Da an der oben aus der Lex Anton. de Term. zitierten Stelle (II, *29/30*) sämtliche Worte ganz ausgeschrieben sind, lässt dieser Beleg sich gleichzeitig für die Ergänzung der häufig begegnenden Notae iuris *h.l.n.r.* verwenden; auch in unserer Lex findet sich (XXI, *24*) diese Abkürzungsreihe.

22. **vadimonium Romam,** „Garantie (in der Form eines Haftungsversprechens) für das Erscheinen (vor dem Prätor) in Rom". Über die Handhabung des *vadimonium* in Rom vgl. A. Steinwenter, RE. VIII A (1939) Sp. 2054-2061 s.v. ‚*vadimonium*' und Kaser, Zivilprozessrecht, S. 167-168. Der römische Prätor konnte dem Verfolger gestatten, dass er dem Angeklagten ein *vadimonium* auferlegte, damit dieser sich für eine Streitsache *in iure* stelle. Dieses *vadimonium* bestand aus einem förmlichen (in der Form einer prätorischen Stipulation verfassten) Versprechen, in dem der Beklagte die Zahlung einer Strafsumme für den Fall gelobte, dass er sein Versprechen nicht erfülle.

In unserem Fall jedoch, d.h. in den Munizipien von Gallia Cisalpina, war es nicht der römische Prätor, sondern der örtliche Jurisdiktionsmagistrat, der dem Verfolger die Auferlegung eines *vadimonium* gestattete: die Worte (Z. *22*) *ex decreto eius quei ibei* (d.h. „an Ort und Stelle", vgl. infra das separate Lemma) *iure deicundo praeerit* lassen keine andere Erklärung zu.

Über die Höhe des *vadimonium* erfahren wir nichts durch die Lex Rubria; aus Gaius IV, 186 können wir jedoch entnehmen, dass die *summa vadimonii* in den meisten Fällen der Hälfte des geforderten Betrages entsprach, aber auf keinen Fall mehr als 50.000 Sesterze war, d.h. nicht mehr als die Hälfte von 100.000 Sesterzen (nur bei den für uns hier nicht in Frage kommenden *actiones iudicati* und *depensi* betrug die Summe des *vadimonium* den vollen Streitwert). Der Beklagte musste somit auf Geheiss des örtlichen Jurisdiktionsmagistrates das Versprechen abgeben, diese *summa vadimonii* zu zahlen, wenn er sich nicht an einem bestimmten Tage und zur festgesetzten Stunde in Rom beim Prätor für ein Verfahren *in iure* melden würde. Wir werden weiter unten, Z. *23*, sehen, dass der Verfolger anstelle eines *vadimonium* auch die Stellung eines Bürgen, *vindex*, verlangen konnte: letztere Forderung hat der Jurisdiktionsmagistrat ihm anscheinend in den Fällen bewilligt, wo die Fähigkeit des Beklagten, die *summa vadimonii* aus eigenen Mitteln zahlen zu können, in Zweifel gezogen wurde.

Es muss noch darauf hingewiesen werden, dass die Erwähnung von Rekuperatorenprozessen in diesem Zusammenhang (Z. *23*) ganz andere Gründe hat als bei dem vierten von Gaius IV, 185 genannten *vadimonium*-Typ, dem *vadimonium recuperatoribus suppositis factum*; bei dem gaianischen Typ wurden *recuperatores* eingeschaltet, wenn der Betreffende sich nicht an sein *vadimonium* hielt; hier in der Lex Rubria geschah es jedoch, wenn der Beklagte sich von Anfang an nicht auf ein *vadimonium* einzulassen wünschte. Mit dem in *22* erwähnten *vadimonium* kann somit auf keinen Fall (wie Wlassak, Konfessio, 1934, S. 76 vermutete) das gaianische *vadimonium recuperatoribus suppositis factum* gemeint sein.

23. **eius quei ibei i(ure) d(eicundo) p(raeerit).** An allen anderen Stellen, an denen diese Wendung in der Lex Rubria vorkommt, weist sie auf einen örtlichen Jurisdiktionsmagistrat hin: vgl. XX, *9*; XXI, *4*. *15*. *22*; XXII, *31*. Auch das *ibei* von *ibei curet*, Zeile *24*, bezieht sich auf das Munizipium in Gallia Cisalpina. Wenn hingegen römische Magistrate gemeint sind, wird dies in der Formel deutlich zum Ausdruck gebracht: vgl. XXII, *43 quei de ieis rebus Romae i(ure) d(eicundo) p(rae)esset*; XXII, *45 isve quei d(e) e(is) r(ebus) Romae i(ure) d(eicundo) p(raeerit)* und XXII, *48 quei Romae i(ure) d(eicundo) prae<e>sse<t>*. Man muss somit annehmen, dass die Bedeutung „örtlicher Jurisdiktionsmagistrat" auch hier gemeint ist: der munizipale Jurisdiktionsmagistrat verfasste somit das *iudicium recuperatorium* und bestellte die *recuperatores*. Vgl. hierzu Einl. S. 163 ff. und oben Komm. zu Zeile *22*.

23. **aut vindicem locupletem ita non dederit,** „oder es unterlassen hat, einen vermögenden Bürgen zu stellen". Ein *vindex*, „Bürge" (eigentlich ein „Beschützer", „Verteidiger", vgl. HEUMANN-SECKEL, S. 625 s.v. *‚vindex'* sub 1 a und b), konnte in dem römischen Prozessrecht mit doppeltem Zweck auftreten, und zwar einmal, um zu garantieren, dass der Beklagte an einem näher zu bestimmenden Datum vor dem Jurisdiktionsmagistrat *in iure* erscheint: in einem solchen Fall handelte es sich um einen sogenannten „Ladungsvindex" (vgl. KASER, Zivilprocessrecht S. 165). Ausserdem konnte er die persönliche Exekution (Geiselung, *ductio*) des Urteils verhindern (vgl. KASER, Zivilprozessrecht S. 298). In beiden Fällen musste der *vindex* nach seiner Intervention für die Zahlung der Forderung oder des in dem Urteil bestimmten Betrages einstehen.

An unserer Stelle begegnet ein *vindex* als Alternative zu der Hinterlegung eines *vadimonium*. Wie wir oben (Z. *22*) gesehen haben, sollte ein *vadimonium* die Garantie für das Erscheinen des Beklagten bei dem Verfahren *in iure* sein. Der Gläubiger hat anscheinend besonders dann die Stellung eines Bürgen (*vindex*) verlangt, wenn er die Solvenz des angeklagten Schuldners für ungenügend hielt. Wir werden wohl annehmen dürfen, dass die vom Bürgen zu leistende Garantie gleich hoch gewesen ist wie die, welche für das vom Schuldner selbst zu leistende *vadimonium* vorgesehen war. Falls der Beklagte säumig war, so konnte — wie schon gesagt wurde — der Kläger den Bürgen verfolgen. Und darum war ein Bürge für den Gläubiger und den Magistrat nur dann annehmbar, wenn er „reich" (*locuples*) genug war, um eine eventuelle Zahlung zu garantieren.

23. **iudicium recup(eratorium).** Wenn wir die Abkürzung *recup.* im Anschluss an E. v. SCHRUTKA-RECHTENSTAMM (vgl. S.-Ber. Wiener Ak. d. Wiss., ph.-hist. Klasse 106, 1884, S. 463) in der im Lemma angegebenen Weise ergänzen, bedeutet dieser Ausdruck: „Prozessformular für die Aburteilung durch Rekuperatoren". MOMMSEN jedoch (und im Anschluss an ihn LOMMATZSCH, CIL. 1^2, 2 S. 481, Anm. zu II, *23*) zieht die Lex Antonia de Termessibus (71 v. Chr.) zum Vergleich heran, wo wir II, *2-5* (vgl. BRUNS Nr. 14 S. 94) folgendes lesen: (*magistratus ....,*) *qu[oque] de ea re in ious aditum erit, ita ious deicunto iudicia recuperationes danto, utei ie[i] eos recuperare possint*; und auf Grund der Wortfolge *iudicia recuperationes* möchte dieser Gelehrte an unserer Stelle in ähnlicher Weise *iudicium recup-*

(erationem) lesen (so auch, im Anschluss an MOMMSEN: BRUNS, S. 99, RICCOBONO, FIRA. I, S. 174 und KASER, ZSS. 81, 1964, S. 378).

Eine vergleichende Interpretation der beiden Stellen jedoch (die von MOMMSEN nicht gegeben wird) dürfte zur Genüge beweisen, dass die Lex Antonia de Termessibus keine Parallele für unsere Stelle aus der Lex Rubria abgeben kann. Denn in der Lex Antonia de Term. ist, wie auch das folgende (Zeile *5*) *recuperare* zeigt, *recuperatio* im ursprünglichen Sinne von „Wiedererlangungsverfahren" verwendet worden (vgl. zu dieser althergebrachten Bedeutung besonders Festus s.v. *‚reciperatio'* pag. 342, *9* ff. und 243, *1* f. LINDSAY): „(die Magistrate), an die man sich in dieser Angelegenheit um richterliche Hilfe wenden wird, sollen in dieser Sache in dem Sinne Rechtsansprüche und Prozessformulare und Wiedererlangungsverfahren erteilen, dass die Einwohner (von Termessus) diese Personen (d.h. ihre im mithridatischen Kriege geraubten freien Angehörigen und Sklaven) wiedererlangen können". An unserer Stelle in der Lex Rubria (Zeile *23*) wird aber bei der Bestellung von *recuperatores* nicht mehr an eine eigentliche *recuperatio*, d.h. „Wiedererlangung", gedacht, sondern lediglich an ein gerichtliches Verfahren, bei dem, um eine Beschleunigung der Abwicklung des Prozesses zu erzielen, beklagte Personen, die ihre Mitwirkung verweigern, mit Geldstrafen bedroht werden können. Es liegt somit auf der Hand, für *recup.* an unserer Stelle eine Ergänzung zu suchen, welche den besonderen Zweck des soeben genannten *iudicium* („Prozessformular") im gewünschten Sinne präzisiert: ein auf ein rekuperatorisches Beschleunigungsverfahren abzielendes Formular, d.h. ein *iudicium recuperatorium.*

Der Terminus *iudicium recuperatorium* begegnet öfters in der lateinischen Literatur; er hat jedoch in den Belegen, die ich vorgefunden habe, vielleicht eine etwas allgemeinere Bedeutung als an unserer Stelle der Lex Rubria, etwa „vollständiges rekuperatorisches Gerichtsverfahren", d.h. ein rechtliches Verfahren, bei dem nach der Behandlung *in iure* der Urteilsspruch einem Rekuperatorencollegium aufgetragen wird: vgl. Cic. inv. 2, 20, 6; in Verr. II 3, 11, 27; Plin. ep. 3, 20, 9; Suet. Vesp. 3. Ferner begegnet er, ebenfalls in der genannten allgemeineren Bedeutung, bei Gaius IV 105: *imperio vero continentur recuperatoria* (scil. *iudicia*, cf. IV 103). In abgekürzter Form findet man *rec. iudicio* bzw. *rec. iudi.* und *recu. iudic.* 7 mal in der Lex Ursonensis (44 v. Chr.; BRUNS Nr. 28 S. 122 ff.): IV, 1 cap. 125, *27*; ibid. cap. 126, *46*; IV, 2 cap. 128, *29*; ibid. 129, *37*;

ibid. 130, *50*; IV, 3 cap. 131, *12* und ibid. 132, *32*. Der Kontext macht an sämtlichen Stellen deutlich, dass wir hier *recuperatorio iudicio* lesen müssen (so auch alle Editoren der Lex Ursonensis). Denn es ist jedesmal von einem auf eine Geldstrafe abzielenden Prozess die Rede, mit dem Munizipalmagistrate, die gewissen Gesetzen *de ambitu* und ähnlichen Bestimmungen zuwider handeln, bedroht werden: eine „Wiedererlangung", *recuperatio*, kommt hier ebensowenig in Frage wie an der zur Erörterung stehenden Stelle unserer Lex Rubria. Im Unterschied zu der Lex Rubria jedoch hat *recuperatorium iudicium* an allen 7 (fast identischen) Stellen der Lex Ursonensis die oben bei den Literatoren und auch bei Gaius belegte allgemeinere Bedeutung: das ganze gerichtliche Verfahren *apud recuperatores*.

An unserer Stelle (Zeile *23*) hat *iudicium* jedoch, wie an anderen Stellen der Lex Rubria (s. oben S. 103 zu XX, *17* s.v. ‚*iudicia dato*'), wahrscheinlich eine etwas engere Bedeutung: lediglich „Prozessformular"; *iudicium recuperatorium* bedeutet hier somit „Prozessformular für die Aburteilung durch Rekuperatoren" (s. oben). Denn dass *iudicium* hier nicht die in der Lex Ursonensis vorkommende allgemeinere Bedeutung „Gerichtsverfahren" haben kann, geht schon daraus hervor, dass die weiteren Phasen des Prozesses, die eigentliche Bestellung der *recuperatores* und der ihnen erteilte Auftrag, ein Urteil auszusprechen, erst in der nächsten Zeile (*24*) zur Sprache kommen: *iudicareique d(e) e(a) r(e) ibei curet*.

Die *recuperatores* wurden durch ein Kollegium von drei (evtl. fünf) Richtern gebildet, die an Stelle eines einzelnen *iudex* in den Fällen bestimmt wurden, in denen in irgendeiner Weise „das öffentliche Interesse im Spiel ist" (s. J. Bleichen, Senatsgericht und Kaisergericht, Abh. d. Ak. d. Wiss. Göttingen 53, 1952, S. 183-184). Bei dem ihnen vorgelegten Prozess handelt es sich um einen sogenannten „Multprozess" — vgl. B. Schmidlin, Das Rekuperatorenverfahren, Freiburg/Schweiz 1963, S. 71 ff. — mit festgelegten Bussen, der bei *contumacia* (wie in unserem Fall), bei *ambitus* und Ähnlichem stattfinden konnte. Der zuletzt genannte Fall wird ausführlich in der bereits erwähnten Lex Ursonensis besprochen, die hierfür an den zitierten Stellen Bussen von HS 5.000 bis 100.000 vorschreibt. Die Frage, ob man diese Prozesse zu den Straf- oder Zivilprozessen rechnen muss, ist strittig. Die erste Meinung wird von M. Wlassak, Judikationsbefehl (1921) Teile 8 und 9 (an vielen Stellen) und von Bleichen, Senatsgericht und

Kaisergericht (1952) S. 183, mit der Begründung verteidigt, dass eine Busse (*multa*) auferlegt wird und dass eine Einigung der beiden Parteien über die Prozessformel nicht nötig ist. Besonders WLASSAK hat diesen Punkt sehr stark betont, da seiner Ansicht nach bei einem normalen Zivilprozess den beiden Prozessparteien eine beinahe absolute Freiheit gewährt worden sei. Aus diesem Grunde sah er in jedem Element des Rekuperatorenprozesses, das dazu geeignet war, den Jurisdiktionsmagistraten zu grösserer Macht zu verhelfen, einen so grossen Unterschied zum normalen Zivilprozess, dass er allein schon deshalb den Rekuperatorenprozess zum Strafprozess rechnete. Zur Begründung dieser Auffassung wird ferner darauf hingewiesen, dass die Lex Ursonensis die Bestimmung enthielt, dass bei einem Rekuperatorenprozess sowohl der Magistrat (Cap. 95, *19* f.) wie auch jede beliebige Einzelperson (*privatus qui volet*, Cap. 125, *27* f.; 126, *46*, et passim) als Ankläger auftreten konnten, während bei einem normalen Zivilprozess nur ein Einzelner, und zwar derjenige, den der Fall betraf, als Kläger auftreten konnte.

Es bestehen jedoch andererseits — so weit uns das Verfahren des Rekuperatorenprozesses bekannt ist — gewisse Unterschiede zum Strafrecht, die eher in die Richtung des Zivilprozesses als des Strafprozesses zu weisen scheinen: „Sie beruhen auf der *iurisdictio* und weisen die Verfahrensteilung, die Richtereinsetzung (*recuperatorum datio*), das *iudicare iubere* und das *iudicium* (Spruchgericht) auf" (so KASER, ZSS. 81, 1964, S. 385). Und deshalb rechnen manche neueren Forscher den Rekuperatorenprozess doch zu den Zivilprozessen, und zwar in dem Sinne, dass zwar im grossen und ganzen den Prinzipien des Zivilprozesses gefolgt wird, dass man aber andererseits in bestimmten Einzelheiten ziemlich stark von ihnen abweicht. Diese Ansicht wird z.B. von B. SCHMIDLIN, a.a.O. S. 75 f. und 94 f. und von M. KASER, ZSS. 81 (1964) S. 377-389 (vor allem S. 385) vertreten. Man verfügt jedoch über zu wenig gesicherte Details, um das hier erörterte Problem in endgültiger Weise lösen zu können.

23-24. **iudicium .... ex h(ac) l(ege) det,** „kraft dieses Gesetzes eine Prozessformel erteilt". Aus diesen Worten erhellt, dass die Lex Rubria allgemeine Bestimmungen für die Erteilung von *iudicia* enthalten hat, u. zw. sowohl für rein privatrechtliche wie für rekuperatorische *iudicia*. Diese Bestimmungen dürften in dem nicht erhaltenen Teil der Lex Rubria, möglicherweise in der Einleitung, gestanden haben. Man kann ferner annehmen, dass die Munizipalmagistrate nur die in das *album praetorium* aufgenommenen Prozessformeln verwenden durften, ohne in diesen Formeln Änderungen vorzunehmen (im Gegensatz zur Handlungsweise des Prätors). Diese Annahme wird unterstützt durch die Tatsache, dass in XX, *12-51* — wo ein in Rom nicht übliches Rechtsverfahren vorgeschrieben wird — sogar der genaue Wortlaut der zwei regionalen Formeln vollständig mitgeteilt wird.

Giffard, La ‚confessio in iure' (1900), S. 83-84 nimmt jedoch an, dass die Worte *iudicium recuperatorium* in Verbindung mit *ex hac lege* auf eine besondere Bestimmung hinweisen, die sich auf einer vorhergehenden, nicht erhaltenen Tafel der Lex Rubria befunden hätte, auf welcher die Einzelheiten des Rekuperatorenprozesses geregelt worden seien. Der Rekuperatorenprozess braucht aber nicht ausdrücklich in einem anderen Kapitel unseres Gesetzes behandelt zu sein: die Lex Rubria setzt die normalen Institutionen des römischen Rechtes als bekannt voraus. Daher liegt es auf der Hand, an der oben im ersten Absatz gegebenen Erklärung festzuhalten.

24. **ex h(ac) l(ege) n(ihilum) r(ogatur),** „aufgrund dieses Gesetzes tritt keine einzige Bestimmung in Kraft". Vgl. zu diesem Ausdruck oben S. 182 f. Komm. zu XXI, *21-24* und ausserdem Anhang III E, unten S. 329. Durch diese Formel soll anscheinend nachdrücklich festgelegt werden, dass die Bestimmung in XXI, *3/4*, dass der Munizipalmagistrat inbetreff einer *actio certae creditae pecuniae* lediglich bei Streitsummen, die sich auf weniger als 15.000 Sesterzen belaufen, gegen einen unwilligen Beklagten mit einer Damnationsfiktion oder gar einer Geiselung vorgehen darf, nicht in dem Sinne interpretiert werden muss, dass ein solcher Magistrat, wenn es sich um eine höhere Streitsumme handelt, überhaupt nicht die Befugnis hätte, gegen einen Beklagten einzuschreiten, der seine Mitwirkung verweigert. Es bleibt dem Magistrat im Gegenteil unbenommen, ein *vadimonium* bezw. die Stellung eines *vindex locuples* von ihm zu fordern und gegebenenfalls sogar ein Rekuperatorenprozess gegen ihn anzustrengen.

VII. EINLEITUNG ZU CAPUT XXII

Die Literatur zu diesem Caput ist bereits oben bei der Behandlung von caput XXI angegeben worden, u. zw. die allgemeine Literatur auf S. 132, die spezielle auf S. 138 ff. Die Forscher, die cap. XXI dreiteilig lesen wollten, haben auch für unser Kapitel eine Dreiteilung vorgeschlagen: sie waren hier wiederum der Ansicht, dass die kürzeren Umschreibungen der Fälle von Prozessverschleppung in XXII, *40-42*; *43-44* und *49-50*, jeweils mit drei Futura exacta bezw. drei konjunktivischen Plusquamperfekten, den Sachverhalt besser darstellten als die längere Umschreibung, die an erster Stelle steht, XXII, *29-37*. In sofern jedoch haben die soeben genannten Gelehrten ihre Dreiteilung für cap. XXII anders als für cap. XXI begründet, als sie für den in cap. XXII erörterten Fall des *praeter pecuniam certam creditam confessus* den Zusatz, der Beklagte hätte sich trotz seines Geständnisses *iudicio* verteidigen können (vgl. XXII, *26*), nicht für inakzeptabel halten (vgl. zu diesem Problem an der vergleichbaren Stelle in cap. XXI oben S. 150 ff.). Einige Dreiteiler, namentlich Demelius und Giffard, haben sogar die These vertreten, dass im Falle einer Forderung, die nicht auf *pecunia certa credita* beruhte, ein Geständnis, das sich nicht gleichzeitig auf eine in Geld ausgedrückte Wertschätzung der Forderung erstreckte, jeglicher formellen Wirkung entbehrt habe. Ein *praeter pecuniam certam creditam confessus* hätte somit jedesmal aufgefordert werden müssen, sich auf einen Prozess einzulassen, für den ein auf eine bestimmte Geldsumme lautendes Leistungsurteil festgelegt worden sei. Auf dieses Problem soll weiter unten (S. 204 ff.) näher eingegangen werden. Im übrigen sei hier noch bemerkt, dass sich gegen die Dreiteilung in caput XXII dieselben Einwände vorbringen lassen wie gegen eine solche im vorigen Kapitel (s. oben S. 144 f.).

Was ferner die von Gradenwitz und Püschel verfochtene These der nur scheinbaren Zweiteilung anbelangt (s. oben S. 140 f.), so sei noch darauf hingewiesen, dass diese Forscher auch in cap. XXII eine Kontamination zweier ,,Schichten'' haben wiedererkennen wollen. Die erste ,,Schicht'' habe lediglich die Bestimmung enthalten, dass ein Schuldner, der vor einem Munizipalmagistrat eine Forderung *praeter pecuniam certam creditam* eingestanden hat (somit ein *confessus* sei), einem *Romae confessus*, d.h. einem solchen der in derselben Angelegenheit vor dem Prätor in Rom ein Geständnis abgelegt hat, gleichgestellt werden sollte. Der Munizipalmagistrat sei dann berechtigt gewesen, gegen ihn wie gegen einen *damnatus* einzuschreiten und ihn mittels Geiselung zu einer Abfindung des Klägers zu zwingen. Nur die Beschlagnahme des Vermögens sei dem römischen Prätor vorbehalten geblieben; auch der Prätor sei verpflichtet gewesen, den Beklagten gegebenenfalls als einen bereits Verurteilten zu behandeln.[1] Die zweite ,,Schicht'' hingegen habe sich mit dem *indefensus* befasst: die Behandlung seines Falles habe, der Befehl der Geiselung mit einbegriffen, ausschliesslich zur Kompetenz des Prätors gehört: der Prätor sollte dann gegen diesen munizipalen *indefensus* in derselben Weise einschreiten wie gegen einen Beklagten, der sich in Rom der Indefension schuldig gemacht hat. Bei der von Gradenwitz und Püschel vorgenommenen Zerlegung unseres Kapitels in zwei Urbestandteile fallen

[1] Vgl. zu diesem Punkt der von Gradenwitz vorgetragenen Thesen die unten S. 197 ff. gemachten Einwände.

übrigens noch allerhand Wendungen und sogar ganze Wortgruppen ab, die nach der Meinung dieser Forscher zu keiner der beiden ursprünglichen „Schichten" gehört hätten: es handle sich hierbei teils um „Auflagerungen", teils um Wendungen, die lediglich wegen der nachträglichen Verschmelzung der beiden „Schichten" hinzugesetzt worden seien. So gehörten z.B. die auf Noxalklagen hinzielenden Worte *obligatumve se eius rei noxsiaeve esse* in XXII, *33* der „Auflagerung" an, weil der ursprüngliche Text sich lediglich mit Forderungen auf eine *certa res* befasst habe. Es bedarf kaum der Hervorhebung, dass das von GRADENWITZ angewandte „Dekompositionsverfahren" in keiner Weise akzeptabel ist; öfters, z.B. in jenem Falle, in dem er die Geiselung eines *praeter pecuniam certam creditam confessus* der Kompetenz des Munizipalmagistrats zurechnet, drängt dieser Forscher dem Caput XXII eine Interpretation auf, die das genaue Gegenteil von dem ist, was in dem uns erhaltenen Text tatsächlich ausgesagt wird. Auch für die Behauptung, der Urtext von caput XXII habe sich lediglich auf eine *certa res* bezogen, lässt sich keine einzige Beweisstelle anführen. Allerdings ist die Beantwortung der Frage, welche Forderungen in cap. XXII behandelt werden, nicht gerade einfach zu nennen. Weiter unten (S. 200 ff.) soll auf dieses Problem näher eingegangen werden.

Eine kurze Inhaltsübersicht von caput XXII ist ebenfalls schon oben S. 132 ff. im Zusammenhang mit der Besprechung des Inhalts von cap. XXI gegeben worden.

A. DIE IN CAPUT XXII BEHANDELTEN ARTEN VON VERSCHLEPPUNG DES PROZESSABLAUFS UND DIE HIERFÜR VORGESCHRIEBENEN RECHTSMITTEL

Caput XXII steht mit Caput XXI in so engem Zusammenhang, dass man es als eine Ergänzung des zuerst genannten Caput betrachten kann. Wurden in Caput XXI Fälle von Verschleppung des Prozessablaufs bei dem Verfahren *in iure* von Prozessen über Gelddarlehen behandelt, so beschäftigt sich Caput XXII mit eben den gleichen Fällen von Verschleppung des Prozessablaufs bei dem Verfahren *in iure,* allerdings von Prozessen, in denen es um eine Forderung geht, die nicht auf einem Gelddarlehen beruht. In beiden Capita werden Massnahmen gegen den Beklagten vorgeschrieben, der den Prozessablauf verschleppt. Der wichtigste Unterschied zwischen den beiden Capita liegt in der vollkommenen Verschiedenheit der jeweiligen Rechtsmittel gegen eine Verschleppung des Prozessablaufs. In dem zuvor besprochenen Caput XXI wird dem örtlichen Magistrat aufgetragen, den Beklagten, der sich weigert, geiseln zu lassen, als ob er schon verurteilt wäre. In Caput XXII wird jedoch, wie oben S. 133 bereits kurz dargelegt wurde, bestimmt, dass der Jurisdiktionsmagistrat einen Prozess, dessen Weiterführung durch das Verhalten des Beklagten verschleppt wird, dem Gerichtshof des Prätors übertragen muss, und dass dieser dann in Rom nach den dort geltenden Regeln für die Abwicklung des Prozesses zu sorgen hat.

Die Fälle von Verschleppung des Prozessablaufs, die in Caput XXII behandelt werden, werden noch häufiger erwähnt, als dies schon in Caput XXI der Fall war, nämlich viermal: *29-37*, *40-42*, *43-44* und *49-50*. Von diesen Erörterungen ist die erste besonders lang; sie weist eine deutliche Zweiteilung auf (XXII, *29-37*; vgl. zu der sprachlichen Begründung der Zweiteilung oben S. 137 f. anlässlich der vergleichbaren Stelle in XXI, *4-9*):

sei is eam rem .... in iure .... dare facere praestare restituereve oportere aut se debere, eiusve eam rem esse aut se eam habere, eamve rem .... se fecisse, obligatumve se eius rei noxsiaeve esse confessus erit deixseritve, neque de ea re satis .... faciet aut .... sponsionem non faciet, <aut> non restituet, neque se iudicio .... defendet;

aut sei de ea re in iure nihil responderit, neque de ea re se iudicio .... defendet.

Die drei weiteren Umschreibungen sind wesentlich kürzer; wegen der jeweiligen Verwendung von drei Futura exacta (bezw. von drei konjunktivischen Plusquamperfekten) haben sie die oben S. 138 ff. genannten Gelehrten zu der Aufstellung der These veranlasst, dem Gesetzgeber hätte in Wirklichkeit eine Dreiteilung der Fälle von Prozessverschleppung vor Augen gestanden. Es handelt sich um folgende Stellen:

40-42: *sei is quei ita quid earum rerum confessus erit, aut de ea non responderit neque se iudicio .... defenderit.*

43-44: *eumve quei .... in iure confessus esset, aut ibei de ea re nihil respondisset, aut iudicio se non defendisset.*

49-50: *sei is heresve eius .... confessus esset, aut de ea re nihil respondisse<t>, neque se iudicio .... defendisset.*

Schon die erste — recht lange — Umschreibung weist gewisse Nachlässigkeiten auf. Man muss dies jedoch gerade in Caput XXII erwarten, denn es handelt sich hier um ein Caput, das sich mit Verschleppung des Prozessablaufs *in iure* bei zahlreichen Prozessen beschäftigt, die wegen Darlehen und anderer Forderungen geführt werden (s. sub B, S. 200 ff.). In einem solchen „Omnibus Chapter" [2] darf man sich somit noch weniger über nachlässige Formulierungen

[2] Dieser Begriff stammt von M. W. Frederiksen, JRS. 1965, S. 193.

wundern als an anderen Stellen (vgl. z.B. S. 225). Übrigens unterscheidet sich der Wortlaut der Beschreibungen von Verschleppung des Prozessablaufs in den beiden Capita XXI und XXII nur wenig von einander, so dass die Einteilungsweise hier nicht mehr diskutiert zu werden braucht.

Auf Grund der Erörterungen, die oben im Anschluss an Caput XXI (vgl. S. 137 ff.) gemacht wurden, kann man annehmen, dass Caput XXII wiederum zwei Fälle von Verschleppung des Prozessablaufs behandelt, nämlich 1) zwar gestehen, aber danach nicht zahlen oder sich dementsprechend verhalten (letzteres wird in Caput XXI mit „Genugtuung erteilen" bezeichnet, in Caput XXII ausserdem mit „zurückgeben"), bzw. keine *sponsio* abgeben und kein *iudicium* akzeptieren; und 2) nicht erscheinen bei dem Verfahren *in iure* und später auch kein *iudicium* akzeptieren. Die S. 194 f. folgende Übersicht gibt ein Bild vom Aufbau des Caput XXII.

Die Art der Aufzählung der einzelnen Fälle von Verschleppung des Prozessablaufs ist, wie man sehen kann, fast gleich mit der in Caput XXI. Auch hier wird in einer einleitenden Aufzählung (*29-37*; Nr. 1 in meinem Schema S. 194 f.), und zwar in Form einer offensichtlichen Zweiteilung, erklärt, dass sich unser Caput 1. gegen einen Beklagten richtet, der *in iure* bekennt (*33-34*), es aber dabei belässt, und 2. gegen einen Beklagten, der von Anfang an *in iure* alle Mitwirkung dadurch verweigert, dass er nicht erscheint (*36-37*). In den darauf folgenden Umschreibungen — es handelt sich in diesem Fall um drei (Nr. 2 bis 4 im Schema S. 194 f.) — finden wir wieder die scheinbare Dreiteilung. Zwei Abschnitte, nämlich *40-42* und *49-50*, lassen auch hier bei näherem Zusehen durch ihren Wortlaut deutlich werden, dass nur von zwei Fällen von Verschleppung des Prozessablaufs ausgegangen wird: die beiden ersten Satzteile sind jeweils durch ein deutliches *aut* (vgl. *41* und *49*) voneinander getrennt, und der dritte Satzteil — der nur den weiteren Verlauf der beiden schon genannten Fälle beschreiben will — wird jeweils mit dem Bindewort *neque* fortgesetzt (vgl. *41* und *49*). Im restlichen Passus *43-44* ist die Wahl der Bindewörter ebenso undeutlich, wie es bei der zweiten und dritten Aufzählung in Caput XXI der Fall war (vgl. oben S. 138), da in *44* auch der dritte Satzteil mittels *aut* mit dem vorhergehenden verknüpft wird.

Unser Caput XXII bringt jedoch ein ganz anderes Problem mit sich: das Rechtsmittel, das in XXII, *38* ff. vorgeschrieben wird, weicht vollkommen von dem von Caput XXI ab. Hier wird nämlich

1. Fall: zunächst Mitwirkung des Beklagten	nachher jedoch unternimmt der Beklagte allerlei Manöver, um den Verfahrensablauf zu verschleppen	2. Fall: Der Beklagte verweigert von Anfang an seine Mitwirkung	und auch späterhin unternimmt er allerlei Verschleppungsmanöver
1. UMSCHREIBUNG:			
29 - 34	*34 - 36*	*36 - 37*	*37*
sei is eam rem .... in iure .... se debere, eiusve eam rem esse aut se eam habere, eamve rem .... se fecisse, obligatumve se .... noxsiaeve esse confessus erit deixseritve	*neque .... satis .... faciet .... aut .... sponsionem non faciet <aut> non restituet neque se iudicio .... defendet* d.h. der Beklagte unterlässt: 1. *satisfactio* 2. *sponsio* 3. *restitutio* 4. *iudicium*	*aut sei .... in iure nihil responderit*	*neque .... se iudicio .... defendet* d.h. der Beklagte meldet sich nicht für ein: 1. *iudicium* (nicht erwähnt werden: 2. *satisfactio* 3. *sponsio* 4. *restitutio*).
2. UMSCHREIBUNG:			
40 - 41		*41*	*41 - 42*
sei is quei .... confessus erit	(keine einzige Verschleppungsart wird erwähnt; *41 - 42* [vgl. 4. Spalte] *neque se .... defenderit* muss darum wohl ἀπὸ κοινοῦ gelesen werden und auch zur Ergänzung dieser Spalte herangezogen werden)	*aut .... non responderit*	*neque se iudicio .... defenderit* d.h. der Beklagte meldet sich nicht für ein: 1. *iudicium* (nicht erwähnt werden: 2. *satisfactio* 3. *sponsio* 4. *restitutio*).

3. UMSCHREIBUNG:

43		44	44
(*sei is*) .... *confessus esset*	(ebenso wie in der zweiten Umschreibung, *40 - 41*)	*aut .... nihil respondisset*	*aut iudicio se non defendisset* (ebenso wie in der ersten und zweiten Umschreibung)

4. UMSCHREIBUNG:

48 - 49		49	49 - 50
(*sei is*) .... *in iure confessus esset*	(ebenso wie in der zweiten Umschreibung, *40 - 41*)	*aut .... nihil respondisset*	*neque se iudicio .... defendisset* ebenso wie in der 1., 2. und 3. Umschreibung (*37*, *41-42* und *44*).

der Beklagte, der sich nicht entsprechend den Vorschriften verhält, nicht in der Provinz bei Gleichstellung mit einem Verurteilten abgeurteilt, sondern er wird auf eine Ebene gestellt mit jemandem, „der sich ebenso in Rom verhält", so dass sein Prozess vor dem Prätor stattfindet und der Prätor, sofern er sich noch immer nicht entsprechend den Vorschriften verhält, Zwang auf ihn ausübt, um ihn zur Mitarbeit zu bringen. Bestehen noch Zweifel über die genaue Absicht von *38-44*, so wird in dem darauf folgenden Lemma noch einmal deutlich gesagt, dass in diesen beiden Fällen von Verschleppung des Prozessablaufs der Prätor nach der Gleichstellung selbst die Behandlung des Falles übernimmt. Wenn also der örtliche Magistrat bei einem solchen Prozess während des Verfahrens *in iure* feststellte, dass der Beklagte den Prozessablauf verschleppte, so teilte er dies dem römischen Prätor mit und übertrug ihm die Behandlung des Falles. Wie nun der Prozess weiter in Rom verlief, wird in unserem Caput nur beiläufig mitgeteilt. Eine genaue Auseinandersetzung ist auch vollkommen unnötig; denn der Prätor war von dem Augenblick an die einzige befugte Instanz, und ein für die örtlichen Magistrate bestimmtes Gesetz wie die Lex Rubria braucht nicht darzulegen, welche Massnahmen der Prätor im Einzelnen treffen muss.

Mit Hilfe dessen, was man über das römische Prozessrecht im allgemeinen weiss, und unter Hinzuziehung dessen, was die kurzen Bemerkungen in *46-47* in Caput XXII unseres Gesetzes im besonderen aussagen, können wir uns sehr wohl ein Bild von diesen prätorischen Massnahmen machen. Es war nämlich für den Prätor normal, einen Beklagten, der die Mitwirkung verweigerte, mit Zwangsmassnahmen dazu zu bringen, dass er noch bei dem Zustandekommen eines Prozesses mitarbeitete. Falls der Kläger dem Prätor mitteilte, dass er von ihm zutreffende Massnahmen gegenüber der widerspenstigen Gegenpartei erwartete, so gestattete der Prätor dem Kläger, den Beklagten zu geiseln (*ducere*, vgl. *45*) und, falls *ductio* zu keinem Erfolg zu führen schien oder wegen Unauffindbarkeit des Beklagten nicht ausgeführt werden konnte, das Vermögen des Beklagten zeitlich — und auf die Dauer für immer — in Besitz zu nehmen (*missio*, vgl. *45-46*). Der Prätor behielt dieses umständliche Verfahren bei, weil das Festlegen der Prozessformel die gemeinsame Aufgabe beider Prozessparteien war; die soeben erwähnten indirekten Zwangsmassnahmen beeinträchtigten nach römischer Auffassung diese Regel nicht. Der kritische Punkt eines solchen Systems ist jedoch die Frage, ob die Obrigkeit (in diesem Fall der Prätor) mit ausreichenden Machtbefugnissen ausgestattet war, um den Rechtsschutz zu handhaben, d.h. um den Beklagten doch noch zur Mitarbeit zu zwingen. Der Prätor in Rom — so urteilte unser Gesetzgeber anscheinend — war dieser Aufgabe besser gewachsen als der munizipale Magistrat. Jedenfalls hat der Gesetzgeber, wie wir oben S. 159 f. und S. 162 f. bei der Besprechung von Caput XXI gesehen haben, den Munizipalmagistraten inbetreff der Verwendung von Zwangsmassnahmen gegen unwillige Beklagte andere Befugnisse verliehen als sie dem römischen Prätor zu Gebote standen.

Auf die Frage, weshalb er den örtlichen Magistraten für die zwangsmässige Erledigung der in Caput XXII genannten Forderungsklagen nicht dieselben Befugnisse zuerkannt hat wie für die in Caput XXI erörterten Klagen, die lediglich auf einem Gelddarlehen beruhen, soll weiter unten S. 207 f. näher eingegangen werden. Hier wollen wir uns vorläufig mit der Feststellung begnügen, dass die in Caput XXII genannten Prozesse, sobald der Beklagte in seinem Munizipium Verschleppungsmanöver unternahm, nach Rom verwiesen wurden. Dort konnte der Prätor die ihm zustehenden Befugnisse dazu verwenden, den Beklagten zu zwingen, in Rom zu erscheinen. Nach einer Mitteilung des Munizipalmagistrats wird der Prätor in einem solchen Fall ganz gewiss *missio in bona* angeordnet haben. Er erreichte mit dieser Zwangsmassnahme, dass der Beklagte in fast allen Fällen noch dazu gebracht wurde, bei dem Zustandekommen eines Prozesses mitzuarbeiten: denn die Beschlagnahme des gesamten Besitzes war naturgemäss für den Beklagten eine unangenehme Angelegenheit. Ausserdem vermied man mit Hilfe eines solchen Verfahrens die in Caput XXI erwähnte unbehagliche Situation, dass zwar einerseits der Beklagte, der sich weigerte, durch die „Damnationsfiktion" als Verurteilter angesehen wurde, dass aber andererseits das eigentliche Problem, das Schuldverhältnis, nicht näher von einem *iudex* untersucht wurde. Dies war nämlich bei Geldschuldprozessen der Fall, die in Munizipien gegen Beklagte stattfanden, die jegliche Mitarbeit verweigerten (vgl. Caput XXI).

Es muss noch bemerkt werden, dass die auffallende Ähnlichkeit der Formulierungen (diese Ähnlichkeit betrifft allerdings keineswegs den Inhalt der angegebenen Rechtsmittel) in Caput XXI und Caput XXII bisweilen Verwirrung verursacht hat. So vertrat O. GRADEN-

WITZ, Versuch einer Dekomposition des rubrischen Fragmentes (1915), S. 48 [3] die Ansicht, dass ein Beklagter, der trotz anfänglicher *confessio* seine weitere Mitwirkung verweigert hatte, in Caput XXII ebenso, wie es XXI, *9-14* der Fall war, schon als ein Verurteilter angesehen wurde. Die Aufgabe des Prätors hätte somit höchstens in der Durchführung der Vermögensexekution bestanden (s. dazu auch oben S. 190 f.). Diese Ansicht beruht jedoch nicht auf Mitteilungen aus Caput XXII. Der Munizipalmagistrat darf in Caput XXI die Exekution ganz entschieden anwenden; in Caput XXII hingegen wird ebenso eindeutig vorgeschrieben, dass ein Prozess, der in einem cisalpinischen Munizipium nicht zu einer *litis contestatio* kommen kann, dem Prätor in Rom übertragen wird und dass von dem Augenblick an das bei dem Prätor geltende Recht Anwendung findet. Ausgangspunkt war dabei für den Prätor die Tatsache, dass der Beklagte beim Munizipalmagistrat seine Mitwirkung verweigert hatte, und nicht die Fiktion, dass er infolge seines Verhaltens bereits als Verurteilter zu gelten habe. Man ist somit keinesfalls dazu berechtigt, ein solches Auftreten in unserem Fall ausschliesslich auf Grund der starken Ähnlichkeit des Aufbaues von Caput XXI und Caput XXII zu unterstellen. Diese Fehlinterpretation von GRADENWITZ ist umso auffälliger, als auf den Unterschied zwischen der Regelung der Prozedur in Cap. XXI einerseits und der in Cap. XXII andererseits schon von früheren Forschern aufmerksam gemacht worden war, vgl. z.B. DEMELIUS, Die Confessio (1880) S. 128 und GIFFARD, La ,confessio in iure' (1900) S. 113.[4] Demgegenüber kann die von GRADENWITZ vorgetragene recht willkürliche Deutung leider nicht anders denn als ein Rückschritt betrachtet werden; erst WLASSAK, Konfessio 1934, S. 25 ff. hat die Interpretation von Caput XXII wieder auf den rechten Weg

[3] Eine ähnliche Auslegung findet sich auch bei E. G. HARDY, Some Problems in Roman History, Oxford 1924, S. 222.

[4] Auch PÜSCHEL, Confessus pro iudicato est (1924) S. 58 war es aufgefallen, dass in Caput XXII eigentlich „überhaupt keine Damnationsfiktion zum Ausdruck gebracht" worden ist. Aber „trotzdem", so fährt dieser Autor überraschenderweise fort, habe er „keine Bedenken", sich „der Lesart von GRADENWITZ anzuschliessen". Es sei noch bemerkt, dass ein Rezensent der soeben zitierten Arbeit, H. E. KADEN, der ZSS. 45 (1925) S. 538 ff. an den meisten übrigen Abschnitten derselben recht viele Ausstellungen gemacht hat, nur den ersten Teil (S. 13-78) für lobenswert hielt: denn nur hier habe PÜSCHEL „sich vollkommen an die Ergebnisse angeschlossen, die GRADENWITZ in seiner ,Dekomposition des Rubrischen Fragmentes' herausgearbeitet hat".

geführt. Und mit Recht wurde von diesem Gelehrten (S. 27) hervorgehoben, dass „der Sinn, den die Worte (von Cap. XXII) vermitteln wollen, nicht dem geringsten Zweifel ausgesetzt ist".

Ein wirkliches Problem hingegen ergibt sich aus der Frage, auf welche Weise von den Munizipalmagistraten Klagen wegen Forderungen *praeter pecuniam certam creditam* behandelt wurden, die ausserhalb ihres eigentlichen Kompetenzbereiches lagen. Denn Caput XXII enthält keine ähnliche auf ein *vadimonium*, einen *vindex* und ein Rekuperatorengericht bezügliche Bestimmung, wie sie in Caput XXI hinzugefügt worden war (vgl. XXI, *21-24*). Wie bereits erwähnt wurde (s. oben S. 133), sind in unserm Kapitel, ähnlich wie in Cap. XXI, dem Prätor sämtliche Schuldprozesse vorbehalten, deren Streitwert grösser als der Betrag von 15.000 Sesterzen war (zur Feststellung des Streitwertes in Grenzfällen vgl. den Kommentar zu XXI, *3-4*, S. 168 f.). Wie wurde nun die Übertragung von Prozessen wegen Forderungen *praeter pecuniam certam creditam* auf mehr als 15.000 Sesterzen, die jedoch noch nicht begonnen hatten, tatsächlich realisiert? Dieselbe Frage lässt sich übrigens auch anlässlich jener Beklagten aufwerfen, die bei Prozessen wegen kleinerer Forderungen sich nicht nur in ihrem Heimatort der Prozessverschleppung schuldig gemacht hatten, doch sich ausserdem unwillig zeigten, in Rom vor dem Prätor zu erscheinen. Gab es für die Munizipalmagistrate inbetreff der in Caput XXII genannten Prozesse keine solchen Zwangsmittel, um eine Übertragung nach Rom durchzusetzen?

Es lässt sich nicht leugnen, dass auch in dieser Hinsicht die Regelungen von Caput XXII von denen des vorigen Kapitels abweichen. Man wird hieraus schliessen müssen, dass der Prätor sowohl im Falle einer Forderung von mehr als 15.000 Sesterzen, die zu der in Caput XXII genannten Kategorie gehörte, wie im Falle einer Indefension inbetreff einer kleineren Forderung, die zu derselben Kategorie gehörte, zur Sicherung des Rechtes, wenn nicht ausschliesslich, so doch in der Hauptsache selbst seine Massnahmen treffen musste. Handelte es sich um Einwohner der Stadt Rom, so war das übrigens auch der Fall. Es bleibt jedoch das Problem bestehen, warum bei Darlehensforderungen (Caput XXI) ein *vadimonium* oder ein *vindex* verlangt werden konnten, nicht aber bei sonstigen Forderungen (Caput XXII). Anscheinend hat der römische Gesetzgeber die Feststellung des Geldwertes der in Caput XXII erwähnten Forderungen als derart kompliziert betrachtet, dass er, sobald es sich um höhere Geldsummen oder um Schwierigkeiten bei der Prozedur handelte, den Munizipalmagistraten, wenn nicht gar keinen, so doch jedenfalls einen äusserst geringen Einfluss auf die Regelung solcher Streitfragen gewähren wollte. Es sei in diesem Zusammenhang noch darauf hingewiesen, dass der Umstand, dass es den Munizipalmagistraten nicht erlaubt war, für die in Caput XXII genannten Fälle ein *vadimonium* oder einen *vindex* zu verlangen, noch keineswegs zu implizieren braucht, dass diese Magistrate für solche Fälle ebenfalls nicht ihr amtliches Koerzitionsrecht zur Anwendung bringen konnten: d.h. dass immer noch die Möglichkeit offen bleibt, dass Munizipalmagistrate auch in diesen Fällen das Recht gehabt haben, Geldbussen aufzuerlegen oder Pfändungen vorzunehmen.[5]

B. Welche Forderungen werden in Caput XXII besprochen?

Vergleicht man Caput XXI, wo über Prozesse gesprochen wird, denen ein eindeutiger Fall zugrunde liegt, nämlich *pecunia certa credita*, mit dem betreffenden Caput XXII, so ist es auffallend, dass hier von einem nicht ganz eindeutig bestimmten Forderungsgegenstand die Rede ist: (*ali*)*quid praeter pecuniam certam creditam*, „etwas anderes als ein Gelddarlehen" (*25*). Es ist selbstverständlich, dass die Unbestimmtheit der zitierten Umschreibung dadurch entstanden ist, dass es sich bei diesem Caput um eine Ergänzung von Caput XXI handelt. Eine solche Feststellung befreit uns jedoch nicht von der Aufgabe, eine Interpretation zu geben, die so deutlich und so konkret wie nur eben möglich ist. Gemäss *31-33* verbergen sich hinter dieser vagen Andeutung eine Reihe verschiedener Verpflichtungen. In dem Kommentar zu XXII, *31-33*, vgl. unten S. 214 ff. soll versucht werden, den Zweck der verwendeten lateinischen Begriffe zu untersuchen. Es ist jedoch wichtig festzustellen, dass es sich um eine heterogene Sammlung zivilrechtlicher Verfahren handelt, die einen bestimmten Aspekt gemeinsam haben müssen, denn sie wären sonst nicht in einem Caput vereinigt worden. Welchen gemeinsamen Aspekt haben die Verfasser der Lex Rubria nun vor Augen gehabt?

---

[5] Vgl. zu diesem Problem auch Wlassak, Konfessio 1934, S. 75, Anm. 21 (mit Hinweisen auf Schrutka, SB. der Wiener Ak. d. Wiss., ph.-hist. Kl. 106, 1884 S. 465 ff. und 473, und auf Mommsen, Röm. Staatsrecht III, 1, ²1886, S. 815, Anm. 3). Vgl. zum amtlichen Koerzitionsrecht ebenfalls Mommsen, Strafrecht (1899) S. 1012 ff.

Die Beantwortung dieser Frage ist nicht einfach, wenn man eine Antwort sucht, indem man alle bisweilen noch vagen und allgemein formulierten Satzteile von Caput XXII analysiert; eine solche Undeutlichkeit ist überdies naheliegend bei einem Caput, das eine bestimmte Anzahl unterschiedlichster Fälle unter einem (noch näher zu besprechenden) Gesichtspunkt vereinigen will. Indem einige Forscher (z.B. WLASSAK, Konfessio 1934, S. 47 Anm. 43 und PFLÜGER ZSS. 64, 1944, S. 366-367) sich besonders in die schon erwähnte Unbestimmtheit vertieften, haben sie versucht, in der kurzen Aufzählung aller Massnahmen, die der Prätor — nach Verweisung an Rom — gegenüber mangelhafter Verteidigung in Prozessen treffen konnte (XXII, *46-47*), doch eine bestimmte Einschränkung zu entdecken, und zwar eine Beschränkung auf Prozesse *in personam*. Prozesse *in rem* seien darum in Caput XXII nicht besprochen worden.[6] Diese Unterstellung ist von vornherein nicht sehr wahrscheinlich. Welchen Grund hätte der römische Gesetzgeber gehabt, in Caput XXII zwar einerseits eine grosse Anzahl verschiedenster Forderungen unter einen Nenner zu bringen, andererseits jedoch sich gleichzeitig auf *actiones in personam* zu beschränken und deshalb die *actiones in rem* auszuschliessen? Begriffe wie *restituere* (*31. 35. 39*) und *a quo ea res petetur* (*38*) lassen sich kaum von einer *actio in rem* ganz lostrennen.

Man kann somit ruhig annehmen, dass sowohl *actiones in personam* wie auch *in rem* gemeint sind. Diese Verknüpfung ist sehr gut in einem Caput möglich, in dem von den Unterschieden zwischen den Verfahren *in personam* und *in rem* an und für sich nicht die Rede ist, da es nur Vorschriften hinsichtlich der Übertragung eines Prozesses von dem örtlichen Magistrat an den Prätor in Rom enthält. Die Zeilen *46-47* befassen sich allerdings mit Massnahmen des Prätors wegen Verschleppung des Prozessablaufs bei Prozessen *in personam*. Bei solchen Prozessen konnte der Prätor den in *46* erwähnten „Befehl zur Geiselung" erteilen (*eos duci iubere*), um den Beklagten zu zwingen, eine Prozessformel zu akzeptieren (vgl. KASER, Zivilprozessrecht S. 207-208); notfalls konnte der Prätor auch sein Vermögen beschlagnahmen (*bona eorum possideri proscreibeive veneireque iubeto*), wie in *47* zu finden ist.

Es geht nun weiter darum für die soeben ausgesprochene Ver-

[6] GRADENWITZ war gerade umgekehrt der Meinung gewesen, dass die „Urschichten" von Caput XXII sich lediglich mit *actiones in rem certam* befasst hätten, vgl. oben S. 190 f..

mutung, dass gleichzeitig auch *actiones in rem* gemeint sind, einen Beweisgrund zu finden. Welche Massnahmen ergreift der Prätor, falls der Beklagte bei einer *actio in rem* den Prozessablauf verschleppt? Leider besitzen wir über den Verlauf eines solchen Verfahrens nur Mitteilungen aus dem dritten Jahrhundert n. Chr., aus denen man natürlich keine sicheren Schlüsse hinsichtlich der Situation zur Zeit der Lex Rubria ziehen kann. Im sogenannten klassischen römischen Recht (d.h. während des zweiten und dritten Jahrhunderts n. Chr.) richtete sich bei einer *actio in rem* der Anspruch ausschliesslich auf den Streitgegenstand. Der Beklagte selbst war nicht haftbar. Er konnte sich jedoch durch Hinterlegung einer Sicherheitsleistung oder Bürgschaft (*cautio pro praede litis et vindiciarum*, möglicherweise in XXII, *34-35* gemeint [7]) für haftbar erklären. Tat er das nicht, so standen dem Prätor, jedenfalls nach sogenanntem klassischen römischen Recht, zwei Zwangsmittel zur Verfügung:

1) Er konnte dem Kläger auftragen, den Streitgegenstand ohne weiteres in Besitz zu nehmen, *duci vel ferri iubere* (ein Ausdruck, den man bei Ulp. 1 ad ed., dig. 2, 3, 1, 1 findet; vgl. zum Verfahrensverlauf auch Furius Anthianus 1 ad ed., dig. 6, 1, 80). Dieser soeben erwähnte Ausdruck befindet sich nicht in der Aufzählung der dem Prätor zur Verfügung stehenden Massnahmen, die unsere Zeilen *46-47* enthalten. Falls der Begriff (und das Verfahren) schon im ersten Jahrhundert v. Chr. bestanden, so muss man sich fragen, warum sie nicht erwähnt worden sind. Der Grund wird sein, dass in einem solchen Fall der örtliche Magistrat *duci vel ferri* anordnete, so dass der Prätor nicht eingeschaltet zu werden brauchte.

2) War das Streitobjekt *in iure* nicht (mehr) vorhanden, so konnte der Kläger eine *actio ad exhibendum* einreichen;[8] im Falle von Widerstand ordnete der Prätor *ductio* bezw. *missio* an.

Man kann somit (mit PFLÜGER ZSS., 1944 S. 366-367) zu der Schlussfolgerung kommen, dass eine *actio in rem* — falls sie zu dieser Zeit ebenso geregelt war wie in dem dritten Jahrhundert

---

[7] Siehe Komm. S. 222 f. zur Stelle; vgl. ausserdem KASER, Zivilprozessrecht S. 73, 211 und 254.

[8] Vgl. KASER, Zivilprozessrecht S. 205-206 und Privatrecht I², S. 433. Es sei noch darauf hingewiesen, dass in der oben zitierten Formel *duci vel ferri iubere* das Wort *duci* eine andere Bedeutung hat als in XXI, *19* und XXII, *46* und *51* („einen Sklaven, Vieh usw. wegführen", nicht etwa — wie an den zuletzt genannten Stellen — „einen Schuldner geiseln").

n. Chr. — zu *duci vel ferri iubere* führen konnte, wodurch eine Verweisung an Rom überflüssig wurde, oder zu einer *actio ad exhibendum,* die eine *actio in personam* war. Im letzteren Fall ist somit die *actio in personam,* die nach Rom verwiesen wird, sekundär: sie ist erst in zweiter Instanz aus einer ursprünglichen *actio in rem* hervorgegangen, nachdem sich herausgestellt hatte, dass das Streitobjekt nicht mehr vorhanden war. Aus obigen Ausführungen dürfte hervorgehen, dass im Zusammenhang mit den in Caput XXII besprochenen Streitfällen *actiones in rem* sehr wohl möglich sind: nur wenn es sich um eine Verweisung nach Rom handelt, kommen — formell gesehen — die *actiones in rem* nicht mehr in Frage.

Wenig überzeugend ist ferner ein weiteres Argument, das WLASSAK, Konfessio 1934, S. 47 Anm. 33 in obiger Diskussion angeführt hat: seiner Meinung nach schliesse der Wortlaut der Wendung *se defendere,* die in Caput XXII in den Zeilen *37. 38. 42. 44. 49-50* vorkommt, den Gedanken an eine *actio in rem* für Caput XXII völlig aus. Allerdings wird in Handbüchern die Aktivität des Beklagten bei *actiones in personam*: *se defendere,* bei Prozessen *in rem*: *rem defendere* genannt (vgl. KASER, Zivilprozessrecht S. 56 und 204). In den Quellen scheint jedoch diese Unterscheidung nicht verwendet zu werden, wie KASER selbst zugibt (Zivilprozessrecht S. 203 Anm. 30 und S. 210 Anm. 21). Es empfiehlt sich somit, dieses Argument fallen zu lassen.

Wir können schliesslich noch die Frage aufwerfen, warum in Caput XXII so wenig Sorgfalt auf die Unterscheidung der vielen in Frage kommenden und unter sich recht verschiedenen Verfahren verwandt wird. Die Antwort hierauf dürfte sehr einfach sein: ein näheres Eingehen auf solche Verschiedenheiten wird durch den Ausgangspunkt unseres Caput überflüssig gemacht. Der Zweck unseres Caput besteht, wie man seinem Wortlaut leicht entnehmen kann, lediglich darin, dass folgende Anordnung klargelegt werden sollte: jeder Prozess, der wegen einer Forderung *praeter pecuniam certam creditam* geführt wird, muss — um welches Verfahren es sich auch immer handeln mag — an Rom verwiesen werden, sobald der Beklagte Schwierigkeiten verursacht. Die weitere Frage, warum ein solcher Prozess nach Rom überwiesen wird und nicht, wie bei den Gelddarlehensprozessen von Caput XXI in dem Munizipium selbst abgewickelt werden darf, soll in dem folgenden Abschnitt (C) besprochen werden.

C. Das Prinzip der *condemnatio pecuniaria* und die prozessrechtlichen Folgen dieses Prinzips für Caput XXII

Eine besondere Schwierigkeit liegt bei Prozessen, die nicht wegen einer Forderung aus Gelddarlehen geführt werden, darin, dass das römische Recht nur Verurteilungen kennt, in denen ein Geldbetrag als Schätzung der Forderung angegeben wird: das Prinzip der *condemnatio pecuniaria*. Der Grundsatz der *condemnatio pecuniaria* galt auch dann, wenn der Kläger mittels einer *actio in rem* die Herausgabe seiner eigenen Sache gefordert hatte. Auf diese Weise wird auf den Beklagten ein gewisser indirekter Zwang ausgeübt, um ihn, bevor das in Geld umgerechnete Endurteil ausgesprochen wird, zu einer Exhibition oder Restitution der Sache *in natura* zu bewegen.[9] Das bedeutet aber nicht, dass der Magistrat schon bei der Behandlung *in iure* den Geldwert der Forderung schätzte und die entsprechende Summe in die *formula* aufnahm. Die Umrechnung des Schuldwertes in Geld wurde häufig erst von dem *iudex* vorgenommen, und zwar nachdem er das Bestehen der Schuld oder Verpflichtung untersucht hatte und zu einer Verurteilung übergehen wollte. Darum auch erteilte die *formula* den Auftrag, zunächst einmal zu untersuchen, ob die Forderung des Klägers begründet war und erst dann, falls ja, den Beklagten zu verurteilen, den Gegenwert der Verpflichtung, die zu dem Urteil geführt hatte, in Geld zu zahlen (vgl. Kaser, a.a.O. S. 242-243). Diese Art des Urteils braucht nicht dazu zu führen, dass der Verurteilte auch tatsächlich Geld zahlte, es handelte sich nur um eine vorsorgliche Massnahme zum Schutze des Verurteilten für den Fall, dass der Kläger das Urteil unrechtmässig zu interpretieren versuchte.

Das soeben beschriebene Prinzip der *condemnatio pecuniaria* hat bestimmte Auswirkungen auf die Interpretation von Caput XXII, vor allem auf die Folgen der *confessio in iure*. Die *confessio* erfolgte dadurch, dass die Berechtigung der Forderung anerkannt wurde. Im Falle unseres Caput XXII, in dem es ausdrücklich auch um Forderungen geht, die nicht auf Geld lauten, blieb bei einer *confessio in iure* der Forderungswert naturgemäss öfters vorläufig noch unentschieden: denn man kann nicht annehmen, dass ein Beklagter immer mit dem vom Kläger angegebenen Forderungswert einverstanden war. Bei dem am meisten vorkommenden Fall jedoch,

---

[9] Man siehe weiter Kaser, Zivilprozessrecht S. 286 f.; vgl. auch S. 242 f., 254 f. und 258.

dass nämlich der *confessus* nach seinem Geständnis die Forderung erfüllte, hat diese Tatsache keinerlei Bedeutung. Zwar haben in diesem Zusammenhang DEMELIUS, Die Confessio im römischen Civil-Process (1880) S. 146 ff. (besonders S. 158 ff.) und GIFFARD, La ‚confessio in iure' (1900) S. 127 f. die These vertreten, dass im Falle einer Forderung, die nicht auf *pecunia certa credita* beruhte, ein Geständnis nur dann eine formelle Bedeutung gehabt habe, wenn dieses Geständnis sich gleichzeitig auf eine dazu gehörige, in Geld ausgedrückte Wertschätzung bezogen hätte.[10] Ohne eine Wertschätzung sei somit eine solche *confessio* wertlos gewesen und deshalb sei in dem Falle ein *praeter pecuniam certam creditam confessus* sogar einem *indefensus* gleichgestellt worden. Eine solche Behauptung dürfte jedoch recht übertrieben sein. Warum sollte ein Jurisdiktionsmagistrat Einwände gegen ein einfaches Geständnis erheben, wenn sich herausstellte, dass der Beklagte nunmehr bereit war, die geforderte Sache tatsächlich herauszugeben oder die von ihm verlangte Leistung zu vollbringen? Und warum sollte er dann noch einen *iudex* für eine Umrechnung in Geld einschalten? So ganz wertlos kann deshalb eine einfache *confessio* ohne gleichzeitige Anerkennung einer in Geld ausgedrückten Wertschätzung kaum gewesen sein.

Es besteht aber in zwei Fällen ein Bedürfnis nach Angabe des Geldwertes: einerseits, wenn der Beklagte sich nicht bereit erklärt, die Forderung zu erfüllen, und der Kläger somit um einen Prozess ersucht; der Kläger war dann gemäss Z. 27 (Maximalwert 15.000 Sesterzen) dazu verpflichtet, den Geldwert anzugeben, damit der

---

[10] Diese Autoren verweisen auf Ulp. 5 de omnibus tribunalibus, dig. 42, 2, 6 *pr.* und 1: *certum confessus pro iudicato erit, incertum non erit.* 1. *Si quis incertum confiteatur vel corpus sit confessus* [*Stichum vel fundum dare se oportere* (anscheinend ein verfehlter Zusatz)], *urgueri debet, ut certum confiteatur: item eum, qui rem confessus est, ut certam quantitatem fateatur,* „Derjenige, der ein *certum* bekennt, wird als verurteilt gelten; derjenige, der ein *incertum* gesteht, nicht. Wenn jemand zugibt, dass er ein *incertum* (eine noch nicht näher präzisierte Sache) oder eine (unbestimmte) körperliche Ware geben muss, so muss er dazu gezwungen werden, ein *certum* zu bekennen; ebenso sehr muss derjenige, der eine Sache bekennt, dazu gezwungen werden, dass er eine bestimmte Menge bekennt". Für unser Problem ist dieses Fragment jedoch ganz unbrauchbar, da es nicht über die Verpflichtung für den Beklagten, einen Geldwert anzugeben, spricht, sondern darüber, dass „etwas Konkretes" angegeben werden muss. Ausserdem bezieht sich das Fragment wahrscheinlich auf die *cognitio extra ordinem* und nicht mehr auf den in der Zeit der Lex Rubria gebräuchlichen Formularprozess (vgl. LENEL, Edictum perpetuum,[3] S. 413).

Magistrat feststellen konnte, ob die Sache innerhalb seiner Kompetenz lag oder nach Rom überwiesen werden sollte. Und andererseits, wenn der Kläger mit der Ausführung der *confessio* nicht einverstanden ist, d.h. wenn er z.B. die von dem Beklagten erbrachte Leistung nicht der abgelegten *confessio* entsprechend findet, und damit selbstverständlich auch nicht seiner ursprünglichen Forderung. Um die soeben genannte Möglichkeit von vornherein zu vermeiden, müsste man, theoretisch gesehen, natürlich in allen Fällen schon für den Beklagten bei der *confessio in iure* eine Geldumrechnung vorschreiben.

Eine präventive Umrechnung ist jedoch in der Praxis nicht nötig, wenn man weiss, dass bei allen Prozessen — und nicht nur bei den in Caput XXII behandelten Prozessen — für eventuell nach der *confessio in iure* auftretende Streitigkeiten eine Regelung vorgesehen war. Von dieser Regelung ist schon in Caput XXI die Rede gewesen (vgl. Einleitung zu Caput XXI, S. 154 ff.). Wir haben dort gesehen, dass für den Fall eines Streites nach der *confessio* noch ein Prozess folgen konnte, der ausschliesslich den Zweck hatte, eine Beilegung der nachher entstandenen Streitigkeit herbeizuführen. Bei *certa pecunia* (caput XXI) war entweder eine *exceptio* oder die Behauptung des Schuldners, er hätte nach der *confessio* schon gezahlt, der Streitpunkt. In unserem Caput XXII kommt noch eine dritte Möglichkeit hinzu: denn es konnte nach der *confessio* ausserdem noch ein Streit über die Art der Genugtuung entstehen. Und auf Grund dieses Streites konnte ebenfalls ein *iudicium* folgen. Wie in Caput XXI wird auch hier die *confessio* als feststehend angesehen (vgl. oben S. 155 f.), aber die übrigen Streitpunkte, vor allem die Art der Genugtuung und die dabei eventuell auftretenden *exceptiones*, konnten von einem *iudex* untersucht und beurteilt werden (vgl. KASER, Zivilprozessrecht, S. 202-203). Das in *36, 42, 44* und *49* erwähnte *iudicium* kann sich somit nur auf einen Streit über den Wert der zu erbringenden Leistung beziehen.

Aus dem Prinzip der *condemnatio pecuniaria* ergibt sich somit, dass auch für den Fall, dass der Beklagte vollständig zugab, dass der Kläger ihm gegenüber eine Forderung hatte und dass diese einklagbar war, doch die Möglichkeit eines Prozesses *apud iudicem* bestanden haben muss, um die Forderung auf ihren Geldwert zu taxieren. Auch ein Forscher wie DEMELIUS, der — wie oben S. 139 Anm. 9 und S. 142 ff. gezeigt wurde — in XXI, *4-9* besonders deshalb eine Aufzählung von drei anstelle von zwei Fällen von

Prozessverschleppung sehen wollte, weil er mit Hilfe dieser Interpretation die Worte Z. *6/7 aut se sponsione iudicioque .... non defendet* von dem vorherigen Passus, der sich auf den *confessus* bezog, loszutrennen versuchte, hat dieses Argument in Bezug auf die Einteilung des parallelen Passus in XXII, *29-37* (und die darin begegnenden Worte Z. *36-37 neque se iudicio .... defendet*) nicht verwenden können. Denn auch dieser Gelehrte ist davon überzeugt, dass es ein *iudicium* gab, um nach der *confessio* eine in Geld ausgedrückte Verurteilung zu erreichen.[11] Wir haben ferner oben S. 205 ebenfalls gesehen, dass DEMELIUS inbetreff unseres Caput XXII sogar der Meinung war, dass eine einfache *confessio* (ohne beigefügte Wertschätzung) überhaupt keine formelle rechtliche Bedeutung gehabt habe.[12] Wie bereits gesagt wurde, ist diese letzte Annahme keineswegs nötig; bei einem solchen Geständnis konnte nämlich in der späteren Prozessformel der Auftrag erteilt werden, nur den hinterher aufgetretenen Streitpunkt (die Höhe der Wertschätzung) zu untersuchen.[13]

D. WARUM UNTERSCHEIDET SICH DIE VORSCHRIFT VON CAPUT XXII VON DER IN CAPUT XXI?

Wie schon gesagt wurde, besteht der Unterschied zwischen den Rechtsmitteln von Caput XXI und denen von Caput XXII darin, dass bei Fällen von Verschleppung des Prozessablaufs seitens des Beklagten in Caput XXII der Prätor in Rom eingeschaltet wird und in Caput XXI nicht. Man muss daher annehmen, dass Prozesse wegen Forderungen, die nicht auf einem Gelddarlehen beruhen, den örtlichen Magistrat leichter in Schwierigkeiten bringen konnten. Wir finden in der Lex Rubria die Tendenz, dem Munizipalmagistrat

---

[11] Vgl. DEMELIUS, Die Confessio im röm. Civil-Process (Graz 1880) S. 153. Auch die übrigen in der Literaturübersicht zu Cap. XXI genannten Forscher (s. oben S. 138 ff.), denen, wie wir dort gesehen haben, die Interpretation von XXI, *6/7 aut se sponsione iudicioque .... non defendet* grosse Schwierigkeiten bereitet hatte, haben an unserer Stelle (XXII, *34*; und ausserdem in XXII, *41-42* und *43-44*) den Terminus *iudicium* auf die für die in Cap. XXII genannten Forderungsklagen erforderliche Wertschätzung und auf die *condemnatio pecuniaria* bezogen: vgl. z.B. GIFFARD, La ‚confessio in iure' (1900) S. 113 ff. (vor allem S. 130 ff.); GREENIDGE, The Legal Procedure of Cicero's Time (1901) S. 153-154; PÜSCHEL, Confessus pro iudicato est (1924) S. 128 und PFLÜGER, ZSS. 64 (1944) S. 365.

[12] Ähnlich urteilten auch GIFFARD (s. oben S. 205) und GREENIDGE (a.a.O., s. Anm. 11).

[13] Vgl. auch KASER, Zivilprozessrecht S. 202-203.

verhältnismässig einfache Sachen zu überlassen. Worin liegt nun die grössere Komplexität der Prozesse wegen Forderungen die nicht auf einem Gelddarlehen beruhen? Gewiss nicht so sehr in der Feststellung, ob nun tatsächlich eine Schuld besteht; eine solche Feststellung ist nämlich bei Gelddarlehen gleichfalls erforderlich. Die Schwierigkeit wird vielmehr in der Notwendigkeit bestehen, den Geldwert der Forderungen in Situationen zu berechnen, in denen Exekution nötig war oder in denen sich die Parteien über den Wert der Forderung nicht einig werden konnten. Eine objektive Durchführung solcher Wertschätzungen dürfte nicht immer leicht gewesen sein. Besonders in kleineren Ortschaften konnte in derartigen Situationen leicht Parteilichkeit auftreten.

Es besteht somit Anlass zu der Vermutung, dass der Gesetzgeber der Lex Rubria aus obigen Gründen lediglich solche Prozesse wegen Forderungen *praeter pecuniam certam creditam* den Munizipalmagistraten überlassen wollte, die normal verliefen. Denn diese Prozesse konnten ohne ernstliche Bedenken durch die örtliche Obrigkeit ganz in derselben Weise erledigt werden wie die in Caput XXI genannten Prozesse, welche sich auf Forderungen wegen Gelddarlehen bezogen. Auch an demselben Maximum von 15.000 Sesterzen konnte in diesem Falle festgehalten werden. Dabei wurde es, wie wir unten S. 210 im Kommentar zu XXII, 27 noch sehen werden, bei Forderungsklagen *praeter pecuniam certam creditam* dem Kläger überlassen seine Forderung vorläufig einzuschätzen. Gab er eine höhere Wertschätzung als 15.000 Sesterzen an, so musste der Munizipalmagistrat seine Klage nach Rom weiterleiten. Es blieb natürlich in dem Falle immer noch die Möglichkeit bestehen, dass es sich in Rom herausstellte, dass die Schätzung des Klägers zu hoch gewesen war, sodass das Urteil, das daraufhin in Rom ausgesprochen wurde, einen Betrag unter 15.000 Sesterzen enthielt. Auch in diesem Falle — so dürfte der römische Gesetzgeber geurteilt haben — ist eine objektive Behandlung des Rechtsstreites in Rom besser verbürgt als in der Munizipalstadt.

VIII. KOMMENTAR ZU CAPUT XXII

25. **A quo .... petetur.** Wie schon anlässlich ähnlicher Satzgebilde bemerkt wurde (vgl. S. 58 ff., Kommentar zu XIX, *1-2*), hat auch dieser Vordersatz, der in rein formeller Hinsicht als ein relativer Nebensatz zu betrachten ist (*a quo* ist abhängig vom Determinativum *is*, Z. *29*), eine kondizionelle Nuance; bei der Übersetzung habe ich deshalb die Konditionalpartikel „wenn" verwendet. Vgl. was die Konstruktion dieses Satzes anbelangt, auch die Bermerkungen unten zu *27*: *quodve quom eo agetur.*

quid praeter pecuniam certam creditam .... p(opulei) R(omanei). Hierunter werden anscheinend sowohl Forderungen auf eine sogenannten *certa res* wie auch Forderungen auf ein *incertum* verstanden (z.B. Forderungen auf Schadenersatz). Eine nähere Besprechung findet man in den Zeilen *31-35* dieses Caput; vgl. den Kommentar zur Stelle, S. 214 ff.

26. **o(ppido) m(unicipio) c(olonia) p(raefectura) f(oro) v(eico) c(onciliabulo) c(astello) t(erritorio)ve.** Vgl. Kommentar zu XXI, *2-3*, S. 168 und besonders Anhang I, unten S. 235 ff.

in Gallia cis Alpeis. An anderen Stellen heisst die Provinz *Gallia Cisalpeina*, vgl. XX, *7*; XXI, *3* und XXIII, *53/54*. Man bekommt den Eindruck, dass der Name der Provinz sogar in offiziellen Publikationen nicht völlig festlag (vgl. hierzu unten Anhang III S. 291 Anm. 11).

27. **quodve quom eo agetur.** *quod(ve)* ist in formell-grammatischer Hinsicht als Relativum abhängig von *eam rem* in Zeile *29*; ferner ist *quae res .... erit*, Zeile *27*, eine in einen neuen Relativsatz hineingezogene Apposition zu *quod(ve)* (ähnlich wie *quae res* eqs., XXI, *4*, eine Apposition zu *pecunia certa credita*, XXI, *2*, darstellt; vgl. für diesen Typus der Apposition HOFMANN-SZANTYR, Synt. S. 564 sub ‚Zusatz' α). Wir haben hier somit ein etwas kompliziertes Satzgebilde vor uns, das durch zwei relativische Vordersätze eingeleitet wird. Die beiden Relativa, welche diese Vordersätze einleiten, d.h. *a quo*, Z. *25*, und *quodve*, Z. *27*, beziehen sich gleichfalls auf zwei verschiedene Determinativa im Nachsatz: *sei is eam rem* eqs., Z. *29*; und zwar *a quo* auf *is*, und *quodve*, wie bereits erwähnt, auf *eam rem*; man vgl. für weitere kanzleisprachige Satzgebilde mit doppelter wechselseitiger Beziehung zwischen Protasis und Apodosis, die mit unserem Satz einigermassen vergleichbar sind, Kommentar S. 90 zu XX, *7 qua de re quisque et a quo ...., tum is .... de ea re.* Unser *quodve* hat eine ähnliche kondizionelle Nuance wie *a quo* Z. *25* (s. Komm. zur Stelle). Auffällig ist, dass der dritte (und letzte) Vordersatz, der zu unserem Gebilde gehört, nicht mehr mit einem Relativpronomen eingeleitet wird, sondern mit *si*: *et sei ea res erit ....oportebit*, Z. *27-28*.

Die Übersetzung von *quodve quom eo agetur, quae res non pluris HS $\overline{XV}$ erit* (Z. *27*) lautet, wenn wir obige Bemerkungen berücksichtigen: „oder wenn gegen ihn (den Beklagten) wegen einer Sache ein Prozess geführt wird, und zwar wegen einer Sache, die einen Wert von nicht mehr als 15.000 Sesterzen hat". GRADENWITZ, Versuch einer Dekomposition (1915) S. 20 war der Ansicht, dass nach dem vorherigen *a quo quid .... petetur* unser *quodve quom eo agetur* eine ziemlich überflüssige Ergänzung darstelle: der zweite Satzteil *quodve .... agetur* sei deshalb als eine spätere „Auflagerung", somit als Interpolation zu betrachten. Diese Behauptung von GRADENWITZ dürfte jedoch in hohem Masse übertrieben sein; denn bei näherem Zusehen sind beide Satzteile keineswegs tautologisch: im ersten Satzteil wird der Fall vorausgesetzt, dass von einer Person „durch das Einreichen einer Klage etwas gefordert wird" (vgl. HEUMANN-SECKEL, S. 428 s.v. *‚petere'* sub 4), und im zweiten Falle, dass gegen diese Person bereits „ein Prozess *in iure* im Gange ist" (vgl. HEUMANN-SECKEL, S. 24 f. s.v. *‚agere'* sub 9: *causam agere*, „einen Rechtsstreit führen").

quae res non pluris HS $\overline{XV}$ erit. Wenn der Streit sich auf „etwas anderes" bezieht „als auf ein Darlehen aus gemünztem Geld" (*25*), so kann die Wertbestimmung grössere Schwierigkeiten verursachen als bei einer Geldsumme. Aus diesem Grunde ist das auf S. 168 (Komm. zu XXI, *3-4*) zitierte Ulpianus-Fragment (6 fideicommissorum, dig. 2, 1, 19, 1) von grosser Bedeutung; aus dem erwähnten Fragment geht nämlich hervor, dass bei einem Streit über die Frage, ob der Wert der Forderung höher oder niedriger als auf einen Betrag von 15.000 Sesterzen eingeschätzt werden musste, der vom Kläger angegebene Wert als Massstab galt.

27-28. **et sei ea res erit, de qua re omnei pecunia ibei ius deicei iudiciave darei .... oportebit,** „und wenn es sich um eine solche Sache handelt, dass darüber an Ort und Stelle (d.h. im Munizipium) ausschliesslich unter Angabe des Geldwertes eine rechtliche Prozedur vorgeschrieben und Prozessformulare erteilt werden müssen". Im Vorhergehenden war erst der Fall gesetzt worden, dass ein Kläger durch Klageerhebung beim örtlichen Jurisdiktionsmagistrat jemanden wegen einer Forderung gerichtlich belangt hatte. Daraufhin folgte — als zweites — die Möglichkeit, dass dieser Jurisdiktionsmagistrat die Sache untersucht und im Anschluss daran ein Rechtsverfahren für zulässig erklärt hatte; zu gleicher Zeit hatte er festgestellt, dass es sich um eine Forderung handelte, deren Höchstwert die Geldsumme von HS 15.000 nicht überschreiten würde. Als dritter Punkt kommt jetzt noch das in unserem Lemma zum Ausdruck gebrachte Erfordernis hinzu, dass nähmlich die im Prozessformular aufgenommene Verurteilung „ausschliesslich" (*de qua re omnei*) auf eine bestimmte Geldsumme lauten würde.

Wie man weiss, bildet Geldkondemnation für alle römischen Prozesse wegen Leistungsklagen, seien sie *in personam* oder *in rem*, die Regel. Das verhindert jedoch nicht, dass es auch für diese Regel Ausnahmen gibt; die wichtigsten Ausnahmen sind die Prozesse wegen Noxalklagen: in diesen lautet nämlich das Urteil in Rom alternativ auf Zahlung der Busssumme oder auf Herausgabe des Hauskindes, des Sklaven oder Tieres, das den Schaden verursacht hat, *noxae deditio* (vgl. M. KASER, Zivilprozessrecht S. 286). Anscheinend soll in den in unserem Lemma stehenden Worten zum Ausdruck gebracht werden, dass Prozesse *apud iudicem*, in denen Verurteilung zu einer *noxae deditio* möglich war, d.h. somit Verurteilung zu einer anderen Leistung als Zahlung einer Geldsumme, nicht zur Kompetenz der munizipalen Jurisdiktionsmagistrate gehörten.

Die in unserm Lemma begegnenden Worte *de qua re omnei pecunia* bereiten der Interpretation einige Schwierigkeiten. So hat MOMMSEN, Hermes VI (1881) S. 38 (= Jur. Schr. I, S. 188) *omnei* als Attribut zu *pecunia* betrachtet und dieser Verbindung die Bedeutung „unbegrenzt" beigemessen (ähnlich interpretierte auch HARDY, Six Roman Laws 1911, S. 122: „a claim of any amount"; HARDY's Übersetzung S. 131 „the whole sum claimed" hingegen ist nicht recht verständlich). Es sei somit nach MOMMSENS Meinung inbetreff der Kompetenzen der Munizipalmagistrate in Caput XXII nicht nur von einer Kategorie von Forderungen bis 15.000 Sesterzen die Rede, sondern daneben auch von einer Kategorie von Forderungen in „unbegrenzter" Höhe, und zwar „in gewissen Ausnahmefällen". Solche Ausnahmefälle werden jedoch in unserm Gesetz nirgends erwähnt. Man muss sogar im Gegenteil feststellen, dass alles, was in unserm Kapitel ausgesagt wird, im vollsten Widerspruch zu einer solchen Annahme steht: denn für sämtliche in Cap. XXII genannte Forderungen soll, sofern sie nicht höher als 15.000 Sesterzen sind, eine munizipale Indefension einer solchen, die in Rom begangen ist, gleichgestellt werden (vgl. hierzu auch die Bemerkungen unten in Anhang III S. 318 mit Anm. 51).

Es ist übrigens überhaupt nicht ratsam, *omnei pecunia* zusammenzunehmen: ein solcher Ausdruck lässt sich, soweit ich sehe, nirgends belegen. Für die Worte *de qua re omnei* hingegen lässt sich in unserer Lex eine Parallele im Plural, *de eis rebus omnibus*, aufweisen, vgl. Zeile *45/46*: *de eis rebus omnibus ita ius deicito*, „er (der Prätor) soll in all diesen Fällen in dieser Weise seine rechtliche Prozedur formulieren". In Zeile *27/28* (d.h. an unserer Stelle) bedeutet *ea res ...., de qua re omnei .... ius deicei .... oportebit* somit: „eine solche Sache, dass in dieser ganzen Sache (d.h. dass in dieser Sache ausschliesslich) .... eine rechtliche Prozedur formuliert werden muss".

Es bleibt jetzt noch die Aufgabe übrig, für das Wort *pecunia* zwischen *re omnei* und *ibei ius deicei* eine befriedigende Erklärung zu finden. Dieses *pecunia* kann kaum etwas anderes sein als ein Ablativ, und zwar ein Ablativus pretii. Der Ausdruck *pecunia ius deicei oportebit* bedeutet dann: „gegen Geld (d.h. unter Angabe des Geldwertes) muss eine rechtliche Prozedur vorgeschrieben werden". Bekanntlich konnten im Latein auch allgemeine Substantive für derartige Wertangaben benutzt werden: vgl. Plautus Asin. 397-398 *asinos vendidit .... mercatu*, „er veräusserte die Esel für ein Kaufgeld"; Capt. 258 *quos tam grandi sim mercatus praesenti pecunia*, „die ich für soviel Bargeld gekauft habe"; Cic. Cato 20, 75 *qui morte luit collegae .... temeritatem*, „der für die Verwegenheit seines Kollegen mit dem Tode büsste". Leider kann ich aber für die Verbindung der Ausdrücke *ius dicere* und *iudicium dare* mit einem derartigen Ablativus pretii keine Parallelstelle anführen. Vielleicht liesse sich unser Ausdruck auch als ein Grenzfall zwischen Ablativus pretii und Ablativ der Strafe betrachten; vgl. Ausdrücke wie *capite damnare* (z.B. Cic. Tusc. I, 22, 50), *bonis, exsilio, capite multare* (Liv. 4, 15, 4), *tertia parte agri condemnare* (Liv. 10, 1, 3), usw. Beide Ablative sind übrigens in der Praxis nicht immer scharf zu unterscheiden, da sie letzten Endes nur Abarten des instrumentalen Ablativs sind.

Der Indikativ in konsekutiven Relativsätzen (in unserm Falle *ea res erit, de qua re omnei .... oportebit*) ist im älteren Latein ganz allgemein, vgl. HOFMANN-SZANTYR, Synt. S. 558 f.

28. **ex h(ac) l(ege).** Es liegt auf der Hand, diese Worte mit den gerade vorhergehenden Worten *ibei ius deicei iudiciave darei* zu verbinden. *Ex hac lege* dürfte an dieser Stelle einen Hinweis auf ein in unserem Fragment nicht überliefertes Caput der Lex Rubria enthalten, in welchem den örtlichen Magistraten Richtlinien für das *ius dicere* und das *iudicia dare* (s. zu diesen Ausdrücken den Kommentar zu XX, *17*, S. 102 ff.) gegeben wurden. Über Einzelheiten dieser Richtlinien lassen sich naturgemäss nur Mutmassungen aufstellen: nach Analogie der Anordnungen in XX, *22-40* (vgl. besonders die Zeilen *24-25* und *34-35*) ist man zu der Annahme geneigt, dass die munizipalen Jurisdiktionsmagistrate auch für das *ius dicere* und das *iudicia dare* auf die von den römischen Prätoren gehandhabte Rechtspraxis verwiesen wurden.

29. **deve ea re cum eo agetur.** Etwas auffällig ist, im zweiten Teil des Relativsatzes, die Wiederaufnahme des vorherigen Relativpronomens *quae* durch das Demonstrativum *ea*: man hätte *deve qua* (*re*) erwartet. Es liegt jedoch kein Grund vor, diesen Satzteil deshalb mit GRADENWITZ, Versuch einer Dekomposition (1915) S. 19 f. und PÜSCHEL, Confessus pro iudicato est (1924) S. 49 als eine spätere „Auflagerung" zu bezeichnen. Denn bekanntlich begegnen derartige Wiederaufnahmen durch ein Demonstrativum öfters im Altlatein; und auch im klassischen Latein fehlen sie keineswegs, vgl. HOFMANN-SZANTYR Synt. S. 565 f. So schreibt Plautus Capt. 555 *quibus insputari saluti fuit atque is* (d.h. *eis* statt *quibus*) *profuit*, „denen es zum Segen gereichte, bespuckt zu werden, und denen es nützte". Wahrscheinlich muss in der Lex Rubria diese Konstruktion als Archaismus gewertet werden. Es sei noch darauf hingewiesen, dass in dieser Zeit auch in Gesetzestexten bereits die geläufigere Konstruktion mit zweimaligem Relativpronomen begegnet, vgl. z.B. das Fragmentum Atestinum, Zeile *4*: *is, a quo petetur quomve quo agetur*.

ita, „in einem solchen Falle". Das Adverb *ita* weist auf die soeben (*26-29*) genannten Bedingungen hin: 1) die Forderung muss an eine in Gallia Cisalpina wohnhafte Person gerichtet sein; 2) ihr Höchstwert darf nicht mehr als 15.000 Sesterzen betragen; 3) die für die Prozessführung verwendeten rechtlichen Verfügungen und Formulare drücken die geforderte Leistung lediglich in einer Geldsumme aus (es dürfen somit keine anderen Leistungen gefordert werden, wie etwa *noxae deditio*).

31. **d(are) f(acere) p(raestare) restituereve oportere.** Die ersten Worte, nämlich *dare facere praestare,* sind die feste Umschreibung des Leistungsinhaltes in Prozessformeln und Gesetzen; vgl. z.B. Gaius IV, 2 *in personam actio est .... cum intendimus dare facere praestare oportere*; und Paulus 2 inst., dig. 44, 7, 3 *pr. obligationum substantia .... in eo consistit, ... ut alium nobis obstringat ad dandum aliquid vel faciendum vel praestandum.* Aus den Zitaten geht hervor, dass man an unserer Stelle *f(acere)* lesen muss, obwohl hier auf der Bronzetafel wahrscheinlich *e.* steht. Diese drei Termini wurden öfters in abgekürzter Form niedergeschrieben, d.h. dass *dfp(o)* = *dare facere praestare* (*oportet* oder *oportere*) verwendet wurde (vgl. diese Abkürzung z.B. im Index notarum von STUDEMUND, Gaii institutionum Apographum S. 263; häufiger begegnet übrigens *df* oder *dfo* = *dare facere* oder *dare facere oportet, oportere*). Aus obigem Gaiuszitat geht ferner hervor, dass die drei Termini *dare facere praestare* besonders in einer *actio in personam* begegneten.

Zur Bedeutung der verschiedenen Begriffe vgl. man die Ausführungen bei KASER, Röm. Privatrecht I² S. 489 ff. Es sei hier noch kurz folgendes hervorgehoben: **dare** bringt zum Ausdruck, dass eine Sache — sei es eine *certa res* sei es eine *incerta res* — an jemanden übertragen und somit dessen Eigentum wird (vgl. HEUMANN-SEKKEL, S. 120 s.v. ‚*dare*' sub 1 e β); das Wort dürfte sich in unserem Zusammenhang auch auf eine — nicht erfüllte — Lieferungspflicht beziehen.

facere. Handelt es sich — wie hier — um eine rechtliche Verpflichtung, so bezeichnet *facere* jede nur mögliche Leistung, einschliesslich *dare* (vgl. HEUMANN-SECKEL, S. 203 s.v. ‚*facere*' sub 2 a). Dabei kann — ausser an *dare* — auch an *praestare* (vgl. HEUMANN-SECKEL, S. 203 sub 2 a) und an *restituere* gedacht werden. Letzteres ergibt sich aus Pompon. 22 ad Sab., dig. 50, 16, 175: *„faciendi" verbo reddendi etiam causa continetur.*

praestare. Es ist sehr unsicher, ob *praestare* neben *dare* und *facere* noch eine besondere Bedeutung hat; vgl. HEUMANN-SECKEL, S. 452 s.v. „*praestare*' sub 1 b. Man erhält vielmehr den Eindruck, dass *facere* und *praestare* beinahe Synonyme sind. Darum dürfte es überflüssig sein, mit Hilfe von etymologischen Ableitungen Bedeutungsverschiedenheiten entdecken zu wollen, wie KASER (vgl. Privatrecht I², S. 489) es versuchte. Ansprechender dürften deshalb die Bemerkungen von R. MAYR, ‚praestare', ZSS. 42 (1921) S. 198-227 sein: nach der Auffassung dieses Gelehrten kann man nicht mehr sagen, als dass *praestare* einerseits in Verbindung mit *dare facere* ein allgemeinerer Ausdruck für den Inhalt einer Leistung ist, und dass es anderseits als technische Bezeichnung der Verpflichtung, *cautio* zu leisten, verwendet werden kann.

Der letzte Begriff, **restituereve,** „oder zurückzugeben", hat verschiedene Autoren vor Probleme gestellt, da die in sonstigen Rechtsquellen üblichen Umschreibungen nur aus den Worten *dare facere praestare* bestehen (für Beispiele vgl. HEUMANN-SECKEL, S. 452 s.v. ‚*praestare*'); ausserdem ist *restituere* an unserer Stelle ganz ausgeschrieben, *d(are) f(acere) p(raestare)* hingegen nicht. GRADENWITZ, Versuch einer Dekomposition (1915), S. 23 und PÜSCHEL, Confessus pro iudicato est (1924), S. 50-51 wollten das Wort aus diesem Grunde überhaupt streichen. Man muss den genannten Autoren natürlich zugeben, dass *restituere* sonsthin nicht regelmässig im Zusammenhang mit den drei übrigen Begriffen unserer Reihe genannt wird. Dies ist jedoch kein hinreichender Grund für eine einfache Streichung unseres — eindeutig und authentisch überlieferten — Wortes. Im Gegenteil, da unser Caput XXII eine Art „Omnibus-Kapitel" (s. zu diesem Begriff oben S. 192) für alle möglichen Schulden und Verpflichtungen ausser Gelddarlehen darstellt und da ausserdem durch die vorhergehenden Worte *dare facere praestare*, die als eine althergebrachte feste Formel zu betrachten sind, anscheinend besonders auf Forderungen, die sich auf einzelne Leistungen beziehen, hingewiesen ist, erwartet man zum Schluss noch einen Terminus, der eine weitere und umfassendere Bedeutung hat. Und letzteres dürfte für *restituere* in der Tat zutreffen: denn dieses Wort lässt sich auch für zusätzliche Forderungen von Nebenleistungen verwenden, etwa Forderungen von verloren gegangenem Kapital- oder Ernteertrag, von Ersatz für nachträglich eingetretene Verschlechterung des Streitgegenstandes, usw. (vgl. zu diesem Terminus noch KASER, Privatrecht I²

S. 493 und Zivilprozessrecht S. 226 und S. 256, Anm. 51, mit Lit.; an der zuerst genannten Stelle erwähnt KASER einige Aktionen, die für eine Forderung auf *restituere* in Frage kommen könnten, etwa *actiones ad exhibendum, redhibitoriae, aquae pluviae arcendae, de dolo, quod metus causa*, usw.).

Man darf jedoch m.E. die hier genannten Termini, besonders aber den zuletzt genannten, *restituere*, nicht in allzu enge Interpretationen hineinpressen. Schon wegen ihrer Einseitigkeit dürften deshalb die sehr spezifischen Erklärungen von DEMELIUS, Die Confessio (1880), S. 147 ff. nicht recht wahrscheinlich sein: letzterer wollte nämlich, was *restituere* betrifft, lediglich an *interdicta restitutoria* denken und er gelangte dabei zu der Auffassung, dass hier von einem Geständnis die Rede sei, das der Beklagte unmittelbar nach der *postulatio interdicti*, d.h. dem Gesuch um ein *interdictum*, abgelegt habe. GIFFARD, La ‚confessio in iure' (1900), S. 114 ff. jedoch hat die von DEMELIUS vorgeschlagene Erklärung bereits in nachdrücklichster Weise zurückgewiesen, weil er, wie viele andere Forscher, der Meinung ist, dass die Munizipalmagistrate nicht die Befugnis hatten, Interdikte zu erteilen. Da nun GIFFARD die Worte *dare facere praestare* speziell für die zivilrechtlichen *actiones* mit *formulae in ius conceptae* reservieren möchte, setzt er den Terminus *restituere* zu den *actiones fiduciae* und verwandten Prozeduren in Beziehung, besonders zu honorarrechtlichen *actiones in factum*, die aus Realkontrakten, welche *bonae fidei* waren, hervorgegangen sind.

Wie oben S. 63-64 im Kommentar zu XIX, *1/2* schon dargelegt wurde, ist es gewiss sehr fraglich, ob die Munizipalmagistrate je das Recht gehabt haben, Interdikte zu erteilen. Wenn nun die Ausschliessung der Interdikte auch an unserer Stelle zu Recht besteht, so blieb für einen munizipalen Kläger, der sich die für die Gewährung eines restitutorischen Interdikts benötigte Reise nach Rom ersparen wollte, in der Tat nichts anderes übrig, als sich mit der Auswahl, welche die zivilrechtlichen und honorarrechtlichen *actiones* und die dazugehörigen *sponsiones* ihm boten, zufriedenzugeben.

Es muss aber in diesem Zusammenhang noch bemerkt werden, dass GIFFARDS oben erwähnter Vorschlag, zwischen den Termini *dare facere praestare* einerseits und *restituere* andererseits eine scharfe Grenze zu ziehen, ebenfalls nicht recht überzeugend ist: haben wir doch bei der Besprechung der drei vorhergehenden

Termini schon eine teilweise gegenseitige Überschneidung konstatieren müssen. Es dürfte somit auf keinen Fall ratsam sein, hinter jedem einzelnen der vier in unserm Lemma stehenden Termini einen besonderen Hinweis auf ganz bestimmte Rechtsprozeduren zu vermuten. Es liegt eher auf der Hand anzunehmen, dass diese vier Termini gerade deshalb vom römischen Gesetzgeber gewählt worden sind, weil sie wegen ihrer Unbestimmtheit für eine nahezu unbeschränkte Zahl von Forderungsklagen verwendet werden konnten, nicht nur für bereits bestehende Forderungsklagen, sondern auch für solche, die in der Zukunft eventuell noch hinzukämen. Wie wir wissen, sollte in unserm „Omnibus-Kapitel" letzten Endes nur eine einzige Kategorie von Forderungsklagen ausgenommen werden, u. zw. solche auf *certa credita pecunia.*

31-32. **aut se debere.** Genau genommen ist diese Ergänzung nach den vorhergehenden Worten *dare facere .... oportere* überflüssig. GRADENWITZ, Versuch einer Dekomposition (1915) S. 26 Anmerkung und PÜSCHEL, Confessus pro iudicato est (1924) S. 50 bezeichnen darum diese drei Worte als einen kaum zur Sache gehörigen und deshalb „späteren" Zusatz, dies umso mehr, als in den folgenden Aufzählungen von Fällen von Verschleppung des Prozessablaufs die Worte *aut se debere* nicht wiederholt werden. Es ist jedoch eher anzunehmen, dass es sich um einen Ausdruck der Alltagssprache handelt, der dem kanzleisprachlichen *oportere* nur der grösseren Deutlichkeit zuliebe an die Seite gestellt wurde (so auch WLASSAK, Konfessio 1934, S. 32); es handelt sich dann wieder um einen Fall von explikativer Juxtaposition, vgl. unten S. 231. Dem *se* vor *debere* muss auch das Akkusativ-Subjekt zu den vorhergehenden Verben *dare facere praestare restituereve* entnommen werden.

32. **eiusve eam rem esse aut se eam habere,** „dass der Kläger Eigentümer des Streitgegenstandes sei, beziehungsweise dass er (der Angeklagte) den Gegenstand in seinem Besitz habe". Der Umstand, dass es kaum möglich ist, der Konjunktion *aut* in unserem Lemma eine scharfe disjunktive Bedeutung beizumessen, hat früheren Interpretatoren oft Schwierigkeiten bereitet. Es dürfte jedoch bei einer näheren Betrachtung deutlich sein, dass der erste Satzteil unseres Lemmas (*eiusve eam rem esse*) und der zweite (*se eam habere*) sich gegenseitig keineswegs ausschliessen, dass sie sich im Gegenteil sogar ergänzen. Denn gerade die Tatsache, dass der Angeklagte den Gegenstand des Klägers in seinem Besitze hat, veranlasst letzteren zur Anzeige und zu der Behauptung *in iure*, dass dieser Gegenstand sein Eigentum sei. Schon im Altlatein finden sich Belege für *aut*, in denen diese Konjunktion nicht sosehr scharfe Gegensätze als vielmehr lediglich verschiedene, bisweilen sogar mehr oder weniger synonyme Begriffe von einander trennt. HOFMANN-SZANTYR S. 498 f. zitiert z.B. aus Plaut. Poen. 994 *quoiates estis aut quo ex oppido?* und S. 500 (sub β) aus Terenz Heaut. 1027 *quod peto aut quod volo*. Zu dem prätorischen Interdikt *quod vi aut clam* bemerkt Cod. Iust. 6, 38, 4, 1 b *‚aut' coniunctio pro ‚et' apertissime posita est*; obgleich die soeben zitierte Interpretation der alten, aus klassischer wenn nicht schon aus früherer Zeit stammenden Interdiktsformel einem recht späten Text entnommen ist (531 n. Chr.), lässt ihre Richtigkeit sich kaum in Abrede stellen. An sämtlichen Stellen bedeutet *aut* etwa „oder auch", „oder vielmehr", „beziehungsweise". Dass bereits in klassischer Zeit *aut* fast als Synonym für *et* verwendet werden konnte, zeigt z.B. Cic. inv. 2, 36, 109 *aequi et iniqui natura et praemi aut poenae ratio*: *aut* hat hier zwischen *praemi* und *poenae* keine andere Funktion als *et* zwischen *aequi* und *iniqui*.

Wie bereits erwähnt, haben frühere Forscher die disjunktive Bedeutung von *aut* an unserer Stelle aufrechterhalten wollen. So war WLASSAK, Konfessio, 1934, S. 47 (Anm.) der Ansicht, dass zwar beide Teile unseres Lemmas zu e i n e m Geständnis gehörten, dass aber in der Praxis nur e i n e der beiden Erklärungen von dem Beklagten abgegeben werden könnte. Denn wenn der Beklagte beide Erklärungen abgeben würde, wäre die Streitfrage schon entschieden und ein Prozess überflüssig. Man sieht jedoch nicht ein, in wiefern es einen Unterschied machen könnte, ob der Angeklagte lediglich gesteht, dass das Streitobjekt, dessen Herausgabe der Kläger von ihm fordert, tatsächlich „Eigentum des Klägers" sei, oder ob er ausserdem noch hinzufügt, dass er das von ihm geforderte Objekt „in seinem Besitz" habe. Denn es steht an unserer Stelle der Lex Rubria nicht in erster Linie der Fall zur Erörterung, dass der Angeklagte gestanden hat, sondern dass er trotz des Geständnisses das Streitobjekt immer noch nicht herausgegeben hat.

Noch komplizierter sind die Bemühungen von WLASSAKS Vorgängern, um für beide durch *aut* getrennte Satzteile zwei völlig von einander unabhängige Fälle zu konstruieren. In der Praxis gehen diese Versuche dahin, dass beiden Gliedern, oder wenigstens dem einen der beiden, sehr spezialisierte Bedeutungen beigelegt werden. So ist DEMELIUS (Die Confessio, 1880, S. 133 ff. und besonders S. 149) der Ansicht, dass die Worte *eiusve eam rem esse* mit *interdicta exhibitoria* in Verbindung gebracht werden müssen, und GIFFARD (La ‚confessio in iure', 1900, S. 114 ff.) spricht anlässlich derselben Worte von einer *actio ad exhibendum*; und der zweite Satzteil *se eam habere,* beziehe sich, so behaupten beide Forscher, auf allerhand *actiones in rem.* Es muss jedoch auch hier gegen solche überspitzten Interpretationsversuche der Einwand erhoben werden, dass sie am Wortlaut des Textes keine Stütze haben. Was schliesslich die von DEMELIUS vorgeschlagenen Interdikte anbelangt, vgl. man die oben S. 216 zu XXII, *31* gemachten Bemerkungen.

32-33. **eamve rem de qua arguetur se fecisse,** „dass er sich der Tatsache schuldig gemacht hat, deren er angeklagt wird". Die Verwendung des Verbs *arguetur* („deren er angeklagt wird") zeigt deutlich, dass sich diese Worte auf das Geständnis, ein Delikt begangen zu haben, beziehen; zu dem Gebrauch von *facere* in ähnlichen Verbindungen vgl. HEUMANN-SECKEL, S. 203-204 s.v. ‚*facere*' sub 3. Bestimmte Delikte, nämlich *furtum* (Raub), *damnum* (Schadenszufügung) und *iniuria* (unrechtmässiges Verhalten) wurden mit Hilfe einer zivilrechtlichen Forderung vor Gericht gebracht, vor allem mit Hilfe der *actio legis Aquiliae*; vgl. ausserdem KASER, Privatrecht I², S. 161 und 619 ff. Die obige Erklärung dieses Lemmas findet man auch bei DEMELIUS, Die Konfessio (1880), S. 150, GIFFARD, La ‚confessio in iure' (1900) S. 120 und PÜSCHEL, Confessus pro iudicato est (1924) S. 50.

33. **obligatumve se eius rei noxsiaeve esse,** „oder dass er für die (ihm vorgeworfene) Sache oder für den—von einer in seiner Macht stehenden Person verursachten — Schaden haftbar sei". Die Satzkonstruktion ist dadurch etwas auffällig, dass *obligatum* und *esse* auseinander gerissen sind. Anscheinend wurde die Wortfolge *seve eius rei .... obligatum esse* wegen des ungewöhnlichen *seve* vom Redaktor als unschön empfunden und aus diesem Grunde durch Umstellung in *obligatumve se eius rei .... esse* abgeändert. Da unser Lemma als ein Hinweis auf die *obligationes ex delicto* betrachtet werden muss, umfasst es zu einem grossen Teil dieselben Möglichkeiten, die schon im vorhergehenden Satzteil durch *eamve rem ....*

se fecisse angedeutet wurden. Es wäre jedoch unrichtig, das vor *rei* gestellte Pronomen *eius* als einen Hinweis auf das Vorhergehende zu betrachten. Ebenso wie an anderen Stellen, wo einfaches *is* verwendet wird, bedeutet *eius* hier „die diesbezügliche, vor Gericht gebrachte (Sache)": vgl. dieses Pronomen in derselben Bedeutung z.B. in Zeile *32 eam rem* (an anderen Stellen wird diese Bedeutung von *is* durch einen zusätzlichen Relativsatz noch besonders verdeutlicht: vgl. *29 eam rem, quae ita ab eo petetur* und *32 eamve rem, de qua arguetur*).

Dass die Worte unseres Lemmas jedoch mehr umfassen als das vorhergehende *eamve rem .... se fecisse,* wird durch den Zusatz *noxsiaeve* zum Ausdruck gebracht. Wie bekannt, wird *noxia* besonders für die Bezeichnung der schädlichen Handlung (und des infolge dieser Handlung entstandenen Schadens) verwendet, die nicht vom Angeklagten selbst, sondern von einer seiner Gewalt unterstehenden Person (Haussohn, Sklave, evtl. Tier) begangen worden ist; vgl. HEUMANN-SECKEL, S. 274 s.v. *‚noxa/noxia'* (über das sprachliche Verhältnis von *noxa* zu *noxia* vgl. ERNOUT-MEILLET, DEL. S. 440). Durch den verdeutlichenden Zusatz *noxsiaeve* zu dem vagen *eius rei* wird somit zum Ausdruck gebracht, dass die Worte unseres Lemmas ein grösseres und vollständigeres Gebiet der *obligationes ex delicto* umfassen als die des vorhergehenden Satzteiles, *eamve rem, de qua arguetur, se fecisse.*

Was die Konstruktion *eius rei noxsiaeve obligatum esse* anbelangt, vergleiche man die Belege, die HEUMANN-SECKEL, S. 380, 2. Spalte (oben) für *obligari* mit sogen. Genetivus forensis anführt (dieser Genetiv begegnet häufiger in der Lex Rubria, vgl. oben S. 90 f. Komm. zu XX, *7*; vgl. dazu ferner HOFMANN-SZANTYR Synt. S. 75 ff.). Inbetreff der Schreibweise *noxsiae* sei noch bemerkt, dass sich schon recht früh Beispiele für diesen fehlerhaften Versuch, den Doppellaut des *x* auch in der Orthographie zum Ausdruck zu bringen, aufzeigen lassen: SOMMER Laut- und Formenlehre S. 248 zitiert z.B. CIL. I² Nr. 581, Z. *16* (186 v. Chr.): *exstrad.* Vgl. übrigens in der nächsten Zeile unserer Lex (*34*) *deixseritve.*

Zu den *actiones noxales,* die einem Kläger gegenüber einem *noxiae obligatus* zustehen, vgl. KASER, Zivilprozessrecht S. 208 und 263 f. Wie oben zu Zeile *28* schon bemerkt wurde, konnte ein munizipaler Jurisdiktionsmagistrat eine solche Actio nur dann einleiten, wenn die Busssumme den Höchstwert von 15.000 Sesterzen nicht überschritt und ausserdem im Prozessformular die Möglichkeit einer *noxae deditio* nicht aufgenommen war.

34. **deixseritve.** Das zusätzliche *deixserit* — nach *confessus erit* — wird an den anderen Stellen, an denen *confessus erit* vorkommt (vgl. *40-42, 43-44* und *47-50*), nicht wiederholt, und es ist in Caput XXI nach *confessus erit* überhaupt nicht zu finden. Für GRADENWITZ, Versuch einer Dekomposition (1915), S. 23 und PÜSCHEL, Confessus pro iudicato est (1924), S. 51 reicht diese Unregelmässigkeit aus, um das Wort als „Auflagerung" zu streichen. Die Tatsache, dass das Wort in Caput XXII nicht wiederholt wird, braucht jedoch kein Einwand zu sein; es wird sich hier um eine vervollständigende Hinzufügung handeln, die an den folgenden Stellen in ähnlicher Weise fortgelassen wird, wie *iubeto cogito* in XX, *17* in *22* nur in gekürzter Form mit *iubeat* wiederholt wird. Gegen die Auffassung WLASSAKS (ZSS. 42, 1921, S. 436-437), dass *dicere* an unserer Stelle den technischen Ausdruck bei der *actio ad exhibendum* für: „sagen dass man das Geforderte in seinem Besitz hat" darstellen könnte, muss man einwenden, dass eine derartig spezifische Bedeutung von *dicere* nur in einem weniger allgemein abgefassten Kontext als dem Unsrigen glaubwürdig sein würde. Anscheinend wurde *deixseritve* hier nur dem Streben nach Vollständigkeit zuliebe hinzugefügt: jede Erklärung vonseiten des Beklagten vor dem Magistrat *in iure*, dass die Forderung des Klägers zu Recht bestehe, müsse sogar auch dann, wenn diese Erklärung nicht die Form einer regelrechten *confessio* angenommen habe, für ein Geständnis angesehen werden.

neque d(e) e(a) r(e) satis utei oportebit faciet, „und hinsichtlich dieser Sache nicht gebührende Genugtuung erteilt". Über *satis facere*, „Genugtuung erteilen", ist schon anlässlich von XXI, *6* *satisve faciet* gesprochen worden, vgl. oben S. 171 f. In unserem Fall kann die Verweigerung des Beklagten, *satisfactio* zu leisten, darauf beruhen, dass der Beklagte sich mit dem Kläger nicht über den Geldwert der Forderung einigen konnte.

34-35. **aut sei sponsionem fierei oportebit, sponsionem non faciet.** Der Konditionalsatz deutet darauf hin, dass nicht in jedem Falle von Angeklagten eine *sponsio* (rechtlich bindendes Versprechen vgl. Kommentar zu XX, *8* S. 93) erwartet wurde, wenn es sich im

Prozess um *quid praeter pecuniam certam creditam* (Z. *25*) handelte. Dagegen war bei Schuldprozessen, die Gelddarlehen betrafen und die im vorhergehenden Caput XXI (vgl. Z. *6. 8. 12. 16*) behandelt wurden, eine *sponsio* gegen unbegründetes Prozessieren vorgeschrieben, und zwar eine *sponsio tertiae partis* (vgl. oben S. 172).

Da, wie wir oben S. 215 zu XXII, *31* gesehen haben, für unser „Omnibus-Kapitel" eine nahezu unübersehbare Anzahl von Aktionen wegen Forderungsklagen in Frage kommt, ist es ebenfalls nicht möglich, die dazugehörigen Sponsionen hier aufzuzählen. Es sei nur darauf hingewiesen, dass es mehrere Arten von *sponsiones praeiudiciales* gegeben hat, in denen die Parteien ihre Mitwirkung an dem Zustandekommen des Prozesses versprachen. Viele dieser Sponsionen waren — im Gegensatz zu der soeben erwähnten *sponsio tertiae partis*, die einen pönalen Charakter hatte — rein präjudiziell: d.h. sie dienten nur, um ein Urteil zu erwirken; die Sponsionssummen selbst wurden dann nicht eingetrieben (vgl. KASER, Zivilprozessrecht S. 76 f. und 266).

Der Satz *sei sponsionem fierei oportebit*, der wohl mit Absicht vom Gesetzgeber recht unbestimmt formuliert worden ist, ermöglicht es uns ebenfalls nicht, festzustellen, in wiefern hier auch noch an andere prozessualische Sicherheitsleistungen gedacht werden muss. Wie bekannt, konnte bei einer *actio in rem per sponsionem* nur dann die im Prozess unterlegene Person für die Herausgabe des Streitgegenstandes haftbar gemacht werden, wenn durch eine zusätzliche *cautio pro praede litis et vindiciarum* dafür vorgesorgt worden war (vgl. dazu KASER, Zivilprozessrecht S. 73, 211 und 254; eine etymologische und wortgetreue Paraphrase des Ausdrucks *litis et vindiciarum* hat übrigens schon Gaius IV, 16 nicht mehr geben können). Eine andere öfters begegnende Sicherheitsleistung in diesem Zusammenhang war die *cautio iudicatum solvi*: sie wurde besonders dann auferlegt, wenn der Beklagte sich bei der Prozessführung vertreten liess; der Beklagte musste das Versprechen abgeben, dass er *sine dolo malo* für ordnungsgemässe Defension sorgen und ebenfalls eine eventuelle Urteilsschuld erfüllen würde (vgl. KASER a.a.O. S. 210 f.). Und so liessen sich noch sonstige Prozesskautionen erwähnen, die für Forderungsklagen in Frage kommen. Es fehlt jedoch in unserm Caput jeder direkte Hinweis auf solche Kautionen; anscheinend wurden sie vom rubrischen Gesetzgeber, als etwas Selbstverständliches, dem von ihm verwendeten Terminus *sponsio* zugerechnet.

Es braucht nach obigen Ausführungen nicht noch besonders erwähnt zu werden, dass alle bisher gemachten Versuche, dem Worte *sponsio* an unserer Stelle eine spezifische Bedeutung beizumessen, wenig Glauben verdienen. Höchstens handelt es sich um einige Möglichkeiten; so z.B., wenn PFLÜGER, ZSS. 64 (1944) S. 366 unterstellt, dass es sich um die *cautio de dolo* und die *cautio rem habere licere* handle, zwei *cautiones*, die garantieren sollten, dass der Gläubiger nach Zahlung der Schuld keine weiteren Forderungen mehr erheben würde.

36. **neque se iudicio utei oportebit defendet.** Dieser, in *37* wiederkehrende Satz macht deutlich, dass auch andere als auf Gelddarlehen beruhende Prozesse in den Munizipien der Poebene geführt werden durften, vorausgesetzt allerdings, dass der Beklagte nicht versuchte, den Prozessablauf zu verschleppen. Zu der Frage, wie nach einer *confessio* noch ein Prozess *apud iudicem* geführt werden konnte, sei auf die Einleitung zu Caput XXI (vgl. S. 154 ff.) verwiesen, wo festgestellt wurde, dass es bei einem solchen Streit um die Frage der Anwendbarkeit einer *exceptio* ging. Ausserdem ist es in unserem Caput XXII möglich, dass der Wert der zu erbringenden Leistung zum Streitgegenstand wurde, so dass ein *iudex* gebeten werden konnte, den entsprechenden Geldwert zu berechnen (vgl. Einleitung zu Caput XXII, S. 204 ff.).

38. **quomve eo.** Ähnlich wie in Zeile *29-30*, wo *eam rem, quae ita ab eo petetur deve ea re cum eo agetur* statt *eam rem quae .... deve qua (re) .... agetur* geschrieben wurde (s. Kommentar zur Stelle, S. 213), finden wir auch hier ein Beispiel für die Wiederaufnahme des Relativpronomen durch ein Demonstrativum im zweiten Glied: es steht somit *quomve eo* anstelle von *quomve quo*.

39. **quoi.** Die archaische Schreibweise *quoi* statt *cui* hat bis in das 1. Jahrhundert der Kaiserzeit fortgedauert. Quintilian 1, 7, 27 berichtet, dass zu seiner Jugendzeit noch *quoi* geschrieben wurde (vgl. auch SOMMER Handbuch S. 437).

40. **s(iremps) l(ex) r(es) i(us) c(aussa)q(ue) o(mnibus) o(mnium) r(erum) e(sto).** Eine Parallele zu dem hier verwendeten rigorösen Abkürzungssystem ist schon in dem Kommentar zu XXI, *10* (vgl. S. 175) zitiert worden.

40-44. **s(iremps) l(ex) .... e(sto), atque utei esset ...., sei .... Romae apud pr(aetorem) .... defendisset.** In den in unserem Caput XXII behandelten Fällen ist — wie man bei diesem Lemma sehen kann — keine Rede davon, dass der Munizipalmagistrat Verschleppung des Prozessablaufs selbständig durch die Erklärung bekämpfen konnte, ein Beklagter, der den Prozessablauf verschleppt, gelte als verurteilt. Ein solcher Beklagter wurde vielmehr wie jemand behandelt, der sich in Rom nicht entsprechend den vorschriften verhalten hatte. Wie man sich das im Einzelnen vorzustellen hat, wird nicht beschrieben. Es wird zwar mitgeteilt (vgl. *45-52*), dass der Prätor ein oder mehr Zwangsmittel anwenden konnte, aber eine genaue Beschreibung geben diese Zeilen nicht. Man braucht eine solche Beschreibung allerdings auch nicht zu erwarten, da sie für den Munizipalmagistrat nicht von Bedeutung ist. Zu *siremps* vgl. man den Kommentar zu XXI, *10*, oben S. 175.

40-42. **sei is quei .... defenderit.** Warum findet man an dieser Stelle noch einmal die Umschreibung der Fälle von Verschleppung des Prozessablaufs? Das juristische Streben nach übertriebener Genauigkeit dürfte der wichtigste Grund hierfür sein: da nach *tum* (*39*) sowohl von dem Kläger wie auch von dem Beklagten gesprochen wird, hielt man es anscheinend für nötig, noch einmal deutlich zu sagen, gegen wen sich die Bestimmung unseres Caput XXII richtet.

43. **apud pr(aetorem) eumve quei de ieis rebus Romae i(ure) d(eicundo) p(rae)esset.** Die Umständlichkeit des Ausdrucks beruht nicht nur auf unnötiger formalistischer Vorsicht. Man muss bedenken, dass die Lex Rubria während des von Caesar geführten Bürgerkrieges redigiert worden ist. So wissen wir z.B., dass im Jahre 45 v. Chr. — einige Jahre nach dem Erscheinen unseres Gesetzes — *praefecti pro praetoribus* auf Caesars Geheiss ernannt wurden, die während der Abwesenheit des Diktators (er zog nach Spanien) die städtischen Geschäfte wahrnehmen mussten; Caesar hatte nämlich im vorigen Jahre keine Wahlkomitien abgehalten; vgl. Sueton, Caesar 76, 2 und Dio 43, 28, 2; ferner MOMMSEN, Staatsrecht I S. 668.

45. **in eum et in heredem eius,** „gegen den Beklagten und seinen Erben". Die Ergänzung „und seinen Erben" weist hier (und in *47*) darauf hin, dass die Schadenersatzansprüche des Kontraktrechts vererblich sind; vgl. JÖRS-KUNKEL-WENGER, Römisches Recht, Berlin ²1935 S. 171 (s. auch S. 168-170).

Warum findet man im vorigen Caput (XXI) in den entsprechenden Zeilen (vgl. *14-19*), in denen — ebenso wie an unserer Stelle, XXII, *45-50* — die Konsequenzen des schon beschriebenen Vorgehens gegen Verschleppung des Prozessablaufs mitgeteilt werden, nicht die Ergänzung *heredemve eius*? Die Lex Rubria wiederholt Formulierungen meist nicht wörtlich. Möglicherweise muss man auch hier von Nachlässigkeit sprechen. Eine andere Möglichkeit wäre, dass es sich in Caput XXI um einen Fall handelt, bei dem die Ansprüche nicht vererblich sind. Bei näherem Zusehen jedoch kann letztere Möglichkeit nicht zutreffen, denn in beiden Capita handelt es sich um Ansprüche des Kontraktrechts. In XXII, *45* und *47* dürfte deshalb nach aller Wahrscheinlichkeit eine etwas plötzlich auftretende grössere Exaktheit im Spiele sein.

46-47. **pr(aetor)q(ue) .... ita ius deicito decernito eosque duci bona eorum possideri proscreibeive veneireque iubeto.** Die letzten sechs Wörter dieser langen Aufzählung waren offensichtlich konventioneller Art; man findet sie nämlich, mit kleinen Veränderungen, in Probus' Abkürzungssammlung, KEIL Gramm. Lat. S. 275 Nr. 24 BEEPPVQI = *bona ex edicto possideri proscribi venireque iubebo.*

Das betreffende Lemma enthält alle Massnahmen, die der Prätor als höchster Jurisdiktionsmagistrat bei Prozessen ergreifen konnte. *Ius dicere* (vgl. Kommentar zu XX, *17*, S. 101) bezeichnet die Tätigkeit des Prätors (oder anderer Jurisdiktionsmagistrate) während des Verfahrens *in iure*, und zwar einschliesslich des Aufstellens der Formel. *Decernere* (vgl. Kommentar zu XIX, *2*, S. 64), „beschliessen", „einen Befehl erteilen", kann in diesem Zusammenhang als Bezeichnung der von dem Prätor (oder einem anderen Jurisdiktionsmagistrat) getroffenen Massnahmen, vor allem der Bestimmung eines *iudex* oder der Anwendung von Zwangsmittel gegen den Beklagten verwendet werden. Letzteres, d.h. die Anwendung von Zwangsmitteln, wird in unserem Fall näher erklärt durch *eosque duci bona eorum possideri proscreibeive veneireque*. In der Praxis sind es zwei verschiedene Zwangsmittel. Zunächst einmal (bei *eosque duci*) handelt es sich um *ductio* (vgl. Kommentar zu XXI, *19*, S. 180), „Geiselung" eines Beklagten, der den Prozessablauf verschleppt oder das Urteil nicht befolgt, alsdann (bei *bona eorum*

.... *veneireque*) um *missio in bona* (vgl. Einleitung zu Caput XX, S. 86), „Einweisung des Klägers in den Besitz des Beklagten" in Fällen, in denen ein Beklagter den Prozessablauf verschleppte oder das Urteil nicht befolgte und sich ausserdem verborgen hielt, so dass *ductio* nicht möglich war (vgl. hierzu Wenger-Fisk, Institutes of the Roman Law of Civil Procedure, New York 1940 S. 233 f.).

Unter Zuhilfenahme dessen, was zu Anfang von Caput XXII angeordnet wurde, lassen sich hier die Handlungen und Massnahmen des römischen Prätors noch etwas näher in Einzelheiten beschreiben. Zunächst einmal kann der Prätor dann einschreiten, wenn in einem Munizipium ein Angeklagter, trotz anfänglichen Geständnisses bei einem Verfahren *in iure*, den normalen Prozessablauf zu verschleppen versucht. Diese Verschleppung kann auf verschiedene Weise zustande kommen: der Beklagte kann sich einfach weigern zu zahlen, das Geforderte zurückzuerstatten oder den verlangten Schadenersatz zu leisten (eventuell auch dafür eine *sponsio* zu leisten); oder aber er kann sich weigern, eine Prozessformel (*iudicium*) zu akzeptieren, welche ihn sonst in die Lage versetzen würde, seine Sache vor dem Richter zu verteidigen. Der Prätor hat in einem solchen Fall die Aufgabe, diesen Beklagten noch nachträglich dazu zu bringen, sich auf ein *iudicium* einzulassen, damit noch die Berechtigung einer *exceptio* beurteilt oder der Geldwert der Forderung geschätzt werden kann. Falls der Beklagte nun tatsächlich erscheint, so kann der Prätor *ius dicere decernere*, d.h. den Fall *in iure* behandeln und einen *iudex* bestellen; oder aber, wenn der Beklagte sich auch weiterhin unbotmässig verhält, *duci iubere*, d.h. den Befehl zur Geiselung in der Absicht erteilen, den Beklagten schliesslich doch noch zur Mitarbeit beim Zustandekommen einer Prozessformel zu zwingen. Erschien jedoch der Beklagte überhaupt nicht vor dem Prätor, so ordnete der Prätor *missio in bona* an, und, falls das auf den Beklagten keinen Eindruck zu machen schien, im Anschluss daran den Verkauf seines Besitzes (*proscreibei veneireque*). Ausserdem konnte der Prätor mit einem Beklagten zu tun bekommen, der nicht einmal vor dem Munizipalgericht erschienen war. Erschien er daraufhin auch in Rom nicht, so wurde natürlich *missio in bona* angeordnet; falls er sich der Verhandlung nun doch stellte, zwang der Prätor ihn durch die Androhung der *ductio*, eventuell auch der *missio*, sich doch noch vor einem Richter zu verteidigen. Ein Unterschied zu dem vorhergehenden Caput XXI liegt darin, dass in unserm Falle (cap. XXII) für einen Beklagten, der zwar ursprünglich den Prozessablauf verschleppte, dann aber sich in Rom zur Mitarbeit bereit erklärte, noch ein vollständiger Prozess *apud iudicem* folgte.

Das Wort *proscreibei* schliesslich wird in unserem Zusammenhang als Bezeichnung für die obligatorische öffentliche Bekanntmachung (*proscriptio*) verwendet, dass gegen eine bestimmte Person *missio in bona* angeordnet worden war; der Zweck dieser Bekanntmachung lag darin, alle Gläubiger des betreffenden Beklagten zu informieren, da die *missio in bona* zu einem Konkursverfahren führen konnte. Nach dreissig Tagen, bei einem Verfahren gegen einen Toten nach 15 Tagen, fand eine Gläubigerversammlung statt, bei der ein Bevollmächtigter (*magister*) ernannt wurde, der für öffentlichen Verkauf zu sorgen hatte (vgl. Gaius III, 79 und Kaser, Zivilprozessrecht, S. 305).

48. **prae<e>sse<t>.** Das *e* hinter *prae* dürfte ebenso wie das *t* am Ende lediglich durch Nachlässigkeit des Kupferstechers ausgefallen sein. Derselbe Fehler begegnet zwar auch in einer anderen Inschrift in gleicher Position (vgl. CIL. III Nr. 14147, 1 Z. *4 praest* statt *praeest*; 39 n. Chr.), es ist aber kaum anzunehmen, dass die Auslassung von *e* hinter *ae* als reguläre Orthographie empfunden wurde

50-52. **dum ne quis .... iubeat.** Genau genommen ist dieser Satz überflüssig. Gradenwitz, Versuch einer Dekomposition des rubrischen Fragmentes (1915), S. 31-32 und Püschel, Confessus pro iudicato est (1924), S. 55 ff. meinten deshalb, dass die Zeilen *38-44* (in denen ihrer Meinung nach das Gleiche vorgeschrieben wird) ein Irrtum seien; doch scheint es näher liegend, daran zu denken, dass die betreffenden Zeilen *50-52* hinzugefügt sind, um dem Missverständnis vorzubeugen, das durch einen Vergleich mit Caput XXI entstehen könnte, dass nämlich, ebenso wie in Caput XXI, auch in unserem Caput XXII vorgeschrieben sei, dass gegen einen Beklagten, der sich nicht entsprechend den Vorschriften verhält, dadurch vorgegangen werden darf, dass man ihn als Verurteilten betrachtet. Da der Aufbau der beiden Capita sehr ähnlich ist, könnte ein solches Missverständnis nahe liegen. Und eben darum wird an unserer Stelle darauf hingewiesen, dass trotz der starken Ähnlichkeit im Aufbau die entsprechende Vorschrift in Caput XXII ganz anders ist, d.h. dass der Prätor in Rom die Weiterführung des Prozesses übernimmt, falls der Beklagte in seinem Heimatort *in iure* den Prozessablauf verschleppt (so auch schon H. E. Dirksen, Dissertatio inauguralis iuridica, Berlin 1812, S. 50).

IX. EINLEITUNG UND KOMMENTAR ZU CAPUT XXIII

Literatur: Da von diesem Kapitel nur ein Bruchteil erhalten ist, kann ich mich, was die juristische Materie anbelangt, mit einem kurzen Hinweis auf die Behandlung der Erbteilungsklage, der *actio familiae erciscundae*, bei KASER, Röm. Privatrecht I ([2]1971) S. 100 f. und 727 ff. begnügen; vgl. ferner BIONDI, Istituzioni di diritto romano ([4]1965) S. 663 ff. Zu den sprachlichen Problemen, welche den archaischen Termini *familia erciscunda* und *ercto non cito* anhaften, vgl. H. L. W. NELSON, Zur Terminologie der römischen Erbschaftsteilung, Glotta 44 (1966) S. 41-60.

A. EINLEITUNG

Der geringe Umfang des uns überlieferten Teiles von Caput XXIII macht es fast unmöglich, die Art der in dem Caput erhaltenen Vorschriften zu bestimmen. In den Zeilen *54-55* wird zwar das Thema des Kapitels genannt, nämlich *familia erciscunda*, „Erbteilung", doch war es typisch für die Lex Rubria (vgl. S. 78), einen Gegenstand nicht erschöpfend, sondern nur insoweit zu behandeln, als sich Kompetenzschwierigkeiten ergeben konnten. Auf Grund der überlieferten Worte *in eo o(ppido) m(unicipio) c(olonia) p(raefectura) f(oro) v(eico) c(onciliabulo) c(astello) t(erritorio)ve,*[1] *in quo is, quoius* am Schluss des erhaltenen Fragmentes (Z. *58*) könnte man zu der Schlussfolgerung gelangen, dass das Caput sich vielleicht, sozusagen als Einleitung, mit der Frage beschäftigte, an welchem Ort die *actio familiae erciscundae* eingereicht werden musste, wenn die Erben an verschiedenen Orten wohnten. Darum fügte MOMMSEN nach *is quoius* die Worte *de boneis agetur, domicilium habuerit* ein (s. den kritischen Apparat z. St.), „(worin derjenige), wegen (dessen) Vermögen der Prozess anhängig geworden ist, seinen Wohnsitz gehabt hat". Der Prozess habe somit am Wohnort des Verstorbenen stattfinden müssen. Dieser Ergänzungsvorschlag dürfte nicht unberechtigt sein.

Man kann sich indessen fragen, ob das ursprüngliche, vollständige Caput XXIII wesentlich umfangreicher gewesen ist als das uns erhaltene Fragment (6 Zeilen). Rein theoretisch gesehen ist das nicht notwendig; denn die Capita XX bis XXII dürften überdurch-

---

[1] Für die Bedeutung dieser verwaltungsrechtlichen Bezeichnungen der Ortschaften vgl. man unten S. 235 ff., Anhang I.

schnittlich lang gewesen sein. Sie umfassen zusammen 100 Zeilen, bezw. je Caput ungefähr 33. Geht man von der Voraussetzung aus, dass die drei ersten, verloren gegangenen Tafeln der Lex Rubria ebenso gross wie die uns erhaltene Tafel IIII waren, so muss man annehmen, dass die durchschnittliche Länge der Capita I bis XIX — die auf den Tafeln I, II und III gestanden haben müssen — nur 16 bis 17 Zeilen betrug. Man braucht darum nicht, indem man sich auf den Umfang der Capita XX bis XXII beruft, anzunehmen, dass Caput XXIII tatsächlich länger als die erhaltenen Zeilen, einschliesslich der kurzen Ergänzung von MOMMSEN, gewesen ist. Andererseits aber erwartet man, dass auch in diesem Caput — wie in den vorhergehenden Capita XX bis XXII — von den Grenzgebieten munizipaler und prätorischer Jurisdiktion die Rede gewesen ist. Möglicherweise ist unser Caput somit doch länger gewesen und wurde in dem verloren gegangenen Teil über die Grenzen der Jurisdiktionsbefugnisse der örtlichen Magistrate gesprochen. In diesem Falle aber möchte man annehmen, dass — im Gegensatz zu dem Verfahrensverlauf in den vorherigen Capita XXI und XXII — die Befugnisse der örtlichen Magistrate in unserem Caput nicht lediglich auf Prozesse mit einem Streitwert von Maximal 15.000 Sesterzen beschränkt waren, da es sich bei Erbteilungen in der Regel um verhältnismässig hohe Beträge handelt. Wie jedoch schon gesagt wurde, ist es kaum möglich, hierüber Genaueres auszusagen und den weiteren Inhalt von Caput XXIII näher zu bestimmen.

Im Folgenden einige Bemerkungen zu der *actio familiae erciscundae,* d.h. „dem Prozess über die Erbteilung". Nach dem alten römischen Erbrecht erhielten die Erben das Vermögen des Verstorbenen als ein Ganzes, in Gütergemeinschaft bezw. *consortium* (vgl. F. WIEACKER, ‚Societas', 1936, S. 153 ff.). So führten anscheinend öfters die Erben des väterlichen Betriebes diesen Betrieb gemeinschaftlich und gleichberechtigt fort (s. KASER, Privatrecht I², S. 99 f.). Diese ungeteilte Verwaltung wurde mit dem Begriff *ercto non cito,* d.h. „ohne Anwendung von Erbteilung", bezeichnet (vgl. zu diesem Begriff NELSON, Glotta 1966, S. 43 ff.). Erbgemeinschaft in dieser Art findet man jedoch im ersten Jahrhundert v. Chr. nicht mehr; eine künstliche (durch Vertrag begründete) Form der Gütergemeinschaft, die sogenannte *societas,* blieb allerdings bestehen (vgl. KASER, Privatrecht I², S. 101 und S. 572 ff.). Einen ähnlichen Verfahrensverlauf finden wir bei einer anderen gemeinsamen Erbschaftsart, die neben der zuerst genannten entstanden und bestehen geblieben ist, nämlich bei der *communio*: d.h. bei der ohne einen Gesellschaftsvertrag begründeten Gemeinschaft (vgl. KASER, Privatrecht I², S. 590 f.). Auch bei der *communio* blieb das Erbe ein Ganzes, allerdings mit dem Unterschied, dass jeder, der zu der Erbengemeinschaft gehörte, einen proportionalen selbständigen Anteil an den gemeinsamen Rechten, eine sogenannte *pars pro indiviso*, besass und einen Teil des Ertrages erhielt.

Bei beiden Erbschaftsformen — *societas* und *communio* — gab es also nur ein Vermögen, in das mehrere sich teilen mussten; doch konnte das gemeinschaftliche Vermögen auf Antrag eines Teilnehmers hin aufgehoben werden. Der Betreffende musste hierfür ein Gesuch um eine *actio familiae* (*h*)*erciscundae* (s. A. BERGER, Zur Entwicklungsgeschichte der Teilungsklagen, Weimar 1912, vor allem S. 1-25) bei einem Magistrat einreichen. In diesem Verfahren hebt der *iudex* die Erbengemeinschaft auf, verrechnet die Forderungen und Schulden der Erben bezw. *socii* untereinander dadurch, dass er die Mitglieder der Erbengemeinschaft dazu verurteilt (*condemnatio*), die Schuld zu zahlen und daraufhin ihnen selbst ihren Erbteil zuweist (*adiudicatio*). Unter Umständen kann er auch das gesamte Vermögen einem der Erben bezw. *socii* zuweisen und den Betreffenden zur Zahlung einer Abkaufsumme an die anderen Erben (bezw. *socii*) verurteilen. Für nähere Einzelheiten vgl. KASER, Privatrecht I², S. 727 f.

B. KOMMENTAR

55. **de familia erceiscunda deividunda,** „wegen der Verteilung des gemeinschaftlichen Vermögens untereinander". *Familia* wird hier mit „Vermögen" übersetzt, wie es in der alten Gesetzessprache und ganz allgemein im juristischen Sprachgebrauch wohl die Regel ist; man vgl. THES. VI, 1 Sp. 237 Z. 57 ff. und NELSON, Glotta 44 (1966) S. 53 ff.

Erciscere (oder *ercisci*), ein altes, schon vor Beginn der römischen Literatur (Livius Andronicus, 240 v. Chr.) ausgestorbenes Verb, muss „verteilen einer Erbschaft" bedeutet haben; s. NELSON, a.a.O. S. 41-60, vor allem S. 41 ff. Man findet die Schreibweisen *erciscunda* und *herciscunda* nebeneinander; letzteres beruht jedoch auf einer unrichtigen antiken Etymologie, und zwar auf einer Herleitung von *heres*, „Erbe". Festus S. 72, 20 ff. (LINDSAY) jedoch nimmt das Verbum *ercisci* und die davon abgeleiteten Verbalformen *erctum* und *erciscendae* in seinem Wörterbuch unter dem Buchstaben *e* (und nicht *h*) auf: auch dieses Faktum ist, ebenso wie der Beleg in unserer Lex Rubria (XXIII, *55*), ein Hinweis dafür, dass die Wortform, die mit *e* anfängt, die ursprünglichere ist. Von dem Verb *erciscere* (*ercisci*) bestehen in der Praxis nur noch zwei Formen: das in unserem Lemma stehende Gerundivum *erciscunda* (*erciscenda*), das ausschliesslich in der Verbindung *familia erciscunda* begegnet (für Belege vgl. THES. V, 2 Sp. 744-745); und das Verbalsubstantivum *erctus* bezw. *erctum*, das hauptsächlich in der Formel *ercto non cito* begegnet (vgl. hierzu NELSON a.a.O. S. 49 ff.).

Deividunda ist zu dem altertümlichen *erceiscunda* vermutlich hinzugefügt worden, um mit Hilfe eines Synonyms den davor stehenden Begriff zu verdeutlichen. Es handelt sich hier also um einen weiteren Fall von explikativer Juxtaposition. Wir fanden schon Beispiele in XIX, *2*: *decernet interdeicetve* und XIX, *4*: *decretum interdictum*, „Dekret, d.h. Interdikt".

darei reddeive, „(dass ....) zuerkannt oder zuerteilt wird". Die Bedeutung dieser beiden Verben ist so wenig unterschiedlich, dass man von Synonymen sprechen kann, die aus übertriebener Genauigkeit nebeneinander gestellt worden sind. Ähnliche Häufungen von Synonymen fanden wir schon in XX, *11-12 iubeto decernito*; XX, *43 includantur concipiantur* (s. S. 122); XX, *44 oportebit debebitve* (s. S. 122 f.); XX, *47 includei concipei*; und XXII, *33-34 confessus erit deixseritve* (obwohl hier noch ein geringer Bedeutungsunterschied möglich wäre; vgl. S. 221). Die Häufung von Synonymen ist eine in der Gesetzessprache öfters vorkommende Erscheinung, vor allem die asyndetische Zusammenstellung von Synonymen; vgl. HOFMANN-SZANTYR, Syntax S. 785-790 (vor allem 786).

57-58. **ius deicito decernito iudicia dato iudicare iubeto.** Zu der Bedeutung von *ius dicere* vgl. Kommentar zu XX, *16-17*, S. 101; zu *decernere* vgl. Kommentar zu XIX, *2*, S. 64; zu *iudicia dare* vgl. Kommentar zu XX, *17*, S. 102 ff.; und zu *iudicare iubere* vgl. Kommentar zu XX, *17*, S. 105 f.

ANHÄNGE

I. VERWALTUNGSRECHTLICHE BEZEICHNUNGEN DER STÄDTE UND DÖRFER RÖMISCHER BÜRGER

In den Capita XXI, *2-3*, XXII, *26* und XXIII, *53. 56. 58* der Lex Rubria findet man eine lange Abkürzungsreihe, und zwar: *in eorum quo o. m. c. p. f. v. c. c. t.ve.* In XXI, *3* folgen darauf die Worte *quae sunt eruntve in Gallia Cisalpeina,* in XXII, *26 quae sunt eruntve in Gallia cis Alpeis* und in XXIII, *53/54 quae in Gallia Cisalpeina sunt erunt.* Aus den soeben zitierten Zusätzen sowie aus dem übrigen Kontext geht deutlich hervor, dass es sich hier jedesmal um eine Reihe von Ortschaftsbezeichnungen handelt. Setzt man das voraus, so sind die meisten dieser Abkürzungen ziemlich einfach zu ergänzen, vor allem, da man in der Tabula Heracleensis (vgl. Bruns Nr. 18 S. 102 ff.; etwa 45 v. Chr.) und in der Lex Mamilia, Roscia (vgl. Bruns Nr. 15 S. 95 f., etwa 59 v. Chr.) ähnliche, wenn auch kürzere Aneinanderreihungen von Ortsbezeichnungen findet. Man vgl. aus der Tabula Heracleensis Zeile *83*: *Queiquomque in municipieis coloneis praefectureis foreis conciliabuleis c(ivium) R(omanorum) IIvir(ei) IIIIvir(ei) erunt* etc., „Wer in Munizipien, Siedlungen, Präfekturen, Marktplätzen oder Versammlungsorten römischer Bürger Mitglied eines Duum- oder Quattuorvirats sein wird". In der Fortsetzung der Tabula werden die gleichen beziehungsweise sehr ähnliche Reihen von Ortschaftsbezeichnungen öfters wiederholt. Einer kaum abweichenden Abfolge in der Benennung der Örtlichkeiten begegnet man in der Lex Mamilia Roscia, vgl. z.B. K.L. III am Ende: *idque magistratus, qui in ea colonia municipio praefectura foro conciliabulo iure dicundo praeerit, facito ut fiat,* „und der Magistrat, dem in der betreffenden Siedlung, dem Municipium, der Präfektur, auf dem Marktplatz oder an einem Versammlungsort die Leitung der Rechtsprechung obliegen wird, muss dafür sorgen, dass dies durchgeführt wird". Auch in der Lex Mamilia Roscia lässt sich die soeben zitierte Wendung an mehreren Stellen belegen.

Mit Hilfe der beiden genannten Gesetze konnten bereits die älteren Editoren der Lex Rubria ohne Schwierigkeiten fünf von den neun Buchstaben der oben angeführten rubrischen Abkürzungsreihe wiedererkennen: *m.* = *municipium, c.* = *colonia, p.* = *praefectura, f.* = *forum* und von den beiden auf das *v.* folgenden Buchstaben *c.* ist das eine = *conciliabulum.* Übrig blieben somit nur noch vier Buchstaben: *o.*, *v.*, *t.* und ein weiteres *c.* Die zu *o.*, *v.* und *c.* passenden Termini konnten die Editoren, da lediglich Benennungen von Örtlichkeiten in Betracht kamen, ebenfalls ohne viel Mühe erraten: *o.* = *oppidum*, *v.* = *vicus* (bezw. *veicus*, in archaischer Schreibweise) und *c.* = *castellum*. [1] Das *t.* jedoch, oder vielmehr das *t.ve* am Ende der Reihe, hat den früheren Editoren erhebliche Schwierigkeiten bereitet. Man vergleiche hierfür nur die Übersicht der älteren Ergänzungsversuche bei F. Ritschl, Legis Rubriae pars superstes (Berlin 1851) S. 13. So schlug z.B. G. R. Carli (Antiquitates Italicae I, 1788, S. 135 ff.) für *t.ve*: *t(rinundino)ve* vor, Marinius (Acta monumentaque fratrum Arvalium, I S. 108 ff., II S. 568 und 571 f.; 1795) *t(rivio)ve*, G. Hugo zunächst (Promptuarium II, 1797, S. 431 ff.) *t(ermino)ve* und später (Process-Ordnung für das Cis-Alpische Gallien, 1799) *t(ribu)ve*. H. E. Dirksen (Observationes ad selecta legis Galliae cisalpinae capita, 1812) war der Meinung, dass sich aus dem *t.ve* überhaupt kein gesonderter Terminus herstellen liesse; er verband diese Buchstaben deshalb mit dem vorhergehenden *c.* und ergänzte *c.t.ve* zu *c(as)t(ello)ve*. Dieser Lesart schloss sich auch Ritschl a.a.O. an. Erst Mommsen hat (CIL. I; 1. Aufl., 1863, S. 115 ff.) für die Abkürzung *t.ve* eine plausibelere Auflösung finden können: *t(erritorio)ve*.

Bei den weiter unten folgenden Einzelerörterungen der neun rubrischen Termini soll dargelegt werden, dass sich auch für die vier zuletzt genannten Ausdrücke sowohl aus Inschriften, welche der verwaltungsrechtlichen Sphäre angehören, wie aus anderen inhaltlich verwandten Quellen mehrere Belege aufweisen lassen. Gleichzeitig soll untersucht werden, in wiefern die neun Ortschaftsbezeichnungen *oppido municipio colonia praefectura foro veico conciliabulo castello territoriove* sich der Bedeutung nach gegenseitig abgrenzen lassen. Vorgreifend sei schon an dieser Stelle die Vermutung ausgesprochen, dass der rubrische Gesetzgeber allem Anscheine

[1] Die Editoren der Lex Rubria konnten übrigens, was die Termini *oppidum*, *vicus* und *conciliabulum* anbelangt, noch auf zwei weitere, aus späterer Zeit stammende Aufzählungen von Ortstypen hinweisen; zunächst auf Paulus sent. 4, 6, 2: *testamenta in municipiis coloniis oppidis praefectura vico castello conciliabulo facta*; und zweitens auf die Erörterung der Örtlichkeitsbezeichnungen bei Isid. etym. 15, 2, 5-15: nach einander werden hier die Termini *oppidum, civitas, colonia, municipium, vicus, castrum* bezw. *castellum, pagus, conciliabulum* und *conpitum* erläutert.

Zu den Ergänzungen der rubrischen Abkürzungsreihe vgl. schliesslich noch J. Marquardt, Röm. Staatsverwaltung I (^{2}1884) S. 6 ff. und Mommsen, Röm. Staatsrecht III (^{3}1888) S. 791, Anm. 2 und 792, Anm. 2.

nach deshalb die Zahl der Termini, welche Örtlichkeiten bezeichnen, soviel ausführlicher gestaltet hat als die Verfasser der Lex Mamilia Roscia und der Lex Heracleensis, weil er nachdrücklich hervorheben wollte, dass sein Gesetz für jeden freien Einwohner von Gallia Cisalpina gelte, an welchem Ort der Provinz auch immer diese Person wohnhaft sei. Denn jeder freie Einwohner der Provinz war inzwischen römischer Vollbürger geworden [2] und hatte dadurch das Recht erworben, sich an römischen zivilrechtlichen Prozeduren zu beteiligen. Dieses Recht stand deshalb auch jenem cisalpinischen Gallier zu, der in einem ländlichen Gebiet weit entfernt von dem Amtssitz eines Jurisdiktionsmagistrats, z.B. in einem sogen. *territorium*, seine Wohnung hatte.

Es sei, ehe auf die Bedeutungen der neun rubrischen Ortsbezeichnungen näher eingegangen wird, hier nachdrücklich hervorgehoben, dass es im Rahmen der vorliegenden Arbeit nicht möglich ist, bei den diesbezüglichen Erläuterungen eine gewisse Vollständigkeit anzustreben. Jeder, der sich inbetreff der Beschaffenheit der teils inschriftlichen teils auch literarischen Quellen für die unten zu besprechenden verwaltungstechnischen Ausdrücke eine detaillierte Übersicht verschaffen möchte, sei von vornherein auf die Fachliteratur verwiesen. Da letztere ziemlich reichlich ist, können daraus an dieser Stelle ebenfalls nur einige wenige Werke zitiert werden:

J. Marquardt, Röm. Staatsverwaltung I (²1884) S. 3 ff. („Die städtischen Gemeinden"); Th. Mommsen, Röm. Staatsrecht III, 1 (³1888) S. 773 ff. („Das Municipalrecht im Verhältniss zum Staate"); K. J. Beloch, Röm. Geschichte bis zum Beginn der Punischen Kriege, 1926 S. 488 ff. („Die Municipalmagistrate"); H. Rudolph, Stadt und Staat im röm. Italien, 1935 (Nachdruck 1965); A. N. Sherwin-White, The Roman Citizenship, 1939. Besonders auf die Behandlung der Munizipalverwaltung der Kaiserzeit zugeschnitten — und deshalb für unsere Zwecke von geringerem Interesse — sind: F. Vittinghoff, Röm. Stadtrechtformen der Kaiserzeit, ZSS. 68 (1951) S. 435-485, und E. Schönbauer, Municipia und Coloniae in der Principatszeit, Anz. österr. Ak. d. Wiss., ph. -hist. Abt. 91 (1954) S. 13 ff.

Da infolge der Dürftigkeit des republikanischen Quellenmaterials die Forschung häufig auf Rückschlüsse aus der kaiserzeitlichen Munizipalverfassung und Munizipalmagistratur angewiesen ist, gehen die Ansichten der oben zitierten Gelehrten oft weit aus einander. Eine übersichtliche kritische Besprechung sowohl der älteren wie der neueren munizipalrechtlichen Literatur findet man

---

[2] Vgl. zu der Einbürgerung von Gallia Cisalpina unten Anhang III S. 291.

bei F. de Martino, Storia della costituzione romana II (^{2}1966) S. 97 ff. (die munizipale Verfassungsgeschichte der früheren Republik bis einschliesslich der Gracchenzeit) und III (^{2}1966) S. 295 ff. (die spätrepublikanische Zeit). De Martino steht besonders den von Rudolph unternommenen Versuchen, sämtliche Verschiedenheiten der italischen Munizipalverfassungen — statt auf einheimische Tradition — immer auf römische Verleihung zurückzuführen und die munizipalen Kompetenzen vor der cäsarischen Zeit als möglichst gering hinzustellen, sehr kritisch gegenüber.[3]

1. **oppidum.** Siehe E. Kornemann, RE XVIII (1939) Sp. 708 ff. s.v. ‚*oppidum*', E. Schönbauer, Anz. österr. Ak. d. Wiss., ph.-hist. Abt., 91 (1954) S. 17-20 und H. Volkmann, Kleiner Pauly IV (1970) Sp. 316 f. (mit weiterer Lit.) *Oppidum* ist anscheinend kein eigentlicher staatsrechtlicher Begriff gewesen, sondern nur eine allgemeine Bezeichnung für „ein von Mauern umgebener Ort". Als Gegensatz zu *oppidum* wird nämlich *ager* verwendet, z.B. in dem Dekret von L. Aemilius Paulus zu Gunsten der Bewohner von Lascutana in Hispania Baetica, 189 v. Chr. (vgl. Bruns Nr. 70 S. 240) Z. *4-7*: *agrum oppidumque, quod ea tempestate posedisent, item possidere habereque iousit*, „er hat angeordnet, das Bauland und das *oppidum*, das sie in jener Zeit besessen hatten, gleichfalls weiterhin zu besitzen und zu behalten"; für weitere Beispiele vgl. Kornemann, RE. XVIII Sp. 709 Ende, und Schönbauer, a.a.O. S. 20.

Angesichts der oben erwähnten Bedeutung, nähmlich „ein von Mauern umgebener Ort", sagt das Wort *oppidum* zunächst nichts über die tatsächliche rechtliche Position eines so bezeichneten Ortes aus. Schönbauer, der diese Interpretation des Wortes *oppidum* — wohl mit Recht — befürwortet, hat jedoch ausdrücklich darauf hingewiesen, dass in der Praxis nur bestimmte Ortstypen Stadtmauern besassen. Denn Stadtmauern und Befestigungen dürfte es vor allem bei grösseren Ortschaften gegeben haben, d.h. bei Städten, die irgendwie von Bedeutung waren: man denkt dabei besonders an *municipia* und *coloniae*, sodass die Annahme nicht unberichtigt erscheint, dass *oppidum* in der Praxis häufig für *municipium* oder *colonia* verwendet worden ist. Vielleicht kann man Ähnliches auch in bezug auf *praefecturae* vermuten. Es muss

[3] Vgl. auch die Einwände, die unten S. 307 f. (Anhang III) gegen einige Thesen von Rudolph geltend gemacht werden.

jedoch darauf aufmerksam gemacht werden, dass *praefectura* in mancher Hinsicht ein weniger scharf umrissener Terminus ist als die Ausdrücke *municipium* und *colonia*: jede Ortschaft, in der aus irgendeinem Grunde ein Präfekt anstelle von selbstgewählten Jurisdiktionsmagistraten die Gerichtsbarkeit ausübt, kann, von rein verwaltungstechnischem Standpunkt aus betrachtet, eine *praefectura* genannt werden, auch ein *forum* oder *conciliabulum*, eventuell sogar ein *vicus* oder *castellum*. In der Praxis jedoch scheint der Ausdruck *praefectura*, wie wir unten S. 252 sehen werden, besonders für Ortschaften grösseren Umfanges verwendet worden zu sein, die, obwohl sie aus irgendwelchen Gründen keine selbstgewählten Jurisdiktionsmagistrate hatten, den regelrechten *coloniae* und *municipia* an Bedeutung nur wenig nachstanden. Wenn diese Ortschaften befestigt waren, konnten sie ebenfalls *oppida* genannt werden. Und selbstverständlich konnte der Ausdruck *oppidum* (evtl. *castra*) auch als Bezeichnung von Forts, *castella*, verwendet werden.

Wenn wir nun Obiges zusammenfassen, kommen wir zu dem Schluss, dass das Wort *oppidum* sich gegen die übrigen Ortschaftsbezeichnungen, mit denen es in unserm rubrischen Gesetz in einer Reihe steht, nur schlecht abgrenzen lässt: der Begriff *oppidum* überschneidet sich sehr häufig mit *colonia, municipium, praefectura*, er ist immer identisch mit *castellum* (evtl. *castra*). Hinzu kommt, dass man sonsthin im lateinischen Sprachgebrauch *oppidum* ohne Rücksicht auf die zivile Rechtsstellung immer ziemlich wahllos für alle möglichen Burgen und befestigten Städte, auch für solche von Peregrinengemeinden, verwendet hat, während man die Ausdrücke *colonia* und *municipium* — jedenfalls seit der *lex Iulia* und der *lex Plautia Papiria* (90 und 89 v. Chr.) — in erster Instanz für Gemeinden von römischen Vollbürgern, daneben allenfalls noch für solche von Latinern gebrauchte. Peregrinengemeinden können aber in unserer Lex Rubria nicht gemeint sein, da infolge der Lex Roscia (11. März 49 v. Chr., s. unten S. 309 ff.) auch diejenigen freien Einwohner von Gallia Cisalpina, die bisher noch nicht Vollbürger geworden waren, ausnahmslos das römische Bürgerrecht erhalten hatten. Strenggenommen ist deshalb der Ausdruck *oppidum* in unserer rubrischen Reihe der Ortsbezeichnungen überflüssig: er verdankt seine Verwendung anscheinend lediglich einem übertriebenen Streben nach Vollständigkeit.[4]

---

[4] Man könnte höchstens noch an die Möglichkeit denken, dass der rubrische Gesetzgeber auch jene cisalpinischen Städte ausdrücklich mit ein-

2. **municipium.** Siehe E. KORNEMANN, RE. XVI (1935) Sp. 570 ff., vor allem 587-590 („Das italische Munizipalwesen nach dem Bundesgenossenkrieg") und 610 ff. (Verfassung); A. N. SHERWIN-WHITE, The Roman Citizenship (1939) S. 36-90; E. SCHÖNBAUER, Anz. d. österr Ak d. Wiss., phil.-hist. Abt. 86 (1949) S. 541-563: „Municipium: Worterklärung und rechtliche Bedeutung"; ders., Anzeiger 91 (1954) S. 13 ff. (mit kritischen Bemerkungen gegen H. RUDOLPH, Stadt und Staat im römischen Italien, Leipzig 1935 S. 5 ff., und ebenfalls gegen F. VITTINGHOFF, ZSS. 68, 1951, S. 435-485); F. DE MARTINO, Storia della costituzione romana II (^{2}1966) S. 71 ff. („Il municipio").

Seit dem 4. Jahrh. v. Chr. begegnen in Italien — zunächst nur in Latium — Städte, deren Bürger sich durch einen Vertrag mit Rom dazu verpflichtet hatten, bestimmte Leistungen zu übernehmen (*munus capere*).[5] Zum Teil erhielten diese *municipia* als Vollbürgergemeinden Aufnahme in den römischen Bürgerverband, andere blieben Halbbürgergemeinden (*civitates sine suffragio*); alle *municipia* besassen Autonomie, obwohl der Umfang der Selbstverwaltung recht verschieden sein konnte und meistens von den Umständen abhängig war, unter denen der Vertrag mit Rom zustande gekommen war.

In dieser Sachlage trat eine wichtige Änderung ein, als durch die Lex Iulia (90 v. Chr.) und die Lex Plautia Papiria (89 v. Chr.) allen Italikern das vollständige Bürgerrecht verliehen wurde (s. dazu unten, Anhang III, S. 285 f.). Bald darauf — das genaue Datum ist umstritten [6] — dürften die neu eingemeindeten *municipia* von

schliessen wollte, von denen der verwaltungsrechtliche Status noch nicht näher bestimmt war: von einigen ehemals peregrinen Städten stand vielleicht noch nicht fest, ob sie hinfort den Status eines *municipium*, einer *praefectura*, oder etwa nur den eines *castellum* innehaben sollten. Es sei jedoch darauf hingewiesen, dass das Fragment von Ateste lediglich drei Ortsbezeichnungen verwendet, u. zw. *municipio colonia praefectura* (Z. *5* und *10*); es fehlt hier somit auch *oppidum* (vgl. zu den Ortsbezeichnungen des Frgm. Atest. noch unten S. 320).

[5] Diese Etymologie wird von den meisten Forschern befürwortet, vgl. die Lit. bei F. DE MARTINO, Storia della costituzione II (^{2}1966) S. 72, Anm. 26; E. SCHÖNBAUER, Municipium, Worterklärung und rechtliche Bedeutung, Anz. d. österr. Ak. d. Wiss., ph.-hist. Abt. 86 (1949) S. 541 ff., hingegen schlägt eine Ableitung aus *munia capere* vor.

[6] RUDOLPH, Stadt und Staat im röm. Italien (1935) S. 94 ff. denkt — im Anschluss an HARDY — an Massnahmen von Cinna (etwa aus den Jahren 87-84); DE MARTINO, Storia della costituzione rom. III (^{2}1966) S. 300 hingegen (im Anschluss an MOMMSEN, SHERWIN-WHITE ua.) an ein sullanisches Gesetz, etwa aus dem Jahre 82 v. Chr.

Rom Verfassungen erhalten haben, in denen die Einrichtung ihrer Munizipalverwaltung und die Kompetenzen ihrer Magistrate näher geregelt wurden. Seit den Ausführungen, die K. J. BELOCH, Röm. Gesch. (1926) S. 498 ff. (besonders 500 ff.) diesem Problem gewidmet hat, nimmt man allgemein an, dass die seit 90/89 in den Bürgerverband aufgenommenen *municipia* bei diesem Anlass sämtlich in der Weise organisiert wurden, dass ein Kollegium von *IIIIviri* an ihre Spitze trat; bei den älteren Munizipien hingegen scheinen frühere Formen von Führungskollegien, etwa die der *dictatores, IIaediles* und *VIIIviri,* noch längere Zeit weiterbestanden zu haben. Wir werden bei der Besprechung der Munizipalmagistraturen, unten Anhang II, S. 268 sehen, dass die Lex Rubria, abgesehen von den *IIviri* und *praefecti,* nur noch *IIIIviri* kennt: unser Gesetz ist somit auch in dieser Hinsicht als eine Fortsetzung der seit dem Bundesgenossenkrieg (91-88 v. Chr.) in der italischen Munizipalverwaltung eingeführten Neuerungen zu betrachten. Sonstige munizipale Verwaltungsorgane, etwa der Gemeinderat (*ordo decurionum*), werden in der uns überlieferten Tabula der Lex Rubria nicht erwähnt.

Es muss noch darauf hingewiesen werden, dass in der alltäglichen Praxis das Wort *municipium* öfters eine allgemeinere Bedeutung hatte und auch für solche Städte römischer Bürger verwendet wurde, die strenggenommen nicht zu der Kategorie der *municipia* gehörten. Dies gilt zunächst für *coloniae*; in noch stärkerem Masse aber gilt dies für *praefecturae,* d.h. in der Praxis für solche Städte, in denen die Gerichtsbarkeit nicht irgendwelchen selbstgewählten Obermagistraten — besonders den *IIviri* oder den *IIIIviri iure dicundo* — oblag, sondern einem vom römischen Prätor ernannten *praefectus.* So sagt Cicero in der 54 v. Chr. gehaltenen Rede pro Cn. Plancio anfangs, in 8, 19, von seinem Klienten folgendes aus: *hic est e praefectura Atinati*; an einer etwas späteren Stelle jedoch, in 9, 23, hebt er hervor: *te Plancius hoc non solum municipii, verum etiam vicinitatis genere vincebat,* ,,Plancius gewann nicht nur durch diese Eigentümlichkeit seines Municipium (gemeint ist die Präfektur Atina), sondern auch durch die seiner Nachbarschaft über dich die Oberhand". In einem Fragment aus Cicero's Rede pro L. Vareno, frgm. 3, 4 (aus Prisc., Gramm. lat., KEIL II S. 348, 18; vgl. ferner Ciceronis orationum fragm. von SCHOELL, Leipzig 1917, S. 393, 1/2), wird Fulginiae in ähnlicher Weise bald ein *municipium* bald eine *praefectura* genannt. Auch in unserer Lex Rubria wird an einer

Stelle — vgl. XIX, *6 IIvir IIIIvir praefectusve eius municipi* — der Ausdruck *municipium* in diesem allgemeineren Sinne verwendet: wie oben S. 75 im Kommentar zur Stelle dargelegt wurde, bezeichnet er hier ausser dem *municipium* auch die *colonia* und *praefectura*.

Es sei zum Schluss noch bemerkt, dass uns für die Zeit vor der Lex Roscia (11. März 49 v. Chr., s. unten S. 309 f.) nur verhältnismässig wenige *municipia* in Gallia Cisalpina bezeugt sind: es betrifft hier lediglich einige sogen. altlatinische Kolonien (s. zu diesem Begriff unten S. 247, N. 10), die infolge der Neuordnung von Gallia Cisalpina durch Consul Cn. Pompeius Strabo (89 v. Chr.) in *municipia civium Romanorum* umgewandelt wurden, u. zw. Ariminum, Bononia, Placentia, Cremona und Aquileia (s. unten S. 246). Nach dem Erlass der Lex Roscia jedoch wurden in dieser Provinz auch die neulatinischen Kolonien (z.B. Veleia,[7] Brixellum, Bergomum, Comum, Mediolanum, Novaria, Vercellae, s. unten S. 247 ff.) in Munizipien umgestaltet.

3. **colonia.** Vgl. Kornemann, RE. IV (1901) Sp. 510 ff. s.v. ‚*coloniae*', vor allem 510 und 560 ff. ff.; A. N. Sherwin-White, The Roman Citizenship (1939) S. 36-90; E. Schönbauer, Anz. d. österr. Ak. d. Wiss., ph.-hist. Abt. 91 (1954) S. 13 ff.; D. Medicus, Kleiner Pauly I (1964) S. 1248 ff. s.v. ‚*coloniae*'; F. de Martino, Storia della costituzione II (^{2}1966) S. 82 ff. („Colonie"); und neuerdings E. T. Salmon, Roman Colonization under the Republic, London 1969.

Wir müssen von alters her in der römischen Geschichte zwei Arten von *coloniae* „Siedlungen" unterscheiden, römische und latinische. Die *coloniae latinae* dürften in erheblich ältere Zeit — sogar bis in die Königszeit — zurückreichen als die spezifisch römischen Kolonien; sie sind, was jene archaische Periode anbelangt, allem Anscheine nach als gemeinlatinische — d.h. als nicht nur von Rom, sondern von der Gesamtheit der latinischen Bundesstädte ausgegangene — Siedlungen zu betrachten. Auf die spätere Entwicklung dieser *coloniae latinae* und ihre Rolle in der Geschichte der Munizipalisierung von Gallia Cisalpina soll jedoch erst weiter unten S. 247 ff. näher eingegangen werden.

---

[7] Durch die Lex Pompeia (89 v. Chr.) wurde Veleia, das vordem eine *civitas foederata* gewesen war, in eine *colonia latina* umgestaltet; 49 v. Chr. wurde es wie die übrigen cisalpinischen Städte, die dieser Kategorie angehört hatten, ein *municipium*; vgl. Beloch, Röm. Gesch. (1926) S. 613 und 624 und Aurigemma-Mansuelli, Velleia (^{2}1960) S. 3 f.

Was nun die spezifisch römischen Kolonien, die *coloniae civium Romanorum,* betrifft, so dürfte die Annahme berechtigt sein, dass die frühesten derselben erst in dem Augenblick gegründet werden konnten, als Rom durch den endgültigen Sieg über die Latiner eine Vormachtstellung in Latium errungen hatte (338 v. Chr.; gemäss Livius 8, 14, 8 wurde z.B. in demselben Jahre eine Kolonie von römischen Bürgern nach Antium geschickt). Sie dienten, so bekommt man den Eindruck, damals hauptsächlich dem Zweck, die neue römische Hegemonie zu stützen und zu befestigen: ihre Bewohner waren sozusagen Bauern im Waffenrock. Anfangs dürften diese Siedlungen nur einen bescheidenen Umfang gehabt haben, höchstens einige hundert Familien.[8] Livius 39, 55, 7-9 berichtet jedoch zum Jahre 183 v. Chr. von der Gründung von zwei *coloniae civium Romanorum,* die bereits je 2000 Kolonisten zählten: es handelt sich an dieser Stelle um Siedlungen in der Poebene, Mutina und Parma. Von einer dritten Kolonie von römischen Bürgern, die Livius a.a.O. ebenfalls erwähnt, Saturnia in Etrurien, wird die Zahl der Teilnehmer nicht angegeben: sie dürfte aber von ungefähr der gleichen Grössenordnung gewesen sein. Im Laufe des 2. Jahrhunderts vor Chr., und zwar besonders seit dem Auftreten der Gracchen, nahmen die Aussendungen von Siedlern immer mehr den Charakter einer Versorgung der armen Bürger mit Land an; seit Sulla dienten sie ebenfalls der Versorgung von Veteranen.

Die Frage, von welcher Zeit an und in welchem Umfange die *coloniae civium Romanorum* mit einer gewissen Selbstverwaltung ausgestattet wurden, ist, weil keine einzige Quelle hierüber berichtet, von den modernen Forschern bisher recht verschieden beantwortet worden (s. die Literaturnachweise oben S. 242). Es dürfte jedoch naheliegen zu vermuten, dass die Bürgerkolonien von Anfang an irgendeine Form der örtlichen Verwaltung gekannt haben. Die älteste sicher bezeugte Erwähnung einer Obermagistratur für eine Bürgerkolonie findet sich in der puteolanischen Lex parieti faciundo (BRUNS Nr. 170 S. 374 ff.; DEGRASSI ILLR. II Nr. 518 S. 47 ff.) aus dem Jahre 105 v. Chr.: vgl. I, *2 N. Fufidio N. f. M. Pullio duovir(eis)*; I, *8 duumvirum arbitratu* uö. Wir begegnen hier somit bereits der dem römischen Konsulat nachgebildeten Doppelmagistratur der Duoviri. Dies bedeutet aber noch keineswegs, dass auch in den frühesten Zeiten die Bürgersiedlungen schon ein Duumvirat

[8] Häufig wird für die älteren römischen Siedlungen eine Zahl von 300 Kolonisten überliefert; vgl. MARQUARDT, Röm. Staatsverwaltung I² S. 36.

gekannt haben; es dürfte sogar im Gegenteil wahrscheinlich sein, dass die *praetores*, die sich noch in einigen Bürgerkolonien nachweisen lassen, einer erheblich älteren Tradition entstammen als die Duoviri (vgl. BELOCH, Röm. Gesch. S. 492).

Was nun die römische Kolonisation in Norditalien betrifft, so sind die beiden bereits genannten Städte Mutina und Parma dort auf längere Zeit die einzigen Bürgersiedlungen gewesen (seit 183 v. Chr.). Gemäss der späteren historischen Überlieferung sind gegen Ende des 2. vorschristl. Jahrh. zwei weitere *coloniae civium Romanorum* hinzugekommen: Dertona zwischen 124 und 118 v. Chr. (vgl. Vell. Pat. 1, 15, 4-5: *de Dertona ambigitur*), westlich von Placentia (s. dazu unten) an der Via Postumia im ligurischen Gebiet, und Eporedia im Jahre 100 v. Chr. (vgl. Vell. Pat. 1, 15, 5 und Plin. nat. 3, 17, 123), in der Transpadana am Rande der Westalpen im Gebiet der Salasser. Es muss aber bemerkt werden, dass man nicht den Eindruck bekommt, dass die beiden zuletzt genannten Siedlungen in der Zeit die uns hier interessiert, d.h. in der Zeit zwischen dem Bundesgenossenkrieg und dem cäsarischen Bürgerkrieg (89-49 v. Chr.), für die Munizipalisierung und Romanisierung von Norditalien von besonderer Bedeutung gewesen sind.[8a]

Latinische Kolonien hat es, wie oben bereits angedeutet wurde, schon viel früher gegeben als römische. Ihre Gründungen sind, so wird man annehmen müssen, in der archaischen Zeit eine Angelegenheit des gesamten latinischen Bundes gewesen. Die Beteiligung der Römer an der Kolonisation war somit lediglich eine Folge des Bündnisses, das Rom mit den übrigen latinischen Städten geschlos-

---

[8a] Vgl. für Dertona (heute Tortona) NISSEN, Ital. Landeskunde II S. 158 f., HÜLSEN, RE. V (1905) Sp. 246 und neuerdings RADKE Kl. Pauly I (1964) S. 1495, 20 ff. Ferner für Eporedia (heute Ivrea) NISSEN a.a.O. II S. 169, HÜLSEN, RE. VI (1909) Sp. 249 f. und RADKE Kl. Pauly II (1967) S. 331, 35 ff. BLOCH-CARCOPINO Hist. rom. II, 1 (^{3}1952) S. 357, Anm. 172 stellen den bürgerlichen Charakter der Kolonie Eporedia in Abrede; nach der Ansicht dieser Gelehrten könnte es sich nur um eine ursprüngliche latinische Siedlung handeln (Tac. hist. 1, 70 bezeichnet den Ort, ebenso wie Mediolanum, Novaria und Vercellae, als *municipium*, somit nicht etwa als *colonia* [scil. *civium romanorum*]). Dagegen möchte URSULA EWINS, The early Colonisation of Cisalpine Gaul, Papers of the British School at Rome, XX (1952) S. 54 ff. (vgl. besonders S. 68 ff.) an der Überlieferung festhalten, dass Eporedia eine 100 v. Chr. gegründete *colonia civium Romanorum* gewesen sei. Sie führt aber mehrere Gründe an, die es zweifelhaft erscheinen lassen, dass Dertona bereits seit 124/118 v. Chr. eine römische Kolonie gewesen ist; auch der Status einer latinischen Kolonie käme nach ihrer Meinung für diese Zeit nicht in Frage.

sen hatte. Anscheinend verloren die teilnehmenden Kolonisten alle, sowohl die Römer wie die übrigen Latiner, ihr altes Bürgerrecht und erwarben statt dessen das der neugegründeten Siedlung. Man wird ferner annehmen dürfen, dass die latinischen Kolonien Selbstverwaltung erhielten. Über das rechtliche Band, das zwischen diesen frühen latinischen Kolonien (*priscae latinae coloniae*, vgl. Festus pag. 267, 13/14 LINDSAY) und der latinischen Föderation existierte, lässt sich aber kaum noch etwas Bestimmtes aussagen.

Seit dem Siege im sogenannten Latinerkrieg jedoch (338 v. Chr.) hat Rom auch die Hegemonie über die *coloniae latinae* an sich gerissen. Ähnlich wie mit den übrigen Städten Latiums haben die Römer auch mit den latinischen Kolonien Sonderbündnisse und Sonderverträge abgeschlossen: der Inhalt des jeweiligen Vertrages dürfte je nach den Umständen, unter denen es zustande kam, verschieden gewesen sein. Die Auflösung des Latinerbundes hat aber die Fortsetzung der latinischen Kolonisation keineswegs behindert. Auch nach dem Jahre 338 v. Chr. wurden — neben der oben besprochenen Deduzierung von Kolonien für römische Bürger — Neugründungen von Siedlungen vorgenommen, an denen sich ausser Römern auch Bürger aus Städten, die den latinischen Status hatten, beteiligten. Nach wie vor hiessen diese Siedlungen *coloniae latinae*; die Siedler bekamen wiederum alle das Bürgerrecht der neugegründeten Kolonie.[8b] Der Unterschied zu der früheren Periode bestand darin, dass die Initiative zu solchen latinischen Neugründungen nicht mehr von dem Latinerbund, sondern ausschliesslich von der Hauptstadt Rom ausging.[9] Wie wir gleich unten bei der Beschrei-

[8b] Eine Zeitlang scheint für Latiner die Möglichkeit bestanden zu haben, durch dauerhafte Übersiedlung nach Rom das römische Bürgerrecht zu erlangen (*ius migrandi*). Ferner wurde in der zweiten Hälfte des 2. Jahrh. v. Chr. (vielleicht war es 124 v. Chr.) verfügt, dass gewesene Magistrate von latinischen Gemeinden automatisch das römische Bürgerrecht bekämen (*ius civitatis per honorem adipiscendae*). Für das *ius migrandi*, das schon früh eingeschränkt und schliesslich ganz abgeschafft wurde, vgl. MOMMSEN, Staatsrecht III³ S. 635 ff. und E. MEYER, Röm. Staat u. Staatsgedanke ³1964 S. 226 f. (mit Anm. 92, S. 519); für das *ius civitatis per honorem adipiscendae* MOMMSEN a.a.O. III S. 639 f. (der jedoch eine erheblich frühere Datierung vorschlägt) und E. MEYER a.a.O. S. 227 (mit Anm. 93, S. 519 f.).

[9] Eine Übersicht der ältesten Koloniegründungen, sowohl der römischen wie der latinischen, die vor die Mitte des 3. Jahrh. v. Chr. datiert werden müssen, findet man bei DE MARTINO, Storia della costituzione II² S. 83 f., Anm. 57. Sehr ausführlich wird die alte Kolonisation neuerdings auch von E. T. SALMON, Roman Colonization under the Republic (London 1969) erörtert (vgl. für die ältesten latinischen Siedlungen, die sogen. *priscae latinae coloniae*, besonders S. 40 ff.).

bung der Sachlage in Gallia Cisalpina für die Zeit, die der cäsarischen Bürgerrechtsverleihung vom Jahre 49 v. Chr. (und somit der Verabschiedung der Lex Rubria) vorherging, sehen werden, sind im Laufe des 3. und 2. Jahrhunderts v. Chr. auch in Norditalien solche *coloniae latinae* gegründet worden (so z.B. Ariminum, Placentia, Cremona, Bononia und Aquileia, s. unten). Erst durch den Bundesgenossenkrieg (91-89 v. Chr.) wurde diese Periode der latinischen Städtegründungen endgültig abgeschlossen.

Es versteht sich, dass infolge des immer stärker werdenden Gegensatzes zu der privilegierten Stellung der römischen Vollbürger der Status der Bewohner der *coloniae latinae* in dem soeben besprochenen Zeitabschnitt allmählich zu dem von zweitrangigen Bürgern herabsank. Es machte sich demzufolge allenthalben das Bestreben bemerkbar, die *civitas romana* zu erwerben. Vorläufig erwarben hauptsächlich nur einzelne Latiner die Zivität (etwa aufgrund des *ius civitatis per honorem adipiscendae*), seltener ganze Gemeinden. Erst nach Beendigung des Bürgerkrieges erlangten die italischen Städte in ihrer Gesamtheit infolge der Leges Iulia und Plautia Papiria (90 und 89 v. Chr.) das volle römische Bürgerrecht.

Die Folgen des Bundesgenossenkrieges waren jedoch für Norditalien nicht die gleichen wie für die übrige apenninische Halbinsel. In Gallia Cisalpina blieb nämlich das volle Bürgerrecht auf bestimmte römische Gründungen, die in der Hauptsache, wenn auch nicht ausnahmslos, im cispadanischen Teil dieses Gebietes lagen, beschränkt: es waren die alten Bürgerkolonien Mutina und Parma (im Jahre 183 deduziert), vielleicht auch Dertona und Eporedia (s. oben S. 244), ferner die von den Römern gegründeten Fora (Corneli, Livi, Popili, Lepidi, siehe hierzu unten S. 257) und schliesslich einige kleinere römische Bürgergemeinden, die damals wahrscheinlich den Status von *conciliabula* hatten (Caesena, Claterna, Faventia usw., s. unten S. 258). Ausserdem erhielten noch einige Örtlichkeiten, die schon längst vor dem Bundesgenossenkriege (91-89 v. Chr.) den Rang von latinischen Kolonien erworben hatten, dadurch das volle römische Bürgerrecht, dass sie jetzt (etwa 89 v. Chr.) in *municipia civium Romanorum* (vgl. dazu oben S. 242) verwandelt wurden: es waren Ariminum (seit 268 v. Chr. latin. Kolonie; vgl. Vell. 1, 14, 7), Bononia (seit 189 v. Chr. latin. Kolonie; vgl. Liv. 37, 57, 7; Vell. 1, 15, 2), Placentia und Cremona (seit 218 v. Chr.; vgl. Polyb. 3, 40, 5; Vell. 1, 14, 8) und Aquileia (seit

181; vgl. Liv. 40, 34, 2; Vell. 1, 15, 2; s. zu diesen Gründungen auch BELOCH, Röm. Gesch. S. 454, 613, 615 und EWINS [oben, Anm. 8a]). Die übrigen cisalpinischen Ortschaften erhielten — mit einigen Ausnahmen (s. unten) — von Cn. Pompeius Strabo, dem Consul des Jahres 89 v. Chr., mittels einer nach ihm genannten *lex Pompeia* lediglich das *ius Latii,* d.h. ihre Einwohner erhielten den Status eines sogenannten *latinus coloniarius.* Zum grössten Teil lagen diese in latinische Kolonien umgewandelten Ortschaften im transpadanischen Gebiet, z.B. Bergomum, Comum, Mediolanum, Novaria, Vercellae und Verona (vgl. BELOCH, Röm. Gesch. S. 616). Andere lagen auf cispadanischem Gebiet, z.B. Brixellum und Veleia (vgl. BELOCH a.a.O. S. 613). Es muss jedoch bemerkt werden, dass die Überlieferung inbetreff der Massnahmen des Konsuls Pompeius Strabo recht lückenhaft ist; vielleicht haben einige der soeben genannten Ortschaften erst später den Status einer *colonia latina* bekommen (s. auch Anhang III S. 287 f.).

Es muss anlässlich der soeben genannten transpadanischen wie cispadanischen *coloniae latinae* noch hervorgehoben werden, dass sie einen ganz anderen Charakter hatten als die früheren latinischen Kolonien, die vor dem Bundesgenossenkriege in Italien existiert hatten (d.h. die sogenannten „altlatinischen"Kolonien), und dass sie mit letzteren nur noch die alte Bezeichnung (*colonia latina*) gemein hatten. Denn es handelt sich im Falle der oben erwähnten norditalischen *coloniae latinae* nicht mehr, wie bei den früheren Latinersiedlungen, um wirkliche neue Städtegründungen mit einer gemeinsamen Beteiligung von Römern und Latinern, sondern um eine Abänderung der staatsrechtlichen Position bereits bestehender Ortschaften: die ehemals peregrinischen Gemeinden erhielten aufgrund einer römischen behördlichen Massnahme den Status einer *colonia latina,* ihre Bewohner wurden *latini coloniarii* (die Handbücher nennen die Ortschaften, die diesem neuen Typus angehören, zur Unterscheidung von den früheren — altlatinischen — Siedlungen öfters „neulatinische Kolonien"). Die *lex Pompeia* bedeutet somit einen wichtigen Einschnitt in die Entwicklungsgeschichte der Latinität.[10]

---

[10] Zu den Massnahmen von Cn. Pompeius Strabo vgl. auch unten S. 287 mit Anm. 7 (Anhang III).

Es sei, vielleicht überflüssigerweise, noch darauf hingewiesen, dass die Termini „altlatinisch" und „neulatinisch" moderne Gebilde sind, für die es in den antiken Quellen keine Parallelbezeichnungen gibt. Der Terminus

Der Grund, weshalb Pompeius Strabo den soeben genannten Ortschaften lediglich das Recht von latinischen Kolonien zuerkannte, lässt sich leicht erraten: allem Anscheine nach kamen ihre Bewohner wegen ungenügender Romanisierung noch nicht für die Verleihung des vollen Bürgerrechts in Frage. Besonders im transpadanischen Gebiet waren mehrere Stämme damals sogar noch so unrömisch beziehungsweise barbarisch, dass ihnen nicht einmal das *ius Latii* gewährt werden konnte; dasselbe gilt für die Einwohnerschaft des cispadanischen Ravenna: sie blieben peregrinische Gemeinwesen, welche mittels verschiedener Verträge (*foedera*) Bindungen mit Rom erhielten.[11]

Nach der Bürgerrechtsverleihung an ganz Gallia Cisalpina (49 v. Chr.) began besonders für die *latini coloniarii* eine neue Entwicklung. Wir bekommen den Eindruck, dass damals weitaus die meisten, wenn nicht alle *coloniae latinae* in römische *municipia* verwandelt wurden;[12] auf jeden Fall wurde in der cisalpinischen

,,altlatinisch'' hat übrigens noch den Nachteil, dass er eigentlich zwei verscheidene Perioden der Kolonisation umfasst: 1. die früheste Kolonisation, die vom Latinerbund ausging (die sogen. *priscae latinae coloniae*) und 2. die Kolonisation aus der Zeit zwischen dem Ende des Latinerkrieges und dem Anfang des Bundesgenossenkrieges (338-91 v. Chr.).

[11] Von dem Vorhandensein solcher *foedera* berichtet auch das Fragment von Ateste (Z. *11*); s. dazu unten Anhang III S. 318 f. mit Anm. 53. Die ausführlichste Übersicht von der staatsrechtlichen Einteilung von Gallia Cisalpina zu dieser Zeit findet sich bei BELOCH, Röm. Gesch. (1926), vgl. besonders S. 612 f. für ,,Gallia cis Padum'' und S. 615 f. für ,,Gallia Transpadana''; ferner vor allem S. 621 ff. für die Folgen der ,,Lex Pompeia de Gallia Citeriore''. Im cispadanischen Gebiet war Ravenna eine *civitas foederata*; vor dem Erlass der *lex Pompeia* hatten diesseits des Pos z.B. auch Butrium, Brixellum und Veleia der Kategorie der *civitates foederatae* angehört, aber auf Grund des soeben genannten Gesetzes sind diese Ortschaften — so müssen wir aus dem zur Verfügung stehenden Quellenmaterial schliessen — in *coloniae latinae* umgewandelt worden (vgl. BELOCH a.a.O. S. 612 f.). In den Randgebieten, u. zw. besonders in den transpadanischen Bergdistrikten, wurde für die peregrinischen *civitates* eine etwas abweichende Regelung getroffen: weil ihre staatliche Organisation anscheinend noch primitiver war als die der soeben erwähnten *civitates foederatae*, wurden sie den in diesen Regionen neu konstituierten städtischen Gemeinden, d.h. sowohl den *municipia civium Romanorum* wie den *coloniae latinae*, ,,zugewiesen'' (*civitates adtributae*), d.h. anscheinend, dass sie in verwaltungstechnischer Hinsicht von jenen neuen Zentren abhängig gemacht, eventuell diesen sogar völlig untergeordnet wurden (vgl. BELOCH a.a.O. S. 624 ff. und, was die Bedeutung des Terminus *adtributi* anbelangt, ausserdem J. MARQUARDT, Röm. Staatsverwaltung I ²1884 S. 14 f. und 62 f. mit u.a. einem Hinweis auf Plin. nat. 3, 138: *civitates Cottianae, ... attributae municipiis lege Pompeia*).

[12] Einige von diesen neuen *municipia* wurden späterhin in *coloniae civium Romanorum* umgewandelt, so z.B. Ateste, das von Plinius nat. 3, 19, 130 zu

Provinz die Kategorie der *coloniae latinae* ganz aufgehoben. Denn nur so lässt sich erklären, weshalb die Lex Rubria sie nirgends mehr erwähnt und den Ausdruck *colonia* in völlig undifferenzierter Weise verwendet. An allen Stellen somit, an denen unsere Lex den Terminus *colonia* verwendet, können lediglich *coloniae civium Romanorum* gemeint sein. Wie wir oben S. 243 f. bereits gesehen haben, hatten der letzteren Kategorie schon seit langer Zeit die Städte Mutina [13] und Parma angehört, ausserdem vielleicht auch Dertona und Eporedia.

Von dem Augenblick an, wo eine Stadt als *municipium civium Romanorum* das vollständige Recht der Selbstverwaltung erhielt und sie auch ihre Magistrate, einschliesslich der obersten Jurisdiktionsmagistrate, selbst wählen durfte, unterschied eine solche Gemeinde sich in verwaltungstechnischer Hinsicht kaum noch von einer *colonia civium Romanorum.* Bezeichnend ist in diesem Zusammenhang die Bemerkung von Gellius 16, 13, 3, dass keiner mehr richtig erklären könne, was nun eigentlich der Unterschied zwischen einem *municipium* und einer *colonia* sei: *municipia quid et quo iure sint quantumque a colonia differant, ignoramus.* Zwar stammt diese Aussage erst aus dem 2. Jahrh. n. Chr., die Annahme dürfte jedoch berechtigt sein, dass die allmähliche Verwischung der Grenzen zwischen den beiden Ortstypen bereits bald nach der cäsarischen Bürgerrechtsverleihung an ganz Norditalien (49 v. Chr.) einsetzte. Auf Grund der historischen Tradition jedoch genoss der Titel *colonia* noch lange Zeit ein höheres Ansehen als die Bezeichnung *municipium*; man vergleiche hierzu noch die Fortsetzung der bereits zitierten Gelliusstelle: *existimamusque meliore condicione esse colonias quam municipia.*

4. **praefectura.** Siehe J. MARQUARDT, Röm. Staatsverwaltung I ([2]1884) S. 10 („*Praefecturae* als Dorfgemeinden") und 41 ff. („*Praefecturae*"); Th. MOMMSEN, Röm. Staatsrecht III, 1 ([3]1886) S. 581 f.

---

den römischen Kolonien gerechnet wird: die Umwandlung der soeben erwähnten Stadt dürfte der Aufnahme von Veteranen, die anscheinend in augusteischer Zeit stattgefunden hat, zu verdanken sein (vgl. MOMMSEN im CIL. V S. 240). Vgl. für weitere Einzelheiten inbetreff der Entwicklung der cisalpinischen Städte noch U. EWINS, The Enfranchisement of Cisalpine Gaul, Papers of the British School at Rome, S. 73-98.

[13] Dass Mutina keine Präfektur ist, wie manche Forscher aufgrund einer unrichtigen Interpretation von XX, *28* und *37/38* behaupten (so noch neuerdings F. DE MARTINO, Storia della costituzione romana III [2]1966 S. 331), ist im Komm. zu XX, *27-28* (oben S. 114 f.) dargelegt worden.

(„Römische *praefecti*") und 797 („*Praefecturae*"); H. Rudolph, Stadt und Staat im röm. Italien 1935 (Neudruck 1965) S. 166 ff. uö.; A. N. Sherwin-White, The Roman Citizenship (1939) S. 41 ff.; 48 ff. und 141 ff.; W. Ensslin, RE. XXII (1954) Sp. 1309-1318 s.v. ‚*praefectus iure dicundo*' (althistorisch); E. Sachers, RE. XXII (1954) Sp. 2347-2353 s.v. ‚*praefectura, praefectus*' (rechtshistorisch). Eine Zusammenfassung der Diskussionen über den historischen Werdegang der Präfekturen findet man bei F. de Martino, Storia della costituzione II ([2]1966) S. 116 ff. und III ([2]1966) S. 319 ff.

Der Begriff *praefectura* hat zwei Bedeutungen. Er bezeichnet das Amt eines *praefectus* und das Gebiet, in dem der *praefectus* seine Tätigkeit ausübt (vgl. Sachers, a.a.O. Sp. 2350). Beide Bedeutungen besagen aber recht wenig, so lange man nicht weiss, welche *praefecti* gemeint sind. Im römischen Staat kannte man besonders viele verschiedene Arten von *praefecti*, nicht nur in der Kaiserzeit, sondern auch in der Republik (vgl. hierzu die Aufzählungen bei Ensslin a.a.O.). Ausschlaggebend für das, was man sich unter einem *praefectus* vorzustellen hat, ist deshalb entweder der Zusammenhang, in dem *praefecti* erwähnt werden, oder aber eine verdeutlichende Ergänzung, die dem Worte *praefectus* beigegeben ist.

In unserer Lex Rubria werden als höchste Magistrate der Ortschaften in der Poebene *IIvir IIIIvir praefectusve* (vgl. XIX, *6*; XX, *15. 27. 28. 37. 38*; XXI, *15*) bezw. *IIvir IIIIvir i(ure) d(eicundo) praefec(tus)ve* (XX, *40*) genannt; gemäss dem Satzzusammenhang sind diese Beamten somit Magistrate, denen die Rechtsprechung obliegt. Aus demselben Grunde bedeutet deshalb *praefectura* in unserm Gesetz: der Tätigkeitsbereich von *praefecti iure dicundo*, „den mit der Rechtsprechung beauftragten Bevollmächtigten".

Wo aber befinden sich nun solche Bevollmächtigten? Ganz allgemein kann man von *praefecti* — gleichgültig, welche Tätigkeit sie ausüben — sagen, dass sie in den Fällen ernannt werden, bei denen es sich um Aufgabenbereiche handelt, die nicht von traditionellen Beamten erfüllt werden. Der Titel *praefectus* besagt dies selbst: die betreffende Person ist von dem eigentlichen Gewalthaber „mit der Aufsicht beauftragt" worden und hat infolgedessen Anweisung erhalten, als leitender Stellvertreter des Mandanten irgendeinen Auftrag zu erledigen.

Der früheste Beleg für eine Mandierung von juristischen Amtsführungen an *praefecti* bezieht sich auf das Jahr 318 v. Chr.: Livius 9, 20, 5 und 10 berichtet nähmlich, dass ,,man in diesem Jahre zum ersten Male anfing für Capua Präfekten zu wählen, welche von Prätor L. Furius rechtliche Anweisungen erhielten, da die Einwohner (von Capua) selbst um beides (d.h. um Präfekten und prätorische Anweisungen) als Rettungsmittel ihres durch inneren Zwiespalt zerrütteten Staates gebeten hatten".[14] SHERWIN-WHITE a.a.O. S. 41 vergleicht die Funktion dieser frühen *praefecti* mit der der griechischen διαλλακταί, d.h. der ,,Schiedsrichter", welche von Einwohnern einer Ortschaft, in der infolge innerer Zwistigkeiten die Jurisdiktion nicht mehr auf befriedigende Weise ausgeübt werden kann, aus einer befreundeten Stadt herbeigebeten werden. Von derselben Stadt Capua berichtet Livius an einer späteren Stelle, 26, 16, 10, dass man, als sie im Jahre 211 als Strafe für den Übertritt zu Hannibal ihre Autonomie verlor, beschlossen habe, zu ihr ,,für die Rechtspflege von Rom aus jährlich einen Präfekten zu schicken".[15] Anscheinend entsandte Rom zur Zeit der Machtentfaltung in Mittel- und Süditalien seine Präfekten besonders in diejenigen italischen Städte, die entweder selbst nicht imstande waren, eine gehörige Rechtspflege zu organisieren, oder aber aus rein politischen Gründen unter die stete Aufsicht römischer Oberbeamter gestellt werden mussten. Es ist im Rahmen dieser Arbeit nicht möglich, auf die Frage näher einzugehen, wie gross die Zahl der italischen Städte gewesen ist, d.h. sowohl der römischen und italischen Kolonien wie der Munizipien mit Voll- und mit Halbbürgern, in denen Präfekten an der Munizipalverwaltung beteiligt gewesen sind. Lediglich die

---

[14] Vgl. Liv. 9, 20, 5: *eodem anno primum praefecti Capuam creari coepti legibus ab L. Furio praetore datis, cum utrumque ipsi pro remedio aegris rebus discordia intestina petissent.* Und 9, 20, 10: *et postquam res Capuae stabilitas Romana disciplina fama per socios vulgavit, Antiatibus quoque, qui se sine legibus certis, sine magistratibus agere querebantur, dati ab senatu ad iura statuenda ipsius coloniae patroni: nec arma modo sed iura etiam Romana late pollebant.*

[15] Liv. 26, 16, 10 (a^0. 211 v. Chr.): *praefectum ad iura reddenda ab Roma quotannis missuros.* Vgl. auch Velleius Pat. 2, 44, 4 anlässlich der Gründung einer römischen Kolonie in Capua durch Caesar im Jahre 59 v. Chr.: *ita circiter XX milia civium eo deducta et ius urbis restitutum post annos circiter CLII quam bello Punico ab Romanis Capua in formam praefecturae redacta erat.* Vgl. zu diesen Stellen und ebenfalls zu Festus s.v. ,*praefecturae*' pag. 262, 2 ff. LINDSAY (ein ziemlich verworrener Artikel, in dem aber eine brauchbare Definition des Begriffes *praefecturae* vorkommt: *erat quaedam earum respublica neque tamen magistratus suos habebant*): SHERWIN-WHITE, Roman Citizenship S. 41 ff.

Frage, von welcher Zeit an auch die selbstgewählten Munizipalmagistrate gerichtliche Kompetenzen hatten, soll weiter unten (S. 270 ff., Anhang II) noch zur Erörterung kommen. Was aber das Problem der Entwicklung und des Umfanges der alten Präfektur betrifft, muss ich mich mit einem Hinweis auf die am Anfang unseres Lemmas zitierte Literatur begnügen. Es sei nur bemerkt, dass dieses Problem wegen Mangel an zeitgenössischen Quellen ein sehr umstrittenes ist.

Für die Zeit, die uns wegen der Interpretation der Lex Rubria besonders interessiert, d.h. für die Mitte des 1. Jahrh. vor Chr., verschafft uns unser Gesetz selbst eine gewisse Information: der Umstand, dass in der oben S. 236 zitierten Reihe von verwaltungsrechtlichen Bezeichnungen *praefectura* hinter *municipium* und *colonia* eine feste dritte Stelle erhalten hat, weist darauf hin, dass es in Gallia Cisalpina neben den Städten mit vollständiger Selbstverwaltung auch Ortschaften gab, die — alljährlich — einen Präfekten zugeschickt bekamen, der als Stellvertreter des römischen Prätors mit der Leitung der örtlichen Rechtspflege beauftragt worden war.

Die Annahme liegt auf der Hand, dass es sich in diesen Fällen um Ortschaften handelte, die einerseits in munizipaler Hinsicht zu wenig entwickelt waren, um eine gehörige Besetzung von eigenen Verwaltungsorganen zu gewährleisten, andererseits aber doch den benachbarten Örtlichkeiten gegenüber die Rolle von administrativen und wirtschaftlichen Mittelpunkten erfüllen konnten. Sowohl für die Ortschaft, in der der Präfekt seinen Amtssitz hatte, wie für den Sprengel, den er von diesem Zentrum aus regierte, ist anscheinend die Bezeichnung *praefectura* verwendet worden. In manchen Regionen Italiens scheinen die *praefecturae* sogar häufiger vorgekommen zu sein als die Kolonien und Munizipein: so z.B. in Picenum. Ich brauche, um dies zu beweisen, nur auf eine öfters zitierte Stelle aus Caesars *bellum civile* hinzuweisen, u. zw. auf 1, 15, 1, wo der Imperator mitteilt, dass er nach der Besetzung von Ariminum, Pisaurum, Fanum, Ancona und Auximum (Anfang 49 v. Chr.) *omnem agrum Picenum percurrit; cunctae earum regionum praefecturae libentissimis animis eum recipiunt.* Welche namentlich genannten Ortschaften übrigens in Gallia Cisalpina zu der Zeit, als die Lex Rubria erlassen wurde, der Kategorie der *praefecturae* angehört haben, vermag ich, da auch die Inschriften hierüber nichts aussagen, leider nicht zu bestimmen. Wir sind somit ausschliesslich auf Vermutungen angewiesen. Weiter unten (S. 257 ff.) werde ich bei der Besprechung der *fora* und *conciliabula* noch auf diese Frage zurückkommen.

Bisweilen dürften die Präfekturen so klein gewesen sein, dass ihnen kaum noch ein städtischer Charakter zugesprochen werden kann. So wird z.B. das kleine Forum Clodi an der via Claudia in Etrurien von Plinius nat. 3, 52 eine Präfektur genannt: *praefectura Claudia Foro Clodi*. Dass Forum Clodi eine Präfektur war, geht übrigens auch aus einer weiteren, noch früheren Belegstelle hervor: CIL. XI Nr. 3310a (= DESSAU Nr. 904) enthält eine Inschrift, welche die *Claudienses ex praefectura Claudia urbani* etwa 37 v. Chr. zu Ehren ihres *patronus* C. Clodius Vestalis haben anfertigen lassen.[16]

Es lässt sich aber auch mit Hilfe von anderen Quellen glaubhaft machen, dass ländliche Ortschaften, besonders die *fora* und *conciliabula* von Jurisdiktionsmagistraten als Orte für Rechtssitzungen benutzt werden konnten. So lesen wir bereits in der sogen. Lex Acilia repetundarum (CIL. I, 2^2 Nr. 583; BRUNS Nr. 10 S. 55 ff.; RICCOBONO FIRA. I Nr. 7 S. 84 ff.; etwa 123/22 v. Chr.) an einer Stelle, an der trotz der lückenhaften Überlieferung festgestellt werden kann, dass von Jurisdiktionsmagistraten die Rede ist, Z. *31*: *in terra Italia in oppedeis foreis conciliab[oleis . . . ., aut extra Italiam in oppedeis foreis con]ciliaboleis, ubei ioure deicundo praesse solent.* Wir brauchen hier nicht auf die Frage einzugehen, welche

[16] Zu Forum Clodi vgl. E. WEISS, RE. VII (1912) Sp. 65 f. (s.v. ,Forum Clodi', Nr. 1) und G. RADKE, Kleiner Pauly II (1967) Sp. 602 (s.v. ,F. Claudi', Nr. 1). Welcher Angehörige aus der *gens* der Claudii dafür gesorgt hat, dass Rom aus dem alten *Forum Clodi* eine Präfektur machte und diese nach dem Initiator ihrer Statuserhöhung *Praefectura Claudia Foro Clodi* benannte, lässt sich nicht ermitteln. Manche Forscher, z.B. WEISS a.a.O., haben die Vermutung ausgesprochen, dass dies der in CIL. XI Nr. 3310a (s. oben) genannte frühere Proconsul C. Clodius Vestalis, Münzmeister im Jahre 43 v. Chr., gewesen sei; für diese Vermutung fehlen leider weitere Anhaltspunkte. Weiter unten S. 260 wird dargelegt, dass die Zuerkennung des Ranges einer *praefectura* vielleicht zur Folge gehabt hat, dass Forum Clodi zum ständigen Amtssitz eines Präfekten wurde. Wenn diese Annahme richtig ist, könnte man daraus schliessen, dass sonstige *fora*, denen der Titel *praefectura* nicht zuerkannt wurde, nur ab und zu als Gerichtsstätte eines herumreisenden Präfekten fungierten.

Der Zusatz *urbani*, dem wir in der oben zitierten Inschrift begegnen, ist wohl an erster Stelle gewählt worden, um einen Gegensatz zu der Bevölkerung, die im ländlichen Territorium der Präfektur Forum Clodi wohnte, zum Ausdruck zu bringen. Er dürfte aber gleichzeitig darauf hinweisen, dass der ehemalige Marktflecken nach dem Urteil seiner Bewohner inzwischen einen gewissen — wenn auch recht bescheidenen — städtischen Charakter angenommen hatte.

Beamten für „die Festungen, Marktplätze und Versammlungsorte ausserhalb Italiens" in Betracht kommen, um dort „Vorsteher für die Rechtspflege zu sein". Was Italien selbst anbelangt, kann es sich bei den *fora* und *conciliabula* lediglich um stellvertretende Magistrate, d.h. um Präfekten handeln; denn die Einwohner dieser Ortschaften haben niemals das Recht gehabt, selbst ihre gerichtlichen Vorsteher zu wählen.

Eine ähnliche Schlussfolgerung lässt sich einer Stelle der Lex Mamilia Roscia (Bruns Nr. 15 S. 95 f.; etwa 59 v. Chr.), u. zw. K. L. V, entnehmen: *quicumque magistratus in ea colonia municipio praefectura foro conciliabulo iure dicundo praeerit.* Auch hier kommen sowohl für die Gerichtsbarkeit in der *praefectura* wie für die in dem *forum* und *conciliabulum* nur *praefecti iure dicundo* in Betracht. Es erhebt sich übrigens anlässlich dieser Schlussfolgerungen die Frage, in wiefern *praefectura* einerseits und *fora conciliabula* andererseits identische Begriffe sind. Auf dieses Problem werde ich weiter unten noch zurückkommen.

Zunächst sei noch darauf hingewiesen, dass ein triftiger Grund vorhanden ist, zu bezweifeln, dass sämtliche *praefecti*, die in *fora* und *conciliabula* als Vorsteher der Rechtspflege auftraten, Stellvertreter des römischen Prätors gewesen sind. Wir lesen nämlich bei Frontin, grom. (Lachmann-Rudorff) pag. 49, 7-9: *coloniae quoque loca quaedam habent adsignata in alienis finibus, quae loca solemus praefecturas appellare*: „auch haben Kolonien in fremden Gebieten gewisse Territorien zugeteilt bekommen: diese Territorien pflegen wir Präfekturen zu nennen". Man kann diesen Satz nur dann auf befriedigende Weise erklären, wenn man annimmt,dass die Magistrate der soeben genannten Kolonien sich bei den Mitbürgern, die in entlegenen Regionen angesiedelt worden sind und dort Ortschaften gegründet haben, durch Präfekten vertreten liessen. Solche von einer bestimmten Kolonie abhängigen Ortschaften und die dazu gehörigen Territorien kommen somit, wenn ihre Rechtspflege von einem von der Munizipalmagistratur ernannten Stellvertreter geregelt wird, ebenfalls für die Bezeichnung *praefectura* in Betracht. Ich werde weiter unten näher auf die Frage eingehen, ob in diesem Falle von einer allgemein üblichen Verwendung des Terminus *praefectura* gesprochen werden kann.

Der Vollständigkeit halber muss noch erwähnt werden, dass auch Städte mit regelrechter Selbstverwaltung, d.h. Kolonien und Munizipien, zeitweilig von Präfekten regiert werden konnten. So erwähnt die Lex Ursonensis (CIL. II Nr. 5439; Bruns Nr. 28 S. 122 ff.; etwa 44 v. Chr.) an zwei Stellen einen Präfekten, der von dem Duovir „zurückgelassen" worden ist: vgl. XCIII, *20/21 praefectus qui ab IIviro e lege huius coloniae relictus erit* und XCIIII, *27-29 neve cuius in ea colonia iuris dictio esto nisi IIviri aut quem IIvir≪i≫ praefectum reliquerit*. Wenn somit der Duovir auf Reisen ging und seine Stadt verlassen musste, war er verpflichtet einen von ihm ernannten Stellvertreter „zurückzulassen": dieser Stellvertreter war ein sogen. *praefectus a IIviro relictus*. Und so lassen sich noch andere Fälle erwähnen, in denen in Kolonien und Munizipien ausnahmsweise — z.B. wenn keine Wahlen stattgefunden hatten — *praefecti* anstelle von *IIviri* oder *IIIIviri* als Oberbeamte auftraten (solche *praefecti* wurden je nach den Umständen bald von den Munizipalmagistraten bald von den Dekurionen bestellt; vgl. für weitere Einzelheiten Ensslin, RE. XXII Sp. 1313 ff.).

Es dürfte aber höchst unwahrscheinlich sein, dass *coloniae* oder *municipia* in der Periode, in der sie zeitweilig von Präfekten regiert wurden, im amtlichen Sprachgebrauch als *praefecturae* bezeichnet wurden. Wir werden somit, wenn unsere Lex Rubria letzteren Terminus verwendet, in erster Instanz an kleinere städtische Gemeinden denken müssen; sie unterschieden sich lediglich dadurch von den Munizipien, dass sie wegen der kleineren Einwohnerzahl und wegen der dementsprechend geringeren Möglichkeiten für die Entwicklung von munizipalen Organen auf Selbstverwaltung verzichten mussten. Ausserdem kommen noch solche *fora* und *conciliabula* für diese Bezeichnung in Betracht, die, wie das obige Beispiel von Forum Clodi zeigt (siehe S. 253), von Rom den besonderen Titel einer *praefectura* erhalten hatten. Ob jedoch die übrigen *fora* und *conciliabula*, die diesen Titel nicht erhielten, ebenfalls vom rubrischen Gesetzgeber zu den *praefecturae* gezählt wurden, dürfte recht fraglich sein. Es wäre nämlich auch dann, wenn wir dem Redaktor der Lex Rubria eine etwas übertriebene Vollständigkeit in der Verwendung von Ortschaftsbezeichnungen zur Last legen wollen, kaum erklärlich, weshalb er, wenn *praefecturae* einerseits und *fora* und *conciliabula* andererseits völlig identische Begriffe gewesen wären, die beiden letzteren Ortstypen immer noch eigens erwähnt hätte. Und dasselbe würde auch für die Gesetzgeber der Lex Acilia repetundarum und der Lex Mamilia Roscia zutreffen (vgl. die oben S. 253 f. zitierten Stellen).

Ich werde weiter unten S. 260 f. nochmals auf dieses Problem zu sprechen kommen. Vorgreifend möchte ich jedoch bereits an dieser Stelle bemerken, dass sich der Unterschied, der anscheinend zwischen den beiden Kategorien existierte, am einfachsten durch die Annahme erklären lässt, dass die Ortschaften, die den offiziellen Titel einer *praefectura* führten, einen ständigen Präfektensitz kannten. Diese Orte dürften somit die Präfekturen im eigentlichen Sinne gewesen sein. Die übrigen kleineren Ortschaften hingegen, die anscheinend zum grössten Teil von den benachbarten Kolonien und Munizipien abhängig waren, konnten zwar, wenn sie ab und zu von Präfekten zur Abhaltung von Gerichtstagen besucht wurden, wie aus Frontins gromatica (LACHMANN-RUDORFF pag. 49, 7-9, s. oben S. 254) hervorgeht, ebenfalls *praefecturae* genannt werden; an solchen Stellen jedoch wird *praefectura,* wenn ich recht sehe, in einer allgemeineren Bedeutung verwendet als dies in unserer Lex Rubria der Fall ist.

5. **forum;** 7. **conciliabulum.** Vgl. A. SCHULTEN, RE. VII (1912) Sp. 62-63 s.v. ,*forum*'; D. MEDICUS, Kleiner Pauly II (1967) 601-604 s.v. ,*forum*'; A. SCHULTEN, RE. IV (1901) Sp. 799-803 s.v. ,*conciliabulum*'; D. MEDICUS, Kleiner Pauly I (1964) 1267 s.v. ,*conciliabulum*'. Eine Besprechung beider Örtlichkeitstypen findet sich auch bei J. MARQUARDT, Röm. Staatsverwaltung I (^{2}1884) S. 10 ff. und A. N. SHERWIN-WHITE, The Roman Citizenship (1939) S. 70 f.

Der Ursprung dieser beiden Ortsbezeichnungen ist allem Anscheine nach sehr verschieden, ihre staatsrechtliche Position hingegen in der Zeit, aus der wir Belege haben, grösstenteils gleich. Aus unseren spärlichen Quellen [17] geht hervor, dass es sich bei *conciliabula* („Sammelplätze") um bereits bestehende regionale Hauptortschaften handelte, die auf die Dauer zu Zentren ländlicher Verwaltung wurden. Der Terminus *fora* hingegen ist oft als Bezeichnung für Marktplätze verwendet worden, die von römischen Magistraten errichtet wurden, wenn sie Heerstrassen anlegen oder aber ein gerade erobertes Gebiet verwaltungsmässig organisieren wollten. Eine Folge dieser Gründungspolitik war, dass *fora* auffallend häufig den Namen eines römischen Magistrats tragen: vgl. z.B. das oben S. 253 erwähnte (in der Nähe von Caere gelegene) Forum Clodii, das anscheinend von einem Angehörigen der *gens* der Claudii (Clodii),

---

[17] Vgl. z.B. die Zusammenstellung bei MARQUARDT, Staatsverwaltung I^2 S. 10 ff.

dem Erbauer der Via Claudia, gegründet wurde (etwa Mitte des 3. Jahrh. v. Chr.). Eine Übersicht der *fora* in Gallia Cisalpina findet man bei BELOCH, Röm. Gesch. (1926) S. 613 (Cispadana) und 615 f. (Transpadana): in der Cispadana z.B. Forum Livi, Popili, Corneli, Lepidi; in der Transpadana Forum Licini (bei Bergomum). Was das Alter der fünf zuletztgenannten Fora anbelangt, so haben NISSEN (Italische Landeskunde II, 1902) und andere Gelehrte ihre Gründungen zumeist in das 2. Jahrh. v. Chr. datieren wollen. Forum Lepidi ist, so nimmt NISSEN a.a.O. II S. 267 an (vgl. auch WEISS, RE. I A, 1920, Sp. 486, 55 ff. s.v. ,*Regium* [*Lepidum*], Nr. 2'), aller Wahrscheinlichkeit nach vom Erbauer der Via Aemilia, M. Aemilius Lepidus, Konsul des Jahres 187 v. Chr., gegründet worden. Wenn ferner NISSEN a.a.O. II S. 258 (vgl. auch WEISS, RE. VII, 1912, Sp. 71, 9 ff.) mit seiner Vermutung recht hat, dass C. Livius Salinator, Konsul 188 v. Chr., der Gründer von Forum Livi gewesen sei, so wäre dieser Marktflecken sogar noch ein Jahr früher entstanden als der vorige. Die Gründung von Forum Popili muss gemäss NISSEN a.a.O. II S. 258 (vgl. auch WEISS, RE. VII Sp. 72, 11 ff.) wahrscheinlich einem der Gens Popilia angehörenden Konsul des 2. Jahrh. v. Chr. zugeschrieben werden. Vielleicht war es derselbe P. Popilius Laenas, Konsul 132 v. Chr., der uns aus den beiden Inschriften CIL. I^2, 2 Nr. 637 und 638 (vgl. auch DEGRASSI, ILLR. Nr. 453 und 454) als Erbauer von Strassen bekannt geworden ist. Das Alter von Forum Licini lässt sich wenigstens annähernd bestimmen, indem man darauf hinweist, dass dieser Marktflecken laut Plinius nat. 3, 17, 124 bereits vom alten Cato (234-149 v. Chr.) erwähnt wurde. Nur für die Gründung von Forum Corneli lässt sich weniger leicht ein Anhaltspunkt finden: gemäss WEISS, RE. VII Sp. 66, 20 ff. sei die bei Prudentius peristeph. 9, 1 begegnende Mitteilung, dass Sulla der Gründer dieser Ortschaft gewesen sei, wenig glaubhaft; ihre Zugehörigkeit zur alten Tribus Pollia weise jedenfalls auf ein früheres Entstehungsdatum hin.

Inbetreff der *conciliabula* ist schon hervorgehoben worden, dass das Quellenmaterial hierfür sehr spärlich ist. Nur von einer Ortschaft wird in der Literatur ausdrücklich bezeugt, dass sie ein *conciliabulum* gewesen sei, u.zw. von Interamnia Praetuttianorum;[18] Frontin, grom. pag. 19, *12-14* (LACHMANN-RUDORFF) berichtet

[18] Der Name Interamnia Praetuttianorum besagt bereits, dass diese Ortschaft der Versammlungsplatz des Gaues der Prätuttier (im südlichen Picenum) gewesen ist.

hierüber: *hoc conciliabulum fuisse fertur et postea in municipii ius relatum*. Fürs übrige sind wir lediglich auf Vermutungen angewiesen. Es liegt jedoch auf der Hand, dass für diese Kategorie an erster Stelle die Örtlichkeiten in Betracht kommen, von denen man annimmt, dass sie auch nach der im Jahre 49 v. Chr. erfolgten Verleihung des Bürgerrechts noch längere Zeit weder zu den römischen Kolonien noch zu den Municipia oder Fora gehört haben: so z.B. Caesena, Faventia, Claterna, Tannetum und Fidentia an der Via Aemilia zwischen Ariminum und Placentia (vgl. Beloch a.a.O. S. 613 sub „andere römische Bürgergemeinden"). Die Möglichkeit ist aber nicht auszuschliessen, dass einige von diesen Ortschaften zu der Zeit, als ganz Gallia Cisalpina das Bürgerrecht bekam, *praefecturae* im engeren Sinne dieses Terminus (s. oben S. 252) geworden sind, d.h. dass sie einen ständigen Präfektensitz erhielten. Und dasselbe könnte auch auf einige der soeben genannten cisalpinischen Fora zutreffen.

Wie bereits oben erwähnt wurde, lässt sich für die Zeit, in der unsere Lex Rubria erlassen wurde, kein verwaltungsrechtlicher Unterschied zwischen den *fora* und *conciliabula* mehr nachweisen. Beide Ortstypen scheinen häufig — wenn nicht gar regelmässig — eigenes Grundgebiet besessen zu haben. Letzteres ergibt sich jedenfalls aus den folgenden Worten der Lex Mamilia Roscia (Bruns Nr. 15 S. 95 ff.; etwa 59 v. Chr.) K.L. III: *quae colonia hac lege deducta quodve municipium praefectura forum conciliabulum constitutum erit, qui ager intra fines eorum erit eqs.*, „inbetreff der Kolonie, die aufgrund dieses Gesetzes angelegt worden ist, und inbetreff des Munizipiums, der Präfektur, des Marktplatzes oder des Versammlungsortes, der gegründet worden ist, soll in Bezug auf das Grundgebiet innerhalb ihrer Grenzen usw.". Hier kann „innerhalb ihrer Grenzen" nichts anderes bedeuten als: „innerhalb der Grenzen der soeben genannten Kolonien, Munizipien, Präfekturen, Marktplätze und Versammlungsorte". Mit Hilfe einiger Stellen der Tabula Heracleensis (Bruns Nr. 18 S. 102 ff.; etwa 45 v. Chr.) lässt sich ferner glaubhaft machen, dass die *fora* und *conciliabula* irgendeine örtliche Magistratur kannten. Man vergleiche Tab. Heracl. Z. *83-85*: *queiquomque in municipieis coloneis praefectureis foreis conciliabuleis civium Romanorum IIvirei IIIIvirei erunt aliove quo nomine magistratum potestatemve sufragio eorum, quei quoisusque municipi≪a≫ coloniae praefecturae fori* [*foro*: Aes] *conciliabuli erunt, habebunt eqs.*, „inbetreff derjenigen, die in den Munizipien, Kolonien, Präfekturen, Marktplätzen und Versammlungsorten der römischen

Bürger Mitglieder des Duovirats oder des Quattuorvirats sind oder unter irgendeinem anderen Titel eine Magistratur oder ein Amt aufgrund des Wahlrechts derer bekleiden werden, die dem betreffenden Munizipium, der Kolonie oder Präfektur, dem Marktplatz oder Versammlungsort angehören, usw.". Bei den Worten *aliove quo nomine magistratum potestatemve .... habebunt* muss anscheinend an Beamte gedacht werden, die weder *IIvir* noch *IIIIvir* waren. Da letztere sich nur für *coloniae* und *municipia* mit Sicherheit nachweisen lassen (s. unten S. 267 ff.), muss es für die Verwaltungsmagistrate der *fora* und *conciliabula* andere Bezeichnungen gegeben haben: manche Forscher (z.B. MARQUARDT, Staatsverwaltung I^2 S. 12, Anm. 1) möchten die *magistri*, die als Vorsteher der *vici* bezeugt sind, auch für die *fora* und *conciliabula* in Anspruch nehmen. Diese *magistri* hatten lediglich einfache administrative Befugnisse; denn die Gerichtsbarkeit lag, wie bereits gesagt wurde, auch in den *fora* und *conciliabula* in den Händen der *praefecti iure dicundo*.[19]

Der Grund, weshalb die *fora* und *conciliabula* von dem rubrischen Gesetzgeber als besondere Ortstypen neben den *praefecturae* genannt werden, lässt sich wegen Mangel an Quellen nur vermutungsweise angeben. Es liegt aber auf der Hand, dass ein Unterschied zwischen beiden Kategorien von Örtlichkeiten existiert haben muss. Und in einer solchen Sachlage dürfte es nicht unberechtigt sein anzunehmen, dass in den kleineren Ortschaften, den *fora* und *conciliabula*, die *praefecti iure dicundo* nur ab und zu eine Sitzung abhielten und dass sie nach Erledigung der anhängig gemachten Rechtssachen wieder fortgingen. Die *praefecturae* hingegen dürften, weil sie grössere Ortschaften — oft mit städtischem Charakter — waren, einen ständigen Präfektensitz gehabt haben.

Dass in den *fora* und *conciliabula*, in ähnlicher Weise wie in den *coloniae*, *municipia* und *praefecturae*, ausser privatrechtlichen Prozessen auch *iudicia publica* [20] stattfinden konnten, geht ebenfalls aus der Tabula Heracleensis hervor; vgl. Z. *118/119 queive iudicio publico Romae condemnatus est erit .... queive in eo municipio colonia praefectura foro conciliabulo, quoius erit, iudicio publico condemnatus est erit.* Und schliesslich kann noch festgestellt werden,

---

[19] Vgl. für die *praefecti* und ihre Aufgaben in den *fora* und *conciliabula* auch dasjenige, was oben S. 253 f. im Abschnitt über die *praefectura* gesagt worden ist.

[20] Vgl. zu dem Begriff des *iudicium publicum* MOMMSEN, Strafrecht S. 180 ff. und KASER, Zivilprozessrecht S. 117 f.

dass die *fora* und *conciliabula* eine Art Gemeinderat gekannt haben; vgl. Tab. Heracl. Z. *108/109*: *quae municipia colonia<e> praefectura<e> fora conciliabula civium Romanorum sunt erunt, neiquis in eorum quo municipio colonia praefectura <foro> conciliabulo <in> senatu decurionibus conscripteisque esto eqs.*

Infolge der Dürftigkeit des Quellenmaterials sind wir nicht in der Lage nachzuprüfen, welche Abhängigkeitsform der *fora* und *conciliabula* in cäsarischer Zeit die vorherrschende war, die der Unterordnung unter die Hauptstadt Rom oder die der Attribuierung an einen benachbarten Hauptort, d.h. an eine Kolonie oder ein Munizipium. Es lässt sich aber nachweisen, dass Rom bestrebt war, den besonderen Status der *fora* und *conciliabula* völlig aufzuheben: die meisten Ortschaften dieses Typs wurden völlig in das Grundgebiet des benachberten Hauptortes einverleibt; denjenigen Gemeinden aber, die eine gewisse Bedeutung erlangt hatten, wurde der Rang einer *praefectura* oder gar eines *municipium* verliehen. Die Umsetzung in eine *praefectura* wird, wenn die oben S. 252 vorgetragenen Vermutungen richtig sind, zur Folge gehabt haben, dass fortan jedes Jahr von Rom aus ein ständiger Präfekt in die Ortschaft entsandt wurde. Ein Beispiel für eine solche Umsetzung liefert uns das oben S. 253 genannte (an der *via Claudia* gelegene) *Forum Clodi*: eines Tages — jedenfalls vor etwa 43 v. Chr. (s. oben S. 253 Anm. 16) — wurde daraus eine *Praefectura Claudia Foroclodi* gemacht. Und was die andere Möglichkeit, die Einverleibung in das Grundgebiet eines benachbarten Hauptortes, anbelangt, sei noch auf eine Mitteilung von Frontins gromatica II hingewiesen, vgl. LACHMANN-RUDORFF S. 55, *16-18*: *sunt autem loca publica coloniarum, ubi prius fuere conciliabula et postea sunt in municipii ius relata*; *sunt et alia loca publica, quae praefecturae appellantur*: „es gibt Gemeindeterritorien von Kolonien, wo früher Versammlungsorte existierten, wo diese aber später der Gerichtsbarkeit eines Munizipiums (bezw. einer Kolonie) unterstellt worden sind; es gibt auch andere Gemeindeterritorien (von Kolonien), die Präfekturen genannt werden" (d.h. Ortschaften, die ab und zu von Präfekten, Stellvertretern der Magistrate des Hauptortes besucht werden). Nach ihrer Einverleibung waren somit die *conciliabula* (und in ähnlicher Weise auch die *fora*) entweder ganz auf ihren Hauptort angewiesen oder sie erhielten seitdem regelmässig amtlichen Besuch von den von ihrem Hauptort entsandten Präfekten. Für die zuletzt genannten Ortschaften verwendet Frontin den Terminus *praefectura*. Wir haben oben S. 254

gesehen, dass dieser Autor *praefectura* eine allgemeinere Bedeutung beimisst als in den übrigen in dieser Arbeit angeführten Quellen üblich ist. Bei jener Gelegenheit ist auch schon hervorgehoben worden, dass unser rubrischer Gesetzgeber den Ausdruck *praefectura* ebenfalls in einer weniger allgemeinen Bedeutung als Frontin gebraucht und dass er die *praefecturae* deutlich von den *fora* und *conciliabula* unterscheidet.

6. **vicus; 8. castellum.** Vgl. A. W. VAN BUREN, RE. VIII A (1958) Sp. 2090-2094 s.v. ‚*vicus*' (hauptsächlich im Anschluss an MOMMSEN, Röm. Staatsrecht III, 1^3 S. 119 f.); W. KUBITSCHEK, RE. III (1899) Sp. 1754-1758 s.v. ‚*castellum*'; A. R. NEUMANN, Kleiner Pauly I (1964) Sp. 1078 f. s.v. ‚*castellum*', Nr. 2.

Von den beiden Begriffen, welche in diesem Lemma zur Erörterung stehen, gibt der zweite, *castellum*, ein Deminutivum von *castrum* (*castra*), am deutlichsten wieder, was darunter zu verstehen ist: ein befestigter Ort, ein Fort.[21] Die Tatsache, dass hier eine Deminutivform verwendet ist, weist gleichzeitig darauf hin, dass wir uns diesen befestigten Ort recht klein und schwach bevölkert vorstellen müssen. Dass die *castella* einen ländlichen Charakter hatten und demzufolge meistens einem benachbarten Hauptort untergeordnet waren, geht schon aus der aus dem Jahre 117 v. Chr. stammenden Sententia Minuciorum hervor (CIL. I, 2^2 Nr. 584 = V Nr. 7749; vgl. auch BRUNS Nr. 184 S. 401 ff.).[22] Es handelt sich hier um einen auf Grund eines Senatsbeschlusses von den Brüdern Quintus und Marcus Minucius gefällten Schiedsspruch in Grenzstreitigkeiten zwischen Genua und dem benachbarten *castellum Vituriorum* (an anderen Stellen der Inschrift werden die *Viturii* auch *Langates* oder *Langenses* genannt). Es stellt sich heraus, dass

---

[21] Ausserdem kann *castellum* ein „Bollwerk" (in einem Festungswall) und einen „Wasserbehälter" (z.B. für ein Aquadukt) bezeichnen: beide Bedeutungen kommen für unsere Lex Rubria nicht in Betracht. In der Literatur wird der Ausdruck *castellum* öfters für festungsartige „Gebirgsdörfer" verwendet. Vgl. z.B. Verg. georg. 3, 474/75 *aerias Alpes et Norica .... castella in tumulis* und Liv. 21, 33, 2 *iam montani signo dato ex castellis .... conveniebant*. Vielleicht müssen wir, was die *castella* der Lex Rubria anbelangt, ebenfalls in erster Instanz an die Bergdörfer des südlichen Alpenrandes und die der Ligurischen und Tosco-Emilianischen Appenninen denken.

[22] In neuerer Zeit ist diese Inschrift noch von ARANGIO-RUIZ, FIRA. III (1943) Nr. 163 S. 504 ff. und (zusammen mit einer Übersetzung und mit Anmerkungen) von WARMINGTON, Remains of Old Latin IV (1959) S. 262 ff. herausgegeben worden.

die Bewohner des *castellum* für einen grossen Teil ihres Landbesitzes Abgaben an die öffentliche Kasse von Genua entrichten mussten: vgl. Z. *24/25 pro eo agro vectigal Langenses Veituris in poplicum Genuam dent in anos singulos vic(toriatos) n(ummos) CCCC*. Dass die Bewohner des Kastells den genuesischen Gerichten unterstanden, geht aus der in die *sententia* aufgenommenen Bestimmung hervor, dass einige in Genua bestrafte Viturier vor einem gewissen Datum aus dem dortigen Gefängnis entlassen werden sollten: vgl. Z. *42-44 Vituries, quei controvorsias Genuensium ob iniourias iudicati aut damnati sunt, sei quis in vinculeis ob eas res est, eos omneis solvei mittei leiber<are>ique Genuenses*[23] *videtur oportere ante eidus Sextilis primas*. Trotzdem scheinen auch die Viturier noch eine Art Volksversammlung gekannt zu haben; jedenfalls ist in Z. *30/31* von einem Mehrheitsbeschluss der Kastellbewohner die Rede: *praeter ea in eo agro ni quis posideto nisi de maiore parte Langensium Veituriorum sententia*. Zu der Zeit des minucischen Schiedsspruches war Genua noch eine mit Rom föderierte *civitas*; die Annahme erschient jedoch berechtigt, dass zur Zeit des rubrischen Gesetzes die cisalpinischen *castella*, die nunmehr von römischen Bürgern bevölkert wurden, in einem ähnlichen Abhängigkeitsverhältnis zu ihrem Hauptort standen.

Die Bedeutung des anderen Begriffes, der in obigem Lemma begegnet, *vicus*, ist etwas weniger selbstverständlich als die von *castellum*. *Vicus* wird nämlich sowohl als Bezeichnung für „Stadtviertel" wie als solche für „Dorf", „Weiler" verwendet. Da jedoch, was die rubrische Reihe von Ortsbezeichnungen anbelangt, *vicus* in dem Teil derselben steht, in dem lauter ländliche Örtlichkeiten genannt werden, vgl. *f(oro) v(eico) c(onciliabulo) c(astello)*, dürfte es auf der Hand liegen, dass *vicus* (bezw. *veicus*, in altertümlicher Schreibweise),[24] in unserm Kontext lediglich die zuletzt genannte Bedeutung („Dorf", „Weiler") hat. In diesem Sinne finden wir *vici* zum Beispiel in der *tabula alimentaria* aus eben dem Veleia, aus dem auch die Lex Rubria stammt.[25] In dieser umfangreichen

---

[23] Zwei syntaktische Konstruktionen sind an dieser Stelle durch einander geraten: es müsste entweder *a Genuensibus* anstelle von *Genuenses* heissen oder *solvere mittere leiberareque* anstelle von *solvei mittei leiberareique*.

[24] Was die inschriftlichen Belege für diese Schreibweise anbelangt, zo zitiere ich ein Beispiel für viele, CIL. I, 2² Nr. 756 (BRUNS Nr. 105 S. 283 ff.; 58 v. Chr.) Z. *15*: *veicus Furf(ensis)*.

[25] Wie wir oben S. 242 Anm. 7 gesehen haben, war Veleia zunächst eine *civitas foederata*; infolge der Lex Pompeia (89 v. Chr.) wurde es in eine *colonia*

tabula (s. CIL. XI, Nr. 1147; etwa aus den Jahren 103-112 n. Chr., s. oben S. 3 f.) ist von einer grossen Anzahl *vici* innerhalb des Gebietes (*territorium*) von Veleia die Rede. Dass es sich hierbei um administrative Einteilungen handelt, geht aus derselben Tabula alimentaria hervor: Gruppen von *vici* scheinen zu *pagi* vereinigt gewesen zu sein, z.B. in dem *pagus Albensis* von Veleia zumindest drei *vici*, nähmlich *Blondelia, Secenia* und *Lubelius*; in dem *pagus Bagiennus* zumindest zwei *vici*, nämlich *Iuanelius* und *Nitelius*. Man vergleiche hierfür u.a. folgende Belegstellen: I, Z. *66/67 in Veleiate pag(o) Albense vico Seceniae*; ibid. Z. 75 *pag(o) s(upra) s(cripto) vico Blondelia* (*s.s.* ist eine Rückverweisung auf Z. *66/67 pago Albense*); und I, Z. *42/43 in Veleiate pag(o) Bagienno vico Iuanelio*; ibid. Z. *44 pago s(upra) s(cripto) vico Nitelio* (eine vollständige Übersicht der auf dieser Tabula vorkommenden *pagi* und *vici* findet man bei BORMANN CIL. XI, 1 S. 225).

Aus der soeben angeführten Inschrift dürfte zur genüge hervorgehen, dass *vici* (und in ähnlicher Weise auch die mehrere *vici* umfassenden *pagi*) Teile des Gebietes einer grösseren Ortschaft (*colonia, municipium* oder *praefectura*) waren. Für eine Anzahl von *vici* und *pagi* ist uns das Vorhandensein von *magistri, aediles, quaestores, tribuni* usw. bezeugt. Die genaue Bedeutung dieser Termini lässt sich meistens nur schwer ermitteln: jedenfalls dürfte aber ein Teil der auf den ländlichen Inschriften begegnenden *magistri* und *aediles* als eine Art „Dorfschulzen" fungiert haben.[26]

---

latina umgestaltet; wie alle übrigen latinischen Kolonien bekam es im Jahre 49 v. Chr. nach der Bürgerrechtsverleihung an ganz Gallia Cisalpina den Status eines *municipium*. Zu den inschriftlich überlieferten Ämtern, die in Veleia existierten, vgl. weiter unten S. 276 f.

[26] Da, wie wir oben S. 262 gesehen haben, *vicus* auch „Stadtviertel" bedeuten kann, lässt sich oft nur schwer entscheiden, ob die inschriftlich überlieferten *magistri* Vorsteher eines Dorfes oder eines Stadtviertels gewesen sind (letztere werden auch in der Literatur erwähnt, vgl. z.B. Sueton. Aug. 30, 1: Augustus habe die *vici* der Stadt Rom unter die Aufsicht von *magistri e plebe cuiusque viciniae lecti* gestellt). Man vergleiche zu diesem Problem die Bemerkungen und die Hinweise auf inschriftliche Belege bei MARQUARDT, Röm. Staatsverwaltung I² S. 8 f.; eine Übersicht von republikanischen Inschriften, in denen *aediles, magistri, quaestores, tribuni* usw. begegnen, die — bald mit grösserer bald mit geringerer Wahrscheinlichkeit — als Vorsteher von *pagi* oder *vici* in Betracht kommen, findet sich bei DEGRASSI, ILLR. II, Index S. 475 sub e.

Die Identifikation der inschriftlich überlieferten *magistri* wird ferner durch den Umstand erschwert, dass *magister* auch ausserhalb des Bereiches der Ortsverwaltung als Bezeichnung für recht verschiedene Arten von Vorstehern verwendet wird, z.B. für Vorsitzende oder Aufseher von Pacht-

Auch ist auf Inschriften bisweilen von Mehrheitsbeschlüssen der Einwohner eines *vicus* die Rede, vgl. z.B. die Anm. 26 bereits zitierte Inschrift aus Furfo (CIL. I, 2[2] Nr. 756) Z. *15/16* (anlässlich einer vom *aedilis* aufgelegten Geldbusse wegen Tempeldiebstals: *idque veicus Furf(ensis) m[a]i[or] pars .... sei apsolvere volent sive condemnare, liceto.* Dies bedeutet aber noch keineswegs, dass die *vici* ein nennenswertes Mass an Selbstverwaltung gekannt haben. Es sei in diesem Zusammenhang darauf hingewiesen, dass es sowohl zu dieser wie in späterer Zeit viele ländliche *vici* gegeben hat, die Eigentum von Privatpersonen waren und deren Bevölkerung lediglich aus Sklaven und ihren Aufsehern bestand.[27]

Kaum grösser ist die Selbständigkeit der Bewohner eines *castellum* zu veranschlagen. Höchstens dürfte, da es sich bei ihnen oft um Gebirgsdörfer handelt (s. oben S. 261 Anm. 21), die isolierte Lage derselben die Instandhaltung eines gewissen Eigenlebens begünstigt haben. Wie wir oben S. 262 bereits gesehen haben, lässt sich für zumindest ein befestigtes Gebirgsdorf, u. zw. für das *castellum* der Viturier in der Nähe von Genua, eine Art Volksversammlung belegen. Es muss aber hervorgehoben werden, dass der Umstand, dass in den verwaltungsrechtlichen Urkunden weder *vici* noch *castella* als Standorte erwähnt werden, an denen Jurisdiktionsmagistrate —d.h. in der Praxis *praefecti iure dicundo* — Gerichtssitzungen abhalten können, ebenfalls als ein Indiz für die recht geringe Bedeutung dieser Ortstypen gewertet werden muss. Es sei daran erinnert, dass weder in der oben S. 254 zitierten Lex Mamilia Roscia (ca. 59 v. Chr.; vgl. K.L. V) noch in der oben S. 258 angeführten Tabula Heracleensis (45 v. Chr.; vgl. Z. *83-85*) *vici* oder *castella* als eventuelle Gerichtsorte erwähnt werden: in beiden Texten begegnen in diesem Zusammenhang lediglich *coloniae, municipia, praefecturae,*

---

gesellschaften (*scripturae*, vgl. Cic. Att. 5, 15, 3; oder *societates*, vgl. Cic. Verr. II, 2, 74, 182), von Kultvereinen bezw. Tempeln (*sacrorum*, vgl. Liv. 39, 18, 9), usw.; ferner für Schiffskapitäne (*navis*, z.B. Gaius IV, 71), Schulmeister (z.B. Cic., de orat. 1, 57, 244), militärische Vorgesetzte (vgl. z.B. den als Geschützmeister auftretenden *magister* bei Ammian. Marc. 23, 4, 6), usw. Einer der eindeutigsten inschriftlichen Belege aus republikanischer Zeit für einen „Dorfschultheiss" findet sich in der sogen. „Lex a vicanis Furfensibus templo dicta" (CIL. I, 2[2] Nr. 756 = IX Nr. 3513; Bruns Nr. 105 S. 283 f.; Degrassi, ILLR. Nr. 508; 58 v. Chr.); in dem Dorfe, aus dem diese Inschrift stammt, Furfo (etwa 15 km. südöstl. von L'Aquila), wird der Vorsteher jedoch nicht *magister*, sondern *aedilis* genannt, vgl. Z. 9 *aedilis ...., quemquomque veicus Furf(ensis) fecerit.*

[27] Vgl. hierzu Marquardt a.a.O. I[2] S. 8 (mit den Anm. 3 bis 5).

fora und *conciliabula.*[28] Eine Bestätigung dieser Ansicht finden wir bei einem sehr späten — jedoch in der Hauptsache älteres Material exzerpierenden — Autor, u. zw. Isidorus von Sevilla, vgl. etym. 15, 2, 11: *vici et castella et pagi hi sunt, qui nulla dignitate civitatis ornantur, sed vulgari hominum conventu incoluntur, et propter parvitatem sui maioribus civitatibus adtribuuntur.*

9. **territorium,** „Land", „Gebiet", „Bezirk", ist ein etwas merkwürdiger Schluss in unserer Reihe von Ortsbezeichnungen. Genau genommen passt der Begriff nicht in unseren Zusammenhang, doch kann man sich vorstellen, warum er hier untergebracht worden ist: alle vorhergehenden Bezeichnungen haben den Zweck, eine vollständige Darstellung des Grundgebietes der Poebene zu vermitteln; sollten hierbei doch noch gewisse — wenn vielleicht auch recht kleine — Örtlichkeitstypen überschlagen worden sein, etwa Einödsiedlungen oder gar Einzelhöfe, so würde der Begriff *territorium* sie in jedem Fall noch mit einschliessen.

Dass *territorium* die übliche Bezeichnung für das zu einer Stadt gehörige Gebiet ist, geht z.B. aus der Definition bei Pomponius, libro sing. enchir., Dig. 50, 16, 239, 8 hervor: *,territorium' est universitas agrorum intra fines cuisque civitatis.* In einer anderen Definition, die sich bei Siculus Flaccus, de condicionibus agrorum (vgl. LACHMANN-RUDORFF, grom. I S. 138, *7/8*), findet, wird *territorium* mit dem Begriff der selbständigen Rechtsprechung verbunden: *territorium dixerunt, intra quos fines ius dicendi* (sc. *iuris*) *esset,* „als Territorium bezeichnete man ein Gebiet, innerhalb dessen Grenzen das Recht zur Rechtsprechung bestand".[29] Für die Deutung der Lex Rubria ist letztere Definition, in der die gerichtliche Unterordnung unter einen Hauptort betont wird, wichtiger als erstere; der Ausdruck *territorium* bezeichnete demnach nicht nur ein „Stadtgebiet" sondern auch einen von einer gewissen Stadt aus verwalteten „Gerichtssprengel".

Wie wir soeben gesehen haben, gehörten *vici* und *castella* ausnahmslos einem städtischen Gerichtssprengel an; ausserdem aber waren auch viele, wenn nicht gar die meisten, *fora* und *conciliabula*

---

[28] Vgl. ausserdem die oben S. 253 aus der sogen. Lex Acilia repetundarum (123/22 v. Chr.) zitierte Formel (Z. *31*) *in oppedeis foreis conciliaboleis, ubei ioure deicundo praesse solent.*

[29] Weitere Belege für *territorium* findet man bei MARQUARDT, Röm. Staatsverwaltung I² S. 6.

irgendeinem von einem städtischen Zentrum [30] aus regierten Gerichtsbezirk einverleibt worden. In unserer Lex überschneiden sich somit die Begriffe *forum veicus conciliabulum castellum* einerseits und *territorium* andererseits in weitgehendem Masse. Trotz dieser Überschneidungen und trotz des Umstandes, dass für diese Verwendung des Sigels *t.* weitere Parallelen fehlen, dürfte, was die rubrische Reihe *o. m. c. p. f. v. c. c. t.ve* (s. oben S. 235) anbelangt, die (seit MOMMSEN von den Editoren allgemein akzeptierte) Ergänzung von *t.* zu *territorium* die einzige Lesart sein, die in unserm Kontext einen brauchbaren Sinn abgibt.

---

[30] Das heisst: ein von einem *municipium*, einer *colonia* oder *praefectura* aus verwalteter Bezirk.

II. JURISDIKTIONSMAGISTRATE IN DEN VON RÖMISCHEN BÜRGERN BEWOHNTEN STÄDTEN

Die Jurisdiktionsmagistrate der in der Poebene gelegenen Städte werden in der Lex Rubria mit den Begriffen *IIvir IIIIvir praefectusve* (d.h. *duovir quattuorvir praefectusve*) bezeichnet, vgl. Caput XIX, *6*; XX, *15/16. 27/28. 28/29. 37. 38. 40/41*; XXI, *15*. Aus dem Kontext der zitierten Stellen ergibt sich, dass es sich tatsächlich um Magistrate mit gerichtlichen Kompetenzen handelt: man vergleiche vor allem XX, *40-41 IIvir IIIIvir i(ure) d(eicundo) praefec(tus)ve* (nur an dieser Stelle erhält der *IIIIvir* die zusätzliche Bezeichnung *iure deicundo*) und XXI, *14-15 queique quomque IIvir IIIIvir praefec(tus)ve ibei i(ure) d(eicundo) p(raeerit)*. Als gleichwertig mit der zuletzt genannten (aus XXI, *14-15* angeführten) Umschreibung begegnet ausserdem eine kürzere Formel, u. zw. *quei ibei i(ure) d(eicundo) p(raeerit)* in XX, *9* (an dieser Stelle muss allerdings *p.* = *praeerit* ergänzt werden); XXI, *4. 22. 23/24*; XXII, *31*. In XXIII, *53-54* finden wir anstelle von *ibei* die ausführliche Reihe von Ortsbezeichnungen, die oben S. 235 (Anhang I) erörtert worden sind: *queiquomque in eorum quo o(ppido) m(unicipio) c(olonia) p(raefectura) f(oro) v(eico) c(onciliabulo) c(astello) t(erritorio)ve, quae in Gallia Cisalpeina sunt erunt, i(ure) d(eicundo) p(raeerit)*.

Es sei übrigens der Vollständigkeit halber noch darauf hingewiesen, dass an einer der soeben genannten Stellen, u. zw. XX, *15/16*, die übliche Formel *IIvir IIIIvir praefectusve* dadurch variiert wird, dass die verallgemeinernden Termini *magistratus prove magistratu* vorausgeschickt werden: *tum mag(istratus) prove mag(istratu) IIvir IIIIvir praefec(tus)ve, quoquomque d(e) e(a) r(e) in ius aditum erit eqs.* Oben S. 101 im Komm. z. St. ist dargelegt worden, dass die Worte *magistratus prove magistratu* lediglich auf das anschliessende *IIvir IIIIvir praefectusve* bezogen werden können, da keine anderen Magistrate oder Promagistrate für die an der zitierten Stelle erörterten Rechtsgeschäfte in Betracht kommen (u.a. ergibt sich dies aus XX, *40* ff., wo die in den vorhergehenden Zeilen — in XX, *7* bis *40*, d.h. somit auch in Z. *15/16* — für die Jurisdiktionsmagistrate gemachten Vorschriften mit folgenden Worten fortgesetzt werden: *dum IIvir IIIIvir iure deicundo praefectusve de ea re ius ita deicat eqs.*). Aus den soeben aus XX, *15/16* zitierten Worten geht somit hervor, dass die Duoviri, Quattuorviri und Präfekten, wenn man sie zusammenfassen wollte, als *magistratus prove magistratu* bezeichnet werden konnten. Wir werden weiter unten S. 282 sehen, dass der rubrische Gesetzgeber bei der Verwendung des Ausdrucks *pro magistratu* besonders die Präfekten im Auge gehabt hat.

Aufgrund obiger Übersicht, in der sämtliche Stellen, an denen von örtlichen Jurisdiktionsmagistraten die Rede ist, angeführt worden sind, lässt sich noch die weitere Schlussfolgerung ziehen, dass es ausser den Duovirn, Quattuorvirn und Präfekten in der Poebene zur Zeit der Lex Rubria keine sonstigen munizipalen Beamten mit Kompetenzen auf dem Gebiete der Rechtssprechung gegeben hat.[1] Im Folgenden soll die Bedeutung dieser drei Munizipalmagistraturen näher erklärt werden. Es versteht sich, dass meine Erläuterungen sich auf dasjenige beschränken müssen, was für das Verständnis unserer Lex Rubria von Belang ist; eine allgemeinere Erörterung der Munizipalmagistratur kann hier auf keinen Fall angestrebt werden.

A. Duoviri und Quattuorviri

Literatur: J. Marquardt, Röm. Staatsverwaltung I² 1884 S. 152-171 (trotz des alten Datums immer noch lohnende Übersicht); W. Liebenam, RE. V (1905) Sp. 1804-1842 s.v. ‚*duoviri*' (ebenfalls veraltet, aber wegen der ausführlichen Beschreibungen in vielerlei Hinsicht noch sehr brauchbar; vgl. ferner von demselben Autor: Städteverwaltung im röm. Kaiserreich, Leipzig 1900); K. J. Beloch, Römische Geschichte, Berlin 1926, S. 500 ff.; H. Rudolph, Stadt und Staat im römischen Italien, Leipzig 1935 (Neudruck Göttingen 1965), passim, vgl. aber besonders S. 87 ff. „Das Quattuorvirat" und S. 144 ff. „Die Kompetenzen der Duoviri" (in Rudolphs Arbeit werden auch viele inschriftlich überlieferte Einzelheiten erörtert); A.N. Sherwin-

[1] Ausser den munizipalen Duovirn, Quattuorvirn und Präfekten tritt in der Lex Rubria, wenn wir von einer gleich unten noch zu erwähnenden, eventuellen Ausnahme einstweilen absehen wollen, nur noch ein einziger weiterer Jurisdiktionsmagistrat auf: der Prätor in Rom. Er begegnet XX, *24* und *34 is quei Romae inter peregr(e)inos ius deicet*; XXII, *42 Romae apud praetorem* (ein eventueller Stellvertreter des römischen Prätors heisst XXII, *43 eumve quei de ieis rebus Romae iure deicundo praeesset*); XXII, *45 praetorque ita ius deicito*; XXII, *48 in iure apud eum praetorem*; XXII, *50 nequis de ea re nisei praetor* (der eventuelle Stellvertreter wiederum: *isve quei Romae iure deicundo praeerit*). Ausserdem ist der Prätor in XIX, *1-5* gemeint: *quodque quisque quomque de ea re decernet interdeicetve .... , is .... addito addive iubeto* (vgl. Komm. zur St., oben S. 63 f.); und in XXI, *22 vadimonium Romam*.

In XX, *51* schliesslich, *neive quis pro quo imperio potestateve erit intercedito*, ist die Möglichkeit nicht auszuschliessen, dass auch der Statthalter und seine Legaten gemeint sind; vgl. Komm. z. St. (S. 128 f.).

WHITE, The Roman Citizenship, Oxford 1939, S. 81-88 und 136-142 (mit vielen kritischen Bemerkungen hinsichtlich der soeben zitierten Studie von RUDOLPH); G. WESENER, RE. XXIV (1963) Sp. 849-857 s.v. ,quattuorviri' (mit moderner Literatur); W. WALDSTEIN, Kleiner Pauly II (1967) Sp. 176-178 (ebenfalls mit neuerer Lit.). Eine kritische Besprechung der modernen Literatur über das römische Munizipalwesen und die Munizipalmagistratur des 1. vorschristlichen Jahrhunderts findet man auch bei F. DE MARTINO, Storia della costituzione romana III ([2]1966) S. 297 ff. Erwähnt sei schliesslich noch F. VITTINGHOF, Römische Kolonisation und Bürgerrechtspolitik unter Caesar und Augustus, Abh. d. Akad. Mainz 1951, Heft 14 S. 1217-1366; diese Arbeit beschäftigt sich jedoch vor allem mit dem Material, das uns über die Position der römischen Bürger in den Provinzen unterrichtet, und ist deshalb für unsere Untersuchung von geringerer Bedeutung.

Da die römischen Historiker und die übrigen antiken Autoren nur höchst selten gelegentliche Bemerkungen über die munizipalen Beamten der republikanischen Zeit machen, sind wir in der Hauptsache auf inschriftliches Material angewiesen. Der spröde Charakter derselben hat zu recht verschiedenen Interpretationen Anlass gegeben. So kommt MARQUARDT, Staatsverw. I[2] (1884) S. 152 f. zu dem Ergebnis, dass sich ,,gewöhnlich *quattuorviri* in den Municipien finden, *duumviri* in den Colonien". Dieser Forscher muss jedoch sofort hinzufügen: ,,allein diese Regel erleidet viele Ausnahmen, deren Ursachen noch einer Untersuchung bedürfen und immer nur teilweise zu ermitteln sein werden". Und daraufhin charakterisiert er die Ausnahmen folgendermassen: ,,Es gibt Colonien, welche *IIIIviri*, Municipien, welche *IIviri*, endlich Städte, welche *IIIIviri* und auch *IIviri* haben, was sich erklärt, wenn ein Municipium später Colonie wurde, aber auch in Municipien vorkommt, welche nie zur Colonie erhoben worden sind".

Eine neue Behandlung des Problems hat K. J. BELOCH, Röm. Geschichte, 1926 S. 488 ff. in Angriff genommen. Dieser Gelehrte kommt aufgrund ausführlicher Einzeluntersuchungen des Quellenmaterials für munizipale Verwaltungsbeamte in sämtlichen Regionen Italiens zu dem Schluss, dass die geschichtliche Situation, aus der die einzelnen Kolonien und Munizipien hervorgegangen sind, eine massgebende Rolle bei ihrer Verfassung gespielt habe. So sei das Amt der *IIIIviri* eine Neuschaffung aus der Zeit des Bundesgenossenkrieges (90-89/88 v. Chr.) gewesen: alle Städte, die zu der Zeit den Status einer *colonia latina* oder *civitas foederata* innehatten, hätten nach der (durch die Leges Julia und Plautia Papiria erfolgten) Verleihung des Bürgerrechts eine Verfassung mit Viermännerverwaltung bekommen. Ähnliches habe sich bei der Einbürgerung von Gallia Cisalpina 49 v. Chr. wiederholt; in diesem Jahre hätten sämtliche sogenannten neulatinischen Kolonien, die im Jahre 89 v. Chr. von L. Pompeius Strabo konstituiert worden waren (s. dazu oben S. 247 f.), nach ihrer Umwandlung in Munizipien ebenfalls eine Viermännerverwaltung bekommen. Die Munizipien hingegen, die den beiden soeben genannten Kategorien nicht angehörten, so z.B. Munizipien, die schon vor dem Bundesgenossenkrieg das volle Bürgerrecht erhalten hatten, oder solche, die nach dem Bundesgenossenkrieg aus ehemaligen Bürgersiedlungen niederen Ranges, etwa Präfekturen, Fora oder Conciliabula, hervorgegangen sind, hätten keine *IIIIviri* gehabt. In den Inschriften der zuletzt genannten Gruppe z.B., den ehemaligen Präfekturen, Fora und Conciliabula, sei deshalb fast ausschliesslich von *IIviri* die Rede.

Die Thesen von BELOCH sind von RUDOLPH, Stadt und Staat, 1935 (vgl. besonders S. 89 ff.), nur zum Teil gebilligt worden. Letzterer Autor ist zwar im Anschluss an BELOCH ebenfalls davon überzeugt, dass der Bundesgenossenkrieg einen wichtigen Einschnitt in der römischen Munizipalgeschichte bedeutet und dass die Einführung des Quattuorvirats damit aufs engste verbunden ist; es habe jedoch nach RUDOLPHS Ansicht in der Entwicklung der Munizipalität noch eine zweite bedeutsame Zäsur gegeben: diese sei in das Jahr 47 v. Chr. zu datieren und sei durch eine auf Cäsars Geheiss erlassene *lex Iulia municipalis* hervorgerufen, in der das gesamte italische Munizipalwesen einer gründlichen Revision unterzogen worden sei. Caesar habe nämlich das System des Duovirats bevorzugt. Aus diesen Gründen habe der Diktator auch den Charakter des Quattuorvirats abgeändert, u. zw. dadurch, dass er es in zwei Teile zerlegte: erst seit dem Jahre 47 v. Chr. habe es somit zwei *IIIIviri iure dicundo* neben zwei weiteren *IIIIviri aedilicia potestate* (oder *aediliciae potestatis*) gegeben.

Vor dem Jahre 47 v. Chr. sei, so meint RUDOLPH, diese Zweiteilung und die damit zusammenhängende Differenzierung der Kompetenzen nicht nötig gewesen, da in der Periode zwischen dem Bundesgenossenkrieg und der von Cäsar vorgenommenen Revision die Rechtspflege nicht zur Kompetenz der Magistrate in römischen Bürgergemeinden gehört hätte. Die Rechtsprechung sei nämlich in der Zeit vor Cäsars Diktatur zentral von Rom aus geregelt worden: das gesamte römische Gebiet sei in *praefecturae*, „Rechtssprengel", eingeteilt gewesen, in die der römische Prätor jährlich je einen Präfekten entsandt habe (vgl. RUDOLPH a.a.O. S. 144 ff.). Erst im

Jahre 47 v. Chr. sei in dieser Sachlage durch die soeben erwähnte *lex Iulia municipalis* eine durchgreifende Änderung herbeigeführt worden: seitdem seien in den Kolonien und Munizipien jeweils zwei örtliche Magistrate mit der Rechtspflege beauftragt worden. Folglich gebe es auch erst seit diesem Jahre *IIIIviri iure dicundo.*

Es kann im Rahmen dieser Arbeit nur kurz auf RUDOLPHS Thesen eingegangen werden. An erster Stelle sei darauf hingewiesen, dass sich für die Existenz der sogenannten *lex Iulia municipalis*, die vor RUDOLPH schon von verschiedenen anderen Forschern postuliert worden ist, und zwar zum ersten Male von SAVIGNY (s. unten S. 305 f. Anm. 26 und 27, Anhang III), kein einziger brauchbarer Beleg finden lässt. RUDOLPH beruft sich S. 114 ff., wiederum im Anschluss an SAVIGNY und andere, auf die bekannte Inschrift aus Patavium, vgl. CIL. V Nr. 2864 (DESSAU Nr. 5406). Hierin wird jedoch lediglich mitgeteilt, dass ein gewisser M. Iunius Sabinus „aufgrund eines julischen Munizipalgesetzes" (*e lege Iulia municipali*) ein *IIIIvir aediliciae potest(atis)* gewesen sei. Dies besagt lediglich, dass es in einem „julischen Gesetz" eine Bestimmung gegeben hat, aufgrund derer Sabinus dieses Amt bekleiden konnte; vor dem Erlass dieses Gesetzes wäre das, so müssen wir folgern, nicht möglich gewesen. Die Tatsache aber, dass es ein Gesetz gegeben hat, in dem durch neue Vorschriften die Bewerbungsmöglichkeiten für das Quattuorvirat — möglicherweise lediglich durch Herabsetzung des Mindestalters [2] — erweitert wurden, bedeutet noch keineswegs, dass dieses Gesetz gleichzeitig eine grundlegende Neuordnung für das gesamte Munizipalwesen enthalten habe. Die Orthographie der soeben zitierten Inschrift, in der alle in der cäsarischen Zeit noch üblichen Archaismen sorgfältig vermieden worden sind, datiert sie ausserdem eher in die augusteische als in die cäsarische Zeit;[3] auch das Prädikat *Iulia* wird für augusteische

---

[2] MARQUARDT, Röm. Staatsverwaltung I² S. 179 f. erwähnt mehrere Vorschriften inbetreff der Qualifikationen für munizipale Amtsbewerber (1. freie Geburt, 2. Unbescholtenheit, 3. Erfüllung der Militärpflicht, 4. ein gewisses Mindestalter, 5. ein gewisses Vermögen). Dieser Gelehrte ist der Ansicht, dass Augustus das Normaljahr für den Eintritt in den Gemeindedienst vom 30. auf das 25. Lebensjahr herabgesetzt hat (vgl. a.a.O. S. 179, Anm. 3).

[3] Der Wortlaut von CIL. V Nr. 2864 (DESSAU Nr. 5406) ist folgender: *M. Iunius / Sabinus / IIIIvir aedili/ciae potestat./* (5) *e lege Iulia / municipali, / patronus / collegi cen/tonariorum, /* (10) *frontem templi / vervis et hermis / marmoreis pe/cunia sua orna/vit et tuition(i) /* (15) *dedit HS ∞ ∞ / N. CCXXXXII.* Es ist auffällig, dass von den in cäsarischer Zeit noch vorherr-

Gesetze nicht weniger oft als für cäsarische verwendet. Es dürfte deshalb nicht ratsam sein, auf einer derart schwachen Stütze solche weitreichenden Thesen aufzubauen.

Kaum glaubhafter ist RUDOLPHS Annahme, dass die Magistrate der römischen Munizipien und Kolonien vor 47 v. Chr. keine Jurisdiktion ausgeübt hätten. Mehrere Zeugnisse, namentlich die Bestimmungen des anscheinend aus dem Frühjahr von 49 v. Chr. stammenden [4] Fragmentum Atestinum widersprechen dieser Auffassung. In diesem Bruchstück lesen wir nämlich Z. *10* ff. (vgl. den Text und die Übersetzung unten S. 312 ff.), dass „der Duovir oder auch ein anderer (Magistrat)", dem vor dem Erlass der Lex Roscia (11. März 49 v. Chr.) „in irgendeinem Munizipium, einer Kolonie oder Präfektur .... auf Grund eines Gesetzes, Vertrages, Volksbeschlusses oder Senatsbeschlusses oder auch dem Herkommen gemäss die Leitung der Rechtsprechung oblag", seine Befugnis, Vorschriften für die rechtliche Prozedur zu machen, auch weiterhin behalten sollte. Die Inschrift von Ateste wird von RUDOLPH a.a.O. S. 235 ff. zwar erwähnt, aber zu gleicher Zeit wird sie als eine nur „vorübergehende Bestätigung einer gewissen Gerichtsbarkeit der alten Magistrate" rasch beiseite geschoben. Und was unsere Lex Rubria anbelangt, in der, abgesehen von den Präfekten, auch fortwährend von der Jurisdiktion der Duoviri und Quattourviri die Rede ist (an einer Stelle — XX, *41* — begegnet sogar der ausführliche Titel *IIIIvir iure dicundo*), so möchte RUDOLPH ihre Datierung, lediglich um nicht mit seinen Theorien in Konflikt zu geraten, auf einen späteren Zeitpunkt als die Erlassung der sogenannten Lex Iulia municipalis (47 v. Chr.) herabrücken.[5] Wir

---

schenden archaischen Schreibweisen, etwa *Sabeinus, collegei, templei, verveis, hermeis, marmoreeis* und *pequnia* (vgl. dazu die oben in Kapitel II S. 20 f. gemachten Bemerkungen), in dieser Inschrift keine einzige mehr begegnet.

[4] Inbetreff der Datierung des Fragmentum Atestinum (gleich nach der Lex Roscia, 11. März 49 v. Chr.) vgl. unten S. 319 (Anhang III).

[5] Vgl. zu RUDOLPHS Ansichten inbetreff der Datierung der Lex Rubria (der Autor verlegt sie in das Jahr 47 v. Chr.; sie sei kurz nach der sogen. *lex Iulia municipalis* erlassen worden) unten S. 305 f. (Anhang III).

Das einzige vorcäsarische Munizipalgesetz, das von RUDOLPH ausführlicher besprochen wird, ist die Lex Mamilia Roscia: der Autor datiert sie (S. 186 ff.) in das Jahr 55 v. Chr. (MOMMSEN hatte 59 v. Chr. vorgeschlagen, vgl. auch BRUNS Nr. 15 S. 95). Inbetreff der in diesem Gesetz begegnenden Worte (K.L. III) *magistratus qui in ea colonia municipio praefectura foro conciliabulo iure dicundo praeerit,* die deutlich auf das Vorhandensein von städtischen Gerichtsbeamten hinweisen, bemerkt RUDOLPH (S. 207), dass dies „nur der Beginn der Verwaltungsreform gewesen" sei; das Mamilische Gesetz sei werden weiter unten (S. 320 ff., Anhang III) sehen, dass ein späterer Zeitansatz als 49 (allenfalls 48) v. Chr. nicht wahrscheinlich ist.

Aber auch dann, wenn wir einstweilen von dem Atestiner Bruchstück und von der Lex Rubria absehen wollen, ist die von RUDOLPH aufgestellte Behauptung (vgl. a.a.O. S. 99 ff.), dass uns aus der Zeit, die der von ihm postulierten und in das Jahr 47 v. Chr. datierten „Lex Iulia municipalis" vorhergeht, keine Inschriften überliefert sind, auf denen *IIIIviri* die Apposition *iure dicundo* bekommen, recht unglaubhaft. Von den Rezensenten, die sich zu RUDOLPHS Studie geäussert haben, sind verschiedene Inschriften — und ausserdem auch einige in literarischen Quellen begegnende Mitteilungen — angeführt worden, welche das Gegenteil beweisen, vgl. besonders H. STUART JONES, Journ. of Rom. St. 26 (1936) S. 270 und H. STRASBURGER, Gnomon 13 (1937) S. 188 ff. Manche dieser Inschriften verraten allein schon durch die recht altertümliche Orthographie ihre Zugehörigkeit zur sullanischen oder jedenfalls vorcäsarischen Zeit: man vergleiche, um nur einiges herauszugreifen, CIL. I, 2^2 Nr. 1542 (DEGRASSI ILLR. Nr. 544, aus Aquinum, Latium) *IIIIvirei iour(e) deic(undo)*; Nr. 1635 (ILLR. Nr. 648, aus Pompeii) *C. Uulius C. f., P. Aninius C. f. IIv(iri) i(ure) d(icundo) .... ea pequnia .... faciun(da) coerarunt eidemque probaru(nt)*; Nr. 2107 (ILLR. Nr. 670, aus Spoletium, Umbrien) *M. Luucius M. f., C. Veienus C. f. IIIIvir(i) i(ure) d(icundo)*; und der Umstand, dass in der ebenfalls archaisch orthographierten Inschrift CIL, I, 2^2 Nr. 1714 (ILLR. Nr. 542, aus Aquilonia, Samnium) *M. Lucceius C. f. IIIIvir aed(ilicia) [pot(estate)] .... de urbanorum opereis coeravit* die Apposition *aedilicia potestate* begegnet, impliziert, dass es in demselben Munizipium auch *IIIIviri iure dicundo* gegeben hat. Diese Beispiele, die sich noch um viele andere vermehren liessen, dürften wahrscheinlich machen, dass die *IIviri*

---

gewissermassen „der erste Schritt" gewesen; die „vollendete Neuordnung" jedoch sei erst ein Jahrzehnt später durch „die cäsarische lex der Tafel von Heraklea" herbeigeführt worden.

Wie bekannt, hat MOMMSEN, Röm. Staatsrecht III³ S. 812 ff. den Ursprung der munizipalen Gerichtsbarkeit viel früher ansetzen wollen. Es lasse sich zwar nicht erweisen, so führt MOMMSEN S. 814 f. aus, dass die grösseren in Norditalien angelegten Bürgerkolonien wie Pisaurum (184 v. Chr. deduziert), Parma und Mutina (beide 183 v. Chr. deduziert) bereits munizipale Behörden mit Jurisdiktion gekannt haben; es könne aber „daran kein Zweifel sein, dass die mächtige Reaktion gegen die Suprematie der römischen Gemeinde, die in dem Bundesgenossenkrieg zum Ausdruck kam, die kommunale Jurisdiktion in ihrer späteren Allgemeinheit geschaffen hat".

und ebenfalls zwei der *IIIIviri*, welche in den Kolonien und Munizipien der römischen Bürger als führende Beamte auftraten, zumindest seit der Beendigung des Bundesgenossenkrieges (89 v. Chr.) Gerichtsbarkeit ausgeübt haben.[6]

Auch die römischen Munizipalmagistrate in Gallia Cisalpina haben, wie wir oben S. 272 f. bereits sahen, ebenso wie ihre Kollegen in den latinischen und föderierten Gemeinden, sich schon zumindest seit dem Erlass der *lex Pompeia* (89 v. Chr.) mit der Rechtspflege befasst. Als daraufhin am 11. März 49 v. Chr. das römische Bürgerrecht auf die ganze Provinz ausgedehnt wurde und seitdem für die dortigen von den Gemeinden selbst gewählten Oberbeamten nur noch zwei Titel in Betracht kamen, d.h. entweder *IIviri* oder *IIIIviri*, führte diese Massnahme nur in beschränktem Masse eine Änderung für die gerichtliche Praxis herbei. Die alltäglichen und weniger wichtigen Rechtssachen standen auch künftighin unter der Leitung von örtlichen Magistraten; nur für die grösseren Prozesse wurden die cisalpinischen Bürger an den römischen Prätor verwiesen. Für die Festlegung dieser Kompetenzgrenze wurde eben unsere Lex Rubria erlassen.

Da BELOCHS oben S. 269 zitierte These inbetreff der römischen Verhaltungsregel bei der Einbürgerung von Gallia Cisalpina im Jahre 49 v. Chr., für die er sich auf ein umfangreicheres Inschriftenmaterial berufen kann, zu Recht bestehen dürfte, müssen wir annehmen, dass damals sämtliche neuen cisalpinischen Munizipien, die aus latinischen *coloniae* oder föderierten *civitates* hervorgegangen waren, selbstgewählte *IIIIviri* als höchstes Beamtenkollegium bekamen. Von den schon 89 v. Chr. in Gallia Cisalpina als Munizipien konstituierten Städten hat, wenn wir uns auf die Inschriften ver-

---

[6] Vgl. ausser den soeben zitierten Autoren STUART JONES und STRASBURGER auch DE MARTINO, Storia della costituzione romana III ([2]1966) S. 302 f., der darauf hinweist, dass auch in den Inschriften, in denen *IIIIviri* ohne nähere Appositionen erwähnt werden, die Art und Weise, wie die Namen dieser Beamten gruppiert werden, häufig eine Zweiteilung durchschimmern lässt. Sehr deutlich ist dies z.B. in CIL. I, 2[2] Nr. 1630 der Fall (vgl. auch DESSAU Nr. 6355; die Inschrift stammt aus Pompeii, anscheinend aus der Zeit vor der Deduzierung der sullanischen Bürgerkolonie, d.h. vor ca. 80 v. Chr.): ... *Cuspius T. f., M. Loreius M. f. / IIIIvir(i), L. Septumius L. f., / D. Claudius D. f. IIIIvir(i), ex / pequnia publica d(e) d(ecurionum) / s(ententia) f(aciundum) curaverunt.* Wenn Cuspius, Loreius, Septumius und Claudius gleichrangig gewesen wären, hätte es nicht der zweimaligen Setzung des Titels *IIIIviri* bedurft. Vgl. ebenfalls die weiteren Beispiele bei DE MARTINO a.a.O. Übrigens wird auch in Inschriften aus der Kaiserzeit bei Quattuorvirn häufig die Apposition *iure dicundo* fortgelassen.

lassen dürfen, auch Placentia *IIIIviri* gehabt (vgl. BELOCH S. 500 mit einem Hinweis auf CIL. XI Nr. 1217). Für Bononia hingegen lässt eine — allerdings verstümmelte — Grabschrift (CIL. XI Nr. 1065) eine Zweimännerverfassung vermuten; für Ariminum und Aquileia sind *IIviri* sicher bezeugt (vgl. BELOCH S. 490).[7] Für die Verwaltung der beiden Bürgerkolonien Mutina und Parma besitzen wir — wie dies bei derartigen Untersuchungen so oft der Fall ist — lediglich Zeugnisse aus der Kaiserzeit; vgl. z.B. für Mutina CIL. XI Nr. 856, Z. *3 IIvir q(uin)q(uennalis)* (vgl. dazu ibid. Nr. 838, Z. *3*, wo von einem *aed(ilis)* — und nicht etwa von einem *IIIIvir aedilicia potestate* — die Rede ist); und für Parma z.B. CIL. XI Nr. 711 *II v[ir quinquenn]alis*. Wir werden ohne Zweifel annehmen dürfen, dass beide (im jahre 183 v. Chr. deduzierte, s. oben S. 246 f.) Kolonien auch schon in der republikanischen Zeit Duoviri hatten.

Dass Mitte des 1. vorchristlichen Jahrh. *IIviri* die übliche Bezeichnung für die Magistrate von Bürgerkolonien war, geht auch aus einer (bereits von BELOCH S. 512, RUDOLPH S. 139 ff. ua. zitier-

[7] BELOCH, Röm. Gesch. S. 490 f. weist darauf hin, dass Ariminum, eine 268 v. Chr. als *colonia latinae* gegründete Stadt (vgl. oben S. 246, Anhang I), ursprünglich zwei *consules* als Oberbeamte gehabt hat, vgl. CIL. XIV Nr. 4269 (DESSAU Nr. 6128, etwa aus der ersten Hälfte des 2. Jahrh. v. Chr.): *C. Manlio Aci(dinus) / cosol pro / poplo / Ariminesi.* Nachdem jedoch, so vermutet BELOCH, Rom durch die Punischen Kriege zur Weltmacht geworden war, sei die Gleichheit der Titulatur der munizipalen und der hauptstädtischen Beamten als ein Anachronismus erschienen und aus diesem Grunde seien in Ariminum *duoviri* an die Stelle der *consules* getreten. Für Bononia sowie für Aquileia, ersteres eine 189 v. Chr. und letzteres eine 181 v. Chr. gegründete latinische Kolonie (s. oben S. 246), dürfte Ähnliches zutreffen.

Die Zweimännerverfassungen von Bononia, Ariminum und Aquileia stellen uns, was die Zeit nach dem Bundesgenossenkriege anbelangt, vor ein schwieriges Problem. Wenn diese Städte — wie wahrscheinlich ist — sofort nach Beendigung des Bundesgenossenkrieges, d.h. infolge der damals erlassenen Leges Iulia und Plautia Papiria (90 und 89 v. Chr.), gleichzeitig mit dem Bürgerrecht auch den Status von Munizipien erhielten, muss man annehmen, dass sie — aus für uns nicht mehr greifbaren Gründen — nicht dem Beispiel der meisten übrigen zu jener Zeit in Italien konstituierten Munizipien gefolgt sind, sondern an ihren traditionellen *IIviri* festgehalten haben (inbetreff der Vorliebe für die Viermännerverfassung, welche sich für die übrigen damals neueingebürgerten Munizipien feststellen lässt, vergleiche die oben S. 269 zitierte Theorie von BELOCH). Andererseits ist aber die Möglichkeit nicht a priori auszuschliessen, dass die Inschriften, welche den Titel *IIviri* enthalten, aus der Zeit vor dem Bundesgenossenkrieg stammen, d.h. aus der Zeit als die genannten Städte noch *coloniae latinae* waren. So lange die Chronologie der in Betracht kommenden Inschriften nicht genauer bestimmt werden kann, lässt sich in diesen Fragen nur schwer eine Entscheidung treffen.

ten) Stelle von Ciceros *de lege agraria II* hervor: der Orator macht in dieser im Jahre 63 v. Chr. gehaltenen Rede den Magistraten der 83 v. Chr. durch die Marianer nach Capua deduzierten Kolonie einen Vorwurf daraus, dass sie sich aus reinem „Hochmut" *praetores* statt *duoviri* hatten nennen lassen, vgl. besonders 34, 93: *nam primum, id quod dixi, cum ceteris in coloniis IIviri appellentur, hi se praetores appellari volebant.*[8] Neben den *IIviri* standen, gewissermassen als ihre *collegae minores,* zwei *aediles.* Da sie keine Jurisdiktion hatten, werden sie, ebenso wie die beiden *collegae minores* der *IIIIviri iure dicundo,* die *IIIIviri aedilicia potestate,* in der Lex Rubria nicht erwähnt.[9]

Eine nähere Betrachtung der Inschriften aus Städten, in denen *IIIIviri* als Oberbeamte auftreten, zeigt uns, dass sich bald eine Tendenz entwickelt hat, die beiden *IIIIviri iure dicundo* kurzweg als *IIviri* zu bezeichnen. So sind wir oben S. 7 anlässlich der Besprechung der Anlage des Forums von Veleia einem örtlichen Magistrat L. Lucilius Priscus begegnet, der die Bepflasterung desselben beköstigt hat: er nennt sich in der dortselbst zitierten Inschrift (CIL. XI Nr. 1184) *IIvir II* (= *iterum*) *gratui[to factus.* Dies scheint auf den ersten Blick im Widerspruch zu der oben S. 242 vorgetragenen Behauptung zu stehen, dass Veleia im Jahre 49 v. Chr., ebenso wie die übrigen cisalpinischen latinischen Kolonien, in ein *municipium* umgewandelt wurde und bei diesem Anlass *IIIIviri* bekam (s. oben S. 242 mit Anm. 7).

Bevor ich auf dieses Problem näher eingehe, möchte ich zunächst noch darauf hinweisen, dass die soeben zitierte Inschrift von L. Lucilius Priscus nicht die einzige ist, in der Namen und Titel von velejatischen Oberbeamten erwähnt werden. So begegnen wir in zwei anderen Inschriften, CIL. XI Nr. 1185 und 1187, dem Namen des Bauherrn der Basilika von Veleia, Sabinus: er nennt sich ebenfalls *IIvir.* In einer weiteren, stark verstümmelten velejatischen Inschrift ist zwar der Name verloren gegangen, der Titel „Duovir" jedoch ist noch deutlich lesbar, vgl. ibid. Nr. 1188: *IIvir ter* (und zwei Zeilen darunter abermals *IIvir*). Da, wie wir oben S. 7 ff. gesehen haben, sowohl das Forum wie die Basilika von Veleia unter Kaiser Tiberius erbaut wurden, könnte man einen Augenblick

[8] Zum Titel *praetores* für die Oberbeamten von Bürgerkolonien vgl. auch oben S. 244 (Anhang I).

[9] Für die amtlichen Aufgaben der munizipalen *aediles* bezw. *IIIIviri aedilicia potestate* vgl. Marquardt, Röm. Staatsverw. I² S. 166 f.

annehmen, dass unser Munizipium in der Zwischenzeit den Rang einer Bürgerkolonie erworben hätte. Darüber fehlt jedoch jegliche Kunde und wir können ausserdem auf andere, ebenfalls aus der Kaiserzeit stammenden, velejatischen Inschriften hinweisen, in denen ein *IIIIvir* begegnet; vgl. CIL. XI Nr. 1162: *L. Granius L. f. [P]riscus, VI[vi]r Aug(ustalis), IIIIvir a(edilicia) p(otestate), pr[ae]f(ectus) i(ure) d(icundo)*. Anscheinend war dieser L. Granius Priscus ausser *VIvir Augustalis* und *IIIIvir* auch einmal ein stellvertretender Jurisdiktionsmagistrat, *praefectus iure dicundo*, gewesen (s. dazu unten S. 281). Ein weiterer velejatischer *IIIIvir* begegnet CIL. XI Nr. 1190: *[I]IIIvir.* Der schlechte Erhaltungszustand der Inschrift lässt nicht mehr erkennen, ob noch eine Apposition, etwa *a. p.*, dahinter gestanden hat. Ein anderes kleines inschriftliches Fragment, ibid. Nr. 1191, enthält noch die Worte *aedili]c. pot.*: zweifelsohne hat davor der Titel *IIIIvir* gestanden.

Obiger Sachverhalt lässt sich nur dann in befriedigender Weise erklären, wenn wir annehmen, dass zumindest seit Tiberius in den Gemeinden mit Viermännerverfassung für die beiden *IIIIviri iure dicundo* in der alltäglichen Praxis auch der — deutlichere — Titel *IIviri* verwendet wurde. Haben wir doch oben S. 249 schon gesehen, dass die Verfassungen der römischen Gemeinden mit Selbstverwaltung einander im Laufe der Zeit sehr ähnlich geworden und dass auch die Unterschiede in der rechtlichen Position der *coloniae civium Romanorum* und der *municipia civium Romanorum* allmählich geschwunden waren. Für die beiden *collegae minores* des Quattuorvirats hingegen wurde der alte Titel *IIIIviri aedilicia potestate* beibehalten; jedenfalls sind mir aus Gallia Cisalpina keine Inschriften bekannt, in denen sie, in Nachahmung ihrer Kollegen in Gemeinden mit Zweimännerverfassung, sich als *aediles* bezeichnet haben.[9a]

Auch aus der Regierungszeit späterer Kaiser lassen sich Fälle belegen, in denen munizipale *IIIIviri iure dicundo* einfach *IIviri*

[9a] Eine Darstellung der komplizierten Verhältnisse bezüglich der Anwendung der Titel *duoviri* und *quattuorviri* und eine Übersicht des dazugehörigen inschriftlichen Materials findet sich bei A. DEGRASSI, Quattuorviri in colonie romane e in municipi retti da duoviri, Mem. dell' Accad. dei Lincei, Cl. di scienze morali e storiche VIII, 2, 1949 (1950) S. 281 ff. (Nachdruck in DEGRASSI, Scritti vari di Antichità I, Rom 1962 S. 99 ff.); für die Magistratur von Veleia vgl. Scritti S. 157. In Abweichung von den obigen Ausführungen möchte DEGRASSI für Veleia und ähnliche Municipia die duovirale Verfassung als die eigentliche betrachten; die Inschriften, in denen von *quattuorviri* (scil. *aedilicia potestate*) die Rede ist, enthielten eine weniger genaue Bezeichnung.

genannt wurden. Ich möchte in diesem Zusammenhang noch auf zwei einander im Wortlaut und in der Titulatur sehr ähnliche cisalpinische Inschriften hinweisen, u. zw. CIL. V. Nr. 5847 und XI Nr. 1230, von denen die erstere zu Ehren eines gewissen M. Atusius Glycerus angefertigt worden ist, die letztere zu Ehren von Q. Albinus Secundinus. Da in der Titulatur des letzteren auch die Bezeichnung *flam(en) div(i) Magn(i) Anton(ini)* begegnet,[10] müssen wir auf jeden Fall diese Inschrift in die Zeit der Severer datieren. Wenn MOMMSENS Ergänzungen der in den beiden Inschriften verwendeten Abkürzungen das Richtige treffen, sind sowohl M. Atusius Glycerus wie Q. Albinus Secundinus *IIvir i(ure) d(icundo) m(unicipii) P(lacentiae)* gewesen.[11] Der Name und der Titel der Person, welche die zuerst genannte Inschrift (V Nr. 5847) hatte anfertigen lassen, ist uns ebenfalls überliefert: es war ein gewisser *Tertius Rufellius Verus, IIIIvir a(edilicia) p(otestate)*.

Wenn wir nunmehr zu unserer Lex Rubria zurückkehren, so müssen wir feststellen, dass in dieser Urkunde von einer Vermischung der beiden Titel *IIvir* und *IIIIvir iure dicundo* noch keine Spur zu sehen ist. Dies im Gegensatz zu der Verwendung des Terminus *municipium*, der, wie wir oben S. 241 f. sahen, zumindest an einer Stelle des rubrischen Gesetzes (XIX, *6*) eine allgemeinere Bedeutung bekommen hat und dortselbst die Begriffe *colonia* und *praefectura* mit umfasst.

Wenn wir ferner die wichtigsten Verwaltungsaufgaben der *duoviri* und *IIIIviri iure dicundo* einerseits und der *aediles* und *IIIIviri aediliciae potestatis* andererseits verfolgen wollen, so stehen uns auch für diesen Zweck keine Ausführungen von antiken Autoren zur Verfügung; wir sind wiederum lediglich auf Rückschlüsse angewiesen, welche das Inschriftenmaterial uns gestattet.

---

[10] Für die Datierung des Titels *flamen divi Magni Antonini* vgl. DESSAU III, 1 S. 290 (sub ‚Antoninus Severi fil.', d.h. Caracalla, 217 n. Chr. ermordet), ganz am Ende.

[11] Nur die zuletzt genannte Inschrift (CIL. XI Nr. 1230) ist in Placentia gefunden worden, die zuerst genannte hingegen (CIL. V Nr. 5847) im Altar der Stephanskirche (S. Stefano Maggiore) von Mailand; anscheinend ist der Stein dorthin verschleppt worden. Da BORMANN der Meinung ist, dass der Status von Placentia — die Gemeinde war ein Munizipium (vgl. dazu auch oben S. 246, Anhang I) — im Widerspruch zu dem in der Inschrift erwähnten Duovirat stehe, möchte er (in den Anmerkungen zu CIL. XI Nr. 1230) die Richtigkeit von MOMMSENS Ergänzungen bezweifeln. Angesichts der vielen übrigen Belege jedoch, welche die Annahme, dass in der Kaiserzeit die zwei *IIIIviri iure dicundo* auch kurzweg *IIviri* genannt werden konnten, bestätigen, kann BORMANNS Einwand uns kaum überzeugen.

Es lässt sich aber auf diese Weise noch manches mit ziemlich grosser Sicherheit rekonstruieren, vgl. hierzu vor allem den oben zitierten RE.-Artikel von W. LIEBENAM. Die Jurisdiktionsmagistrate spielen gleichzeitig die Rolle des „Staatsoberhauptes". Sie treten als Vertreter der Gemeinde auf, ordnen die Gemeinderatsversammlungen (des *ordo decurionum*) an und führen die Beschlüsse des Gemeinderates aus. Ebenso wie die Konsuln in Rom sind jedenfalls die *IIviri*, vielleicht aber auch die *IIIIviri iure dicundo* eponym: man vergleiche z.B. die Anfangszeilen der sogen. Lex operum Puteolana (CIL. I, 2^2 Nr. 698 = X Nr. 1781; DEGRASSI ILLR. Nr. 518), deren Jahr sich, weil dortselbst noch andere Daten hinzugesetzt worden sind, sehr leicht bestimmen lässt: *Ab colonia deducta anno XC,* | *N. Fufidio N. f. M. Pullio duovir(is),* | *P. Rutilio Cn. Mallio co(n)s(ulibus)*; die Lex stammt somit aus dem Jahre 105 v. Chr. Dieselbe Gewohnheit, nach Duoviraten zu datieren, begegnet auch noch auf Inschriften aus der Kaiserzeit, vgl. z.B. CIL. IX Nr. 5363 (DESSAU Nr. 2737; aus Firmum, Picenum), Z. *16-18*: *M. Accio Seneca* | .. *Manlio Planta* | *IIvir(is) quinq(uennalibus)*. Ferner waren die *IIviri* und *IIIIviri iure dicundo* mit der Fürsorge für den öffentlichen Gottesdienst beauftragt.[12] Ein weiterer wichtiger Teil ihres Aufgabenbereiches war die Finanzverwaltung. Letzteres brachte es mit sich, dass sie auch für die Ausschreibung öffentlicher Bauten Sorge zu tragen hatten. Die *aediles* und *IIIIviri aedilicia potestate* verwalteten die öffentlichen Gebäude, Strassen, Badehäuser und Wasserleitungen und beaufsichtigten die Lebensmittelversorgung; vgl. hierzu KUBITSCHEK, RE. I (1894) Sp. 447 ff. s.v. ‚*aedilicia potestate*'.

Das Verhältnis der jeweiligen magistratischen Paarmitglieder untereinander ist in den Kolonien und Munizipien dasselbe wie etwa das der Konsuln in Rom: sie besitzen alle Kennzeichen der Kollegialität (vgl. LIEBENAM a.a.O. Sp. 1806 f.). Die beiden Mitglieder eines *collegium* erfüllen genau dieselben Aufgaben und können Amtshandlungen des anderen durch eine sogenannte *intercessio* verhindern. Auch aus einer Stelle der Lex Rubria geht hervor, dass der Gesetzgeber auf das Vorhandensein des gegenseitigen Interzessionsrechtes Rücksicht nimmt, vgl. XX, *50/51* *neive quis mag(istratus) prove mag(istratu)* .... *intercedito* und den Komm. zur Stelle (oben S. 126 f.).

[12] Inschriften, welche die Eponymität der *IIIIviri* bezw. der zwei *IIIIviri iure dicundo* in deutlicher Weise bezeugen, habe ich nicht finden können.

B. Praefecti

Die Entstehung und historische Entwicklung des Amtes der *praefecti iure dicundo* (nur solche kommen hier in Frage) und das Verhältnis dieses Amtes zu den übrigen munizipalen Magistraturen ist im Vorherigen schon zu wiederholten Malen erörtert worden, u. zw. ziemlich ausführlich bei der Besprechung des Begriffes *praefectura* (s. oben S. 250 ff., Anhang I) und bei der Zusammenfassung der bisher geführten Diskussion über die Kompetenzen der *IIviri* und *IIIIviri* im ersten vorschristlichen Jahrhundert (vgl. oben S. 270 ff.).

Wir haben dabei gesehen, dass es sehr verschiedene Arten von *praefecti* gegeben hat. Zunächts sind wir Präfekten begegnet, welche in kleinere Städten, die wegen ungenügender Entwicklung der munizipalen Organe keine Erlaubnis bekommen hatten, selbst ihre Jurisdiktionsmagistrate zu wählen, als Stellvertreter des römischen Prätors mit der Rechtspflege beauftragt waren. Auch *fora* und *conciliabula* konnten, wie wir oben S. 253 und 258 f. gesehen haben, bisweilen für einen ständigen Amtssitz eines Präfekten in Betracht kommen. Da jedoch, soweit mir bekannt ist, weder bei den lateinischen Autoren noch unter dem Inschriftenmaterial sich irgendeine Mitteilung finden lässt, die von einer namentlich genannten cisalpinischen Ortschaft aussagt, sie sei eine *praefectura*, ist es mir leider nicht möglich, aus der Provinz, für die unsere Lex Rubria erlassen worden ist, Beispiele solcher Präfekturen anzuführen. Wir werden sie aber, so dürfen wir wohl annehmen, unter den dortigen Fora (Livi, Popili, Corneli, Lepidi, Licini usw.) und Conciliabula (etwa Caesena, Flaventia, Claterna, Tannetum, Fidentia usw.) suchen müssen.

Ein grosser Teil der *fora* und *conciliabula* jedoch, ferner grosse *territoria* mit vielen *castella* und *vici*, ja sogar ganze *civitates*,[13] die keine eigenen städtischen Zentren kannten, wurden, wie ich oben ausgeführt habe (vgl. S. 254 und 260), sowohl zum Zwecke einer besseren Erledigung von allerhand Verwaltungsangelegenheiten wie im Hinblick auf eine sachverständige Ausübung der Rechtspflege gewissen benachbarten cisalpinischen Hauptorten untergeordnet. Dies bedeutete allem Anscheine nach, dass die grösseren Ortschaften in solchen attribuierten Gebieten von *praefecti*, die

---

[13] Inbetreff der durch die Lex Pompeia (89 v. Chr.) geregelten Attribuierung ganzer *civitates* (besonders Bergvölker) an cisalpinische Städte — sowohl römischen wie latinischen Rechts — vgl. oben S. 248, Anm. 11 (Anhang I).

von den Jurisdiktionsmagistraten der Hauptorte entsandt waren, regelmässig bereist wurden und dann während des Aufenthaltes der Präfekten als zeitweilige Gerichtsorte fungierten. An sämtlichen Stellen, an denen in der Lex Rubria von Präfekten die Rede ist, sind zweifelsohne ausser den prätorischen Stellvertretern auch die von den Kolonien und Munizipien entsandten Recht sprechenden Beamten gemeint. Die Zahl der letzteren Präfekten dürfte zu der Zeit, als die Lex Rubria erlassen wurde, in Gallia Cisalpina sogar erheblich grösser gewesen sein als die der prätorischen Stellvertreter.

Wir sind aber oben S. 254 f. noch einem dritten Typus von *praefecti iure dicundo* begegnet, und zwar solchen Präfekten, die in Kolonien oder Munizipien auftreten konnten, wenn dortselbst aus irgendeinem Grunde die Wahlen für die neuen Magistrate nicht rechtzeitig stattgefunden hatten oder wenn die eigentlichen Jurisdiktionsmagistrate, die Duoviri oder Quattuorviri, verreist waren. Für den in dem zuletzt genannten Fall auftretenden zeitweiligen Stellvertreter finden sich, wie wir oben S. 255 gesehen haben, inschriftliche Umschreibungen wie *praefectus qui a IIviro relictus est, qui praefectus relictus est,* usw.

Wenn wir unter den inschriftlich überlieferten Titulaturen von Munizipalmagistraten der Bezeichnung *praefectus iure dicundo* begegnen, lässt sich für gewöhnlich nicht mehr feststellen, ob es sich in jenen Fällen um Präfekten handelt, welche von den Kolonien und Munizipien in attribuierte Territorien entsandt worden sind, oder um Personen, die in den Hauptorten selbst während der Abwesenheit der *IIviri* bezw. *IIIIviri* als zeitweilige Stellvertreter fungiert haben. Dies trifft z.B. auch auf den oben S. 277 erwähnten Veleier L. Granius Priscus zu, von dem in der dortselbst zitierten Inschrift (CIL. XI Nr. 1162) ausgesagt wird, dass er ausser *VIvir Augustalis* und *IIIIvir aedilicia potestate* auch noch *praefectus iure dicundo* gewesen sei. Es ist übrigens nicht ausgeschlossen, dass dieser L. Granius Priscus beides, sowohl örtlicher Stellvertreter wie reisender Präfekt, gewesen ist.

Ich möchte das Obige zusammenfassend — vielleicht zum Überfluss — noch einmal nachdrücklich betonen, dass die Begriffe *praefectus* und *praefectura* in unserer Lex Rubria nur in sehr beschränktem Masse mit einander parallel laufen. Zwar haben sämtliche sogenannten *praefecturae*, d.h. (wie wir oben S. 252 sahen) die „kleineren Städte", unter Umständen auch die „wichtigeren Markt- und Sammelorte", einen ständigen Amtssitz für einen — anscheinend alljährlich vom römischen Prätor entsandten — Präfekten. Aber das Gros der *praefecti iure dicundo*, das der rubrische Gesetzgeber vor Augen hatte, dürfte sich nicht aus diesen an feste Amtssitze gebundenen Stellvertretern des Prätors zusammengesetzt haben, sondern aus den Hilfsbeamten der Munizipalmagistrate, die von letzteren in die munizipalen Territorien entsandt wurden, um dort in den attribuierten *fora* und *conciliabula* Sitzungen abzuhalten. Diese attribuierten Landstriche und die darin gelegen Örtlichkeiten werden von dem rubrischen Gesetzgeber (im Gegensatz etwa zu Frontin grom. pag. 49, 7-9 LACHMANN-RUDORFF, s. oben S. 254) nicht *praefecturae* genannt, sondern *forum, veicus, conciliabulum, castellum, territorium*. Hinzu kommen die *praefecti iure dicundo*, die in den Hauptorten selbst, wenn die *IIviri* oder *IIIIviri* abwesend waren, als deren zeitweilige Stellvertreter fungierten. Auch diese letzteren, nur zeitweiligen Arbeitsbereiche der Präfekten sind, wenn ich recht sehe, vom rubrischen Gesetzgeber niemals als *praefecturae* bezeichnet worden: er nannte sie nach wie vor *municipium* oder *colonia*.

Es sei am Ende dieses Anhangs noch darauf aufmerksam gemacht, dass aus dem Umstand, dass der rubrische Gesetzgeber bei der Aufzählung der munizipalen Jurisdiktionsmagistrate immer an der Reihenfolge *IIvir IIIIvir praefectusve* festhält (s. die Belegstellen oben S. 235), der Schluss gezogen werden darf, dass die *IIviri* und *IIIIviri iure dicundo* einen höheren Rang bekleideten als die *praefecti iure dicundo*. Am deutlichsten tritt aber dieser Unterschied im Range in cap. XX, Zeilen *15/16* unserer Lex hervor, wo eine ausführlichere als die übliche Formulierung verwendet ist: *magistratus prove magistratu IIvir IIIIvir praefectusve*. Wie oben S. 101 im Kommentar zur Stelle dargelegt wurde, kommen für die in diesem Caput behandelte Materie (*damnum infectum*) ausser den Duovirn, Quattuorvirn und Präfekten keine anderen Jurisdiktionsmagistrate in Betracht. Wenn wir nun die Termini *magistratus* und *prove magistratu* auf die Reihe *IIvir IIIIvir praefectusve* verteilen müssen, so dürfte es ohne weiteres auf der Hand liegen, dass der Begriff *magistratus* nur für die beiden zuerst genannten, den Duovir und Quattuorvir, in Betracht kommt, der Ausdruck *pro magistratu* aber für den zuletzt genannten, den *praefectus*, der, wie wir wissen, lediglich ein „Stellvertreter" ist (s. auch oben S. 250, Anhang I). Auch diese Tatsache, dass *IIviri* und *IIIIviri* in den Augen des rubrischen Gesetzgebers als „Magistrate" galten, die *praefecti* jedoch nur als „Promagistrate", spricht gegen die Richtigkeit der oben S. 270 f. erwähnten These von RUDOLPH, dass in der Periode zwischen dem Bundesgenossenkrieg und dem Jahre 47 v. Chr. die Ausübung der Gerichtsbarkeit in ganz Italien ausschliesslich zur Kompetenz der von Rom entsandten Präfekten gehört habe und dass den *IIviri* und *IIIIviri* nur die Erledigung von weniger wichtigen Verwaltungsaufgaben erlaubt gewesen sei.

III. DER HISTORISCHE RAHMEN DER LEX RUBRIA

A. Die Munizipalisierung und die Bürgerrechtsverleihung in der Poebene

Über die Stellung der Lex Rubria in der Geschichte der Poebene ist wenig bekannt. Es gibt keine einzige antike Quelle, in der das Gesetz zitiert oder doch wenigstens auf das Bestehen eines solchen Gesetzes hingewiesen wird; und doch ist der Anlass für den Erlass des Gesetzes deutlich. Wie man allgemein annimmt [1] und wie sich auch aus den noch folgenden Betrachtungen (vgl. S. 296 f.) ergeben wird, liegt er entweder in der Verleihung des römischen Bürgerrechtes an alle Bewohner der Ortschaften von Gallia Cisalpina, die im Jahre 49 v. Chr. stattfand, oder in der kurz darauf, nämlich 42 oder 41 v. Chr. folgenden Eingliederung dieses Gebietes in das italische Territorium. Ehe nun im Folgenden der Versuch gemacht wird, weitere Argumente für eine Datierung unseres Gesetzes in das Jahr 49 v. Chr. vorzubringen (oder allenfalls in eins der gleich darauf folgenden Jahre)[2], dürfte es angebracht sein, einige allgemeine Bemerkungen vorauszuschicken.

Die Verleihung des Bürgerrechts im Jahre 49 v. Chr., die soeben erwähnt wurde, stellt zwar das wichtigste Ereignis in der Geschichte der Romanisierung von Gallia Cisalpina dar, sie darf jedoch nicht so interpretiert werden, als ob es vordem in diesem Gebiet keine Städte gegeben hätte, deren Bewohner das römische Bürgerrecht besassen. Bereits im Jahre 183 v. Chr. waren in der Poebene — die Provinz Gallia Cisalpina bestand noch nicht — zwei Siedlungen von römischen Bürgern (*coloniae civium Romanorum*) errichtet worden, nämlich Mutina und Parma (s. oben S. 243). Seit noch früherer Zeit, dem Ende des 3. Jahrh. v. Chr., hatte es sogenannte latinische

---

[1] Man vgl. bereits Mommsen, Ein zweites Bruchstück des rubrischen Gesetzes, Hermes 16 (1881) S. 27 f. (= Jurist. Schriften I, 1905, S. 178) und: Zu CIL. XI, 1146, Wien. Studien 24, 2 S. 1 f. (= Jurist. Schriften I S. 192 f.); ferner im Anschluss an Mommsen: Lommatzsch CIL. I², 2 (1918) S. 481. Neuere Lit. über die politischen Ereignisse, welche das Zustandekommen der Lex Rubria veranlassten bei Wenger, Quellen des röm. Rechts (1953) S. 375 und de Ruggiero, Diz. epigrafico IV, 23 (1956) S. 729 (s.v. ‚Lex Rubria' und ‚Lex de Gallia Cisalpina').

[2] Zur Datierungsfrage vgl. unten S. 321 ff.

Siedlungen (*coloniae latinae*) gegeben: Placentia und Cremona seit 218 v. Chr., Bononia seit 189 v. Chr. und Aquileia seit 181 v. Chr. (s. oben S. 246). Die Bürger dieser Kolonien besassen zwar nicht die römische Zivität, man kann jedoch ihr Latinerrecht (*ius Latii*) als eine Art Vorstufe der Zugehörigkeit zum römischen Bürgertum betrachten und aus dem Grunde auch ihre Städte als Zentren bezeichnen, aus denen der römische Einfluss allmählich in die Poebene vordrang. Ferner gab es in dieser Gegend noch einige römische Marktzentren (*fora*). An der Via Aemilia lagen z.B. auf der Strecke von Ariminum nach Bononia die Fora Popili, Livi und Corneli; und von Mutina nach Parma Forum Lepidi. Diese vier Marktflecken dürften schon im Laufe des 2. Jahrh. v. Chr. gegründet sein.[3] Ende des 2. Jahrh. v. Chr. sind schliesslich, gewissermassen als vorgeschobene römische Posten, zwei weitere Städte gegründet worden: Dertona (124-118 v. Chr.), im ligurischen Gebiet, und Eporedia (100 v. Chr.), im Lande der alpinen Salasser. Gemäss einer späteren Überlieferung (die aber von einigen Gelehrten angefochten worden ist, s. oben Anhang I S. 244, und Anm. 8a) waren es *coloniae civium Romanorum*. Man bekommt den Eindruck, dass sich die Situation in Norditalien bis zu Beginn des Bundesgenossenkrieges (91 v. Chr.) von rein staatsrechtlichem Standpunkt aus betrachtet nicht wesentlich von der in den übrigen Teilen Italiens unterschied. Denn auch im übrigen Italien fand man vor dem Jahre 91 v. Chr. eine bunte Mischung von Römergemeinden, Latinergemeinden und Halbbürgergemeinden bezw. peregrinischen Gemeinwesen. Diese Gleichartigkeit spiegelte sich im damaligen Status der Poebene wider: denn bis an das Ende des Bundesgenossenkrieges, möglicherweise noch etwas länger, gehörte die Poebene allem Anscheine nach zu Italien; und als sie im Jahre 42 v. Chr. von neuem ein Teil Italiens wurde, fand gewissermassen eine Wiederherstellung des ehemaligen Zustandes statt. Jedenfalls hat dieses Gebiet vor dem Bundesgenossenkrieg nie Provinzialcharakter gehabt.

Wie man weiss, verursachte der Bundesgenossenkrieg in ganz Italien grosse Veränderungen auf verwaltungsrechtlichem Gebiet. Die *lex Iulia*, 90 v. Chr., und die *lex Plautia Papiria*, 89 v. Chr., verliehen all denjenigen das Bürgerrecht, die während des Krieges

---

[3] Für eine nähere Behandlung der Geschichte der Poebene zu dieser Zeit und eine Übersicht der dortigen Ortschaften und ihres staatsrechtlichen Status vgl. Ursula Ewins, The Enfranchisement of Cisalpine Gaul, Papers of the British School at Rome, XXIII (1955) S. 73-98. Vgl. ferner oben S. 257.

Rom treu geblieben oder bereit waren, die Waffen niederzulegen.[4] Aus den Daten jedoch, die uns aus der Periode zwischen dem Bundesgenossenkrieg und dem cäsarischen Bürgerkrieg (89-49 v. Chr.) für Norditalien zu Gebote stehen, geht hiervor, dass man dort die beiden soeben genannten Leges auf eine andere Weise zur Anwendung gebracht hat als im übrigen Italien, das südlich der Apenninen lag. Die unterschiedliche Behandlung wurde anscheinend durch die geringere Romanisierung und Urbanisierung dieses Gebietes verursacht. Vor allem — aber sicher nicht ausschliesslich — war diese Rückständigkeit in der Transpadana merkbar. Dort gab es auch noch zur Zeit des Bundesgenossenkrieges nicht mehr als drei städtische Zentren, u. zw. die alten latinischen Kolonien Cremona und Aquileia; ausserdem Eporedia im Gebiet der alpinen Salasser, zu jener Zeit noch eine recht kleine Ortschaft, die aber laut der historischen Überlieferung von Anfang an (100 v. Chr.) eine Bürgerkolonie gewesen ist (vgl. hierzu auch oben S. 244). So erklärt es sich, dass der Zuwachs an Bürgern, den die Leges Iulia und Plautia Papiria der Transpadana verschafften, ein ziemlich bescheidener war: denn lediglich die Bewohner von Cremona und Aquileia erhielten durch sie das Bürgerrecht; gleichzeitig wurde der Status ihrer Städte selbst abgeändert: aus den ehemaligen *coloniae latinae* wurden jetzt *municipia* (scil. *civium Romanorum*) gemacht.[5] Der übrigen Transpadana jedoch blieb die römische Zivität vorenthalten. Für die alpinen Regionen dieses Gebietes versteht sich das von selbst: die dort ansässigen Bergvölker waren noch immer sehr barbarisch. Sie blieben deshalb nach wie vor Peregrinen. Aber auch die Bewohner der Niederlassungen, die im Laufe des 2. Jahrh. v. Chr., teilweise schon früher, in den nichtalpinen Regionen der Transpadana entstanden waren, bekamen kein Bürgerrecht. Nur einem Teil derselben wurde, gewissermassen als Ersatz für die verweigerte Zivität, die aus früheren Zeiten bereits bekannte zweit-

---

[4] Vgl. Cic. p. Balbo 8, 21 *ipsa denique Iulia, qua lege civitas est sociis et Latinis data,* „nach dem Julischen Gesetz schliesslich, durch welches Bundesgenossen und Latinern das Bürgerrecht verliehen wurde"; Vell. Paterculus II, 16, 4; Appian, bell. civ. 1, 6, 49. Ausführlicher über die Leges Iulia und Plautia Papiria A. N. SHERWIN-WHITE, The Roman Citizenship, Oxford 1939, S. 130 ff.

[5] Gellius 4, 4, 3 *civitas universo Latio lege Iulia data est,* „durch das Julische Gesetz wurde das Bürgerrecht an ‚ganz Latium' verliehen"; d.h. das Bürgerrecht wurde damals nicht nur den latinischen Gemeinden südlich des Pos verliehen, sondern auch sonstwo, namentlich den *coloniae latinae* in Norditalien einschliesslich der Transpadana.

rangige Rechtsposition, das *ius Latii*, zuerkannt. Auch die Ortschaften, in denen diese neuen zweitrangigen Bürger ansässig waren, bekamen einen neuen Status: sie hiessen fortan, wie wir oben (Anhang I S. 247) schon gesehen haben, *coloniae latinae*. Zu dieser Kategorie gehörten in der Transpadana z.B. Bergomum, Comum, Mediolanum, Novaria, Vercellae und Verona.

Es muss indessen hervorgehoben werden, dass es auch in der Cispadana Ortschaften und Gemeinwesen gab, denen das römische Bürgerrecht nicht zuerkannt wurde. Einige davon erhielten, ebenso wie die soeben genannten transpadanischen Gemeinden, den Status einer *colonia latina*: so z.B. Brixellum und Veleia (s. oben Anhang I S. 247). Andere jedoch wurden auch hier in ihrer peregrinischen Position belassen: so namentlich Ravenna, das, soweit uns bekannt ist, bis 49 v. Chr. eine *civitas foederata* geblieben ist.[6]

Leider sind wir über die Einzelheiten der soeben geschilderten Anordnungen für Norditalien nicht genau unterrichtet. Die beiden Quellen, auf die wir in der Hauptsache angewiesen sind, enthalten nur ganz allgemeine Mitteilungen. So berichtet Asconius, *in Pisonianam* 3 (ed. CLARK pag. 3, *8* ff.), dass Pompeius Strabo, der Vater des Pompeius Magnus, die „Deduzierung der transpadanischen Kolonien" (*Transpadanas colonias deduxerit*) in der Weise vorgenommen habe, dass er „diese Kolonien nicht für neue Ansiedler gegründet" habe, sondern „den alten, an Ort und Stelle verbleibenden Bewohnern das *ius Latii* verliehen" habe.[7] Es wird somit keine genaue Übersicht der Ortschaften gegeben, welche infolge der Anordnungen von Pompeius Strabo die Rechte einer *colonia latina* erhalten haben.

---

[6] Dass wir nicht annehmen dürfen (etwa aufgrund von Cassius Dio 37, 9, 3 und 41, 36, 3, wo jedesmal nur οἱ ὑπὲρ τὸν Ἠριδανὸν οἰκοῦντες als Nicht-Römer erwähnt werden; vgl. ferner Ascon., Pis. 3), dass alle Bewohner des südlichen Teiles von Gallia Cisalpina (d.h. der Cispadana) im Jahre 89 v. Chr. das Bürgerrecht erhielten, hat neuerdings EWINS a.a.O. (s. oben N. 3) S. 74 f. und besonders S. 78 f. noch einmal überzeugend nachgewiesen. Die Feststellung, dass Ravenna auch nach dem Bundesgenossenkrieg eine *civitas foederata* geblieben ist, stützt sich in der Hauptsache auf Cicero pro Balbo 22, 50 (vgl. ferner EWINS S. 78 f.).

[7] Diese Asconiusstelle ist schon von F. C. VON SAVIGNY, Vermischte Schriften III (1859) S. 294 für die Erörterung der von Pompeius Strabo getroffenen Massnahmen verwendet worden. Er zog daraus den Schluss, dass sämtlichen nichtrömischen Ortschaften nördlich des Pos der Status von *coloniae latinae* verliehen worden sei. Eine solche Generalisierung trifft jedoch, wie die näheren Ausführungen oben S. 264 f. (vgl. auch S. 288) gezeigt haben, nicht für alle transpadanischen Gemeinden und Völkerschaften zu, ja sogar nicht einmal für alle cispadanischen (was letztere anbelangt, vgl. oben Anm. 6).

Man wird jedoch aufgrund der allgemeinen Daten der geschichtlichen Entwicklung Norditaliens annehmen dürfen, dass die meisten der soeben genannten peregrinischen Ortschaften, wenn nicht gar alle, gerade jener *lex Pompeia* ihren neuen „latinischen" und „kolonialen" Status zu verdanken haben. Auch liegt es auf der Hand zu vermuten, dass Pompeius jene Anordnungen während der Zeit, dass er Konsul war, also im Jahre 89 v. Chr., getroffen hat.

Die zweite Quelle, die über das damalige Norditalien und über die Anordnungen von Pompeius Strabo berichtet, ist noch viel vager und kürzer als der oben aus Asconius zitierte Passus: es handelt sich um Plinius nat. 3, 20, 138. Dieser Autor macht hier anlässlich der Beschreibung des Triumphbogens, den Augustus nach seinem Siege über die Salasser und die sonstigen Alpenvölker im Jahre 25 v. Chr. in Aosta errichten liess, die beiläufige Bemerkung, dass die 15 kottianischen Gaue sich nicht an dem Krieg gegen Rom beteiligt hätten, da sie schon längst aufgrund der Lex Pompeia den dortigen römischen Munizipien angegliedert waren (*attributae municipiis lege Pompeia*). Trotz der Kürze und der Undeutlichkeit (es wird nicht einmal mitgeteilt, welchen Munizipien die kottianischen Gaue angegliedert wurden) hilft die Pliniusstelle uns weiter. Sie bezeugt nämlich zunächst die Existenz einer *lex Pompeia* und ferner die Tatsache, dass diese Lex eine Regelung für Norditalien enthielt. Und schliesslich macht sie die Annahme wahrscheinlich, dass Pompeius Strabo die Bergvölker, sofern sie sich der römischen Oberherrschaft unterstellt hatten, aus verwaltungstechnischen Gründen den dortigen römischen Kolonien und Munizipien (und vielleicht ebenfalls den dortigen latinischen Kolonien) angegliedert hat.

Die Folge der soeben geschilderten Sondermassnahmen war, dass Norditalien sich nunmehr in einer anderen Position als das übrige Italien befand. Man konnte seitdem die Poebene und die benachbarten alpinen Regionen kaum noch als zu Italien gehörig ansehen. Auf verwaltungsrechtlichem Gebiet hat man daraus die Konsequenzen gezogen, indem man eine Provinz Gallia Cisalpina gründete, die sowohl das Gebiet nördlich wie auch das Gebiet südlich des Pos umfasste. Die genaue Datierung der Gründung dieser Provinz ist nicht einfach zu ermitteln, denn die historischen Quellen verschaffen auch über diesen Aspekt der norditalischen Entwicklung nur spärliche und disparate Berichte. So lesen wir bei Granius Licinianus (aus der Antoninerzeit) 36, pag. 32, *14* ed. FLEMISCH, *data erat et*

Sullae provincia Gallia Cisal[pina .... (nach *Cisal-* ist der Rest des Satzes verstümmelt): dieser Satz, der eine Aufzählung von Ereignissen aus dem Jahre 79 v. Chr. (cf. pag. 32, *8* FLEMISCH: *consulibus Claudio et Servilio*) abschliesst, will anscheinend besagen, dass Sulla, der im Jahre 80 v. Chr. (zum zweiten Male) Konsul gewesen war, sich für 78 das Prokonsulat von Gallia Cisalpina zuerkennen liess. Wir wissen jedoch, dass der Diktator im Jahre 79 in den Ruhestand zurückgetreten und bis Ende seines Lebens, etwa März (?) 78 v. Chr., Privatmann geblieben ist. Der trümmerhafte Zustand der Überlieferung aus dieser Zeit erlaubt es uns leider nicht, für dasjenige, was im oben zitierten Satz von Granius Licinianus über Sullas Prokonsulat von Gallia Cisalpina mitgeteilt wird, einen historisch befriedigenden Zusammenhang zu konstruieren,[8] sodass wir nicht in der Lage sind, hieraus einen Beweis für die Existenz dieser Provinz im Jahre 79 (bezw. 78) v. Chr. zu entnehmen.

In das nächste Jahr, 77 v. Chr., führt uns die von Appian bell. civ. 1, 107 in sehr summarischer und auch recht flüchtiger Weise beschriebene Rebellion von M. Aemilius Lepidus, der im vorigen Jahr (78) Konsul gewesen war; hinzu kommen als Geschichtsquellen einige dürftige Bemerkungen bei Plutarch, vit. Pompeii 16, 1 und Livius, Per. 90. Während nun in Appians Bericht mitgeteilt wird, dass Lepidus das Prokonsulat über τὴν ὑπὲρ Ἄλπεις Γαλατίαν, d.h. Gallia Transalpina, zugewiesen worden war, lesen wir bei Plutarch, dass der rebellische Konsular ausser einem grossen Teil

---

[8] Einen Versuch zur Konstruktion eines zu der genannten Licinianstelle passenden historischen Rahmens findet man bei BLOCH-CARCOPINO, Histoire romaine II, 1 (Des Gracques à Sulla), Paris [3]1952, S. 500 f. (das Ergebnis ist sehr hypothetisch: Sulla sei nicht gleich zu Anfang des Jahres 79 in den Ruhestand zurückgetreten, doch habe zunächst versucht, die Wahl des Kandidaten M. Aemilius Lepidus für das Konsulat des Jahres 78 zu vereiteln; als dieser trotzdem gewählt wurde, habe er sich mehr oder weniger gezwungen gesehen, abzudanken und gleichzeitig auch das für das nächste Jahr vorgesehene Prokonsulat von Gallia Cisalpina auszuschlagen, etwa Juli 79 v. Chr.).

Für die von MOMMSEN Röm. Geschichte II [7]1881 S. 354 f. (anscheinend ebenfalls unter Einfluss der oben zitierten — schwer verständlichen — Licinianstelle, s. die Anm. S. 355) ausgesprochene Vermutung, dass Sulla während seiner Diktatur die Provinz Gallia Cisalpina erst endgültig konstituiert habe und bei dieser Gelegenheit die Grenze der Provinz vom Aesis an den (nördlicher gelegenen) Rubico verlegt habe, lässt sich, wie dieser Gelehrte a.a.O. selbst zugibt, kein eigentlicher Beweis liefern (MOMMSENS Vermutung ist inzwischen von vielen Forschern wiederholt worden, vgl. noch neuerdings z.B. E. MEYER, Röm. Staat u. Staatsgedanke [3]1964 S. 321 und H. BENGTSON, Grundriss der röm. Gesch. I 1967 S. 190).

Italiens „auch Gallien diesseits der Alpen (τὴν ἐντὸς Ἄλπεων Γαλατίαν) mit Hilfe von Brutus mit einem Heer besetzt hielt". Die Unstimmigkeit zwischen beiden Nachrichten (gemäss Appian Prokonsulat über Gallia Transalpina, gemäss Plutarch jedoch Stationierung einer grossen Truppenmacht in Gallia Cisalpina; der dortige Befehlshaber Brutus war wohl sein Legat) hat man durch die Annahme zu beseitigen gesucht, dass Appian a.a.O. einen Flüchtigkeitsfehler gemacht und „jenseits der Alpen" anstelle von „diesseits der Alpen" geschrieben habe.[9] Wenn diese — selbstverständlich ziemlich hypothetische — Annahme das Richtige treffen sollte, hätten wir einen Beleg für die Existenz der Provinz Gallia Cisalpina im Jahre 77 v. Chr.

Der früheste wirklich sichere Beweis jedoch lässt sich erst für das Jahr 75 bezw. 74 v. Chr. liefern. Wir verdanken ihn einem Fragment von Sallusts Historien (Nr. 98 ed. MAURENBRECHER), in dem dieser Historiker mitteilt, dass C. Aurelius Cotta während seines Konsulats, im Jahre 75 v. Chr., Gallia Citerior als Provinz zugewiesen bekam:[10] demnach hat dieser Konsular dort im Jahre 74 v. Chr. das Statthalteramt innegehabt. Man darf jedoch aus dem Umstand, dass uns aus den Jahren vor 78 bezw. 77 oder 74 v. Chr. keine Statthalterschaften bekannt geworden sind, nicht folgern, dass die Provinz vor der Zeit nicht existiert hat. Dies umso weniger, als an den genannten Stellen von einer Neugründung dieser Provinz überhaupt nicht die Rede ist, sodass man den Eindruck bekommt, dass die Existenz der Provinz Gallia Cisalpina (bezw. Citerior) in den erwähnten Jahren schon eine feststehende Tatsache war. E. G. HARDY, Some Problems in Roman History, Oxford 1924, S. 34-67 und G. E. F. CHILVER, Cisalpine Gaul, Oxford 1941, S. 8 [10a] sind deshalb geneigt, für die Gründung der Provinz ein

[9] Vgl. hierzu J. CARCOPINO, Histoire romaine II, 2 (César), Paris ^{4}1950 S. 536, Anm. 43 (mit einem Hinweis auf NEUNHEUSER, M. Aemilius Lepidus, Diss. Münster 1902 S. 37, Anm. 3).

[10] Vgl. Sall., hist. II Fragm. 98, ed. MAURENBRECHER pag. 103, am Ende der sogen. *epistula Cn. Pompei ad senatum* (vgl. auch Sallustius ed. KURFESS ^{2} pag. 158, *12* f.): *sed consules decretas a patribus provincias inter se paravere: Cotta Galliam citeriorem habuit* (d.h. 75 v. Chr. fand die Zuerkennung für 74 v. Chr. statt). Über C. Aurelius Cotta vgl. ferner KLEBS RE. II Sp. 2482 sub 96 und GUNDEL, Kleiner Pauly I Sp. 764 sub 7. Über seine rednerische Bedeutung auch SCHANZ-HOSIUS I S. 229 f.

[10a] Vgl. auch URSULA EWINS a.a.O. (s. oben Anm. 3) S. 75 f. Diese Verfasserin nimmt an, dass die *lex Pompeia* gleichzeitig eine *lex provinciae* war, in der ausser der staatsrechtlichen Position der norditalischen Ortschtafen

recht frühes Datum anzusetzen, und zwar 89 v. Chr., das Jahr in dem infolge des Bundesgenossenkrieges für Rom die Situation recht kritisch geworden war. Die provinziale Konstituierung von Gallia Cisalpina sei nach der Meinung dieser Gelehrten damals eine strategische Notwendigkeit gewesen, weil Rom nach dem Auseinanderfallen des italischen Bundes in diesem Jahre Truppen in Norditalien habe stationieren müssen, um die drohenden Angriffe der Barbaren im Norden notfalls abwehren zu können. Wenn nun aber schon die Errichtung einer Provinz auf Grund der unterschiedlichen Rechtsposition der Bewohner der Poebene nahelag, so hätten gemäss HARDY und CHILVER die soeben erwähnten militärischen Erwägungen diesen Plan noch besonders gefördert, zumal da Provinzen in der Regel über Truppen verfügten. Diese Hypothese von HARDY und CHILVER dürfte — beim Fehlen näherer antiker Nachrichten — jedenfalls erwägenswert sein.

Wie dem aber auch sei, es steht auf alle Fälle fest, dass die Provinz Gallia Cisalpina (eventuell ursprünglich auch Gallia Citerior genannt, so Sallust a.a.O.[11]) kurze Zeit nach dem Bundesgenossenkrieg schon existiert hat. An ihrem verwaltungsrechtlichen Status wurde bis zum Jahr 49 v. Chr. nichts geändert. Es wurden zwar Versuche unternommen, um auch den seit 89 v. Chr. entstandenen *coloniae latinae* nördlich des Pos das Bürgerrecht zu verleihen, vor allem im Jahre 65 v. Chr., als Crassus als Zensor sich bemühte, sie in das Bürgerregister aufnehmen zu lassen (Dio 37, 9, 3), aber diese Versuche führten zu keinem Erfolg. Der bestehende Zustand wurde nicht verändert, bis Caesar im Jahre 49 v. Chr. allen Bewohnern von Gallia Cisalpina das Bürgerrecht verleihen liess (Dio 41, 36, 3). Er tat dies im Hinblick auf die Unterstützung, die viele Soldaten aus der Poebene ihm bei seinem Einmarsch in Italien gewährt hatten, und ausserdem um Pompeius die Sympathien streitig zu machen, die dieser noch stets auf Grund der Gesetzgebung seines Vaters im Jahre 89 v. Chr. in der Poebene genoss (vgl. oben Anm. 7 über die von Pompeius Strabo gegründeten *coloniae latinae*). Das

---

und Völkerschaften auch der provinziale Status von Gallia Cisalpina und die Grenzen der neuen Provinz geregelt wurden.

[11] Manchmal bekommt man den Eindruck, dass der Name der Provinz nie endgültig festgelegt worden ist: Sallust a.a.O. (s. oben Anm. 10) spricht von *Gallia Citerior*; in unserer Lex Rubria ist an drei Stellen von *Gallia Cisalpeina* die Rede (XX, *7*; XXI, *3*; XXIII, *53/54*), an einer vierten jedoch von *Gallia cis Alpeis* (XXII, *26*). Siehe weitere Bezeichnungen bei G. RADKE s.v. ‚Gallia Cisalpina', Kleiner Pauly II (1967) Sp. 681.

neue auf Caesars Geheiss angenommene Gesetz [11a] (die sogen. Lex Roscia vom 11. März 49 v. Chr., vgl. unten S. 308 ff.), das zur Folge hatte, dass jetzt alle Bewohner der Poebene das römische Bürgerrecht erhielten, hätte das Ende der Provinz Gallia Cisalpina bedeuten müssen; hatte doch dieses Gebiet ursprünglich zu Italien gehört und war es erst weniger als ein halbes Jahrhundert zuvor von Italien getrennt worden. Überdies lag durch die natürliche Grenze, die Alpen, die Aufnahme dieser Provinz in das Staatsgebiet Italiens sehr nahe.

Es ist jedoch eine bekannte Tatsache, dass die Aufhebung der Provinz erst einige Jahre später durchgeführt wurde, und zwar 42 oder 41 v. Chr. (vgl. Dio 48, 12, 5 anlässlich der Ereignisse der Jahre 42-41 v. Chr.; Appian, bell. civ. 5, 1, 3 und 5, 3, 22). Interessant ist in diesem Zusammenhang noch die Mitteilung, die sich bei Appian bell. civ. 3, 4, 30 findet. Dieser Historiker berichtet nämlich dortselbst anlässlich der im Spätsommer des Jahres 44 v. Chr. von Antonius gestellten Forderung, zum Statthalter von Gallia Cisalpina ernannt zu werden, dass mehrere Senatoren damals die Ansicht vertreten hätten, dass es wünschenswert sei, den provinzialen Status von Gallia Cisalpina völlig aufzuheben.[12] Und an einer weiteren (bereits zitierten) Stelle, bell. civ. 5, 1, 3, an der von dem (gleich nach der Schlacht bei Philippi, Herbst 42) auf Octavians Betreiben hin gefassten Beschluss die Rede ist, Gallia Cisalpina „selbständig zu machen", fügt Appian noch die Bemerkung hinzu

---

[11a] Vgl. für eine Beschreibung des historischen Rahmens, in den sowohl die Lex Roscia wie die Lex Rubria gehören, auch T. R. HOLMES, The Roman Republic and the Founder of the Empire, Bd. III (Oxford 1923) S. 32 f.

[12] Vgl. Appian, bell. civ. 3, 4, 30: ἦσαν δ' οἳ καὶ τὸ ἔθνος (scil. τῆς Κελτικῆς) ὅλως ἐλευθεροῦν ἡγεμονίας ἠξίουν· οὕτως ἐδεδοίκεσαν ἀγχοῦ τὴν Κελτικὴν οὖσαν: „manche (Senatoren) empfahlen sogar, die Provinz völlig von der Statthalterschaft zu befreien: so sehr fürchteten sie sich vor der Nähe von Gallia Cisalpina". Die Senatoren befürchteten somit, dass wieder mal ein Statthalter von Gallia Cisalpina (etwa Antonius), ebenso wie Caesar im Jahre 49 v. Chr., von seiner nahe gelegenen Provinz aus Rom bedrohen könnte. Einige Zeilen weiter unten (ebenfalls bell. civ. 3, 4, 30) teilt Appian noch mit, dass Octavian trotz seiner sonstigen Zwistigkeiten mit Antonius die auf die Statthalterschaft von Gallia Cisalpina abzielende Forderung des letzteren unterstützte, weil er diese Provinz auf solche Weise dem Caesarmörder Decimus Brutus abspenstig machen wollte: denn Octavian „fürchtete sehr, dass Decimus über das so günstig gelegene Gebiet und über die dortigen Truppen die Herrschaft erlangen würde" (ἐδεῖτο δὲ μάλιστα μέν, ἵνα μὴ Δέκιμος ἄρχοι χώρας τε ἐπικαίρου καὶ στρατιᾶς).

dass vordem schon der Diktator Caesar diese Massnahme beabsichtigt habe.[13]

Aber anscheinend hatte Caesar Gründe gehabt, die Aufhebung des provinzialen Status von Gallia Cisalpina einstweilen noch etwas hinauszuschieben. Und es dürfte nicht allzu schwer sein, diese Gründe zu erraten. Die dicht bevölkerte und wirtschaftlich bereits stark entwickelte Provinz lieferte ihm als Statthalter viele Soldaten und ausserdem wichtige finanzielle Hilfsmittel, die er nach der Überschreitung des Rubicos (Jan. 49 v. Chr.) für die Festigung und Konsolidierung seiner Machtsposition in Rom ebenso gut gebrauchen konnte wie vordem. Hinzu kommt, dass Gallia Cisalpina Caesar die Gelegenheit bot, seine Truppen verhältnismässig nahe bei Rom zu stationieren, ohne dass er dem Senat von der Präsenz dieser Truppen in einem Gebiet, das nahezu italisch genannt werden konnte, Rechenschaft zu geben brauchte. Die oben aus Appian angeführten Zitate zeigen deutlich, dass nach Caesars Tod Antonius, Octavian, D. Brutus und andere ehrgeizige Politiker der Provinz dieselbe grosse politische, ökonomische und strategische Bedeutung zumassen.

Übrigens spricht nicht nur Appian von den Vorteilen, welche der Besitz von Norditalien seinem Prokonsul gewähren konnte; ähnliche Äusserungen begegnen auch bei Cassius Dio. So berichtet letzterer, hist. rom. 45, 9, 3 (vgl. dazu auch Appian bell. civ. 3, 4, 30, eine bereits oben zitierte Stelle), dass M. Antonius sich deshalb im Spätsommer des Jahres 44 v. Chr. Gallia Cisalpina als Provinz bewilligen lassen wollte, weil er sie für „sehr mächtig wegen ihrer Soldaten und Geldmittel" hielt.[14] Aus einer weiteren historischen Mitteilung, die sich diesmal wiederum bei Appian (bell. civ. 5, 3, 22) findet, geht noch hervor, dass als einige Jahre später, nach der Schlacht bei Philippi, etwa in den Jahren 41-40 v. Chr., die Zwistigkeiten zwischen M. Antonius und Octavian von neuem ausbrachen, einer der Anhänger von Antonius, ein gewisser Manius, Octavian den Vorwurf gemacht hat, er habe deshalb dafür gesorgt, dass der provinziale Status von Gallia Cisalpina aufgehoben wurde, weil er

[13] Appian, bell. civ. 5, 1, 3: τήν τε γὰρ Κελτικὴν τὴν ἐντὸς Ἄλπεων ἐδόκει Καίσαρος ἀξιοῦντος αὐτόνομον ἀφιέναι γνώμῃ τοῦ προτέρου Καίσαρος: „es wurde auf Caesars (d.h. Octavians) Betreiben hin der Beschluss gefasst, das diesseits der Alpen gelegene Gallien in Übereinstimmung mit der Absicht des älteren Caesars (des Diktators) selbständig zu machen".

[14] Cassius Dio, hist. rom. 45, 9, 3: τὴν δὲ Γαλατίαν τὴν ἐντὸς τῶν Ἄλπεων . . . . αὐτὸς ἐκεῖνος (scil. Μᾶρκος Ἀντώνιος) . . . . ὡς καὶ ἰσχυροτάτην καὶ τοῖς στρατιώταις καὶ τοῖς χρήμασιν οὖσαν ἀντιλαβεῖν.

Antonius „auf betrügerische Weise" habe schädigen wollen.[15] Auch diese Bemerkung unterstreicht wieder die Bedeutung der Provinz. Zusammenfassend kommen wir nun zu der Schlussfolgerung, dass Caesar gerade wegen der ökonomischen und militärischen Vorteile, welche die Provinz ihm als Statthalter bot, den provinzialen Status von Gallia Cisalpina vorläufig beibehalten hat. Um trotz dieses auf rein persönlichem politischem Interesse fussenden Vorgehens die Bewohner der Poebene zufrieden zu stellen und an sich zu binden, verlieh er ihnen (schon sehr bald nach der Überschreitung des Rubicos, Anfang 49 v. Chr.) das römische Bürgerrecht. Sein 5 Jahre später folgender, unerwarteter Tod (15. März 44 v. Chr.) hat ihn daran gehindert, seinen inzwischen aufgefassten Plan, den provinzialen Status von Gallia Cisalpina ganz aufzuheben, auch noch auszuführen.

Indessen hat Caesar gleich bei der Bürgerrechtsverleihung im Jahre 49 v. Chr. gewisse Massnahmen getroffen, welche die Auswirkung hatten, dass die Bewohner der Poebene auch in juristischer Hinsicht den Bürgern des übrigen Italien angeglichen wurden: er unterstellte sie der Jurisdiktion des Praetors in Rom. In der Praxis bedeutete dies, wie bekannt, dass sie für alle Rechtssachen, für die ihre heimatlichen Munizipalmagistrate nicht zuständig erklärt wurden, auf den römischen Praetor und die römischen Richter angewiesen waren. Dass die Bewohner der Poebene fortan, d.h. seit 49 v. Chr., in juristischer Hinsicht in der Tat von Rom abhängig waren, geht nicht nur aus der oben kommentierten Lex Rubria hervor, sondern auch, wie wir unten S. 309 ff. sehen werden, aus dem 1880 in Ateste gefundenen Gesetzesfragment (CIL. I² Nr. 600; BRUNS Nr. 17 S. 101 f.), das in das Jahr der Überschreitung des Rubicos, d.h. 49 v. Chr., datiert werden muss.

Die Übertragung der höchsten juristischen Autorität über eine Provinz auf den Praetor in Rom hat gewiss etwas Auffälliges. Denn schon in der vorsullanischen Zeit hatten die als Statthalter in die Provinzen entsandten Praetoren die Gerichtsgewalt innegehabt; und seitdem infolge der von Sulla durchgeführten Reformen (82-79) Promagistrate als Statthalter auftraten, wurden letztere ebenfalls mit der Jurisdiktion beauftragt.[16] Auch Caesar selbst hatte sich

[15] Appian, bell. civ. 5, 3, 22: τήν τε γὰρ Κελτικὴν 'Αντωνίῳ πρότερον δεδομένην ἐλευθεροῦν μετ' ἐξαπάτης 'Αντωνίου.

[16] Inbetreff der gerichtlichen Kompetenzen der Statthalter in ihren Provinzen vgl. die Zusammenfassung und die Literaturnachweise bei KASER,

während seiner Statthalterschaft in Gallia Cisalpina (seit 58 v. Chr.) mit der Rechtspflege beschäftigt, wie aus beiläufigen Bemerkungen des *bellum Gallicum* hervorgeht: vgl. 1, 54, 3 *ipse in citeriorem Galliam ad conventus agendos profectus est*; und 8, 23, 3 *Caesare in Gallia citeriore ius dicente*. Es kam jedoch regelmässig vor, dass Prozesse, an denen in den Provinzen sesshafte römische Bürger beteiligt waren, vom Statthalter nach Rom verwiesen wurden. Den Antrag dazu konnte sowohl der Kläger wie der Beklagte stellen. Insbesondere war der Statthalter verpflichtet, einen bei einem Kriminalprozess auf Leib und Leben angeklagten römischen Bürger zur Aburteilung nach Rom zu schicken.[17]

Caesar hat jedoch, wenn wir aus dem Fragment von Ateste und dem uns bekannten Teil der Lex Rubria auf das Ganze schliessen dürfen, im Jahre 49 v. Chr. den Anteil der künftigen Statthalter an der zivilen Jurisdiktion in der Provinz Gallia Cisalpina völlig wegfallen lassen: denn wie bereits gesagt, wurden alle zivilen Prozesse, für die die örtlichen Munizipalmagistrate keine Zuständigkeit erhielten, künftighin nach Rom verwiesen. Anscheinend wollte Caesar durch diese weitgehende Angleichung von Gallia Cisalpina an die Verhältnisse im übrigen Italien die Bewohner dieser Provinz noch ganz besonders für seine Partei gewinnen. Ausserdem dürfte er sich beim Treffen solcher Anordnungen von dem Gedanken haben leiten lassen, dass er selber in jenem Augenblick, wo der Bürgerkrieg ausgebrochen war, vorläufig doch keine Gelegenheit haben würde, sich mit der Rechtspflege in Gallia Cisalpina zu befassen.

Was schliesslich die in Veleia aufgefundene Gesetzestafel selbst anbelangt, sei noch darauf hingewiesen, dass aus ihrem Wortlaut deutlich hervorgeht, dass die Lex Rubria für ganz Gallia Cisalpina

---

Zivilprozessrecht S. 130 f. und 181 f. KASER weist (S. 131, Anm. 79) anlässlich eines Briefes von Cicero ad Att. 6, 1, 15 über seine amtlichen Tätigkeiten als Statthalter von Kilikien (51/50 v. Chr.) mit Recht darauf hin, dass in der republikanischen Zeit das statthalterliche Provinzialedikt noch recht lückenhaft gewesen sein muss; erst in der Kaiserzeit wurde es nach dem Muster des prätorischen Edikts in Rom allmählich vervollständigt. Zu der Zeit des Juristen Gaius schliesslich war eine weitgehende Parallelität zwischen beiden erreicht worden, vgl. inst. I 6: *sed amplissimum ius est in edictis duorum praetorum, urbani et peregrini, quorum in provinciis iurisdictionem praesides earum habent.*

[17] Zu der Frage, in wiefern die Jurisdiktion der hauptstädtischen Magistrate, besonders der Praetoren, mit derjenigen der Statthalter in den Provinzen konkurrieren konnte, und zum Provokationsrecht der in den Provinzen wohnhaften römischen Bürger vgl. MOMMSEN, Röm. Staatsrecht II, 1 S. 267 ff.

bestimmt war (und nicht etwa nur für Veleia oder für irgendeine Gruppe von Städten, die nicht mit denen in Gallia Cisalpina identisch war). Dies geht aus mehreren Stellen der Lex deutlich hervor: vgl. XX, *7*, wo die Rede ist von „jedem in Gallia Cisalpina, der sich .... inbetreff eines *damnum infectum* beim Jurisdiktionsmagistrat meldet" (*qua de re quisque .... in Gallia Cisalpina eqs.*); und XXI, *3*, wo für jemanden, der „in einer der Festungsstädte, Munizipien, Siedlungen, Präfekturen, Marktflecken, Weiler, Versammlungsorten, Forts oder Territorien, welche in Gallia Cisalpina liegen oder dort in der Zukunft liegen werden", eine Klage wegen einer Geldforderung erheben will, Vorschriften gemacht werden (*a quoquomque pecunia certa credita .... in eorum quo oppido municipio colonia praefectura foro veico conciliabulo castello territoriove, quae sunt eruntve in Gallia Cisalpeina, petetur*); ferner ähnliche Formulierungen in XXII, *26* und XXIII, *52-53*.

Die Tatsachen, dass die Lex Rubria ausschliesslich für Gallia Cisalpina bestimmt war (*Gallia Cisalpeina* XX, *7*; XXI, *3*; XXIII, *53-54*; *Gallia cis Alpeis* XXII, *26*) und dass sie ausserdem eine Abgrenzung zwischen den juristischen Kompetenzen des römischen Praetors einersets und denen der munizipalen Behörden andererseits bezweckte, geben uns gleichzeitig für die Datierung einen sicheren Terminus post quem an die Hand. Die Lex kann nur eine Folge der oben besprochenen Bürgerrechtsverleihung von Caesar an die gesamte Bevölkerung von Gallia Cisalpina kurz nach der Überschreitung des Rubicos, Anfang 49 v. Chr., sein. Früher kann sie nicht datiert werden, denn vordem besass nur ein Teil der Bevölkerung der Poebene das römische Bürgerrecht. Die dortigen Bewohner hätten somit vor 49 v. Chr., als sie nur zum Teil das römische Bürgerrecht besassen, niemals dazu verpflichtet werden können, sich ganz nach der römischen Rechtspraxis zu richten. Auch hätte damals kein Gesetz den höchsten Magistraten solcher zum grossen Teil von Nicht-Bürgern bewohnten Städte und sonstigen Ortschaften generell vorschreiben können, sämtliche Prozesse einer gewissen, näher umschriebenen Beschaffenheit und Wichtigkeit zwischen irgendwelchen beliebigen Bewohnern dieser Städte und Ortschaften nach Rom zu verweisen (XXI, *21* ff.; XXII, *45* ff.). Und ebensowenig hätte es unter solchen Umständen generell anordnen können, dass es nur unter Beachtung bestimmter römischer Formalitäten erlaubt sei, die sonstigen Prozesse in der eigenen Munizipalstadt oder Präfektur selbst zu führen. Eine derartige Gleichförmigkeit mit römischen Rechtsverhältnissen, wie sie die Lex Rubria voraussetzt, existierte eben erst seit 49 v. Chr., dem Jahre der generellen Bürgerrechtsverleihung.

Den Terminus ante quem kann man nicht mit derselben Genauigkeit festlegen. Der Umstand jedoch, dass im Gesetz ausdrücklich mitgeteilt wird, dass es für Gallia Cisalpina gilt, gibt uns einen brauchbaren Anhaltspunkt. Angesichts der Tatsache, dass die Provinz im Jahre 42 oder 41 v. Chr. ganz aufgelöst worden ist,[18]

---

[18] Die wichtigsten Quellen für die Geschichte der Aufhebung des provinzialen Status von Gallia Cisalpina, Ende 42 v. Chr. (nach dem Sieg von Antonius und Octavian bei Philippi), findet man bei Appian, bell. civ. 5, 1, 3 (s. oben Anm. 13) und 5, 3, 22 (s. oben Anm. 15); ferner Cass. Dio 48, 12, 5 (inmitten der Beschreibung der Ereignisse des Jahres 41 v. Chr.): καὶ αὐτοῖς καὶ ἐκ τῆς Γαλατίας τῆς τογάτης, ἣ καὶ ἐς τὸν τῆς Ἰταλίας ἤδη νομόν, ὥστε μηδένα ἄλλον προφάσει τῆς ἐνταῦθα ἀρχῆς στρατιώτας ἐντὸς τῶν Ἄλπεων τρέφειν, ἐσεγέγραπτο, καὶ χρήματα καὶ στρατιῶται ἦλθον: ,,und auch aus Gallia Togata, das schon dem Hoheitsgebiet Italiens einverleibt worden war, damit kein anderer unter dem Vorwand eines dortigen Kommandos diesseits der Alpen Truppen halten könnte, strömten ihnen (d.h. dem Lucius Antonius und der Fulvia) Gelder und Soldaten zu''.

Wie bekannt, hat es bis zur Kapitulation von L. Antonius und Fulvia in Perusia gedauert, Ende Februar 40 v. Chr., ehe es Octavian gelang, den Einfluss und die Macht, die M. Antonius und seine Anhänger in der ehemaligen Provinz Gallia Cisalpina bisher gehabt hatten, völlig zu brechen.

Mommsen, Staatsrecht II, I³ S. 239, Anm. 1 (vgl. auch Jur. Schr. I S. 186, Anm. 1) hat bereits darauf aufmerksam gemacht, dass es aus der augusteischen Zeit zumindest einen Beleg — vielleicht aber noch einen zweiten — für die Behauptung gibt, dass Gallia Cisalpina damals zeitweilig wieder von einem kaiserlichen Legaten regiert worden ist. Sueton, gramm. et rhet. 30, 4 (Robinson pag. 49, 6 ff.), berichtet nähmlich von einem Mordprozess, der in Mailand *apud L. Pisonem proconsulem* geführt worden sei. Als die Entlastungszeugen von den Liktoren des Statthalters eingeschüchtert wurden, sei der Verteidiger des Angeklagten, der Rhetor C. Albucius Silus, so zornig geworden, *ut deplorato Italiae statu, quasi iterum in formam provinciae redigeretur, M. insuper Brutum, cuius statua in conspectu erat, invocaret legum ac libertatis auctorem et vindicem*. Groag-Stein, PIR. II² S. 62 f. (sub Nr. 289) vermuten, dass dieser Statthalter identisch sei mit L. Calpurnius Piso pontifex, demselben Manne, dem wir oben S. 8 f. als Patron von Veleia begegnet sind. Dieser Piso (der im Jahre 15 v. Chr. das Konsulat bekleidete) hat anscheinend zu der Zeit, als Augustus sich in Gallien aufhielt (16-13 v. Chr.), gegen die am Nordrande der Alpen ansässigen Vindeliker einen Feldzug unternommen. Es wäre demnach möglich, dass Piso zwecks dieser Kriegsführung vom Kaiser zum Legaten von Gallia Cisalpina (eventuell nur von der Transpadana) ernannt worden ist.

Als eventuellen zweiten Beleg für das Vorhandensein eines Legaten in dieser Gegend führt Mommsen eine aus Trient stammende Inschrift an, CIL. V Nr. 5027 (Dessau Nr. 86): *Imp(erator) Caesar divi f(ilius) / Augustus cos. XI, trib(unicia) / potestate, dedit, / M. Appuleius Sex(ti) f(ilius) leg(atus) / iussu eius fac(iendum) curavit.* Die Erwähnung des 11. Konsulats des Kaisers datiert die Inschrift in das Jahr 23 v. Chr. Der Umstand jedoch, dass dem kann die Publikation unserer Lex kaum in eine spätere Zeit als 42/1 verlegt werden. Denn es würde merkwürdig sein, wenn nach dieser Zeit, als die Poebene schon ein Teil Italiens war, noch der alte Provinzialname *Gallia Cisalpina* in einem offiziellen Gesetz Verwendung gefunden hätte. Man kann sich dies höchtens noch von einem Gesetz vorstellen, das gleich nach der Aufhebung der Provinz eigens zu dem Zweck erlassen wurde, um für die behördlichen und rechtlichen Folgen der Aufhebung Regelungen zu treffen.

Infolge dieser Erwägungen bleibt für unsere Datierungsfrage ein Spielraum von etwa 9 Jahren, zwischen 49 und 41 v. Chr., übrig. Um jedoch innerhalb dieses Spielraumes ein genaueres Datum zu fixieren, ist ein viel schwierigeres Problem. Ich möchte erst weiter unten (S. 321 ff.) hierauf zurückkommen, nachdem vorher einige andere, mit unserm Problem im Zusammenhang stehende, Fragen erörtert worden sind. Hierzu gehören an erster Stelle eine Behandlung der Frage, was der Inhalt der übrigen — inzwischen verloren gegangenen — Tabulae der Lex Rubria gewesen sein könnte, und ferner eine Besprechung des Verhältnisses zwischen unserer Lex und dem bereits erwähnten (auch in der Poebene gefundenen) Gesetzesfragment von Ateste, dessen Inhalt sich ebenfalls mit den juristischen Folgen der Verleihung des römischen Bürgerrechts befasst.

B. Der Inhalt der vollständigen Lex Rubria

Von unserer Lex Rubria ist, wie bereits S. 15 gesagt wurde, nur eine Tafel, somit nur ein Teil erhalten geblieben. Oben an der Bronzetafel, und zwar im offenen Raum zwischen den beiden Spalten auf der Höhe der ersten Zeile, befindet sich die Zahl IIII. Bei dem uns überlieferten Teil der Lex handelt es sich also um Tafel IIII. Ferner kann darauf hingewiesen werden, dass auch die einzelnen Abschnitte der erhaltenen Tafel numeriert sind: demzufolge gehört dasjenige, was wir jetzt besitzen, in den letzten Teil von Caput XIX, ferner in die Capita XX, XXI und XXII und der Schluss noch in den Anfang von Caput XXIII des ursprünglichen Gesetzestextes. Da Caput XXIII am Ende der erhaltenen Tafel

Titel *leg(atus)* keine weitere Apposition beigegeben ist, lässt es keineswegs sicher erscheinen, dass M. Appuleius (der bald darauf, 20 v. Chr., Consul wurde) im Jahre 23 v. Chr. Statthalter, d.h. *legatus pro praetore*, war. Die Möglichkeit ist sehr wohl vorhanden, dass er damals nur das Amt eines *legatus legionis* bekleidete (vgl. Mommsen zu CIL. V Nr. 5027 und Groag-Stein, PIR. I [2] S. 185 f. sub Nr. 959).

mitten in einem Satz abgebrochen wird, muss der Gesamttext zumindest fünf, vielleicht sogar noch mehr Tafeln beschlagen haben.

Es erhebt sich nun die Frage, ob es möglich ist, einigermassen fundierte Vermutungen über den Inhalt der übrigen Tabulae auszusprechen. Gehen wir bei der Beantwortung dieser Frage von den Indizien aus, welche die bewahrt gebliebene vierte Tafel uns verschaffen kann. Es sei nun zunächst darauf hingewiesen, dass in den insgesamt 110 Zeilen, welche unsere Tafel überliefert hat, nur drei Gegenstände des Prozessrechtes vollständig, ferner zwei weitere Gegenstände desselben teilweise geregelt werden. Von jenen insgesamt fünf Gegenständen gehören die *operis novi nuntiatio*, in Caput XIX, und das *damnum infectum*, erörtert in Caput XX, beisammen. Denn man kann, was diese beiden Gegenstände betrifft, das Edictum perpetuum und die Digesten Justinians zum Vergleich heranziehen: sowohl in ersterem folgt das *damnum infectum* auf die *operis novi nuntiatio* (vgl. die Titel XXVIII und XXIX bei Lenel S. 370 ff.) wie auch in den letzteren (vgl. Dig. 39, die Titel 1 und 2). In ähnlicher Weise kann man behaupten, dass die Capita XXI und XXII gegenständlich zusammen gehören, da sie beide Zivilprozesse wegen Forderungsklagen behandeln, Cap. XXI wegen Klagen auf Zurückzahlung von Gelddarlehen, Cap. XXII wegen solcher auf Erstattung sonstiger Forderungen. Die beiden zuletzt genannten Capita weisen noch besonders dadurch eine starke gegenseitige Parallelität auf, weil sie sich beide ausschliesslich mit der Indefension eines Beklagten beschäftigen, bezw. mit der Verweigerung der Rückerstattung oder Sicherheitsleistung von seiten eines Beklagten, der seine Schuld bereits eingestanden hat.[19] Während nun für die beiden vorhergehenden Capita (XIX *operis novi nuntiatio*, XX *damnum infectum*) sowohl aus dem praetorischen Edikt wie aus den Digesten Parallelen angeführt werden konnten, lässt sich für die in der Lex Rubria begegnende zweiteilige Rubrizierung der Forderungen (XXI *pecunia certa credita*, XXII *res praeter pecuniam certam creditam*) keine solche Parallele auftreiben: in den Digesten ist sie einfach nicht vorhanden; und ob sie auch im praetorischen Edikt völlig gefehlt hat, lässt sich zwar heute nicht mehr genau nachweisen, es fehlt aber in den uns

[19] In den Einleitungen und in den Kommentaren zu den Kapiteln XXI und XXII (s. oben S. 132 ff.) habe ich die beiden genannten Verhaltungsweisen — Indefension und Zahlungsverweigerung von seiten eines seine Schuld eingestehenden Beklagten — unter dem Terminus „Prozess verschleppendes Verhalten" zusammengefasst.

bekannten Fragmenten jede Spur davon.[20] In dem, was uns schliesslich von Caput XXIII überliefert ist, ganz am Ende der zweiten Spalte von Tabula IIII, findet sich der Anfang einer Regelung der *actio familiae erciscundae.* Im praetorischen Edikt wurde diese Materie gemäss LENELS Rekonstruktion sub Tit. XV (§ 80) geregelt (vgl. LENEL Ed. perp. S. 206 ff.); in den Digesten in Buch 10, sub Tit. 2.

Alles zusammengenommen muss man feststellen, dass der Umfang der auf Tabula IIII behandelten prozessrechtlichen Materie ein sehr beschränkter ist. Es lässt sich somit vermuten, dass auf den verloren gegangenen Tabulae I bis III gleichfalls nur Fragen des Prozessrechts erörtert wurden. Und was die fünfte Tafel (und einige eventuell noch darauf folgende Tafeln) anbelangt, so dürfte hierfür das Gleiche gelten. Es ist demnach nicht sehr wahrscheinlich, dass unsere Lex ausser prozessrechtlichen Vorschriften noch anderweitige Regelungen enthalten hat. Denn wenn zum Beispiel noch eine umständliche Gemeindeordnung hinzugekommen wäre, d.h. eine ähnliche Materie wie sie sich in der Lex Ursonensis findet (CIL. II Nr. 5439, BRUNS S. 122 ff. Nr. 28), etwa Regelungen für die Verwaltungsorgane, die Munizipalwahlen, die Priesterschaften und das Sakralwesen, ferner Anordnungen fur das öffentliche und private Leben, für Militärpflicht und Frondienst für die Gemeinde, Leichenbestattung, Benutzung von Strassen, Wasserleitungen, Wasserläufen und Brunnen, bestimmungen für die Verdingung öffentlicher Arbeiten, für die Instandhaltung der Häuser usw. usw., so hätte unsere Inschrift wohl einen übermässig grossen Umfang bekommen.[21]

---

[20] Wohl begegnet im praetorischen Edikt die *actio certae creditae pecuniae* (vgl. LENEL S. 232 ff. sub Tit. XVII, § 95). Dies bedeutet aber noch nicht, dass sämtliche übrigen Aktionen wegen einer Forderung im Edikt, ebenso wie in der Lex Rubria, in eine einzige — zweite — Rubrik, etwa unter dem Titel *actiones rei praeter certam creditam pecuniam,* zusammengebracht waren. Eine Übersicht der — recht heterogenen — Forderungsklagen, die für Caput XXII in Frage kommen (d.h. somit Aktionen, bei der eine *res praeter certam creditam pecuniam* gefordert wird), findet man oben in der Einleitung zu diesem Caput (S. 200 ff.; vgl. auch S. 214-219).

[21] Der Text der ebenfalls auf Cäsars Geheiss erlassenen Lex Ursonensis (d.h. der Gemeindeordnung von Urso = Colonia civium Romanorum Genetiva Iulia in Hispania Ulterior) beschlug mindestens 8 Tafeln (s. BRUNS S. 122; eine Tafel ist vollständig erhalten, 5 Spalten; von 3 weiteren Tafeln jeweils 3 Spalten); jede Tafel war 62 cm. hoch, 162 cm. breit und in fünf Spalten beschrieben. Die Breite der gesamten Tafeln belief sich somit auf mindestens ca. 13 m. Wenn man nun annehmen will, dass die Lex Rubria

Die Vermutung, dass die Lex Rubria sich lediglich mit dem Prozessrecht befasst hat, erscheint somit nicht unberechtigt. Es erhebt sich nun die Frage, in welchem Umfange die Lex Rubria als eine Abspiegelung der in Rom angewandten Rechtsprozeduren betrachtet werden kann. Hinzu kommt die Frage, ob bei der Abfassung des rubrischen Textes irgendein für uns noch erkennbares Anordnungsprinzip vorgelegen hat. Man muss, was das erstere Problem anbelangt, wohl a priori die Möglichkeit ausschliessen, dass unsere Lex eine Art vollständige, für Munizipalmagistrate bestimmte Anleitung zum römischen Prozessrecht enthalten hat. Die Art und Weise, in der auf Tafel IIII die prozessrechtlichen Kompetenzfragen zwischen dem römischen Praetor einerseits und den Munizipalmagistraten andererseits behandelt werden, spricht ganz entschieden gegen die Annahme, dass in unserer Lex das gesamte Prozessrecht erörtert worden sei. Denn es werden immer nur diejenigen Aspekte einer bestimmten Zivilprozedur besprochen, die in das Grenzgebiet der beiden genannten Kompetenzen fallen (vgl. die Einleitungen zu den Capita XX, XXI und XXII). Man bekommt beim Durchlesen der einzelnen Abschnitte sogar den Eindruck, dass die Redaktoren der Lex Rubria den Munizipalmagistraten lediglich die Regelung der einfacheren Rechtsprozeduren belassen haben, dass alle spezifischeren Verfahren jedoch, die ein grösseres juristisches Sachverständnis erforderten, dem Praetor in Rom vorbehalten blieben. Die Bemerkung, die wir in Cap. XXI, *19* lesen, dürfte sogar wahrscheinlich machen, dass unsere Lex an irgendeiner Stelle (vielleicht am Ende, etwa in der Form einer *sanctio*) eine ausdrückliche, allgemein abgefasste Bestimmung enthalten hat, in der Munizipalmagistrate, welche den Bestimmungen dieses Gesetzes zuwiderhandeln sollten (d.h. in der Praxis:

---

ausser einer ausführlichen Prozessordnung auch noch dieselbe Materie, die sich in der Lex Ursonensis findet, in ähnlichem Umfange behandelt hat, so kämen zu der Breite des Textes mit der Prozessordnung, bei minimaler Ausdehnung 5 mal 72 cm. = 3,60 m., noch mindestens 13 m. hinzu: insgesamt ergäben diese Mindestmasse schon etwa 17 m. Gewiss ist dies nicht völlig unmöglich (der Teil der Aussenwand der Basilika von Veleia, der zwischen den beiden Treppen liegt, ist etwas mehr als 18 m. breit, s. oben S. 9), in der Praxis jedoch dürften solche Ausmasse recht exzeptionell gewesen sein. Hinzu kommt, dass die Anordnung der Materie in der Lex Ursonensis von der unserer Lex Rubria völlig verschieden ist: die Buntscheckigkeit der Satzungen der Tafeln von Urso (s. z.B. die Übersicht bei MOMMSEN, Ephem. epigr. II S. 124 f. und III S. 98 = Jur. Schr. I S. 211 ff. und 247 f.) steht in einem schroffen Gegensatz zu der Gleichmässigkeit des Textes der Tafel von Veleia (lauter Rechtsprozeduren).

welche eigenmächtig in die Sphäre der praetorischen Gerichtsbarkeit hinübergreifen sollten), mit Strafprozessen und Bussen bedroht wurden. Vielleicht geschah dies in der Weise, dass den neuen munizipalen Jurisdiktionsmagistraten vorgeschrieben wurde, sich gleich nach Antritt des Amtes auf das rubrische Gesetz eidlich zu verpflichten.[22]

Es versteht sich von selbst, dass die Einführung des römischen Prozessrechts in Gallia Cisalpina gleichzeitig einige Übergangsmassnahmen erforderlich machte. Solche Massnahmen waren u.a. notwendig für die Regelung der Weiterführung derjenigen Prozesse, die zu der Zeit, als die gerichtliche Neuordnung in der Poebene zu Stande kam, bereits im Gange waren. Die Vermutung, dass diese Übergangsbestimmungen ebenfalls in unserer Lex Rubria einen Platz gefunden hätten, dürfte demnach auf den ersten Blick nicht unbegründet erscheinen. Es muss jedoch in diesem Zusammenhang auf den bereits oben (S. 294) erwähnten Umstand hingewiesen werden, dass in der Poebene — u. zw. bei Ateste — noch ein zweites Gesetzesfragment aufgefunden worden ist, dessen Text sich ebenfalls mit der Einführung einer neuen Prozessordnung befasst. In jenem Fragment werden, soweit der erhaltene Text reicht, sogar ausschliesslich Übergangsmassnahmen zur Erörterung gestellt. Mehrere Gelehrte (zuerst Mommsen)[23] haben inzwischen die Ansicht vertreten, dass das Fragment von Ateste und die Tabula von Veleia zwei Bruchstücke aus einem und demselben Gesetze darstellen. Auf dieses Problem soll weiter unten S. 308 ff. noch ausführlicher eingegangen werden. Hier sei nur vorgreifend erwähnt, dass vieles darauf hinweist, dass die Tabula von Veleia und das Fragmentum Atestinum zwei verschiedenen Gesetzen zugeschrieben werden müssen: die Tabula von Veleia der Lex Rubria und das Fragment von Ateste einem früheren Gesetz; letzteres wurde anscheinend gleich anschliessend an eine Lex Roscia erlassen, d.h. es folgte

---

[22] Vgl. cap. XXI, *19 s(ine) f(raude) s(ua) duci iubeto* inbetreff eines munizipalen Jurisdiktionsmagistrats, der einen Beklagten geiseln lässt, der sich anlässlich einer Forderung auf Zurückzahlung eines Gelddarlehens (von höchstens 15.000 Sesterzen) der Prozessverschleppung schuldig gemacht hat. Für Strafbestimmungen gerichtet gegen Missbräuche bei der Amtsführung vgl. Mommsen, Röm. Strafrecht, 1899 S. 880 ff.; für den Beamteneid vgl. auch Mommsen, Röm. Staatsrecht I (^{3}1887) S. 620 ff. Siehe ferner oben S. 179 f. Komm. zu XXI, *19*.

[23] Vgl. Hermes 16 (1881) S. 24 ff. = Jur. Schr. I (1905) S. 175 ff. („Ein zweites Bruchstück des rubrischen Gesetzes vom Jahre 705 Roms").

unmittelbar auf eine Lex, die am 11. März des Jahres 49 v. Chr. sämtlichen Bewohnern von Gallia Cisalpina das römische Bürgerrecht verlieh. Wenn diese Annahme richtig ist, so hat die Lex Rubria sich dadurch von dem Gesetz von Ateste unterschieden, dass sie die vorläufigen Übergangsmassnahmen der letzteren durch endgültige — und wohl auch erheblich ausführlichere — Bestimmungen ersetzte. Und in dem Falle ist es weniger wahrscheinlich, dass auch die Lex Rubria noch einen Abschnitt mit Regelungen für den Übergang enthalten hat.

Was ferner die Reihenfolge der in die Lex Rubria aufgenommenen Regelungen betrifft, so hat MOMMSEN, Jahrbücher des gemeinen Rechts II (1858) S. 319-334 (= Jur. Schr. I S. 162-174) die These vorgetragen, dass sie sich an die des Edictum praetorium angegeschlossen hätte. Die Beweise jedoch, die MOMMSEN für seine Vermutung anführt, dürften bei näherem Zusehen wenig Überzeugungskraft besitzen. Der Tatsache nämlich, dass die Kapitel der *operis novi nuntiatio* und des *damnum infectum* ausser in der Lex Rubria (Cap. XIX und XX) auch im praetorischen Edikt (Tit. XXVIII und XXIX) und in den Digesten (39, Tit. 1 und 2) auf einander folgen, darf man keine allzu grosse Bedeutung beimessen: sind es doch lediglich zwei sich gegenseitig ergänzende Kapitel aus dem Nachbarrecht. Für die beiden nächsten Capita der Lex Rubria, XXI und XXII, welche die Forderungsklagen behandeln, wird — wie oben S. 159 f. bereits erwähnt — die Auffindung von Parallelen in dem Edictum praetorium (und in den Digesten) erheblich schwieriger. Zunächst muss nochmals bemerkt werden, dass wir in dem Material, das uns heute für die Rekonstruktion des praetorischen Edikts zur Verfügung steht, nichts finden können, das sich mit der Zweiteilung der Lex Rubria in *pecunia certa credita* und *res praeter pecuniam certam creditam* vergleichen lässt. Ausserdem kann man zweifeln, ob die Materie der Kapitel XXI und XXII der Lex Rubria mit dem Inhalt von Titel XVII des praetorischen Edikts (*de rebus creditis*, d.h. das *mutuum*, vgl. LENEL S. 231 ff.) oder mit dem von Titel XXXVI (*de re iudicata* und *de confessis et indefensis*, vgl. LENEL S. 404 ff.) verglichen werden muss. Und auch wenn man (im Anschluss an MOMMSEN Jur. Schr. I S. 168 f.) letztere Möglichkeit als die wahrscheinlichere bezeichnen möchte, so bleibt immer noch eine Schwierigkeit bestehen: die Bestimmungen für die *operis novi nuntiatio* und das *damnum infectum* finden sich im praetorischen Edikt unter den Titeln XXVIII und XXIX, die Regelungen *de re iudicata* und *de confessis et indefensis* unter dem Titel XXVI. Dazwischen liegen 6 ganze Titel, von denen sich in der Lex Rubria zwischen Cap. XX und XXI keine Spur wiederfinden lässt.

Gewiss muss man MOMMSEN recht geben, wenn er a.a.O. S. 168 f. darlegt, dass nicht sämtliche Bestimmungen des praetorischen Edikts für eine detaillierte Herübername in die munizipalrechtlichen Satzungen in Frage kamen und dass deshalb manches daraus übergangen werden konnte; aber trotzdem dürfte dasjenige, was fehlt, umfangreich genug sein, um MOMMSENS These zumindest als unerwiesen zu bezeichnen. Völlig zweifelhaft wird die These aber, wenn wir uns nunmehr dem letzten — wenigstens teilweise erhaltenen — Kapitel von Tabula IIII zuwenden, Cap. XXIII, in dem die *iudicia de familia erciscunda* geregelt werden. Im praetorischen Edikt wird diese Materie an einer völlig verschiedenen Stelle behandelt, und zwar viel weiter nach vorne unter Titel XV (vgl. LENEL S. 206 ff. sub Nr. 80).[24] Mit Recht dürfte somit E. HARDY, Some Problems in Roman History, Oxford 1924 S. 277 den Gedanken, dass das praetorische Edikt das Modell für die Reihenfolge der Satzungen der Lex Rubria abgegeben hätte, zurückgewiesen haben. Es liegt eher auf der Hand zu vermuten, dass die Anordnung der Materie der Lex Rubria von irgendeiner Praxis abhängig ist, die sich allmählich bei der Aufstellung früherer munizipalrechtlicher Statute herausgebildet hatte.

Wenn wir uns ferner den Werdegang der Gesetzgebung, die für die neuen Bürger der Poebene geschaffen wurde, so vorstellen müssen, dass sämtliche Prozesse, für die das zum Atestiner Fragment gehörige Gesetz vorläufige Übergangsmassnahmen getroffen hatte, durch unsere Lex Rubria ihre endgültige Regelung erhielten, dann hat letztere sich auch mit poenalen Aktionen befasst, die in Privatdelikten ihren Ausgangspunkt hatten. Es werden nämlich im Fragmentum Atestinum mehrere Privatdelikte genannt, z.B. in Z. *3/4* Diebstahl (*furtum*) und Persönlichkeitsverletzung (*iniuria*).[25] Und schliesslich dürfte aus Cap. XXI, *19* hervorgehen, dass unsere

[24] Auch MOMMSEN selbst gibt (Jur. Schr. I S. 169) zu, dass die Einordnung von cap. XXIII der Lex Rubria an eine Stelle des prätorischen Edikts, die seiner Theorie nicht zuwiderläuft, „grosse Schwierigkeiten macht".

[25] Für den vollständigen Text des Fragments von Ateste vgl. weiter unten S. 312. Wie bekannt, gehörten nach römischem Recht die *delicta privata* zum Privatrecht (vgl. was die Grenzlinien zwischen dem römischen Straf- und Privatrecht anbelangt, KASER, Zivilprozessrecht S. 1 f.).

Lex noch ausserdem mindestens eine rein strafrechtliche Bestimmung enthalten hat, und zwar eine Strafandrohung gegen diejenigen Magistrate, welche ihre juristischen Kompetenzen überschreiten oder sich anderweitiger Missbräuche bei der Amtsführung schuldig machen sollten (s. dazu oben S. 179 f.).

Das Ergebnis der obigen Ausführungen ist somit, dass die für die Gemeinden von Gallia Cisalpina bestimmte Lex Rubria wenn nicht ausschliesslich so doch in der Hauptsache allerlei Regelungen für Privatprozesse umfasst hat; nicht völlig auszuschliessen ist ferner die Möglichkeit, dass ausserdem noch die eine oder andere Strafprozedur des öffentlichen Rechts darin geregelt worden war. Diese Ansicht steht in einem ziemlich starken Widerspruch zu den von H. RUDOLPH, Stadt und Staat im römischen Italien, Leipzig 1935 vorgetragenen Thesen, die ich hier nur kurz besprechen kann. RUDOLPH möchte nämlich unserer Lex einen viel umfangreicheren Inhalt zuschreiben: sie sei eine Art Duplikat zu einer kurz vorher auf Cäsars Veranlassung hin angenommenen *lex Iulia municipalis* gewesen (s. oben S. 270 ff.), für die RUDOLPH ebenfalls einen vielumfassenden Inhalt postulieren möchte. Denn nach seiner Ansicht (vgl. S. 271 ff.) habe dieses Munizipalgesetz ausser den gerichtlichen Prozeduren auch den ganzen munizipalen Verwaltungsapparat geregelt. Was ferner die genaue Datierung anbelangt, so möchte RUDOLPH seine *lex Iulia municipalis*, für deren Existenz sich nur wenige und ausserdem nur recht vage Zeugnisse auffinden lassen,[26] dem Jahre 47 v. Chr. zuschreiben. Sie habe nicht nur das

[26] Der Name *lex Iulia municipalis* kann nur einmal, u. zw. in der aus Patavium stammenden Inschrift CIL. V Nr. 2864 (= DESSAU Nr. 5406), belegt werden: in letzterer wird ein gewisser M. Iunius Sabinus genannt, *IIII vir aediliciae potestat. e lege Iulia municipali* (Z. 3-6). Es lässt sich jedoch mit Hilfe dieser Inschrift nicht feststellen, ob die Bezeichnung *Iulia* als ein Hinweis auf Cäsar oder Kaiser Augustus, als Beantrager des Gesetzes, gedeutet werden muss (zu den Gründen, welche für Augustus sprechen, s. oben S. 271 und Anm. 3). An allen übrigen Stellen, an denen der Terminus *lex municipalis* vorkommt, fehlt das Attribut *Iulia*: vgl. Paulus, Vat. Fr. 237 und 243 *l(iber) ad municipalem* (scil. *legem*); dasselbe Werk zitiert auch der Index Florentinus zu den Digesten (ed. MOMMSEN S. 27) sub Παύλου Nr. 43, *ad municipalem*; ferner ist von einer *lex municipalis* in Ulp. 3 de appellationibus, dig. 50, 9, 3 (*lege autem municipali cavetur eqs.*) die Rede und im Cod. Iust. 7, 9, 1 (Erlass von Kaiser Gordian: *si ita, ut lege municipali constitutionibusque principum comprehenditur eqs.*); schliesslich sind die Worte *ad municipalem et de incolis* als Rubrik für Dig. 50, 1 verwendet worden.

Weil obige Zitate recht wenig Aufschluss über das Datum und den Inhalt der *lex municipalis* bezw. *lex Iulia municipalis* verschaffen, hat man versucht, sie mit der Lex Heracleensis (BRUNS Nr. 18 S. 102 ff.; CIL. I², 2 Nr. 593) und

Modell abgegeben für die Lex Rubria, die kurz nach der *lex municipalis* noch in demselben Jahre erlassen worden sei (47 v. Chr., vgl. RUDOLPH a.a.O. S. 236 ff.), sondern sie habe auch das Material geliefert für die Lex Heracleensis (hierfür will RUDOLPH S. 120 das Datum 45 v. Chr. beibehalten),[27] für die Lex municipii Tarentini (die RUDOLPH S. 120 ff., vgl. besonders S. 124 ff., ebenfalls kurz nach 47 v. Chr. ansetzen möchte) und für sonstige Gemeindeordnungen. Caesar habe mittels dieses Gesetzes eine generelle Regelung für die Verwaltung und die Rechtspflege in den Munizipien angestrebt; die zwei höchsten Munizipalmagistrate, d.h. die *duoviri* oder die beiden Mitglieder des Quattuorvirats, denen seitdem das Attribut *iure dicundo* beigelegt worden sei, hätten erst infolge dieses Gesetzes einen Anteil an der Rechtsprechung bekommen.[28] Vor der Zeit, d.h. somit seit dem Bundesgenossen-

---

mit einer Cicero-Stelle (fam. 6, 18, 1) in Verbindung zu setzen; vgl. dazu unten Anm. 27.

[27] F. C. VON SAVIGNY, Über den röm. Volksbeschluss der Tafel von Heraklea, Zs. für gesch. Rechts-Wiss. 9 (1838) S. 300 ff. (= Verm. Schr. III, 1850 S. 279 ff.) hatte Zeile *94* ff. der Tabula von Heraclea mit Cic. fam. 6, 18, 1 (jan. 45 v. Chr.) in Zusammenhang gebracht. Für die Auskunft, die Cicero sich a.a.O. inbetreff der passiven Wahlfähigkeit gewesener *praecones* zum Dekurionat von Cäsars Vertrauensmann Balbus erbittet, findet sich an der zitierten Tafelstelle eine Parallele. Da SAVIGNY ferner die Cicero-Worte *quid esset in lege* dahin interpretierte, dass hiermit die bereits erwähnte (s. oben Anm. 26) *lex* (*Iulia*) *municipalis* gemeint sei, kam er zu der Schlussfolgerung, dass die Lex Heracleensis und die Lex Iulia municipalis mit einander identisch seien und dass letztere aus dem Jahre 45 v. Chr. stamme. Nachdem jedoch im Jahre 1894 ein Fragment einer zweiten inschriftlichen (von der Heracleensischen völlig verschiedenen) Gemeindeordnung, die Tabula von Tarent (BRUNS Nr. 27, CIL. I², 2 Nr. 590), aufgefunden worden war, hat MOMMSEN (der vordem SAVIGNY's Theorien zugestimmt hatte) die Identität der Leges municipalis und Heracleensis in Abrede gestellt; er hat sogar die Existenz einer generellen Lex Iulia municipalis überhaupt in Zweifel gezogen (Lex municipii Tarentini, Eph. epigr. IX S. 1 ff. = Jur. Schr. I 1905 S. 146 ff.). Seitdem hat die Diskussion über diese Probleme fortgedauert, ohne dass bislang irgendeine Einigung erreicht wurde: vgl. die Übersichten bei WENGER, Die Quellen des röm. Rechts 1953 S. 375 ff. und 396; DE RUGGIERO, Diz. epigr. IV, 23 (1956) S. 725 ff. und E. MEYER, Röm. Staat und Staatsgedanke ³1964 S. 538. Auch RUDOLPH ist, wie wir oben gesehen haben, nicht der Meinung, dass die Lex Heracleensis den volständigen Text einer allgemeinen Munizipalordnung enthalten habe; er hält jedoch an der Existenz einer generellen Lex Iulia municipalis fest und möchte dieser womöglich noch grössere Bedeutung beimessen als SAVIGNY es getan hatte.

[28] Nach RUDOLPHS Ansicht seien infolge der Lex Iulia municipalis in allen seitdem gegründeten Munizipien nicht mehr, wie früher, *IIII viri* an die Spitze der Verwaltung gestellt worden, sondern nur noch *II viri* (*iure dicundo*) vgl. a.a.O. S. 210 ff. Es fragt sich jedoch, ob das ziemlich komplizierte

kriege (91 bis 89 v. Chr.) und der darauf folgenden Verleihung des römischen Bürgerrechts an ganz Italien (südlich der Apenninen bezw. südlich des Pos), habe die Gerichtsbarkeit für Italien lediglich beim Praetor in Rom gelegen. Die Lex Rubria schliesslich habe nur den Zweck gehabt, die Massnahmen, welche die Lex Iulia municipalis für das übrige Italien angeordnet habe, auf Gallia Cisalpina auszudehnen.

RUDOLPHS Thesen haben viel Widerspruch hervorgerufen. Besonders seine Annahme, dass die Munizipalmagistrate erst zu Caesars Zeit Jurisdiktion bekommen hätten, ist von den meisten Forschern abgelehnt worden.[29] Und was die Regelung der Munizipalverwaltung im allgemeinen betrifft, haben Kritiker RUDOLPH den Vorwurf gemacht, er habe Caesars Bemühungen auf diesem Gebiet stark übertrieben (vgl. bereits H. STRASBURGER, Gnomon 1937 S. 177-191, besonders S. 187 ff.). Manche Forscher haben sogar (wiederum im Anschluss an MOMMSEN, s. oben Anm. 27) die Existenz eines generellen cäsarischen Munizipalgesetzes überhaupt in Frage gestellt.[30]

Es würde aber zu weit führen, RUDOLPHS Thesen und die Einwände seiner Kritiker hier in ausführlicher Weise zu besprechen. Im Rahmen dieser Untersuchung sei nur darauf hingewiesen, dass RUDLOPHS Ansichten inbetreff der Lex Rubria wenig ansprechend sind. Man fragt sich, weshalb die römischen Gesetzgeber noch ein umfangreiches separates Gesetz, die Lex Rubria, abfassen mussten, wenn ein einfacher Erlass genügt hätte, dass die Bestimmungen der für das übrige Italien geltenden Lex municipalis fortan auch in Gallia Cisalpina angewendet werden sollten. Während die Lex Rubria an zwei Stellen (XX, *24/25* und *34/35*) ihren Text dadurch abkürzt, dass sie auf das Edikt des Praetor peregrinus in Rom verweist, findet sich in ihr an keiner einzigen Stelle ein Hinweis auf

---

Inschriftenmaterial eine solche Behauptung rechtfertigen kann: vgl. oben S. 270 ff. (Anhang II) zu dem Vorkommen der Termini *IIII viri* und *II viri*.

[29] Vgl. hierzu die Bemerkungen oben S. 273 (Anhang II) und den dortigen Hinweis auf H. STUART JONES JRS. XXVI (1936) S. 270 (in einer Rezension von RUDOLPHS Stadt und Staat); weitere Ablehnungen z.B. bei SHERWIN-WHITE, The Roman Citizenship, 1939 S. 83 ff.; vgl. die neuere Lit. auch bei KASER, ZSS. 83 (1966) S. 547 ff. (Rezension des im Jahre 1965 erschienenen Nachdrucks von RUDOLPHS Stadt und Staat).

[30] Vgl. z.B. die sehr kritischen Bemerkungen bei SHERWIN-WHITE, The Roman Citizenship 1939 S. 59, 65-67, 87-89, 136-140 und besonders S. 142 f.; ferner neuerdings die kurze Zusammenfassung bei E. MEYER Röm. Staat und Staatsgedanke ³1964 S. 337 (Lit. auf S. 538).

eine Lex municipalis. Im Gegenteil werden die meisten Satzungen auf der erhaltenen vierten Tafel unserer Lex so ausführlich und umständlich formuliert, dass man nicht den Eindruck gewinnt, dass der römische Gesetzgeber von der Annahme ausging, die Bürger und Magistrate der Munizipien in Gallia Cisalpina könnten die benötigte Information über die in ihren Städten anwendbaren Rechtsverfahren auch ebenso gut aus anderer, bereits bestehender Quelle schöpfen. Hinzuziehung der von Rudolph vorgebrachten Thesen würde somit die Interpretation unserer Lex Rubria keineswegs vereinfachen, letztere würde im Gegenteil dadurch nur noch erheblich komplizierter werden.

C. Das Fragment von Ateste. Sein Inhalt und sein Verhältnis zur Lex Rubria

In den vorhergehenden Zeilen ist bereits zu wiederholten Malen ein zweites Gesetzesfragment erwähnt worden, dessen Inhalt sich ebenfalls mit Neuerungen in der Zivilprozedur und mit Vorschriften inbetreff der Verweisung von Prozessen nach Rom befasst. Die erste Publikation dieses Fragments, das im Jahre 1880 im transpadanischen Ateste gefunden wurde, stammt von Fiorelli, Notizie degli Scavi di Ant. 1880 S. 213; bald darauf erschien eine Ausgabe mit Kommentar von I. Alibrandi, Studi e documenti di storia e di diritto 2 (1881) S. 3 ff. (= Opere I S. 395 ff.). Die beste kritische Ausgabe dürfte immer noch die von Mommsen sein: vgl. „Ein zweites Bruchstück des rubrischen Gesetzes vom Jahre 705 Roms",[31] Hermes XVI, 1881, S. 24-41 (= Jur. Schr. I, 1905 S. 175-191); ausser einer genauen diplomatischen Transkription der Inschrift und einer Textedition findet man in Mommsens Artikel allerhand Erläuterungen und eine zusammenfassende Würdigung der historischen und juristischen Bedeutung des Fragments. Auf Mommsen basieren alle neueren Editoren, z.B. Bruns S. 101 ff. Nr. 17, Lommatzsch CIL. I², 2 S. 497 Nr. 600 und Riccobono FIRA. I S. 176 f. Nr. 20 (mit neurer Lit.; bei Riccobono finden übrigens an einigen Stellen die Ergänzungen und Interpretationen von Alibrandi wieder stärkere Berücksichtigung). Eine Abbildung veröf-

[31] Schon in der Wahl des Titels für diesen Aufsatz brachte Mommsen seine Auffassung zum Ausdruck, dass die Inschrift von Veleia und die von Ateste Bruchstücke aus einem und demselben Gesetz, u. zw. der Lex Rubria, darstellten. Diese These dürfte jedoch, wie weiter unten gezeigt werden soll, sehr anfechtbar sein.

fentlichte neuerdings A. Degrassi, Imagines (CIL., Auctarium), Berlin 1965, S. 319 Nr. 390. Erwähnt sei schliesslich noch die Übersetzung mit Kommentar von E. G. Hardy, Six Roman Laws, Oxford 1911 S. 133 ff. Die Inschrift befindet sich auf einer beschädigten Bronzeplatte, die bis zu 26 cm. hoch und 35 cm. breit ist; 20 Zeilen sind ganz oder teilweise erhalten.

Aus einer Stelle, den Zeilen *12-14*, geht hervor, dass die neuen zivilrechtlichen Vorschriften auf einem — anscheinend erst vor kurzem angenommenen — Gesetz basieren, das ein gewisser L. Roscius „am 5. Tag vor den Iden des März" (d.h. am 11. März; weitere Zeitangaben fehlen) beantragt hatte. Wegen des Inhalts und auf Grund der geographischen Lage des Fundorts — der transpadanischen Stadt Ateste — hat bereits Mommsen a.a.O. dieses Fragment zu Caesars oben S. 291 f. besprochener Bürgerrechtsverleihung an die Bewohner von Gallia Cisalpina (d.h. in der Praxis namentlich an die von Gallia Transpadana, 49 v. Chr.) und zu den dazu gehörigen zivilrechtlichen Neuerungen in Beziehung gesetzt. Es dürfte für eine bessere Einsicht in die Eigenart, die Zielsetzung und die Datierung unserer Lex Rubria förderlich sein, auf den Inhalt des Atestiner Fragments, der anscheinend eine gewisse Parallelität zu dem unserer velejatischen Bronzeplatte (d.h. der Lex Rubria) aufweist, hier etwas näher einzugehen.

Wie bereits angedeutet, ist in dem Atestiner Fragment an keiner Stelle eine Mitteilung überliefert, die uns darüber unterrichten könnte, für welches — mit Namen genannte — Gebiet sein Inhalt geltendes Recht sein sollte. Dass das Gesetz, aus dem die Inschrift einen Bruchteil erhalten hat, nicht für eine einzige Stadt, etwa nur für Ateste, bestimmt war, sondern für mehrere Ortschaften zusammen, erhellt aus den Zeilen *10* ff. Hierin wird verfügt, dass, „wenn inbetreff gewisser Prozesse in irgendeiner Landstadt, Siedlung oder Präfektur (*in quoque* [Aes: *quemque*] *municipio colonia praefectura*) irgendein Duovir usw. .... schon vor der Annahme des Gesetzes ...., das L. Roscius am 5. Tag vor den Iden des März .... beantragt hat ...., die Befugnis gehabt hat, eine Vorschrift für die rechtliche Prozedur .... zu machen, [infolge dieses Gesetzes keine einzige Bestimmung in Kraft tritt,][32] die einer Privatperson das Recht geben könnte, inbetreff einer solchen Streitfrage oder einer solchen Geldsumme (d.h. inbetreff einer Streitfrage bezw. einer

[32] Die eingeklammerten Worte stellen die Übersetzung einer Ergänzung dar, vgl. den lateinischen Text unten S. 314.

Geldforderung, für die ein örtlicher Magistrat schon vor der Annahme des roscischen Gesetzes zuständig gewesen ist) eine Berufung auf Rom (*Romae revocatio*) einzulegen usw." Die zitierten Worte *in quoque municipio colonia praefectura* dürften für die soeben aufgestellte Behauptung, dass es sich um eine grössere Gruppe von Städten handelt, ein hinlänglicher Beweis sein; der Umstand, dass der Fundort Ateste zur Transpadana gehört, macht es ferner höchstwahrscheinlich, dass in diesem Falle besonders die Gruppe der transpadanischen, bezw. die der cisalpinischen Städte gemeint ist.

Einen Hinweis für die Datierung enthalten die in demselben Zitat begegnenden Worte *revocatio Romae* (Z. *17*). Anscheinend ist diese *revocatio* soeben erst durch das roscische Gesetz ermöglicht worden. Nun kann eine „Berufung auf Rom" nur dann stattfinden, wenn der vor das munizipale oder provinziale Gericht Geladene römischer Bürger ist. Offensichtlich haben die Bewohner der oben zitierten „Landstädte, Siedlungen und Präfekturen", d.h. die Bewohner von Gallia Transpadana bezw. Cisalpina, vor kurzem — nach der Annahme irgendeiner Lex Roscia — das römische Bürgerrecht erworben. Diese Feststellung dürfte zu dem weiteren Schluss berechtigen, dass die oben (S. 291 f.) bereits erwähnte Verleihung des Bürgerrechts an die Bewohner von ganz Gallia Cisalpina, die, wie wir aus anderer Quelle wissen (besonders aus Dio 41, 36, 3, s. oben S. 291), auf Caesars Betreiben hin im Jahre 49 v. Chr. in die Wege geleitet wurde, durch die im Atestiner Fragment genannte Lex Roscia endgültig verwirklicht worden ist. Und wenn diese Schlussfolgerung richtig ist, kennen wir auch das genaue Datum der Lex Roscia: 11. März 49 v. Chr.

Schliesslich sei noch erwähnt, dass es auch möglich ist, über den Beantrager dieses Gesetzes, L. Roscius, etwas mehr auszusagen. Denn aus Caesars bellum civile — vgl. besonders 1, 3, 6; 1, 8, 4 und 1, 10, 1 — geht hervor, dass zu Anfang des Jahres 49 v. Chr. der Prätor L. Roscius einer der wenigen römischen Magistrate war, die im Konflikt zwischen Caesar und Pompeius zu Caesar hielten. Die Aussagen des *bellum civile* erhalten durch eine — übrigens nur beiläufig gemachte — briefliche Mitteilung von Cicero noch eine schöne Bestätigung; letzterer erwähnt dabei das Cognomen des Roscius: Fabatus.[33] Hinzu kommt noch der Bericht von Dio 41, 5, 2,

[33] Ep. ad Att. 8, 12, 2 (17. oder 18. Februar des Jahres 49 v. Chr.) *post condiciones per L. Caesarem et L. Fabatum adlatas*. Dass es sich bei der zuletzt

der dortselbst anlässlich des soeben genannten Konflikts mitteilt, dass ausser L. Caessar, einem Verwandten des Imperators, auch der Prätor Lucius Roscius von Pompeius mit Verhandlungsvorschlägen nach Caesar geschickt wurde: beide Gesandte hätten sich aus eigener Bewegung für die Ausführung dieser Aufgabe angeboten (αὐτεπαγγέλτους ἀπέστειλεν). Der Vollständigkeit halber sei noch darauf aufmerksam gemacht, dass Dio an der späteren Stelle, 41, 36, 3, an der er Caesars Verleihung des Bürgerrechts an alle Bewohner von Gallia Cisalpina berichtet, Roscius nicht mehr namentlich erwähnt. Letzteres dürfte jedoch auf keinen Fall als ein Hindernis für die Identifikation des soeben besprochenen Prätors mit dem im Atestiner Fragment genannten Initiator der Bürgerrechtsverleihung zu betrachten sein.

Es ist selbstverständlich ein bisschen auffällig, dass die Lex Roscia, die sämtlichen cisalpinischen Galliern das Bürgerrecht verlieh, bereits am 11. März (so gemäss dem Fragm. Atest., Z. *13*) des Jahres 49 v. Chr. angenommen wurde, sechs Tage bevor Pompeius Brundisium, seinen letzten Zufluchtsort in Italien, verliess und zwanzig Tage, bevor Caesar selbst (am 1. April) in der Hauptstadt eintraf. Anscheinend versprach sich Caesar von einer schleunigen Bürgerrechtsverleihung eine günstige Auswirkung auf die Stimmung seiner cisalpinischen Truppenkontingente, die einen wichtigen Beitrag zum Gelingen seines Staatsstreiches liefern konnten. Da Pompeius und seine Anhänger — darunter der grösste Teil der Magistrate — und viele andere, die vom Schrecken vor Caesars Anmarsch erfasst waren, bereits am 17. und 18. Januar Rom in fluchtartiger Eile verlassen hatten, dürfte es seitdem für die zurückgebliebenen — oder inzwischen wieder zurückgekehrten —

---

genannten Person nur um L. Roscius handeln kann, geht aus den oben genannten Caesar-Stellen hervor (vgl. besonders 1, 36 und 1, 8, 4). Vielleicht war dieser L. Roscius Fabatus schon 55 v. Chr. als Volkstribun einer der Urheber der *lex Mamilia Roscia Peducaea Alliena Fabia* gewesen (s. BRUNS S. 95 f. Nr. 15, RICCOBONO FIRA. I S. 138 f. Nr. 12; vgl. auch DE RUGGIERO, Diz. epigr. IV, 1956 S. 722 f.). Seit 54 war er Legat (oder Quaestor ?) bei Caesar in Gallien (vgl. Caes. bell. Gall. 5, 24, 2. 7; 53, 6). Und wenn die Mitteilung von Pollio an Cicero, fam. 10, 33, 4, *interisse et L. Fabatum* sich auf dieselbe Person bezieht, ist L. Roscius Fabatus Ende April des Jahres 43 v. Chr. bei Mutina in der Schlacht gegen Antonius umgekommen (vgl. ferner RE. IA Sp. 1122 f. s.v. ‚Roscius', Nr. 15: L. Roscius Fabatus).

Als Cicero den oben zitierten Brief an Atticus (8, 12) schrieb, war der Bürgerkrieg schon in vollem Gange: denn Caesar hatte, wie bekannt, Anfang Januar (wahrscheinlich in der Nacht vom 10. auf den 11., vgl. BENGTSON, Grundriss der röm. Geschichte I S. 223) den Rubico überschritten.

Magistrate, die auf Caesars Seite standen, nicht mehr allzu schwer gewesen sein, auf Caesars Anregungen hin die Annahme gewisser Gesetzesanträge durchzutreiben.[34] Zu letzteren hat anscheinend zu dieser Zeit auch die Lex Roscia gehört.[35]

Um einen Vergleich mit dem Text der velejatischen Bronzeplatte zu erleichtern, lege ich zunächst den Text der Atestiner Inschrift vor, u. zw. zuerst eine diplomatische Transkription und eine ausgearbeitete Umschrift (erstere stützt sich völlig auf Mommsen a.a.O.) und daran anschliessend noch eine Übersetzung.

Das Fragmentum Atestinum (*CIL.* I^2 *Nr. 600*).

MANDATI . AVT . TVTELAE . SVO . NOMINE . QVODVE . IPSE . EARVM . RERVM
QVID . GESSISSE . DICETVR . ADDICETVR . AVT . QVOD . FVRTI . QVOD . ADHO Q[. . .
MINEM . LIBERVM . LIBERAMVE . PERTINERE . DEICATVR . AVT . INIVRI
ARVM . AGATVR . SEI . IS . A . QVO . PETETVR . QVOMVE . QVO . AGETVR . D
E . R . IN EO . MVNICIPIO . COLONIA . PRAEFECTVRA . IVDICIO CERTA
RE . ET . SI . EA RES . HS . CCIↃↃ . MINORISVE . ERIT . QVOMINVS . IBEI . D . E . R
IVDEX . ARBITERVE . ADDICATVR . DETVR . QVOVE . MINVS . IBEI . D . E . R
IVDICIVM . ITA . FEIAT . VTEI . DEIEIS . REBVS . QVIBVS . EX . H . L . IVDICIA
DATA . ERVNT . IVDICIVM . FIEREI . EXERCERI . OPORTEBIT . EX . HL . N . R .
QVOIVS . REI . IN QVEMQVE . MVNICIPIO . COLONIA . PRAEFECTVRA
QVOIVSQVE . II . VIR . EIVSVE . QVI . IBEI . LEGE . FOEDERE . PL . VE . SC . S .
VE . C . INSTITVTOVE . IVRE . DICVNDO . PRAEFVIT . ANTE LEGEM . SEI
VE . ILLVD . PL . SC . EST . QVOD . L . ROSCIUS . A . D . V . EID . MART POPVLVM
PLEBEMVE . ROGAVIT . QVOD . PRIVATIM . AMBIGETVR IVRIS . DICT[.]

[34] Anscheinend hat das öffentliche Leben in Rom schon sehr bald nach der Flucht der Pompejaner wieder einigermassen normal funktioniert. Niese-Hohl Grundriss der röm. Gesch. [5]1923 S. 245, 4 zitiert in diesem Zusammenhang Cic. Att. 9, 1, 2 (vom 6. März 49 v. Chr., geschrieben in Formiae): *urbem quidem iam refertam esse optimatium audio, Sosium et Lupum, quos Gnaeus noster ante putabat Brundisium venturos esse quam se, ius dicere. hinc vero vulgo vadunt* („von hier — Formiae — gehen die meisten Leute dorthin", d.h. nach Rom); *etiam M.' Lepidus, quocum diem conterere solebam, cras cogitabat.* Und ähnlich Att. 9, 12, (vom 21. März 49 v. Chr., ebenfalls in Formiae geschrieben): *et stat urbs ista, praetores ius dicunt, aediles ludos parant, viri boni usuras perscribunt, ego ipse sedeo.*

[35] Es muss jedoch zugegeben werden, dass Dio die Verleihung des Bürgerrechts an die Transpadaner erst in dem Kapitel erwähnt, in dem auch Caesars Ernennung zum Diktator und andere Ereignisse aus dem Spätsommer des Jahres 49 v. Chr. mitgeteilt werden (vgl. Dio 41, 36). Dio's Darstellung erweckt aber nicht den Eindruck, dass der Autor alle Einzelheiten der Ereignisse aus dem Jahre 49 v. Chr. in genauer chronologischer Reihenfolge erörtern wollte.

O . IVDICIS . ARBITRI . RECVPERATORVM . DATIO . ADDICTIOV [.....]
QVANTAEQVE . REI . PEQVNIAEVE . FVIT . EIVS . REI . PEQVNI [.....]
QVO MAGIS . PRIVATO . ROMAE . REVOCATIO . SIT . QVO [... ..]
NVS . QVEI . IBEI . I . D . P . D . E . R . IVS . DICAT . IVDICE [. ....]
VTEI . ANTE . LEGEM . SIVE ILLVD . PL . SC . EST [..............]
VEIDVS . MART . POPVLVM . PLEBE [...................]
[............] CI IV [.............................]

Die Umschrift von CIL. I² Nr. 600.[36]

[*Quod quisque in quoque municipio colonia praefectura in iudicium* ....] [37] mandati aut tutelae suo nomine, quodve ipse earum rerum| quid gessisse dicetur, add*u*cetur;[38] aut quod furti, quod ad ho|minem

---

[36] Bei der Umschrift ist der einzige Buchstabe der zweiten Spalte, der erhalten geblieben ist, das Q rechts oben auf der Höhe von Z. *2*, nicht berücksichtigt worden. Es bietet zu wenig Stütze für irgendeinen Rekonstruktionsversuch; man kann höchstens behaupten, dass dieses hervorspringende Q zu einem Relativum gehört hat, mit dem ein neuer Abschnitt anfing.

[37] Der Rekonstruktionsversuch des Satzanfangs, der zu der Periode gehört haben muss, deren Rest sich bis Zeile *9* erstreckt, basiert auf der Feststellung, dass der Vordersatz aus zumindest zwei zusammengehörigen *quod*-Sätzen bestanden hat; der zweite *quod*-Satz befindet sich in den Zeilen *2-4*: *aut quod furti .... aut iniuriarum agetur* (Aes: *agatur*). Ganz am Anfang dürfte somit auch ein *quod* gestanden haben. Darauf folgte das Subjekt, d.h. die beliebige Person, die ,,wegen Besorgung eines Auftrags oder einer Vormundschaft vor Gericht geladen wird'': hierfür dürfte das indefinite *quisque* verwendet worden sein. Mit der Wendung *quod quisque* vergleiche man Lex Heracl. (Bruns Nr. 18) Z. *13 quod quemque*. Die Worte *in eo municipio colonia praefectura*, Zeile 5, weisen darauf hin, dass im Vordersatz *in quoque municipio colonia praefectura* gestanden hat (vgl. dieselbe Wendung in Zeile *10*).

Mommsens Ergänzung des verlorenen Anfangs geht von der m. E. unrichtigen Annahme aus, dass die Atestiner Inschrift auch ein Fragment der Lex Rubria enthält: *quei post hanc legem rogatam in eorum quo oppido municipio colonia praefectura foro veico conciliabulo castello territoriove, quae in Gallia Cisalpeina sunt eruntve, ad IIvirum IIIIvirum praefectumve in iudicium fiduciae aut pro socio aut* (die 5 letzten Worte hat Mommsen, mit geringfügiger Modifikation einer Stelle der Lex Heracl. entnommen, vgl. Bruns Nr. 18, Z. *111*; und für die Wendung *in eorum quo oppido eqs.* vgl. Lex Rubria XXI, *2*; XXII, *26*; XXIII, *53*). Das von Mommsen an den Anfang gesetzte *quei* passt schlecht zu der Konstruktion des erhalten gebliebenen Satzteiles. Derselbe Einwand lässt sich gegen das *sei* erheben, mit dem (im Anschluss an Alibrandi) Riccobono FIRA. I Nr. 20 seinen Ergänzungsversuch anfangen lässt: *sei a IIviro eove quei in quoquomque municipio colonia praefectura iure dicundo praerit iudicium ei qui volet agere fiduciae pro socio.*

[38] So Mommsen; Aes *addicetur*, das anscheinend durch das vorhergehende *dicetur* verursacht ist. Die Lesart der Bronze, die Riccobono beibehält, ist

liberum liberamve pertinere deicatur, aut iniuri|arum ag*e*tur:[39] sei is, a quo petetur quomve quo agetur, d(e) || e(a) r(e) in eo municipio colonia praefectura iudicio certa|re <*volet*>[40] et si ea res HS. ccIↄↄ minorisve erit, quo minus ibei d(e) e(a) r(e) | iudex arbiterve addicatur detur, quove minus ibei d(e) e(a) r(e) | iudicium ita feiat, utei de ieis rebus, quibus ex h(ac) l(ege) iudicia | data erunt, iudicium fierei exerceri oportebit, ex h(ac) l(ege) n(ihilum) r(ogatur). ||

Quoius rei in qu*o*que [41] municipio colonia praefectura | quoiusque IIvir(i) eiusve, qui ibei lege foedere pl(ebei)ve sc(ito) s(enatus)|ve c(onsulto) institutove iure dicundo praefuit, ante legem sei|ve illud pl(ebei) sc(itum) est, quod Roscius a.d. V eid. Mart. populum | plebemve rogavit, quod privatim ambigetur, iuris dict[*i*]||o iudicis arbitri recuperatorum datio addictiov[*e fuit*] | quantaeque rei pequniaeve fuit: eius rei pequni[*aeve*] |quo magis privato Romae revocatio sit quo[*ve mi*]|nus quei ibei i(ure) d(icundo) p(raeerit) d(e) e(a) r(e) ius dicat iudice[*m arbitrumve det,*] | utei ante legem sive illud pl(ebei) sc(itum) est, [*quod L. Roscius a. d.*] || V eidus Mart. populum plebe[*mve rogavit, ab eo quei* [42] | *ibei i*(*ure*) *d*(*icundo*) *p*(*raeerit*) *ius di*]ci iu[*dicem arbitrumve dari oportuit,*| *ex h*(*ac*) *l*(*ege*) *n*(*ihilum*) *r*(*ogatur*).]

Übersetzung des Atestiner Fragments

[In dem Falle dass künftighin jemand in irgendeiner Stadt, Siedlung oder Präfektur [43]. . . .] wegen eines Auftrags oder einer Vormundschaft, weil es in seinem Namen geschah oder weil von ihm selber ausgesagt wird, dass er sie ausgeführt habe, [vor Gericht] geladen wird, oder aber dass wegen Diebstahls, insofern davon ausgesagt wird, dass ein freier Mann oder eine freie Frau ihn verübt habe, oder wegen einer Persönlichkeitsverletzung (mit jemandem) prozessiert wird:

so wird, wenn derjenige, von dem etwas gefordert wird oder gegen den prozessiert wird, inbetreff der genannten Sache in der soeben genannten Stadt, Siedlung oder Präfektur durch Annahme einer Prozessformel seine Sache verteidigen will; und wenn der Streitbetrag der soeben erwähnten Sache den Wert von 10.000 Sesterzen nicht überschreitet,

---

unmöglich, da hier der Prozess noch nicht abgeschlossen ist (und somit noch keine *addictio* ausgesprochen sein kann).

[39] Aes: *agatur*. Vgl. jedoch *adducetur*, Z. *2*, und *petetur . . . . agetur*, Z. *4*. Die Endung *-atur* (statt *-etur*) dürfte durch das vorhergehende *deicatur* verursacht sein.

[40] Ergänzung von Mommsen.

[41] Aes: *quemque*.

[42] Statt *ab eo quei* (so Mommsen) ergänzt Riccobono (im Anschluss an Alibrandi) *a IIviro eove quei*; der zur Verfügung stehende Raum dürfte jedoch für letztere Ergänzung zu klein sein. Auch die übrigen Ergänzungen in diesem Passus (Z. *14-22*) stammen von Mommsen.

[43] Vgl. die Bermerkung zu der Übersetzung von Zeile *10*, unten Anm. 45.

infolge dieses Gesetzes keine einzige Bestimmung in Kraft treten, welche verhindern könnte, dass an dem genannten Ort inbetreff der soeben erwähnten Sache ein Richter oder ein Begutachter zuerkannt oder bestellt wird; und ebensowenig dass an dem genannten Ort inbetreff der soeben erwähnten Sache in der Weise ein Prozess (vor dem Richter) geführt wird, wie ein Prozess auf Grund solcher Fälle, für die kraft dieses Gesetzes Prozessformeln erteilt werden können, geführt und geleitet werden soll.[44]

Wenn inbetreff gewisser Streitfälle, und zwar nur insofern es sich um Privatprozesse handelt, in irgendeiner Landstadt, Siedlung oder Präfektur [45] irgendein Duovir oder auch ein anderer (Magistrat), dem dortselbst auf Grund eines Gesetzes, Vertrages, Volksbeschlusses oder Senatsbeschlusses oder auch dem Herkommen gemäss die Leitung der Rechtsprechung oblag,[46] schon vor der Annahme des Gesetzes beziehungsweise des Volksbeschlusses, das L. Roscius am 5. Tage vor den Iden des März in der Volksversammlung beziehungsweise in der plebejischen Versammlung beantragt hat, die Befugnis gehabt hat, eine Vorschrift für die rechtliche Prozedur zu machen und eine Bestellung oder Zuerkennung des Richters, des Begutachters oder der Geschworenen vorzunehmen; und wenn diese Befugnis mit einem bestimmten Umfang des Streitobjekts oder einer bestimmten Höhe des Geldwertes verknüpft gewesen ist:

---

[44] Es ist nicht möglich, an Hand des überlieferten Wortlauts die Frage zu beantworten ob die Magistrate der transpadanischen Städte (zu einem grossen Teil Latiner-Städte, s. oben S. 247 f.) vor der Annahme der Lex Roscia in Prozessen wegen Besorgung eines Auftrages oder einer Vormundschaft und ferner in solchen wegen Diebstahls, Persönlichkeitsverletzung und ähnlicher Vergehen, die für den Verurteilten Ehrlosigkeit (*infamia*) zur Folge haben konnten, die Jurisdiktion innegehabt haben. Es wäre nämlich auch möglich, dass vordem solche Prozesse zur Gerichtsbarkeit des cisalpinischen Statthalters gehört haben. In dem Falle hätte dieser Abschnitt der Lex Roscia den Zweck, die Prozesse, die Infamie nach sich ziehen konnten, nur zum Teil vom Provinzialstatthalter auf den römischen Prätor zu übertragen: bei Streitobjekten, deren Geldwert nicht höher als 10.000 Sesterze war, bekam der Beklagte fortan das Recht, eine Erledigung seines Falles durch die örtlichen Magistrate und die örtlichen Richter zu verlangen.

[45] Es fällt auf, dass dieser Umschreibung *in quoque municipio colonia praefectura* nicht, wie in der Inschrift von Veleia (d.h. der Lex Rubria), eine nähere Andeutung hinzugefügt wird, in welcher Region oder Provinz sich diese Ortschaften befinden (siehe zum Vergleich die oben Anm. 37 zitierten Stellen aus der Lex Rubria). Anscheinend hatte bereits am (verlorenen) Anfang des Atestiner Textes eine nähere Umschreibung des für die Anwendung der Lex Roscia in Frage kommenden Gebietes gestanden.

[46] Aus dieser Umschreibung bekommt man den Eindruck, dass die Magistrate sämtlicher Ortschaften, gleichgültig ob es sich um Römer-, Latiner- oder Bundesgenossengemeinden handelte, irgendeine Gerichtsgewalt innegehabt haben. Allerdings waren diese örtlichen Jurisdiktionsbefugnisse an bestimmte Grenzen gebunden; und der Umfang der Beschränkungen dürfte in dem einen Ort anders gewesen sein als in dem anderen und von allerhand historischen Faktoren abhängig gewesen sein (vgl. anlässlich dieser Worte des Fragments auch die Bemerkungen bei SHERWIN-WHITE, The Roman Citizenship S. 139 und die dortige Kritik an RUDOLPHS These, dass Caesar mittels seiner Gesetzgebung erst eine wirkliche munizipale Gerichtsbarkeit geschaffen hätte).

so wird infolge dieses Gesetzes keine einzige Bestimmung in Kraft treten, die einer Privatperson das Recht geben könnte, inbetreff einer solchen Streitfrage oder eines solchen Geldwertes eine Berufung auf Rom einzulegen;[47]

und ebensowenig wird dadurch eine Bestimmung in Kraft treten, die verhindern könnte, dass derjenige, dem dortselbst die Leitung der Rechtsprechung obliegt, inbetreff einer solchen Streitfrage in der Weise die Rechtsprozedur vorschreibt und den Richter [oder den Begutachter bestellt], wie vor der Annahme des Gesetzes beziehungsweise Volksbeschlusses, [das L. Roscius am 5. Tage vor] den Iden des März in der Volksversammlung beziehungsweise der plebejischen Versammlung [beantragt hat, von demjenigen, dem dortselbst die Leitung der Rechtsprechung obliegt, ein Richter oder Begutachter bestellt werden musste].[48]

Wegen der Tatsache, dass sowohl die Tabula IIII von Veleia wie das Fragment von Ateste sich mit den juristischen Folgen der im Jahre 49 v. Chr. erfolgten Bürgerrechtsverleihung an die Bewohner der Poebene beschäftigen und dass ebenfalls in beiden Inschriften von der Begrenzung der Jurisdiktion der Munizipalmagistrate die Rede ist, hat bereits Mommsen diese beiden Inschriften als Bruchstücke aus einem und demselben Gesetz, und zwar aus der Lex Rubria, betrachtet. Und auch andere Gelehrte haben dieser Ansicht zugestimmt.[49] Bei näherem Zusehen jedoch stellt sich heraus, dass

[47] Mit Recht macht Hardy Six Roman Laws S. 124 und 135, Anm. 39 darauf aufmerksam, dass diesen Worten nicht die Vermutung entnommen werden kann, dass die *revocatio Romae* erst durch die Lex Roscia ermöglicht worden sei; die Möglichkeit der Berufung auf Rom war höchstwahrscheinlich nur eine indirekte Folge der durch die Lex Roscia erwirkten Bürgerrechtsverleihung.

[48] Diese Bestimmung dürfte so zu deuten sein, dass die örtlichen Jurisdiktionsmagistrate, die im Jahre der Erlassung der Lex Roscia bereits ihr Amt angetreten hatten, noch während des ganzen Amtsjahres ihre juristischen Befugnisse ungestört ausüben konnten. Eine sofortige Zulassung der *revocatio Romae* hätte eine allzu grosse Konfusion in der Abwickelung der Prozesse verursacht. Diese Bestimmung ist somit als eine Übergangsmassnahme zu betrachten; anscheinend sollte ein bald zu erwartendes neues Gesetz erst endgültig und bis ins Detail die juristischen Befugnisse der Munizipalmagistrate und des römischen Prätors gegenseitig abgrenzen.

[49] Vgl. Mommsen a.a.O. (zitiert auf S. 308; vgl. auch Anm. 31). Für die Zuweisung beider Inschriften an ein und dasselbe Gesetz (die Lex Rubria) ist auch E. G. Hardy, Some Problems in Roman History, Oxford 1924, S. 207-238 (besonders S. 234) eingetreten. Und Bruns S. 101 f. Nr. 17 bekundet dadurch, dass er Mommsens Ergänzungen für den Anfang (s. oben Anm. 36) übernimmt, ebenfalls seinen Anschluss an diese These. Gegen eine Identifikation des Atestiner Fragments mit der Lex Rubria erklärten sich O. Karlowa, Röm. Rechtsgeschichte I, Leipzig 1885, S. 441-442; A. Esmein, Mélanges d'histoire du droit et de critique, Paris 1886, S. 269-292; P. Krüger, Gesch. der Quellen und Literatur des röm. Rechts, Leipzig 1888, S. 73; C. Appleton, Revue générale du droit, 1900, S. 192-248; Th. Kipp, Gesch. der Quellen des

MOMMSENS These nicht haltbar ist. Bereits mehrere Forscher (s. die Literaturangaben zu Anm. 49) haben auf den Unterschied in der Ansetzung der Kompetenzgrenzen aufmerksam gemacht: im Text von Veleia (Lex Rubria) sind die Munizipalmagistrate zuständig für Prozesse bis zu einem Streitwert von 15.000 Sesterzen (vgl. XXI, *4* und XXII, *27*); im Atestiner Fragment (Z. *6*) hingegen liegt die Grenze bei 10.000 Sesterzen. MOMMSEN (vgl. Jur. Schr. I S. 188 f.) versucht zwar diese Abweichung dadurch zu erklären, dass es sich im Atestiner Fragment um eine besondere Art von Prozessen handelt, u. zw. um *actiones famosae*.[50] Seine Kritiker betonen jedoch mit Recht, dass der eigentliche Zweck der soeben zitierten Atestiner Bestimmung nicht darin liegt, dass für *actiones famosae* eine besondere Kompetenzgrenze festgestellt werden sollte, sondern der erwähnte Atestiner Absatz will an erster Stelle hervorheben, dass unter gewissen Bedingungen von der generellen Anordnung, dass solche *actiones* von der Kompetenz der Munizipalmagistrate ausgeschlossen sind, eine Ausnahme gemacht werden kann. Bei Prozessen, die *infamia* zur Folge haben konnten, spielte die Höhe des Streitwertes nur eine untergeordnete Rolle; denn die Möglichkeit, im Falle einer Verurteilung *infamis* zu werden, wog viel schwerer. Der Nachdruck fällt somit auf die Bestimmung, dass dem mit *infamia* Bedrohten in gewissen Fällen selbst die Wahl des Gerichtsortes zugestanden werden kann. Es liegt auf der Hand, dass hier für dasjenige was erst an zweiter Stelle kommt, die nähere Fixierung der Zuerkennung der eigenen Wahl, keine andere Grenze als die generelle verwendet worden ist, d.h. die Grenze die auch sonsthin in demselben Gesetz üblich war. Und daraus muss wieder gefolgert werden, dass in dem Gesetz, zu dem das Atestiner Fragment gehörte, die generelle Kompetenzgrenze anders festgelegt war als in der Lex Rubria: in ersterer auf 10.000 Sesterze, in letzterer auf 15.000.

röm. Rechts, Leipzig⁴ 1919, S. 39; H. RUDOLPH, Stadt und Staat im röm. Italien, Leipzig 1935, S. 235; RICCOBONO FIRA. 1 (1941) S. 176 f. Nr. 20 und (sehr kurz zusammenfassend) WENGER, Die Quellen des röm. Rechts (1953) S. 375.

[50] Die *actiones famosae* sind Prozesse, bei denen die Verurteilung den Beklagten „ehrlos" (*infamis*) macht. Gemäss Gaius IV, 182 gehörten zu dieser Kategorie alle Prozesse, in denen jemand wegen *furtum, vi bona rapta* oder *iniuria*, oden aber wegen treuloser Handlungsweise inbetreff einer *societas, fiducia, tutela* oder eines *mandatum* oder *depositum* angeklagt wurde (vgl. hierzu auch KASER, Zivilprozessrecht S. 213-214).

Infamia hatte zur Folge, dass man das aktive und passive Wahlrecht verlor, nicht mehr als Prozessvertreter akzeptiert wurde, nicht mehr als *iudex* auftreten konnte, usw. (vgl. KASER, Privatrecht I ² S. 274).

Um seine These, dass die Kompetenzgrenzen in der Lex Rubria selbst sehr variabel gewesen seien, glaubhaft zu machen, hat MOMMSEN noch ein weiteres Argument vorgebracht. Der Passus XXII, *28 de qua re omnei pecunia ibei ius deicei .... oportebit* enthalte nach seiner Ansicht (vgl. a.a.O. S. 188) den Ausdruck *omnei pecunia*, der ,,unbegrenzt'' bedeute: neben den Kompetenzgrenzen in Höhe von 10.000 und 15.000 Sesterzen habe es somit in der Lex Rubria noch mindestens eine dritte Kategorie gegeben, die der unbegrenzten Höhe. Wir haben jedoch oben S. 211 ff. im Komm. zu XXII, *28* gesehen, dass eine solche Interpretation den Kontext von XXII, *25-28* völlig unverständlich machen würde; hinzu kommt, dass es für *omnei pecunia* = ,,unbegrenzt'' keinen einzigen sonstigen Beleg gibt.[51] Somit erweist sich auch dieses für die Variabilität der Kompetenzgrenzen vorgebrachte Argument als unbrauchbar.

Sehr auffällig ist ferner, dass im Atestiner Fragment von der Existenz sehr verschiedenartiger staatsrechtlicher Situationen der in Frage kommenden Ortschaften und ihrer Bewohner und von dementsprechender Ungleichmässigkeit der Befugnisse der örtlichen Jurisdiktionsmagistrate ausgegangen wird. So lesen wir dortselbst in den Zeilen *11/12 quoiusque IIviri eiusve, qui ibei lege foedere plebeive scito senatusve consulto institutove iure dicundo praefuit*: dies will besagen, dass es dort (d.h. in Gallia Cisalpina) bis zur Annahme der Lex Roscia sowohl römische Bürger, wie Latiner und Bundesgenossen gegeben hat. Wie bekannt, kommt für Bürgerrechtsverleihungen an ganze Gemeinden lediglich ein Gesetz oder ein Volksbeschluss, *lex* bezw. *plebiscitum*, in Frage; [52] was Gallia Cispadana anbelangt, war dies schon zu einem grossen Teil durch die *leges Iulia* und *Plautia Papiria* zustande gebracht worden (90 und 89 v. Chr., s. oben S. 285 f.). Die übrigen soeben aus den Zeilen *11/12* zitierten Termini (*foedere, senatus consulto, instituto*) können sich nur auf Ortschaften und Völkerschaften beziehen, die nicht das Bürgerrecht besassen: d.h. auf Latiner- und Bundesgenossen-

[51] Wie im Komm. zu XXII, *28* dargelegt wurde, muss *omnei* mit *re* (und nicht mit *pecunia*) verbunden werden. Die Übersetzung des zitierten Passus lautet zomit: ,,dass man über diese Sache ausschliesslich unter Angabe des Geldwertes dortselbst die rechtliche Prozedur vorschreiben .... darf'' (und nicht etwa: ,,dass man darüber dort in unbegrenztem Geldwert die rechtliche Prozedur vorschreiben darf''; dies ergäbe einen unverständlichen Widerspruch zu der gerade vorher genannten Bestimmung, dass die Maximalgrenze für *res praeter pecuniam certam creditam* 15.000 Sesterze betrage).

[52] Vgl. hierzu MOMMSEN Staatsrecht III, 1 S. 134 f. (wo auch einige — recht wenige — Ausnahmen von dieser Regel verzeichnet sind).

gemeinden. Die Bezeichnung *foedere* ist überhaupt nur dann angebracht, wenn es sich um Bundesgenossen handelt.[53] Die Formulierung der Zeile *11/12* bestätigt somit die bereits vorher gemachte Feststellung, dass die Verordnung, aus der die Atestiner Inschrift uns ein Bruchstück erhalten hat, für ein Gebiet bestimmt war, dessen Bewohner bisher nur zum Teil das römische Bürgerrecht innegehabt haben; dieses Gebiet kann nur Gallia Cisalpina gewesen sein.

Wie sich der Text von Ateste zu der darin zitierten Lex Roscia verhält, ist aus dem uns erhaltenen Teil nicht mehr ersichtlich. Vielleicht erhielt irgendein Magistrat gleich nach Erlass der Lex Roscia (11. März 49 v. Chr., wie wir oben sahen) von Caesar die Aufforderung, die rechtlichen Folgen der durch diese Lex verliehenen *civitas Romana* näher auszuarbeiten und einen Gesetzentwurf darüber vorzubereiten.[54] Jedenfalls erweckt der Wortlaut der Lex von Ateste den Eindruck, dass sie als eine Ergänzung zur Lex Roscia entworfen und publiziert worden ist: man vergleiche, was dies anbelangt, besonders die schon hervorgehobenen Zeilen *12-14* mit dem direkten Hinweis auf die Lex Roscia.

Die Lex Rubria jedoch hat, wenn man näher zusieht, ganz eindeutig einen anderen Charakter als die auf der Lex Roscia basierenden Verordnungen von Ateste. Denn im rubrischen Gesetz

---

[53] Es sei der Vollständigkeit halber noch darauf aufmerksam gemacht, dass auch das Latinerrecht (*ius Latii*) und ein Bundesgenossenvertrag öfters mittels eines Gesetzes bezw. Volksbeschlusses verliehen wurden. So hat Pompeius Strabo, von dem bereits oben S. 278, Anm. 7, die Rede war, mehreren transpadanischen Völkerschaften das *ius Latii* mittels einer *lex Pompeia* gewährt (u. zw. im Jahre 89 v. Chr.; der Terminus *lex Pompeia* findet sich bei Plinius nat. 3, 20, 138 anlässlich einer beiläufigen Erwähnung der Rechtslage der *Cottianae civitates XV*: sie seien *adtributae municipiis lege Pompeia*). Was die Verleihung besonderer bundesgenössischer Vorrechte anbelangt, sei auf das Beispiel der sogen. Lex Antonia de Termessibus hingewiesen (vgl. Bruns S. 92 ff. Nr. 14; 71 v. Chr.): die Einwohnerschaft von Termessus maior in Pisidien erhielt ihr *foedus* mittels eines *plebiscitum* (im Titel wird übrigens besonders hervorgehoben, dass dieses Plebiszit *de senatus sententia* zustande gekommen sei). Inbetreff der Möglichkeiten für die Gewährung des *ius Latii* vergleiche man schliesslich noch die generell abgefasste Bemerkung bei Gaius I, 95: *quod ius* (scil. *Latii*) *quibusdam peregrinis civitatibus datum est vel a populo Romano vel a senatu vel a Caesare.*

[54] Dass die Lex von Ateste ein Volksbeschluss (und nicht etwa eine magistratische Verordnung) war, geht aus der Z. 9 überlieferten Formel *ex h(ac) l(ege) n(ihilum) r(ogatur)* hervor (vgl. zu diesen Worten auch die Bemerkungen unten sub E, S. 329 f. mit Anm. 68). Selbstverständlich kann man aus dem *rogatur* nicht herauslesen, ob es sich bei der Lex von Ateste um ein Comitialgesetz oder um ein Plebiszit handelt.

hat die bunte Verschiedenartigkeit der örtlichen Jurisdiktionsmagistrate, die wir im Atestiner Fragment (Z. *11/12*) vorfanden, völlig aufgehört. Es ist dort immer nur die Rede von einem örtlichen Magistrat *quei ibei iure deicundo praeerit* ohne differenzierenden Zusatz inbetreff des Status der Ortschaft (XX, *9*; XXI, *4. 22. 24*; XXII, *31*; XXIII, *54*); an einer Stelle (XXI, *15*) wird sogar ganz eindeutig von *queique quomque IIvir IIIIvir praefectusve ibei iure deicundo praeerit* gesprochen: es kommen hier somit nur Magistrate in Frage, denen in Ortsgemeinschaften mit vollständigem römischem Bürgerrecht die Rechtsprechung obliegt. Magistrate hingegen, die in ehemaligen Latiner- oder Bundesgenossengemeinden eine juristische Funktion gehabt haben, werden im rubrischen Gesetz an keiner einzigen Stelle erwähnt.

Auffällig sind ferner in der Lex Rubria, u. zw. zu Anfang der Kapitel XXI, XXII und XXIII, die langatmigen Umschreibungen aller für die neue zivile Gerichtsordnung in Frage kommenden Ortschaften: *in eorum quo oppido municipio colonia praefectura foro veico conciliabulo castello territoriove quae sunt eruntve in Gallia Cisalpina* (oder *in Gallia cis Alpeis*), vgl. XXI, *2/3*; XXII, *26/27*; XXIII, *53/54* und *56/57* (und ohne abermalige Hinzufügung von Gallia Cisalpina: XXIII, *58*). Diese Umschreibungen stehen in einem ausgeprägten Gegensatz zu den entsprechenden Formeln im Atestiner Fragment, den Zeilen *5* und *10*, wo nur die Ortschaften mit eigenen, ständigen Jurisdiktionsmagistraten aufgezählt werden: *in eo* (oder *in quoque*) *municipio colonia praefectura*. Anscheinend wollte der rubrische Gesetzgeber besonders betonen, dass die neue zivile Gerichtsordnung für alle Bewohner von Gallia Cisalpina gelte, gleichgültig ob sie innerhalb oder ausserhalb einer Stadt mit ständiger Jurisdiktionsmagistratur ansässig waren. Jedenfalls spricht auch diese Verschiedenartigkeit der Formulierung gegen die Identität der beiden Inschriften.[55]

---

[55] Wenn MOMMSEN a.a.O. S. 179 f. sich darauf beruft, dass auch in der Lex Rubria an einer Stelle die übliche längere Umschreibung der Ortstypen „abgekürzt" worden sei, u. zw. XX, *42*, so trifft dieses Argument hier nicht zu. Denn an den oben genannten Stellen wurde die ausführliche Umschreibung immer nur dann verwendet, wenn die Gesamtheit der Ortstypen von Gallia Cisalpina angedeutet werden sollte. In XX, *42* hingegen ist nur von der Art der Ausfüllung von juristischen *formulae* die Rede; man solle die wirklichen Namen eintragen, nicht etwa den Blankettnamen *Mutina* (*utei ea nomina et municipium colonia locus in eo iudicio .... includantur concipiantur eqs.*): eine ausführliche Umschreibung aller möglichen Ortstypen hätte in diesem Zusammenhang eigentlich kaum einen Sinn gehabt.

Zum Schluss sei noch darauf hingewiesen, dass die Atestiner Anordnungen, im Gegensatz zu der Lex Rubria, keine Einteilung in Kapitel kannten; weder bei Beginn des neuen Abschnittes in Zeile *10* noch bei dem hervorspringenden Q, das in der (weiter nicht erhaltenen) zweiten Spalte — auf der Höhe von Zeile *2*, ganz rechts — den Beginn eines neuen Abschnittes sichtbar macht, begegnet eine Ziffer, die als Numerierung der Capita betrachtet werden könnte. Obwohl die uns bekannten Inschriften in der Handhabung derartiger technischer Einzelheiten gewiss keine völlige Gleichförmigkeit aufweisen, dürfte das Fehlen der Kapitelangaben im Atestiner Fragment uns doch zu der Vermutung berechtigen, dass die Anordnungen, zu denen das Atestiner Fragment gehört, einen geringeren Umfang gehabt haben als die Lex Rubria. Dass auch diese Konstatierung wiederum gegen die Identität der beiden Inschriften spricht, braucht kaum noch besonders erwähnt zu werden.

Fassen wir das Obige zusammen. Die Bestimmungen des Fragments von Ateste gehören allem Anscheine nach zu einer Verordnung, die gleich nach der Annahme der Lex Roscia (11. März 49 v. Chr.) erlassen wurde. Diese Verordnung war für Gallia Cisalpina redigiert worden; denn sie richtete sich an ein Gebiet, dessen Bewohner bisher sehr unterschiedliche Rechtspositionen gehabt hatten: teils waren sie vordem bereits römische Bürger gewesen, zum anderen Teil aber auch nur Latiner oder Bundesgenossen. Der Hauptzweck der Atestiner Verordnung war es, Übergangsmassnahmen zu treffen, die durch die neue generelle Bürgerrechtsverleihung notwendig geworden waren. Dass es sich um Übergangsmassnahmen handelt, geht besonders deutlich hervor aus der Bestimmung, dass diejenigen örtlichen Jurisdiktionsmagistrate, die in dem Augenblick amtierten, in dem die Lex Roscia angenommen wurde, sofern der Gesetzgeber nicht ausdrückliche Ausnahmen vorschreiben sollte, ihre Rechtsgeschäfte vorläufig auch weiterhin gemäss den eigenen, bisher gültigen Satzungen erledigen konnten. Eine detaillierte zivilrechtliche Neuordnung hingegen, die für alle Bewohner von Gallia Cisalpina, in welchen „Städten, Munizipien, Siedlungen, Präfekturen, Marktplätzen, Ortschaften, Versammlungsorten, Forts oder Territorien" sie auch immer ansässig waren, uniform war und die einen endgültigen Charakter trug, hat erst die Lex Rubria gebracht. Durch den Umstand, dass die gleich nach der Lex Roscia gemachten zivilrechtlichen Anordnungen, die uns aus Ateste bekannt geworden sind, nur einen vorläufigen Charakter hatten, wird die Vermutung nahegelegt, dass die Lex Rubria recht bald danach erlassen worden ist. Die römischen Gesetzgeber dürften sich schon deshalb mit der Veröffentlichung der endgültigen Verordnung beeilt haben, weil gemäss der vorläufigen (Atestiner) Regelung, die alten Satzungen nur solange ihre Gültigkeit behalten sollten, wie die Amtszeit der im Jahre 49 v. Chr. fungierenden örtlichen Magistrate reichte. Schon aus diesem Grunde dürfte anzunehmen sein, dass die Lex Rubria recht bald nach der Lex Roscia und nach den Übergangsmassnahmen des Atestiner Gesetzes erlassen wurde. Das heisst, dass was die oben S. 298 vorgeschlagene Datierungsalternative, 49 oder 42/41 v. Chr. anbelangt, der frühere Zeitansatz als der wahrscheinlichere zu betrachten ist. Wir werden im nächsten Abschnitt sehen, dass auch noch andere Erwägungen für die frühere Datierung sprechen.

D. Rubrius, der Urheber der Lex Rubria. Das Resultat der Datierungsversuche

Obwohl es sich in den vorhergehenden Zeilen herausgestellt hat, dass inbetreff der Datierungsalternative, 49 oder 42/41 v. Chr., das frühere Datum vermutlich den Vorzug verdient, soll hier der Versuch gemacht werden, diese vorläufige Feststellung durch weitere Argumente zu bestätigen. Werfen wir deshalb zunächst die Frage auf, ob ein näheres Eingehen auf den vermutlichen Urheber der Lex Rubria noch ein Indiz für den Zeitansatz abgeben kann. Wie aus dem Artikel ‚Rubrius' in der RE. I A (1920) S. 1168 ff.[56] hervorgeht, kommen in der römischen Geschichte häufig Rubrii vor. Der einzige der in jenem Artikel erwähnten Rubrii jedoch, der aus chronologischen und politischen Gründen als Initiator unseres Gesetzes in Frage kommen kann, ist der Sp. 1170 unter Nr. 12

---

[56] Der betreffende RE-Artikel wurde von mehreren Autoren verfasst; die für unser Problem in Frage kommenden Nummern (s. die Zitate, weiter unten) stammen alle von Münzer. Die von Münzer gebotene Liste der Rubrii lässt sich übrigens, was die cäsarische Zeit betrifft, mit Hilfe von Broughton, The Magistrates, Supplement (1960) S. 54 s.v. ‚Rubrius' noch ergänzen: es wird dort nämlich noch ein in der RE. fehlender Rubrius Ruga angeführt, der im Jahre 44 v. Chr. zu den Cäsarmördern gehört hat (vgl. Appian, bell. civ. 2, 113). Broughton nimmt aufgrund dessen an, dass er Senator war. Dieser Rubrius Ruga dürfte aber kaum in Frage kommen, denn man wird einen Cäsarmörder nur ungerne mit dem Urheber eines cäsarfreundlichen Gesetzes identifizieren wollen.

aufgeführte L. Rubrius aus Casinum.[57] Cicero erwähnt diesen Mann einmal indirekt in seinem am 5. Nov. 44 v. Chr. verfassten Brief ad Att. 16, 11, 2 (*Rubriana*, scil. *praedia*, in einem Zitat aus seinem Entwurf für die 2. Philippische Rede; vgl. dortselbst 40, 104) und viermal in seiner Ende November 44 v. Chr. publizierten 2. Philippica (16, 40 f.; 25, 62; 29, 74 und 40, 104). An sämtlichen Stellen handelt es sich um einen beträchtlichen Grundbesitz, den M. Antonius anscheinend vor kurzem von L. Rubrius geerbt hatte. Demnach wäre L. Rubrius im Jahre 44 v. Chr. oder kurz vorher gestorben. Dass er den bekannten — und zu der Zeit sehr umstrittenen — Politiker M. Antonius zum Gesamterben einsetzte, sogar unter Übergehung seines Brudersohnes, dürfte uns zu der Annahme berechtigen, dass er vor seinem Tode zu Antonius' Anhängern gehört hatte. Letzteres macht die weitere Annahme wahrscheinlich, dass dieser L. Rubrius in der Zeit vor den Iden des März vom Jahre 44 v. Chr. auf der Seite der Caesarianer gestanden hat.

Eine völlig unbekannte Persönlichkeit dürfte er gewiss nicht gewesen sein, da Cicero es weder in seinem Brief an Atticus noch in seiner zweiten Philippischen Rede für notwendig hielt, bei der Erwähnung seines Namens noch irgendeine erläuternde Bemerkung hinzuzusetzen, um kenntlich zu machen, um wen es sich hier handelte: anscheinend wusste Ciceros Publikum in Rom ohne weiteres, wer damit gemeint war. Es ist somit die Möglichkeit nicht auszuschliessen, dass dieser L. Rubrius eine, wenn auch bescheidene, politische Karriere gemacht hat und als Volkstribun[58] für die Beantragung der daraufhin nach ihm genannten Lex Rubria gesorgt hat. In diesem Falle käme von der oben erwähnten Datierungsalternative nur der frühere Zeitansatz, 49 v. Chr., in Frage. Die hypothetischen Aspekte obiger Ausführung sollen hier selbstverständlich nicht von mir verneint werden; aber es dürfte trotzdem zuzugeben sein, dass die genannten Cicerostellen bei den Versuchen,

[57] Auf den ersten Blick könnte man auch noch an den sub Nr. 11 erwähnten Senator L. Rubrius denken. Dieser Mann gehörte aber zu Caesars Gegnern (er wurde, wie aus bell. civ. 1, 23, 2 hervorgeht, Anfang 49 v. Chr. bei der Einnahme von Corfinium gefangen genommen).

[58] Als Volkstribun wäre dieser L. Rubrius im Jahre 49 v. Chr. sogar ein Kollege des M. Antonius gewesen (für diese Identifizierung ist u.a. schon Broughton, The Magistrates II S. 259 eingetreten: dieser Gelehrte hat L. Rubrius deshalb in seine Liste der *tribuni plebis* des Jahres 49 v. Chr. aufgenommen). Prätor kann dieser L. Rubrius damals nicht gewesen sein, da uns die Namen sämtlicher (acht) Prätoren aus dem Jahre 49 v. Chr. bekannt sind (vgl. Broughton a.a.O. S. 257 f.).

den Initiator der Lex Rubria greifbar zu machen, Beachtung verdienen.

Ein schwerwiegenderes Argument zugunsten der früheren Datierung ist schliesslich einer näheren Betrachtung der allgemeinen Zeitumstände zu entnehmen. Wie oben S. 297 Anm. 18 schon erwähnt wurde, hat es nach der Abschaffung des Prokonsulats für Gallia Cisalpina Ende 42 v. Chr.[59] noch längere Zeit gedauert, ehe die Poebene in effektiver Weise der Amtsgewalt der römischen Magistrate unterstellt werden konnte. Sowohl in der Poebene wie in grossen Teilen von Mittelitalien hatten sich die Anhänger des M. Antonius festgesetzt, die sich dem Octavian und den römischen Magistraten gegenüber sehr unbotmässig gebärdeten. Und es hat bis zur Kapitulation von L. Antonius und Fulvia in Perusia gedauert, Ende Februar 40 v. Chr., ehe es Octavian gelang, seine eigene Autorität und die des römischen Senats und der römischen Magistrate auch in den nördlichen Regionen Italiens allmählich zur Geltung zu bringen. Hinzu kommt, dass — noch ganz abgesehen vom Treiben der Antonianer — in Italien auch infolge der vielen Zwangsenteignungen zwecks der Landversorgung der Veteranen der Tresviri (angeblich 100.000 Mann) zu jener Zeit sehr chaotische Zustände geherrscht haben. Es dürfte somit recht unwahrscheinlich sein, dass damals, als in Italien alles drunter und drüber ging, in Rom für das rebellische cisalpinische Gallien ein umfangreiches Gesetz, das eine detaillierte Neuordnung der Zivilgerichtsbarkeit enthielt, ausgearbeitet worden wäre.

Viel günstiger hingegen waren die Verhältnisse im Jahre 49 v. Chr. Zwar gab es damals ebenfalls einen Bürgerkrieg. Durch den schnellen Aufmarsch von Caesars Truppen jedoch, gleich nach der Überschreitung des Rubicos (anscheinend in der Nacht vom 10./11. Januar), war ein normales Funktionieren des öffentlichen Lebens innerhalb sehr kurzer Zeit sowohl in Rom wie im übrigen Italien wieder hergestellt. Wie oben S. 312 Anm. 34 erwähnt wurde, geht aus einem Brief Ciceros vom 6. März 49 v. Chr. hervor (Att. 9, 1, 2), dass zu der Zeit in Rom sich einige Prätoren schon wieder, als ob überhaupt keine Evakuierung der Stadt stattgefunden hätte, ihren normalen gerichtlichen Amtsgeschäften widmeten. Und

[59] Diese Abschaffung war, wie bereits erwähnt, eine Folge der Vereinbarungen, welche M. Antonius und Octavian nach dem Siege bei Philippi unter sich getroffen hatten (die sogen. zweite Schlacht bei Philippi, welche den Sieg verschaffte, hatte am 23. Oktober 42 v. Chr. stattgefunden).

bereits am 17. März räumte Pompeius seinen letzten Stützpunkt auf italischem Boden, Brundisium. Caesar selbst war viel daran gelegen den Cisalpinern, seinen treuen Helfern, inbetreff ihres Verlangens nach Einbürgerung in Italien so schnell und so weitgehend wie nur möglich entgegen zu kommen. So dürften auch diese Erwägungen sehr stark für das Jahr 49 v. Chr. sprechen. Allem Anscheine nach ist somit die Lex Rubria, die dringlich notwendige Ergänzung zu der Lex Roscia und den damit zusammenhängenden Anordnungen, von denen uns die Inschrift von Ateste ein Fragment erhalten hat, noch im Laufe desselben Jahres 49 v. Chr. (oder allenfalls im nächsten Jahre) zustande gekommen.

E. War die Lex Rubria eine Lex data oder eine Lex rogata?

Ein beiläufiges Problem ergibt sich noch aus der von Mommsen [60] aufgeworfenen Frage, auf welche Weise unsere Lex Rubria ihre Rechtsgültigkeit erhalten habe. Der detaillierte Charakter der Anordnungen unseres Gesetzes, so war Mommsens Ansicht, gebe Anlass zu der Vermutung, dass es nicht in seiner Gesamtheit der Volksversammlung zur Besprechung und Abstimmung vorgelegt worden sei. Es sei in der Volksversammlung nur ein Rahmengesetz angenommen worden, das allgemeine Richtlinien für einen Magistrat enthielt, dem die Aufgabe zufiel, anhand jener Anweisungen eine neue detaillierte Verordnung auszuarbeiten und diese dem im Rahmengesetz genannten Gebiet, Gallia Cisalpina, aufzuerlegen. Ähnlich müsse man sich auch das Zustandekommen anderer umfangreicher Munizipalordnungen vorstellen: sie beruhten immer nur indirekt auf Comitialbeschlüssen, direkt aber rührten sie von den zur Konstituierung der Stadtrechte berufenen Magistraten her.

Dieser Theorie inbetreff des Hergangs bei der Einführung von Rechtsordnungen für Ortschaften mit Selbstverwaltung hat Mommsen noch eine zweite These hinzugefügt. Er nimmt nämlich weiterhin an, dass zwischen einem in der Volksversammlung angenommenen Rahmengesetz und der daraufhin — gewissermassen erst in zweiter Instanz — angefertigten, umfangreichen und alle Details regelnden magistratischen Gemeindeordnung nach römi-

---

[60] Vgl. die beiden Artikel: Zu CIL. XI, 1146 [d.h. zur Lex Rubria], Wien. Studien XXIV (1902) S. 238 f. (= Jur. Schr. I, 1905, S. 192 f.); und: Lex municipii Tarentini, Jur. Schr. I S. 152 (= Ephemeris Epigraphica IX, 1913, S. 4); der letztere Artikel ist erst nach Mommsens Tode (1. Nov. 1903) im Druck erschienen.

schem Rechtsdenken ein prinzipieller Unterschied bestanden habe. Nach MOMMSENS Ansicht, der sich seitdem viele Forscher und die Autoren von rechtsgeschichtlichen Handbüchern und Lexikonartikeln angeschlossen haben,[61] hätten die Römer sogar für beide Arten von *leges* zwei besondere staatsrechtliche Termini technici geprägt. Ein Gesetz, über das in den Comitien agbestimmt worden ist, habe *lex rogata* geheissen (zu dieser Kategorie hätte auch das oben erwähnte Rahmengesetz für Munizipalordnungen gehört). Für ein Gesetz hingegen, das seine Rechtsgültigkeit lediglich einer magistratischen Kompetenz verdankt, sei der Terminus *lex data* verwendet worden. Die Lex Rubria nun, so setzt MOMMSEN seine Argumentation fort, sei eine *lex rogata* gewesen: dies gehe aus den Worten *ex lege Rubria seive id plebei⋞ve⋟ scitum est* in XX, *29* und *38/39* hervor. Das umfangreiche Gesetz hingegen, aus dem die Inschrift von Veleia uns Tabula IIII erhalten hat, könne lediglich eine *lex data* gewesen sein. Daraus sei der weitere Schluss zu ziehen, dass die Lex Rubria und die Lex von Veleia zwei verschiedene Gesetze gewesen seien: Rubrius sei nur der Urheber der ersteren Lex gewesen; der Name desjenigen aber, der die in Veleia aufgefundene cisalpinische Gemeindeordnung erlassen habe, sei uns unbekannt.[62]

Gegen die wichtigsten Punkte der MOMMSENschen Thesen hat bereits Th. KIPP Einspruch erhoben (vgl. Gesch. der Quellen des

[61] Die von ihm selbst geprägten Begriffe *lex data* und *lex rogata* erörtert MOMMSEN in etwas ausführlicherer Weise in seinem Röm. Staatsrecht, vgl. II, 1 (^{3}1887) S. 725 f. und III, 1 (^{3}1887) S. 310 ff. Seitdem begegnen diese Termini regelmässig in den einschlägigen Einführungen und Untersuchungen zur römischen Verfassungsgeschichte, z.B. noch neuerdings bei WENGER, Die Quellen des röm. Rechts 1953 S. 395 ff. und H. VOLKMANN s.v. ,lex, leges', Kleiner Pauly III (1969) S. 603 ff. Auch DE RUGGIERO s.v. ,lex', Diz. epigrafico IV (1956) S. 706 f. führt beide Termini auf; er fügt jedoch vorsichtshalber die Bermerkung hinzu, dass sich im antiken Schrifttum keine einzige Definition für die MOMMSENsche *lex data* finden lässt, ja dass wir sogar davon überzeugt sein könnten, dass die Römer selbst diese Kategorie niemals begrifflich bestimmt haben. Und damit dürfte, wie weiter unten S. 330 f. noch gezeigt werden soll, DE RUGGIERO recht haben. Man muss deshalb ernsthafte Bedenken tragen gegen VOLKMANNS Formulierung (a.a.O.): ,,Das römische Staatsrecht unterschied 2 Arten der *leges publicae*. Die *leges rogatae .... leges datae ....*". Denn soweit wir wissen, hat es im Altertum niemals eine Schrift gegeben, in der ,,das römische Staatsrecht" dargestellt worden ist (vgl. z. B. MOMMSEN Staatsrecht I S. 3 f.).

[62] Auch DE RUGGIERO ist (trotz leiser Zweifel an der Existenzberechtigung der Termini *lex data* und *lex rogata*, s. oben Anm. 61) der Meinung, dass die Lex von Veleia nicht mit der Lex Rubria identisch sei; er führt in seinem Diz. epigr. deshalb sowohl eine ,Lex Rubria' (IV S. 729 f.) wie eine ,Lex de Gallia Cisalpina' (IV S. 730) auf.

röm. Rechts ^{4}1919 S. 41 f. Anm. 11).[63] Zunächst bestreitet dieser Gelehrte die Ansicht, dass ausführliches Eingehen auf verwaltungsrechtliche und prozessrechtliche Einzelheiten dem normalen Charakter der Volksbeschlüsse widerspreche. Als Beispiele für Volksbeschlüsse, in denen viele derartige Details geregelt werden, erwähnt er die Tabula von Heraclea (Bruns Nr. 18 S. 102-110; etwa 45 oder 44 v. Chr.) und die Lex Quinctia de aquaeductibus (Bruns Nr. 22 S. 113-115; der Text ist Frontin de aquis 129 entnommen; 9 n. Chr.). Besonders die Tabula von Heraclea lässt sich, weil ihr Umfang ebenfalls ein sehr beträchtlicher gewesen sein muss, gut mit der Lex von Veleia vergleichen. Dass die heracleensische Tabula aber den Text eines Volksbeschlusses enthält, geht aus der mehrfachen Verwendung der Formel *eius hac lege nihilum rogatur* hervor (vgl. Z. *50-52*,[64] *65*, *66-67*, *77-79*, *80-81* und *82*) und ausserdem aus der Wendung *post hanc legem rogatam* (in Z. *160*). Was ferner die Lex Quinctia betrifft, so muss zwar zugegeben werden, dass der Text derselben erheblich kürzer ist als der des cisalpinischen Gesetzes, aber der Inhalt lässt, wie Kipp bemerkt, ,,an Eingehen ins einzelne nichts zu wünschen" übrig. Und auch in diesem Falle lässt sich leicht feststellen, dass es sich um ein von der Volksversammlung genehmigtes Gesetz handelt; vgl. gleich am Anfang § 1: *T. Quinctius Crispinus consul populum iure rogavit, populusque iure scivit in foro eqs.*

Den beiden von Kipp genannten Beispielen lassen sich gewiss noch weitere hinzufügen. So möchte ich z.B. noch auf die Lex Antonia de Termessibus hinweisen, von der uns eine Tafel erhalten geblieben ist (Bruns Nr. 14 S. 92 ff.; 71 v. Chr.). Gleich am Anfang wird mitgeteilt, dass sie infolge eines Plebiszits in Kraft getreten ist: *C. Antonius M. f(ilius), Cn. Corne[lius ....], C. Fundanius C. f(ilius), tr(ibuni) pl(ebis), de s(enatus) s(ententia) plebem [rogaverunt; ....] preimus scivit.* Auch dieses Gesetz muss einen sehr beträchtlichen Umfang gehabt haben: nach Mommsens eigener Vermutung (CIL. I, Nr. 204 S. 114 ff. [= CIL. I, 2^2 Nr. 589 S. 472 ff.]) hätte es mindestens 4, wenn nicht gar 5 Tafeln umfasst.

Und schliesslich möchte ich in diesem Zusammenhang noch daran

[63] Seitdem haben auch andere Forscher ihr Einverständnis mit Kipps kritischen Bemerkungen bekundet, vgl. z.B. L. Wenger, Die Quellen des röm. Rechts, 1953, S. 375 Anm. 36. Vgl. übrigens für weitere Literaturangaben inbetreff dieser Streitfrage auch den Komm. zu XX, *29*, oben S. 116 f.

[64] Die Bronze liest Z. *52* fehlerhaftes *eum* für *eius*.

erinnern, dass der Historiker Livius 3, 34, 1-6 sich die Prozedur, die bei der Genehmigung der ersten 10 Tafeln des sogenannten Zwölftafelgesetzes im Jahre 451 v. Chr. befolgt wurde, ähnlich vorstellt wie den Hergang, den man zu seiner eigenen Zeit (Ende des 1. Jahrh. v. Chr.) bei der Verabschiedung von Volksgesetzen beobachten konnte.[65] Seiner Beschreibung gemäss hätten die Dezemvirn zunächst den Wortlaut des Gesetzes öffentlich ausgehängt und das Volk aufgefordert, ihn zu lesen und über die einzelnen Satzungen zu diskutieren. Daraufhin hätten sie, so fährt Livius fort, das Volk in den Zenturiatcomitien darüber abstimmen lassen. Da der Text jener von Livius erwähnten 10 Tafeln wohl nicht weniger umfangreich gewesen ist als das Gesetz, von dem der Fund von Veleia uns Tabula IIII erhalten hat, dürfte nichts der Annahme entgegenstehen, dass auch der Text der cisalpinischen Gemeindeordnung erst öffentlich aufgestellt worden war, ehe in einer für diesen Zweck einberufenen Volksversammlung darüber abgestimmt wurde.[66] Und durch die Verwendung der Formel *ex h(ac) l(ege) n(ihilum) r(ogatur)* in XXI, *24* wird diese Annahme sogar bestätigt.[67]

Abgesehen von der Frage, ob der Text von Veleia das Fragment eines Volksgesetzes ist, hat KIPP sich a.a.O. auch zu der MOMMSENschen These geäussert, dass das Gesetz, dem die Tabula von Veleia angehörte, nicht mit der Lex Rubria identisch gewesen sei. KIPP weist diese Ansicht ganz entschieden zurück, indem er bemerkt, dass es ausgeschlossen sei, dass in *formulae* (s. XX, *22-31*; *32-40*), die eigens für den Rechtsverkehr in Gallia Cisalpina geschaffen worden sind und die ausschliesslich durch das Gesetz, zu dem die velejatische Tabula IIII gehört, ihre Rechtsgültigkeit erlangt haben, *ex lege Rubria* etwas anderes bedeuten kann als eben dieses Gesetz, das wir in der Inschrift von Veleia vor uns haben (eine ähnliche Argumentation findet sich übrigens schon bei PUCHTA, Civilistische Abh. 1823 S. 72-76). Man wird zugeben müssen, dass dieser Einwand von KIPP zu Recht besteht.

Obwohl durch KIPPs Bemerkungen, die oben zitiert wurden, die Unhaltbarkeit der MOMMSENschen Thesen bereits hinlänglich

[65] Zu dieser Liviusstelle vgl. auch den Komm. von R. M. OGILVIE (Oxford 1965) S. 451 ff. und 458 f. Eine ähnliche Beschreibung der Abstimmung über das Zwölftafelgesetz findet sich bei Dionys. von Hal. 10, 57, 5-7.

[66] Über den Verlauf einer Volksabstimmung, die vorhergehende Promulgation des Gesetzvorschlags usw. vgl. MOMMSEN, Staatsrecht III, 1³ S. 369 ff.

[67] Über die Bedeutung des Verbums *rogare* in dieser Formel vgl. auch die Bemerkung unten S. 329 Anm. 68.

bewiesen sein dürfte, lohnt es sich, so glaube ich, auf einen anderen Punkt derselben noch etwas näher einzugehen. Bei der Frage, ob es sich bei einer uns überlieferten Gemeindeordnung um einen direkten Volksbeschluss oder vielmehr um eine magistratische Verordnung handelt, hat MOMMSEN seine Entscheidung darüber meistens von dem Kriterium abhängen lassen, ob in dem betreffenden Text die Wendungen *legem rogare* oder *legem dare* begegnen. Die letztere Wendung weise nach MOMMSENS Ansicht immer auf eine magistratische Verordnung hin; *lex rogata* und *lex data* seien sogar zwei sich gegenseitig ausschliessende Konträrbegriffe gewesen.

Es dürfte jedoch zweifelhaft sein, ob sich diese Behauptung ohne Einschränkungen aufrechterhalten lässt. So möchte ich als ein Beispiel, das jener MOMMSENschen These widerspricht, die Lex Ursonensis zitieren (vgl. BRUNS Nr. 28 S. 122 ff.; etwa 44 v. Chr.). Hier kommen nämlich beide Ausdrücke in einer und derselben Lex vor: denn einerseits begegnen die Wendungen 67, *11-12 post h(anc) l(egem) datam*, 72, *32 h(ac) l(ege) d(ata)* und 132, *14 post h(anc) l(egem) datam*, andererseits aber auch die Formel 95, *28 ex h(ac) l(ege) n(ihilum) r(ogatur)*.[68] Die Schlussfolgerung liegt hier auf der Hand, dass *legem rogare* und *legem dare* keineswegs Termini sind, die sich im staatsrechtlichen Sprachgebrauch gegenseitig ausschliessen, und dass es deshalb auch nicht empfehlenswert ist, lediglich einer Petitio principii zuliebe der Wendung *post hanc legem datam* eine allzu spezifische Bedeutung aufzudrängen, etwa „nach dieser magistratischen Verordnung".

Allem Anscheine nach hat *legem dare* für gewöhnlich — u.zw. auch in der Sphäre der römischen Politik und der Verwaltung —

---

[68] Es dürfte nicht angängig sein, dem Verbum *rogare* an dieser Stelle, nur um den volksgesetzlichen Charakter der Lex Ursonensis bestreiten zu können, eine unpräzise oder gar uneigentliche Bedeutung beizulegen (so MOMMSEN, Zu CIL. XI, 1146, Jur. Schr. I S. 193, Anm. 1 [= Wien. Stud. XXIV, 1902, S. 239]). Über das Vorkommen derselben Formel *ex hac lege nihilum rogatur* in der Lex Rubria (XXI, *24*) vgl. oben S. 189. Auch in dem Fragmentum Atestinum findet sie sich, Z. 9 (vgl. oben S. 314).

In Erörterungen über das Zustandekommen der Lex Urson. begegnet man bisweilen (vgl. z.B. WENGER, Die Quellen des röm. Rechts S. 396 und Anm. 14) einem Hinweis auf 104, *11-13*: *in eo agro erunt, qui iussu C. Caesaris dict(atoris) imp(eratoris) et lege Antonia senat(us)que c(onsulto) pl(ebi)que s(cito) ager datus atsignatus erit.* Diese Stelle jedoch bezieht sich offensichtlich nicht auf die Lex Urson. selbst sondern auf eine frühere Lex, in der besonders die Parzellierung der Grundstücke und deren Zuteilung an die ursonensischen Kolonisten geregelt wurde. Sie muss somit in unserm Zusammenhang ausser Betracht gelassen werden.

eine allgemeinere Bedeutung gehabt als die von MOMMSEN vorgeschlagene.[69] Jedenfalls können wir *legem dare* in der soeben zitierten Lex Ursonensis, wenn wir einen Widerspruch zu der dortigen Formel *ex hac lege nihilum rogatur* vermeiden wollen ,nicht anders übersetzen als mit „ein Gesetz redigieren" bezw. „ein Gesetz publizieren". Zu vergleichen wäre der Ausdrück *litteras* (*epistulam*) *dare,* „einen Brief schreiben" bezw. „einen Brief absenden". Wir werden somit mit der Möglichkeit rechnen müssen, dass zumindest in der letzten Zeit der Republik auch bei gewissen Volksgezetzen, vorausgesetzt dass sie nachträglich von den Comitien bezw. den plebejischen Versammlungen genehmigt waren, die gesetzliche Wirkung bereits vom Tage der Publikation an datiert wurde. So dürfte sich wohl auch die Tatsache erklären lassen, dass zu dieser Zeit der Wortlaut des Gesetzes öfters schon von vornherein — d.h. schon zum Zweck der öffentlichen Aushängung, ehe in der Volksversammlung darüber abgestimmt wurde — auf kupferne Tafeln, und nicht etwa in vorläufiger Weise auf geweisste Holztafeln, geschrieben wurde.

Zum Schluss möchte ich noch darauf hinweisen, dass *lex data* als selbständiger Terminus technicus, in seiner Zusammenstellung (ein Substantivum mit einem als Determinativum verwendeten Partizipium Perfekti) etwa vergleichbar mit *consul designatus, res gestae, tabula picta* usw., nirgends belegt werden kann: die Worte *lex data* begegnen ausschliesslich in den oben zitierten Wendungen *post hanc legem datam* und *hac lege data.* Die erstere der beiden Wendungen lässt sich mit Konstruktionen vom Typus *ab urbe condita, post coloniam deductam, ob mulum venditum* usw. vergleichen.[70] In solchen Konstruktionen stehen die Partizipien sozusagen an Stelle von Verbalsubstantiven: in *post legem datam* ist somit *datam* als ein Äquivalent für (*legis*) *dationem* aufzufassen (und nicht etwa als ein technisches Determinativum zu *legem*). Die Übersetzung lautet: „nach der Publikation dieses Gesetzes". Was ferner *lege data*

---

[69] Es sei noch darauf hingewiesen, dass die Belege für den Ausdruck *legem dare* sich keineswegs auf spezifisch staatsrechtliche und juristische Texte beschränken. Ein Blick in den THES. V, 1 Sp. 1677, 84 ff. zeigt nämlich, dass er auch in nichtjuristischer Literatur, sogar in der Poesie, regelmässig begegnet und dort immer sehr allgemeine Bedeutungen hat (etwa „eine Vorschrift machen", „Ordnung schaffen", usw.).

[70] Siehe hierzu auch HOFMANN-SZANTYR, Syntax S. 393 f. mit weiterer Lit. (hinzuzufügen wäre etwa noch DAVID-NELSON, Komm. zu Gaius II, 80 S. 291 ff.).

anbelangt, so ist diese Wendung offensichtlich ein Ablativus absolutus: wie in so vielen anderen absoluten Ablativ-Konstruktionen hat das Partizip *data* hier eine rein verbale (und nicht etwa eine adjectivische) Funktion.[71] Die Übersetzung liegt auf der Hand: „nachdem dieses Gesetz publiziert worden ist". Es dürfte somit recht unwahrscheinlich sein, dass *lex data* im römischen öffentlichen Leben jemals als Terminus technicus für „magistratische Verordnung" verwendet worden ist.

---

[71] Weiteres über den Ablativus absolutus z.B. bei HOFMANN-SZANTYR, Syntax S. 137 ff. (mit Lit.).

LITERATURVERZEICHNIS

ABBOTT, F. F. - JOHNSON, A. C. — Municipal Administration in the Roman Empire, Princeton 1926.

AURIGEMMA, S. - MANSUELLI, G. A. — S. AURIGEMMA, Velleia, 2. Aufl. von G. A. MANSUELLI (Itinerari dei Musei, Gallerie e Monumenti d'Italia, Nr. 73), Rom 1960.

BELOCH, K. J. — Römische Geschichte bis zum Beginn der Punischen Kriege, Berlin 1926.

BENGTSON, H. — Grundriss der römischen Geschichte I (Handbuch der Altertumswissenschaft III, 5, 1), München 1967.

BERGER, A. — Zur Entwicklungsgeschichte der Teilungsklagen, Weimar 1912.

— Encyclopedic Dictionary of Roman Law, Transactions of the American Philosophical Society, N.S. vol. 43 part 2, Philadelphia 1953.

BETHMANN-HOLLWEG, M. A. VON — Der römische Civil-Process, Bonn I (1864), II (1865), III (1866) (Nachdruck Aalen 1959).

BIONDI, B. — Istituzioni di diritto romano, Mailand ^{4}1965.

BLOCH, R. - CARCOPINO, J. — Histoire romaine II, 1: Des Gracques à Sulla, Paris ^{3}1952 (G. GLOTZ, Histoire générale: Hist. rom. II, 1).

BONFANTE, P. — Corso di diritto romano II, 1 und 2: La Proprietà, Rom ^{1}1926, Mailand ^{2}1966 (besorgt von G. BONFANTE und G. GRIFÒ).

BRANCA, G. — Danno temuto e danno da cose inanimate nel diritto romano, Padua 1937.

BROUGHTON, T. R. — The Magistrates of the Roman Republic, 2 Bde, New York 1952; dazu: Supplement, 1960 (Philol. Monographies of the Amer. Philol. Ass. XV 1. 2).

BRUNS, C. G. - GRADENWITZ, O. — Fontes iuris romani antiqui.
I: Leges et negotia, edd. BRUNS-GRADENWITZ, Tübingen ^{7}1909 (Nachdruck 1958).
II: Scriptores, edd. BRUNS-GRADENWITZ, Tübingen 1909 (Nachdruck 1958).
Additamentum I: Index; II: Simulacra, ed. GRADENWITZ, Tübingen 1912.

BURCKHARD, H. — Die operis novi nunciatio („Ausführliche Erläuterung der Pandecten" von C. F. GLÜCK ua., Komm. zu den Büchern 39 u. 40, 1. Teil), Erlangen 1871.

— Die cautio damni infecti („Ausführliche Erl. der Pandecten" von C. F. GLÜCK ua., Komm. zu den Büchern 39 u. 40, 2. Teil), Erlangen 1875.

CARCOPINO, J. — Histoire romaine II, 2: César, Paris ^{4}1950. (G. GLOTZ, Histoire générale: Hist. rom. II, 2).

— *s. auch*: BLOCH, H. - CARCOPINO, J.

CARLI, G. R. — Delle antichità italiche I, Mailand ^{1}1787, ^{2}1793 (lediglich die 2. Ausgabe habe ich einsehen können).

CHILVER, G. E. F. — Cisalpine Gaul, Oxford 1941.

CIL. — Corpus Inscriptionum Latinarum.
Insbesondere wurden benutzt:
I (1863), 1. Auflage von TH. MOMMSEN (Darin findet sich die Lex Rubria sub Nr. 205, S. 115 ff.).
I², 2 (1918), 2. Aufl. von E. LOMMATZSCH (Darin findet sich die Lex Rubria sub Nr. 592, S. 478 ff.).
XI, 1 (1888), von E. BORMANN (Darin finden sich die Inschriften von Veleia S. 204 ff., die Lex Rubria sub Nr. 1146, S. 205 ff.).
Auctarium: Inscriptiones latinae liberae reipublicae, Imagines, collegit A. DEGRASSI, Berlin 1965.

COSTA, E. — Cicerone Giureconsulto, Bd. I und II, Bologna 1927 (Nachdruck Rom 1964).

DAUBE, D. — Forms of Roman Legislation, Oxford 1956.

DAVID, Marcel — Études sur l'interdit quod vi aut clam, Paris 1947.

DAVID, Martin - NELSON, H. L. W. — Philologischer Kommentar zu Gaius' Institutiones, Leiden 1954 ff.

DEGRASSI, A.; ILLR. — Inscriptiones latinae liberae reipublicae, I Florenz 1957; II Florenz 1963.

— s. *auch*: CIL., Auctarium.

DE LAMA, P. — Tavola legislativa della Gallia Cisalpina ritrovata in Veleja nell'anno MDCCLX e restituita alla sua vera lezione, Parma 1820.

DE MARTINO, F. — Storia della costituzione romana, Neapel I (1958), II (²1966), III (²1966), IV, 1 (²1966), IV, 2 (1965), V (1967).

DEMELIUS, G. — Die Confessio im römischen Civil-Process, Graz 1880.

DE RUGGIERO, E. — Dizionario epigrafico di antichità romane, Rom 1895 ff.

DESSAU, H. — Inscriptiones latinae selectae, 3 Bde., 5 Teile, Berlin 1892-1916 (Nachdruck 1954/55).

DI PAOLA, S. — Confessio in iure, I, Mailand 1952.

DIRKSEN, H. E. — Dissertatio inauguralis iuridica proponens observationes ad selecta legis Galliae Cisalpinae capita, Berlin 1812.

Emilia Romana — I, herausgegeben von H. CAMPANA, Florenz 1941; II, herausgegeben von G. CHIERICHI, Florenz 1944.

ERNOUT, A. - MEILLET, A.; DEL. — Dictionnaire étymologique de la langue latine, 4. Aufl., 2. verbesserter Nachdruck, Paris 1967.

FIRA. — S. RICCOBONO, J. BAVIERA, C. FERRINI: Fontes iuris romani anteiustiniani, Florenz 1941-1943; I: Leges (RICCOBONO); II: Auctores (BAVIERA ua.); III: Negotia (V. ARANGIO-RUIZ).

FROVA, A. — Novità archeologiche a Velleia, Mailand 1968.

GIFFARD, A. — La „confessio in iure" étudiée spécialement dans la procédure formulaire, Diss. Paris 1900.

GIRARD, P. F. — Manuel élémentaire du droit romain, Paris ⁵1911.

GORDON, J. S. und A. E. — Contributions to the Palaeography of Latin Inscriptions, Berkeley / Los Angeles 1957.

— Album of dated Latin Inscriptions: Rome and the

Neighborhood, Text and Plates, 4 Bde., 7 Teile, Berkeley / Los Angeles 1958-1965.

GRADENWITZ, O. — Versuch einer Dekomposition des rubrischen Fragmentes, SB. der Heidelb. Akad. der Wiss., phil.-hist. Klasse 6 (1915), 9. Abh.

— *s. auch*: BRUNS, C. G. - GRADENWITZ, O.

GREENIDGE, A. H. J. — The legal Procedure of Cicero's Time, Oxford 1901.

HARDY, E. G. — Six Roman Laws, translated with Introduction and Notes, Oxford 1911 (Darin findet sich die Lex Rubria S. 110 ff.).

— Some Problems in Roman History. Ten essays bearing on the administrative and legislative Work of Julius Caesar, Oxford 1924.

HARTMANN, O. E. — Über das römische Contumacialverfahren, Göttingen 1851.

HEUMANN, H. - SECKEL, E. — Handwörterbuch zu den Quellen des römischen Rechts, Jena [9]1907 (Nachdruck Graz 1958).

HOFMANN, I. B. — s. WALDE, A. - HOFMANN, I. B.; LEW.

HOFMANN, I. B. - SZANTYR, A.; Syntax — Lateinische Syntax und Stilistik (Handbuch der Altertumswissenschaft II, 2, 2), München 1965.

HOLMES, T. R. — The Roman Republic and the Founder of the Empire, 3 Bde., Oxford 1923.

HUGO, G. — Promptuarium II, 1797 (mir nicht zugänglich; erste nicht-italienische Textausgabe der Lex Rubria).

HUSCHKE, PH. E. — Gaius. Mit einer Zugabe über die Klageformeln in der Lex Rubria (S. 203 ff.), Leipzig 1855.

I.I. — Inscriptiones Italiae, Academiae italicae consociatae ediderunt, Rom 1931 ff.

JAHR, G. — Litiscontestatio, Köln / Graz 1960.

JOHNSON, A. C. — s. ABBOTT, F. F. - JOHNSON, A. C.

JÖRS, P. - KUNKEL, W. - WENGER, L. — Römisches Recht, Berlin / Göttingen / Heidelberg [3]1949.

JRS. — Journal of Roman Studies, London 1911 ff.

KARLOWA, O. — Der römische Civilprocess zur Zeit der Legisactionen, Berlin 1872.

— Römische Rechtsgeschichte I, Leipzig 1885; II, 1, Leipzig 1901.

KASER, M. — Das altrömische ius, Göttingen 1949.

— Eigentum und Besitz im älteren römischen Recht (Forschungen zum römischen Recht, I. Band, 1. Abh.), Köln / Graz [2]1956.

— Das römische Privatrecht (Handbuch der Altertumswissenschaft X, 3, 1 und 2), 2 Bde., München, I ([2]1971), II (1959).

— Das römische Zivilprozessrecht (Handbuch der Altertumswissenschaft X, 3, 4), München 1966.

KEIL, H.; Gramm. Lat. — Grammatici Latini, 8 Bde., Leipzig 1857-1870 (Nachdr. Hildesheim 1961; in Bd. IV S. 265 ff. findet sich MOMMSENS Ausgabe der Notae Iuris).

KIPP, TH.	Geschichte der Quellen des römischen Rechts, Leipzig ^{4}1919.
Kleiner Pauly	*s.* Pauly, Der Kleine.
KRÜGER, P.	Geschichte der Quellen und Litteratur des römischen Rechts, München / Leipzig ^{2}1912.
KÜHNER, R. - STEGMANN, C.	Lateinische Satzlehre, Teile I (1912) und II (1914), 3. Auflage von A. THIERFELDER, Leverkusen 1955.
KUNKEL, W.	*s.* JÖRS, P. - KUNKEL, W. - WENGER, L.
LATTE, K.	Römische Religionsgeschichte (Handbuch der Altertumswissenschaft V, 4), München 1960.
LEIFER, F.	Die Einheit des Gewaltgedankens im römischen Staatsrecht, München / Leipzig 1914.
LENEL, O.	Edictum Perpetuum, Leipzig ^{3}1927 (Nachdr. Aalen 1956).
LEUMANN, M.	Stolz' Grammatik, 5. Auflage völlig neu bearbeitet von M. LEUMANN und I. B. HOFMANN, 1. Lieferung: Laut- und Formenlehre von M. LEUMANN (Handbuch der Altertumswissenschaft II, 2), München 1928.
LEWIS, C. T. - SHORT, C.	A Latin Dictionary, Oxford 1879 (Nachdr. 1962).
LIEBENAM, W.	Städteverwaltung im römischen Kaiserreiche, Leipzig 1900.
LUZZATTO, G. I.	Il problema d'origine del processo extra ordinem I, Bologna 1965.
MANSUELLI, G. A.	*s.* AURIGEMMA, S. - MANSUELLI, G. A.
MAROUZEAU, J.	L'Ordre des mots dans la phrase latine, 3 Bde., Paris 1922-1949.
MARQUARDT, J.	Römische Staatsverwaltung, 3 Bde., Leipzig ^{2}1881-1885 (Nachdr. Darmstadt 1957).
MEYER, E.	Römischer Staat und Staatsgedanke, Zürich / Stuttgart ^{3}1964.
MOMMSEN, TH.	Gesammelte Schriften, 8 Bde.; davon Bd. I-III = Juristische Schriften, Berlin, I (1905), II (1905) und III (1907).
—	Römisches Staatsrecht, 3 Bde., 5 Teile, ^{3}1887-1888 (Nachdr. Basel 1952).
—	Römisches Strafrecht, Leipzig 1889 (Nachdr. Darmstadt 1955).
—	*s. auch*: KEIL, H.; Gramm. Lat.
MOZZILLO, A.	Contributi allo studio delle „stipulationes praetoriae", Neapel 1960.
NELSON, H. L. W.	*s.* DAVID, Martin - NELSON, H. L. W.
NISSEN, H.	Italische Landeskunde, 2 Bde., 3 Tle., Berlin 1883-1902.
OLD.	Oxford Latin Dictionary, Oxford 1968 ff.
OVEN, J. C. VAN	Leerboek van het Romeins Privaatrecht, Leiden ^{3}1948.
PALERMO, A.	Il procedimento cauzionale nel diritto romano, Mailand 1942.

— Studi sulla exceptio nel diritto classico, Mailand 1956.

Pauly, Der Kleine — Lexikon der Antike auf der Grundlage von Pauly's Realencyclopädie, Stuttgart 1964 ff.

PIR. — Prosopographia Imperii Romani, edd. E. KLEBS - H. DESSAU - P. VON ROHDEN, 3 Bde., Berlin 1897-1898.

PIR². — Prosopographia Imperii Romani, iteratis curis edd. E. GROAG - A. STEIN, Berlin 1933 ff.

PUCHTA, G. F. — Civilistische Abhandlungen, Leipzig 1823 (S. 72 ff. findet sich der Art.: Über den Namen der sogen. Lex Galliae Cisalpinae; Nachdruck in „Kleine civilistische Schriften", Leipzig 1851, S. 71 ff.).

PÜSCHEL, W. — Confessus pro iudicato est, Heidelberg 1924.

RE. — Pauly's Realencyclopädie des classischen Altertums, herausgegeben von G. WISSOWA ua., Stuttgart 1894 ff.

RICCOBONO, S. — s. FIRA.

RITSCHL, F. R. — Legis Rubriae pars superstes. Ad fidem aeris Parmensis exemplo lithographo exprimendam curavit F. Ritschelius, Berlin 1851 (Programma Academicum Bonnense) (Diese Ausgabe der Lex Rubria ist wieder abgedruckt worden in RITSCHLS Opuscula Philologica, Bd. IV, Leipzig 1878, S. 34 ff.; dazu S. 63 ff.: Nachträge zu der Lex Rubria).

ROTONDI, G. — Leges publicae populi romani, Mailand 1922 (Nachdr. Hildesheim 1962).

RUDOLPH, H. — Stadt und Staat im römischen Italien, Leipzig 1935 (Nachdr. Göttingen 1965).

RUDORFF, A. — Edictum Perpetuum, Leipzig 1869.

SALMON, E. T. — Roman Colonization under the Republic, London 1969.

SAVIGNY, F. C. VON — Vermischte Schriften, 5 Bde., Berlin 1850 (In Bd. III S. 279 ff. findet sich der Art.: Der römische Volksbeschluss von Heraclea; darin S. 319 ff. besonders über die Lex Rubria).

SCHMIDLIN, B. — Das Recuperatorenverfahren, Freiburg / Schweiz 1963.

SCHULZ, F. — Geschichte des römischen Rechts, Weimar 1914.

— Prinzipien des römischen Rechts, München / Leipzig 1934 (Nachdr. Berlin 1954).

— Classical Roman Law, Oxford 1951.

— Geschichte der römischen Rechtswissenschaft, Weimar 1961 (Deutsche Bearbeitung von „History of Roman Legal Science", Oxford ²1953, besorgt von W. FLUME).

SCHWINDT, F. VON — Zur Frage der Publikation im römischen Recht (Münchener Beitr. zur Papyrusforschung u. antiken Rechtsgesch., H. 31), München 1941.

SDHI. — Studia et documenta historiae et iuris, Rom 1935 ff.

SECKEL, E. — s. HEUMANN, H. - SECKEL, E.

SERRAO, F. — La „iurisdictio" del pretore peregrino, Mailand 1954.

SHERWIN-WHITE, A. N. — The Roman Citizenship, Oxford 1939.

SHORT, C. — *s.* LEWIS, C. T. - SHORT, C.

SOMMER, F. — Handbuch der lateinischen Laut- und Formenlehre, Heidelberg $^{2/3}$1914 (Nachdr. 1948).

Studi Veleiati — Atti e memorie del primo convegno di studi storici e archeologici, Piacenza-Velleia 29-30 maggio 1954, Piacenza 1955.

SZANTYR, A. — *s.* HOFMANN, I. B. - SZANTYR, A.

THES. — Thesaurus Linguae Latinae, Leipzig 1900 ff.

VÄÄNÄNEN, V. — Le latin vulgaire des inscriptions pompéiennes, Berlin ^{3}1966.

V.I.R. — Vocabularium Iurisprudentiae Romanae, Berlin 1903 ff.

VITTINGHOF, F. — Römische Kolonisation und Bürgerrechtspolitik unter Caesar und Augustus, Akad. d. Wiss. und Literatur, Abh. der geistes- und sozialwissenschaftlichen Klasse, 1951 Nr. 14 (S. 1217-1366), Mainz.

WALDE, A. - HOFMANN, I. B.; LEW. — Lateinisches etymologisches Wörterbuch, 2 Bde. und Registerband, Heidelberg 1938-1956.

WARMINGTON, E. H. — Remains of Old Latin, 4 Bde., London (Loeb) 1935-1940 (Nachdr. Bd. I, 1961; II, 1957; III, 1957 und IV. 1959).

WATSON, A. — The Law of Obligations in the Later Roman Republic, Oxford 1965.

— The Law of Property in the Later Roman Republic, Oxford 1968.

WENGER, L. — Zur Lehre von der Actio iudicati, Graz 1901.

— Institutionen des römischen Zivilprozessrechts, München 1925 (Auch benutzt in der amerikanischen Bearbeitung: Institutes of the Roman Law of Civil Procedure, translated by O. H. FISK, New York 1940).

— Die Quellen des römischen Rechts, Österreich. Akad. der Wiss., Denkschriften der Gesamtakademie, Bd. 2, Wien 1953.

— *s. auch*: JÖRS, P. - KUNKEL, W. - WENGER, L.

WIEACKER, F. — Societas, Weimar 1936.

WLASSAK, M. — Römische Processgesetze. Ein Beitrag zur Geschichte des Formularverfahrens. I, Leipzig 1888; II, Leipzig 1891.

— Der Judikationsbefehl der römischen Prozesse, SB. der Akad. der Wiss. in Wien, phil.-hist. Classe, 197, 4. Abh. (1921).

— Konfessio in iure und Defensionsverweigerung nach der Lex Rubria de Gallia Cisalpina; ein antikritischer Versuch, SB. der Bayer. Akad. der Wiss., phil.-hist. Abt., 1934, Heft 8.

WOLF, J. G. Die litis contestatio im römischen Zivilprozess, Karlsruhe 1968.

ZSS. Zeitschrift der Savigny-Stiftung für Rechtsgeschichte, romanistische Abteilung, Leipzig 1880 ff.

INDEX VERBORUM

a, ab. XX, *7* a quo .... restipulari satisve accipere; XX, *8* et ab eo .... postulaverit; XXI, *2* a quoquomq(ue) .... petetur; XXI, *5* quoius nomine ab eo petetur; XXI, *9* a quo ea pecunia peteita erit; XXII, *25* a quo .... petetur; XXII, *29* quae ita ab eo petetur; XXII, *30* quoius nomine ab eo petetur; XXII, *38* a quo ea res ita petetur.

absolvere. XX, *31. 40* c(ondemnato); s(ei) n(on) p(aret) a(bsolvito).

ac. XXII, *47* ita ius deicito ...., ac sei ....

accipere. XX, *8* damnei infectei .... restipularei satisve accipere; XX, *43* in eo iudicio, quod ex ieis ... accipietur (*aes*: accipientur); XX, *48* iei, quos inter id iudicium accipietur.

ad. XXI, *19* ad quem ea res pertinebit.

addere. XIX, *5* addito addive iubeto.

adire. XX, *10* is quo de ea re in ius aditum erit; XX, *16* quoquomque de de ea re in ius aditum erit.

agere. XX, *45* ei quei d(e) e(a) r(e) aget petetve; XX, *50* et nisei sei Mutinae ea res agetur; XXI, *21* quodque ita factum actum iussum erit; XXII, *27* a quo quid .... petetur quodve quom eo agetur; XXII, *29* petetur deve ea re cum eo agetur; XXII, *30* ei quei eam petet deve ea re aget; XXII, *30-31* iei quoius nomine ab eo petetur quomve eo agetur; XXII, *38* a quo ea res ita petetur quomve eo de ea re ita agetur; qua de re agitur, *cf. res.*

album. XX, *25* in albo propositam habet; XX, *35* in albo propositam habet.

alius. XX, *52* neive quid aliud facito.

Alpes. XXII, *26* in Gallia cis Alpeis.

ambigere. XXI, *18-19* pecunia .... de qua tum inter eos ambigetur.

antequam. XX, *22. 32* antequam id iudicium .... factum est.

apud. XXI, *4* in iure apud eum, quei ibei i(ure) d(eicundo) p(raeerit); XXII, *31 id.*; XXII, *42* apud praetorem; XXII, *48* apud eum praetorem.

arguere. XXII, *33* eamve rem de qua arguetur se fecisse.

atque. XX, *17* proinde atque sei; XXI, *10* s(iremps) .... atque utei esset ....; XXII, *40 id.*

aut. XX, *12* repromeisserit aut non satisdederit; XX, *13* ex ea re aut ob e(am) r(em) eove nomine; XX, *31* aut, sei damnei infectei satisdatum non erit, ...; XX, *45* ob e(am) r(em) aut eo nomine; XX, *47* ea nomina .... aut Mutina<m>; XXI, *5* ei quei eam petet, aut ei quoius nomine ....; XXI, *6* neque .... solvet satisve faciet, aut .... non defendet; XXI, *11* confessus erit aut .... non responderit aut se .... non defenderit; XXI, *17* non defenderit aut in iure non responderit; XXI, *23* non promeisserit aut vindicem locupletem ita non dederit; XXII, *30* ei quei .... aut iei, ...; XXII, *31* d(are) f(acere) p(raestare) restituereve oportere aut se debere; XXII, *32* eiusve eam rem esse aut se eam habere; sei .... aut sei ....; XXII, *35* <*aut*> non restituet; XXII, *36* aut sei; XXII, *41* confessus erit aut .... non responderit; XXII, *44* confessus esset aut .... nihil respondisset aut .... se non defendisset; XXII, *49* confessus esset aut .... nihil respondisset.

bonus. XX, *27. 36* ex f(ide) b(ona). *bonum.* XXII, *46* bona eorum possideri; XXII, *51* eorum quoius bona possiderei.

captio. XX, *45* ne quid ei .... captionei .... esse possit.

castellum. XXI, *3* o(ppido) m(unicipio) c(olonia) p(raefectura) f(oro) v(eico) c(onciliabulo) c(astello) t(erritorio)ve; XXII, *26 id.*; XXIII, *53. 56. 58 id.*

causa. XX, *9* idque non k(alumniae) k(aussa) se facere iuraverit; XXI, *10* s(iremps) res lex ius caussaque o(mnibus) o(mnium) r(erum) esto; XXII, *40* s(iremps) l(ex) r(es) i(us) c(aussa)q(ue) o(mnibus) o(mnium) r(erum) e(sto).

certus. XXI, *2* pecunia certa credita; XXII, *25* quid praeter pecuniam certam creditam.

cis. XXII, *26* in Gallia cis Alpeis.

cisalpinus. XX, *7* in Gallia Cisalpeina; XXI, *3 id.*; XXIII, *54 id.*

cogere. XX, *17* iudicareque iubeto cogito.

colonia. XX, *42* municipium colonia locus; XXI, *2*, XXII, *26*; XXIII, *53. 56. 58*; *cf. castellum.*

conciliabulum. XXI, *3*; XXII, *26*; XXIII, *53. 56. 58*; *cf. castellum.*

concipere. XX, *43* utei ea nomina .... includantur concipiantur (*aes*: includentur concipiantur); XX, *44* quae includei concipei .... oportebit; XX, *47* ea nomina .... includei concipei.

condemnare. XX, *31. 40* c(ondemnato); s(ei) n(on) p(aret) a(bsolvito).

confiteri. XXI, *5* d(are) o(portere) debereve se confessus erit; XXI, *6* id quod confessus erit; XXI, *11* is quei ita confessus erit; XXI, *15* eum quei ita quid confessus erit; XXII, *33-34* d(are) f(acere) p(raestare) .... confessus erit deixseritve; XXII, *41* is quei ita quid earum rerum confessus erit; XXII, *43* sei is .... in iure confessus esset; XXII, *48* sei is .... in iure .... confessus esset.

contestari. XX, *48* quos inter id iudicium accipietur leisve contestabitur.

credere. XXI, *2* pecunia certa credita; XXII, *25* quid praeter pecuniam certam creditam.

cum. XXII, *29* cum eo; *cf. etiam quom.*

curare. XX, *41* ius ita deicat curetve, utei; XX, *47* in eo iudicio includei concipei curet; XXI, *24* iudicareique (de) e(a) r(e) ibei curet.

damnare. XXI, *14* iure lege damnatus esset fuisset.

damnum. XX, *13* seiq uid interim damni datum factumve .... erit. *damnum infectum* XX, *7.* damnei infectei .... restipularei; XX, *14* damnei infectei repromissio satisve datio; XX, *18* damn[*ei*] in[*f*]ectei ex formula recte repromissum satisve datum esset; XX, *21* sei damni infectei repromissum non erit; XX, *23* damnei infectei .... eam stipulationem .... repromeississet; XX, *30* damnei infectei repromittere; XX, *31* sei damnei infectei satisdatum non erit; XX, *33* damnei infectei .... ea stipulatione .... satis dedisset; XX, *40* damnei infectei satisdare.

dare. XIX, *3* iudiciumve quod de ea re dabit; XX, *13* sei quid interim damni datum factumve erit; XX, *17* ius deicito iudicia dato iudicareque iubeto cogito; XX, *20* quod ita iudicium datum iudicareve iussum iudicatumve erit; XX, *22* iudicium det itaque iudicare iubeat; XX, *26* d(are) f(acere) oporteret; XX, *32* in ea verba iudicium det; XX, *36* dare facere oporteret; XX, *52* ita iudicium detur iudiceturque; XXI, *5* d(are) o(portere) debereve se; XXI, *10* quoi eam pecuniam d(arei) o(portebit); XXI, *13* ex iudicieis dateis iudicareve recte iusseis; XXI, *13* quoive eam d(arei) o(portebit); XXI, *23* aut vindicem locupletem ita non dederit; XXI, *24* iudicium recup(eratorium) .... det; XXII, *28* ius deicei iudiciave darei; XXII, *31* d(are) f(acere) p(raestare) restituereve oportere; XXII, *39* d(arei) f(ierei) p(raestarei) restitui satisve .... f(ierei); XXIIII, *55* iudicium sibei darei reddeive; XXIII, *57* ius deicito decernito iudicia dato iudicare iubeto; *cf. etiam satisdare.*

de. XXI, *9* de eo, a quo ...., deque eo, quoi ....; XXI, *18* ea pecunia ...., de qua . . . . ; XXII, *28* sei ea res erit, de qua re; XXII, *29* deve ea re cum eo agetur; XXII, *32* eamve rem de qua arguetur; XXII, *38* de eo, a quo . . . ., deque eo, quoi . . . . ; XXIII, *54* de familia (familiae *aes*) erceiscunda; *de ea re, de (i)eis rebus, qua de re, cf. res.*

debere. XX, *11* sei satisdarei debebit, satisdare; XX, *44* ea nomina . . . ., quae includei . . . . oportebit debebitve (*aes:* oporteret debebitve); XXI, *5* d(are) o(portere) debereve se; XXII, *32* dare facere praestare restituereve oportere aut se debere.

decernere. XIX, *2* decernet interd*ei*cetve (interdiicetve *aes*); XX, *11-12* iubeto decernito; XX, *29*=*39* ex decreto . . . ., quod . . . . decreverit; XX, *46* ius deicito decernito; XXIII, *53* ius deicito decernito iudicia dato iudicare iubeto.

decretum. XIX, *4* in id decretum interdictum sponsionem iudicium; XX, *27* ex decreto IIvirei IIIIvirei praefecteive; XX, *37* *id.*; XXI, *22* ex decreto eius, quei ibei iure deicundo praeerit.

defendere. XXI, *7* aut se sponsione iudicioque utei oportebit non defendet; XXI, *9* neque iudicio utei oportebit se defendet; XXI, *12* aut se sponsione iudicioque utei oportebit non defenderit; XXI, *17* eum<*ve*>, quei se sponsione iudiciove utei≪ve≫ oportebit non defenderit; XXII, *36* neque se iudicio utei oportebit defendet; XXII, *37* neque de ea re se iudicio utei oportebit defendet; XXII, *42* neque se iudicio utei oportebit defenderit; XXII, *44* aut iudicio se non defendisset; XXII, *50* neque se iudicio utei oportuisset defendisset.

dicere. XXII, *34* confessus erit deisxeritve; ius dicere, *cf. ius.*

dividere. XXIII, *55* de familia (*aes*: familiae) erceiscunda deividunda.

dolus. XX, *44* quae includei concipei s(ine) d(olo) m(alo) oportebit debebitve.

ducere. XXI, *19* duci iubeto; XXI, *20* queique eorum quem . . . . duxserit; XXII, *46* eosque duci bona eorum possideri proscreibeive veneireque iubeto; XXII, *51* eorum quoius bona possiderei proscreibei veneire duceique eum.

dum. XX, *21* dum in ea verba . . . . iudicium det; XX, *40* dum . . . . ius ita deicat; XXII, *50* dum ne quis . . . . iubeat.

dumtaxat. XX, *27* d(um)t(axat) HS; XX, *36* d(um)t(axat) <*HS*>; XXI, *19* dumt(axat) (HS) XV.

duumvir. XIX, *6* IIvir IIIIvir praefectusve eius municipei; XX, *15* mag(istratus) prove mag(istratu), IIvir IIIIvir praefec(tus)ve; XX, *27*=*37* ex decreto IIvir(ei) IIIIvir(ei) praefec(tei)ve; XX, *28*=*38* is IIvirI IIIvir praefec(tus)ve; XX, *40* IIvir IIIIvir i(ure) d(eicundo) praefec(tus)ve; XXI, *15* IIvir IIIIvir praefec(tus)ve.

educere. XX, *10* eum quei in ius eductus erit.

ercisci. XXIII, *55* de familia (familiae *aes*) erceiscunda deividunda.

esse. XIX, *1* iudicatumve erit; XIX, *1* id ratum ne esto; XX, *10* aditum erit; XX, *10* eductus erit; XX, *14* datum factumve . . . . erit; XX, *15* postulatum erit; XX, *16* aditum erit; XX, *18* postulatum esset; XX, *19* repromissum satisve datum esset; XX, *20* iudicatumve erit; XX, *20* esto; XX, *21* repromissum non erit; XX, *22*=*32* i(udex) e(sto); XX, *23*=*33* factum est; XX, *29*=*39* seive id pl(ebei) ≪ve≫sc(itum) est; XX, *31* satisdatum non erit; XX, *43* scripta sunt; XX, *45* captionei esse; XX, *47*=*49* s(cripta) s(unt) (*49*: est *aes*); XX, *49* ieis nominibus fuerunt; XX, *51* pro quo imperio potestateve erit; XXI, *3* quae sunt eruntve; XXI, *4* non pluris HS XV erit; XXI, *6* confessus erit (*bis*); XXI, *9* peteita erit; XXI, *10* s(iremps) res lex . . . . esto, atque utei esset esseve oporteret; XXI, *11* confessus erit; XXI, *14* damnatus esset fuisset; XXI, 15 confessus erit; XXI, 18 quanta ea pecunia erit; XXI, 20 id ei fraudi poenaeve ne esto; XXI, 21 factum actum iussum erit; XXI, 21 id ius ratumque esto; XXII, 26 quae sunt eruntve; XXII, 27 quae res non pluris HS XV erit; XXII, 28 et sei ea res erit; XXII, 32 eiusve eam rem esse; XXII, 33 obligatumve se eius rei noxsiaeve esse; XXII, 34 confessus erit; XXII, 40 s(iremps) l(ex) .... e(sto), atque utei esset esseve oporteret; XXII, 41 confessus erit; XXII, 43 confessus esset; XXII, 48-49 confessus esset; XXIII, 54 quae in Gallia Cisalpeina sunt erunt; XXIII, 56 quae s(upra) s(cripta) s(unt).

et. XX, 7 qua de re quisque et a quo; XX, 8 et ab eo; XX, 11 repromittere et, ..., satisdare; XX, 42 ea nomina et municipium colonia locus; XX, 50 nisei .... et nisei ....; XXII, 27 a quo .... et sei ....; XXII, 45 in eum et in heredem eius.

ex. XX, 8 ex formula; XX, 10 ex formula; XX, 13 ex ea re aut ob e(am) r(em) eove nomine; XX, 18 ex formula; XX, 26=36 ex ea stipulatione; XX, 26=36 ex f(ide) b(ona); XX, 27=37 ex decreto; XX, 29=38 ex lege Rubria; XX, 42 quod ex ieis .... accipietur; XXI, 13 ex iudicieis dateis; XXI, 22 ex decreto; XXI, 24 ex h(ac) l(ege) (*bis*); XXII, 28 ex h(ac) l(ege).

exceptio. XIX, 4-5 exceptionem addito.

facere. XX, 9 idque non k.k. se facere iuraverit; XX, 13 sei quid interim damni datum factumve .... erit; XX, 23=33 antequam id iudicium .... factum est; XX, 26=36 quidquid .... d(are) f(acere) oporteret; XX, 52 neive quid aliud facito; XXI, 8 neque .... sponsionem faciet; XXI, 20-21 quodque ita factum actum iussum erit, ...; XXII, 31 d(are) f(acere) p(raestare) restituereve oportere aut se debere; XXII, 33 eamve rem de qua arguetur se fecisse; XXII, 35 sponsionem non faciet; XXII, 39 d(arei) f(ierei) p(raestarei) restitui satisve d(e) e(a) r(e) f(ierei); satis facere, *cf. satisfacere*.

familia. XXIII, 54-55 de familia (*aes*: familiae) erceiscunda deividunda.

fides. XX, 20=36 ex f(ide) b(ona).

fieri. XIX, 3 sponsionem fierei .... iubebit; XX, 15 utei .... repromissio satisve datio fieret; XXII, 35 sei sponsionem fierei oportebit; XXII, 39 d(arei) f(ierei) p(raestarei) restitui satisve d(e) e(a) r(e) f(ierei) oportebit; satis fieri, *cf. satisfieri*.

forma. XXI, 2 pecunia ...., signata forma p(ublica) p(opulei) r(omanei); XXII, 25 pecuniam ...., signatam forma p(ublica) p(opulei) r(omanei).

formula. XX, 8 ex formula restipularei; XX, 10-11 ex formula repromittere; XX, 18 ex formula recte repromissum satisve datum; XX, 46 in earum qua formula; XX, 49 *id*.

forum. XXI, 2; XXII, 26; XXIII, 53. 56. 58; *cf. castellum*.

fraus. XXI, 19 s(ine) f(raude) s(ua) duci iubeto; XXI, 20 id ei fraudi poenaeve ne esto.

Gallia. XX, 7 in Gallia Cisalpeina; XXI, 3 *id.*; XXII, 26 in Gallia cis Alpeis; XXIII, 53-54 in Gallia Cisalpeina.

habere. XX, 25=35 stipulationem .... in albo propositam habet; XXII, 32 eiusve eam rem esse aut se eam habere.

heres. XXII, 45 in eum et in heredem eius; XXII, 47 is heresve eius.

hic. XXI, 24 iudicium .... ex h(ac) l(ege) det XXI, 24 ex h(ac) l(ege) n(ihilum) r(ogatur); XXII, 28 ius deicei iudiciave darei ex h(ac) l(ege) <*d(are)*> o(portebit).

ibi. XX, 9 ab eo quei ibei i(ure) d(eicundo) <*p(raeerit)*>; XXI, 4 eum, quei ibei i.d.p.; XXI, 7 ibei .... in iure non responderit; XXI, 15 ibei (ubei *aes*) i(ure) deicundo) p(raeerit); XXI, *22* quei ibei i.d.p.; XXI, *24 id.*; XXI, *24* iudicareique d(e) e(a) r(e) ibei curet; XXII, *28* ibei ius deicei; XXII, *31* eum, quei ibei i.d.p.; XXII, *44* aut ibei .... nihil respondisset.

imperium. XX, *51* neive quis pro quo imperio potestateve erit.

in. XIX, *4* in id decretum; XX, *7* in Gallia Cisalpeina; XX, *10* in ius aditum erit; XX, *10* in ius eductus; XX, *16* in ius aditum erit; XX, *21=32* in ea verba....iudicium det; XX, *25=34* in albo propositam habet; XX, *42* in eo iudicio; XX, *46* in earum qua formula; XX, *47* in eo iudicio; XX, *49* in earum qua formula; XXI, *2* in eorum quo o(ppido); XXI, *3* in Gallia Cisalpeina; XXI, *4. 7. 17* in iure; XXI, *21* in eum .... iudicium ....det; XXII, *26* in eorum quo o(ppido); XXII, *26* in Gallia cis Alpeis; XXII, *31. 36. 43* in iure; XXII, *45* in eum et in heredem eius .... ius deicito; XXII, *47* in iure XXIII, *53* in eorum quo o(ppido); XXIII, *53* in Gallia Cisalpeina; XXIII, *56* in eorum quo o(ppido); XXIII, *58* in eo o(ppido) ...., in quo.

includere. XX, *43* in eo iudicio includantur concipiantur (*aes*: includentur concipiantur); XX, *44* quae includei concipei .... oportebit; XX, *47* in eo iudicio includei concipei curet.

infectum. cf. damnum.

inter. XX, *24=34* is quei Romae inter peregr(e)inos ius deicet; XX, *48* iei, quos inter id iudicium accipietur; XXI, *18* de qua tum inter eos ambigetur; XXIII, *54* inter eos .... ius deicito.

intercedere. XX, *51* neive quis mag(istratus) .... intercedito.

interdicere. XIX, *2* quodque quisque quomque .... decernet interdeicetve (interdiicetve *aes*).

interdictum. XIX, *4* in id decretum interdictum sponsionem iudicium.

interim. XX, *13* sei quid interim damni datum .... erit.

is. is (*nom. sing.*). XIX, *3* quodque quisque .... is; XX, *9* is, quo; XX, *24=34* is quei; XX, *28=38* quod eius is IIvir; XXI, *4-5* sei is eam pecuniam; XXI, *7* seive is; XXI, *11* is quei; XXI, *15* is eum quei; XXI, *23* is quei; XXII, *29-30* sei is eam rem; XXII, *40* sei is; XXII, *45* isve quei; XXII, *47* is heresve eius; XXII, *50* isve quei; XXIII, *54* is inter eos; XXIII, *58* is quoius. *eius* (*masc.*). XXI, *22* ex decreto eius quei; XXII, *32* eisuve eam rem esse; XXII, *45* in heredem eius; XXII, *47* is heresve eius. *ei* (*masc.*). XX, *45* ei quei; XXI, *4* ei quei; XXI, *5* ei, quoius nomine; XXI, *12-13* iei, quei .... petierit; XXI, *20* id ei fraudi .... ne esto; XXII, *29* ei quei; XXII, *30* iei, quoius nomine. *eum.* XX, *10* eum quei; XX, *26=35* eum Q. Licinium; XXI, *4* apud eum, quei; XXI, *15* eum quei; XXI, *16* eum<*ve*> quei; XXI, *21* eum quei; XXII, *31* apud eum quei; XXII, *43* eumve quei; XXII, *45* in eum et in heredem eius; XXII, *48* apud eum praetorem eumve quei; XXII, *52* duceique eum iubeat. *eo* (*masc.*). XX, *8* ab eo quei; XXI, *5* ab eo; XXI, *9* de eo, a quo .... deque eo, quoi; XXII, *27* quom eo; XXII, *29* ab eo petetur .... cum eo agetur; XXII, *30* ab eo petetur quomve eo agetur; XXII, *38* de eo, a quo .... quomve eo agetur; XXII, *39* deque eo, quoi. *ei* (*plur. masc.*). XX, *48* iei, quos inter; XX, *49* nisei iei. *eorum* (*masc.*). XX, *12* quei eorum; XXI, *19* eorum quem; XXII, *46* bona eorum; XXII, *51* eorum quoius bona. *eos.* XXI, *18* inter eos; XXII, *46* eosque duci; XXIII, *54* inter eos. *ea* (*fem. nom.*). XX, *50* ea res; XXI, *9* ea pecunia; XXI, *18* ea pecunia; XXI, *20* ea res; XXII, *28* ea res; XXII, *38* ea res. *eius* (*fem.*). XXI, *12* eius pecuniae .... damnatus; XXII, *38* obligatumve se eius rei noxsiaeve esse. *eam.* XX, *13* ob e(am) r(em); XX, *23* eam stipulationem; XX, *45* ob e(am) r(em), XXI, *4* eam pecuniam; XXI, *5* ei quei eam petet; XXI, *9* eam pecuniam; XXI, *13* quei eam .... petierit quoive eam d(arei) o(portebit); XXI, *23* ob e(am) r(em), XXII, *29* eam rem; XXII, *29* ei quei eam petet; XXII, *32* eiusve eam rem esse aut se eam habere, eamve rem de qua .... ; XXII, 39 eam rem. *ea.* XX, 13 ex ea re; XX, 26=36 ex ea stipulatione; XX, 33 ea stipulatione. *de ea re, cf. res. earum.* XX, 46 in earum qua formula; XX, 49 *id.*; XXII, 41 quid earum rerum. *eis* (*abl. fem.*). *de* (*i*)*eis rebus, cf. res. id* (*nom.*). XIX, 1 id ratum ne esto; XX, 22=32 id iudicium; XX, 29=39 seive id plebei ≪ve≫scitum est; XX, 48 id iudicium; XXI, 20 id ei fraudi poenaeve ne esto; XXI, 21 id ius ratumque esto. *eius* (*neutr.*). XIX, 6 eius municipei; XX, 27=37 quicquid .... e(ius) i(udex) .... c(ondemnato); XX, 28=38 quod eius is IIvir .... decreverit; *id* (*acc.*). XIX, 4 in id decretum; XX, 9 idque .... se facere; XXI, 6 id quod; XXI, 16 neque id solvet; XXI, 17 *id. eo* (*neutr.*). XX, 13. 23. 29. 33. 39 eove nomine; XX, 42 in eo iudicio; XX, 45 eo nomine; XX, 47 in eo iudicio; XXIII, 58 in eo o(ppido). *ea* (*nom.plur.*). XX, 41 ea nomina. *eorum* (*neutr.*). XXI, 2. XXII, 26. XXIII, 53. 56 in eorum quo o(ppido). *ea* (*acc.plur.*). XX, 21=32 in ea verba; XX, 46 ea nomina. *eis* (*abl. neutr.*). XX, 42 ex ieis, quae; XX, 49 ieis nominibus fuerint.

ita. XX, 12 ita non repromeisserit; XX, 16 ita ius deicito; XX, 18 quom ita postulatum esset; XX, 19 quod ita iudicium datum; XX, 22 itaque iudicare; XX, 41 ius ita deicat; XX, 52 ita iudicium detur; XXI, 11 quei ita confessus erit; XXI, 15 quei ita quid confessus erit; XXI, 20 quodque ita factum; XXI, 21 quei ita vadimonium Romam .... non promeisserit; XXI, 23 vindicem locupletem ita non dederit; XXII, 29 quae ita ab eo petetur; XXII, 38 a quo ea res ita petetur quomve eo .... ita agetur; XXII, 40 quei ita quid .... confessus erit; XXII, 46 ita ius deicito; XXIII, 57 ita ius deicito.

iubere. XIX, 1 [*iudicareve*] iussum iudicatumve erit; XIX, 3 iudicareve iubebit (iudicaveritve iubebit *aes*); XIX, 5 exceptionem addito addive iubeto; XX, 11 satisdare iubeto decernito; XX, 17 iudicareque iubeto cogito; XX, 20 iudicareve iussum iudicatumve erit; XX, 22 itaque iudicare iubeat; XXI, 14 ex iudicieis dateis iudicareve recte iusseis; XXI, 19 duci iubeto; XXI, 21 quodque ita factum actum iussum erit; XXII, 47 eosque duci .... veneireque iubeto; XXII, 52 eorum quoius bona possiderei .... duceique eum iubeat; XXIII, 58 iudicare iubeto.

iudex. XX, 22=32 i(udex) e(sto); XX, 27=37 e(ius) i(udex).

iudicare. XIX, 1 [*iudicareve*] iussum; XIX, 3 iudicareve (iudicaveritve *aes*) iubebit; XX, 17 iudicareque iubeto; XX, 20 iudicareve iussum iudicatumve; XX, 22 itaque iudicare iubeat; XX, 1 iudiceturque; XXI, 13-14 ex iudicieis dateis iudicareve recte iusseis; XXI, 24 iudicareique .... ibei curet; XXIII, 57 iudicare iubeto.

iudicium. XIX, 4 in id .... iudicium; XX, 22 id iudicium .... factum est; XX, 32 id iudicium .... factum est; XX, 42 in eo iudicio .... includantur; XX, 47 in eo iudicio .... includei; XX, 48 quos inter id iudicium accipietur. *iudicium dare.* XIX, 3 iudiciumve quod .... dabit; XX, 17 iudicia dato; XX, 19 quod ita iudicium datum; XX, 21-22 iudicium det; XX, 32 iudicium det; XX, 52 iudicium detur; XXI, 13 ex iudicieis dateis; XXI, 20 iudicium recup(eratorium) .... det; XXII, 28 ius deicei iudiciave darei; XXIII, 55 iudicium sibei darei; XXIII, 57 iudicia dato.

se iudicio defendere. XXI, 7 se sponsione iudicioque .... non defendet; XXI, 8 neque iudicio .... se defendet; XXI, 12 se sponsione iudicioque .... non defenderit; XXI, 16 se sponsione iudiciove .... non defenderit; XXII, 36 neque se iudicio .... defendet; XXII, 37 neque .... se iudicio .... defendet; XXII, 42 neque se iudicio .... defenderit; XXII, 44 aut iudicio se non defendisset; XXII, 49 neque se iudicio .... defendisset.

iurare. XX, 9 idque non k(alumniae) k(aussa) se facere iuraverit.

ius. XX, *20* ius ratumque esto; XXI, *10* s(iremps) res lex ius caussaque .... esto; XXI, *21* id ius ratumque esto; XXII, *40* s(iremps) l(ex) r(es) i(us) c(aussa)q(ue) .... e(sto). *in ius*. XX, *10* is quo .... in ius aditum erit eum quei in ius eductus erit; XX, *16* quoquomque .... in ius aditum erit. *iure*. XXI, *14* iure lege damnatus esset fuisset. *in iure*. XXI, *4* in iure apud eum quei ibei i.d.p.; XXI, *7* in iure non responderit; XXI, *17* aut in iure non responderit; XXII, *31* in iure apud eum quei ibei i.d.p.; XXII, *36* aut sei .... in iure nihil responderit; XXII, *43* in iure confessus esset; XXII, *48* in iure .... confessus esset. *ius dicere*. XX, *16-17* ita ius deicito iudicia data iudicareque iubeto cogito; XX, *25=34* is quei Romae inter peregr(e)inos ius deicet; XX, *41* IIvir IIIIvir i(ure) d(eicundo) praefec(tus)ve; .... ius ita deicat; XXII, *28* ius deicei iudiciave darei; XXII, *46* ita ius deicito decernito eosque duci bona eorum possideri proscreibeive veneireque iubeto; XXIII, *57* ita ius deicito decernito iudicia dato iudicare iubeto. *iure deicundo praeesse*. XX, *9* ab eo quei ibei i(ure) d(eicundo) <*p(raeerit)*>; XXI, *4* in iure apud eum, quei ibei i.d.p.; XXI, *15* queique quomque IIvir .... ibei i.d.p.; XXII, *22* ex decreto eius, quei ibei i.d.p.; XXI, *24* is quei ibei i.d.p.; XXII, *31* in iure apud eum, quei ibei i.d.p.; XXII, *43* eumve quei .... i(ure) d(eicundo) p(rae)esset; XXII, *45* isve quei .... i.d.p.; XXII, *48* eumve quei .... i(ure) d(eicundo) praeesset (*aes*: i.d.p. praesse); XXII, *50* isve quei Romae i.d.p.; XXIII, *54* queiquomque .... i.d.p.

kalumnia. XX, *9* idque non k(alumniae) k(aussa) se facere iuraverit.

lex. XX, *29=38* ex lege Rubria .... decreverit; XXI, *10* s(iremps) res lex ius caussaque .... esto; XXI, *14* iure lege damnatus esset fuisset; XXI, *24* iudicium recup(eratorium) .... ex h(ac) l(ege) det ...., ex h(ac) l(ege) n(ihilum) r(ogatur); XXII, *28* ius deicei iudiciave darei ex h(ac) l(ege) <*d(are)*> oportebit; XXII, *40* s(iremps) l(ex) r(es) i(us) c(aussa)q(ue) .... e(sto).

Licinius. XX, *23=33* Q. Licinius; XX, *26=36* eum Q. Licinium; XX, *23=33* Q. Licinium; XX, *29=39* Q. Licinius.

lis. XX, *48* quos inter id iudicium accipietur leisve contestabitur.

locuples. XXI, *23* vindicem locupletem.

locus. XX, *42* municipium colonia locus.

Lucius. XX, *25=35* L. Seio; XX, *26=36* L. Seio; XX, *27=37* L. Seio; XX, *30-40* L. Seio.

magistratus. XX, *15* mag(istratus) prove mag(gistratu), IIvir IIIIvir praefec(tus)ve; XX, *50* neive quis mag(istratus) prove mag(istratu) .... intercedito.

malus. XX, *44* s(ine) d(olo) m(alo).

municipium. XIX, *6* IIvir IIIIvir praefectusve eius municipei; XX, *42* municipium colonia locus; XXI, *2* o(ppido) m(unicipio) c(olonia) p(raefectura) f(oro) v(eico) c(onciliabulo) c(astello) t(erritorio)ve; XXII, *26 id*.; XXIII, *53*. *56*. *58 id*.

Mutina. XX, *47* Mutina<*m*>; XX, *50* Mutinae.

Mutinensis. XX, *27-28=37-38* ex decreto IIvir(ei) IIIIvir(ei) praefec(tei)ve Mutinensis

ne. XIX, *1* id ratum ne esto; XX, *44* ne quid ei .... captionei .... esse possit; XX, *46* neive ea nomina .... includei concipei curet; XX, *50*. *51*. *51-52* neive quis mag(istratus) ...., neive quis .... intercedito neive quid aliud facito; XXI, *20* id ei fraudi poenaeve ne esto; XXII, *50* dum ne quis .... nisei praetor .... iubeat.

neque. XXI, *6* confessus erit neque .... solvet; XXI, *8* non responderit neque .... sponsionem faciet neque iudicio .... se defendet; XXI, *16* confessus erit neque id solvet; XXI, 17 non responderit neque id solvet; XXII, 34 deixseritve, neque .... satis .... faciet; XXII, 36 non restituet neque se iudicio .... defendet; XXII, 37 nihil responderit neque .... se .... defendet; XXII, 41 non responderit neq(ue) se .... defenderit; XXII, 49 nihil respondisse<*t*> neque se .... defendisset.

nihil. XXI, 24 ex h(ac) l(ege) n(ihilum) r(ogatur); XXII, 37 nihil responderit; XXII, 44 nihil respondisset; XXII, 49 nihil respondisse<*t*>.

nisi. XX, 47 nisei (*aes*: nise) iei .... ieis nominibus fuerint; XX, 50 et nisei sei Mutinae ea res agetur; XXII, 50 ne quis nisei pr(aetor).

nolle. XX, 30-31 repromittere noluit; XX, 40 satisdare noluit.

nomen. XX, 41-42 ea nomina et municipium colonia locus; XX, 46 ea nomina; XX, 49 nisei iei .... ieis nominibus fuerint; XXI, 5 ei quoius nomine ab eo petetur; XXI, 13 iei quei eam suo nomine petierit; XXII, 30 iei quoius nomine ab eo petetur; *eo nomine.* XX, 14 sei quid interim damni datum factumve ex ea re aut ob e(am) r(em) eove nomine erit; XX, 23 eo nomine .... eam stipulationem .... repromeississet; XX, 30 eo nomine .... damnei infectei repromittere; XX, 39 eo nomine .... damnei infectei satisdare; XX, 33 eo nomine .... ea stipulatione .... satis dedisset; XX, 45 ne quid ei .... captionei ob e(am) r(em) aut eo nomine esse possit.

non. XIX, 6 non remeisserit; XX, 9 non k(alumniae) k(aussa); XX, 12 non repromeisserit aut non satisdederit; XX, 21 repromissum non erit; XX, 31=40 s(ei) n(on) p(aret), a(bsolvito); XX, 31 satisdatum non erit; XXI, 3 non pluris HS XV; XXI, 7 non defendet; XXI, 7 non responderit; XXI, 11 non responderit; XXI, 12 non defenderit; XXI, 17 non defenderit aut .... non responderit; XXI, 22 non promeisserit; XXI, 23 non dederit; XXII, 27 non pluris HS XV; XXII, 35 sponsionem non faciet; XXII, 35 non restituet; XXII, 41 non responderit; XXII, 44 non defendisset.

novus. XIX, 5 operis novi nuntiationem.

noxia. XXII, 33 obligatumve se eius rei noxsiaeve esse.

nuntiatio. XIX, 5 operis novi nuntiationem .... non remeisserit.

ob. XX, 13 ex ea re aut ob e(am) r(em) eove nomine; XX, 14 quam ob rem; XX, 45 ob e(am) r(em) eove nomine; XXI, 23 ob e(am) r(em).

obligare. XXII, 33 obligatumve se eius rei noxsiaeve esse.

omnis. XXI, 10 s(iremps) res lex ius caussaque o(mnibus) o(mnium) r(erum) esto; XXII, 28 de qua re omnei pecunia ibei ius deicei .... o(portebit); XXII, 40 s(iremps) l(ex) r(es) i(us) c(aussa)q(ue) o(mnibus) o(mnium) r(erum) e(sto); XXII, 45-46 d(e) e(is) r(ebus) omnibus.

oportere. XX, 26-27 = 36 quicquid .... ex ea stipulatione .... d(are) f(acere) oporteret (oportiret *aes*) ex f(ide) b(ona); XX, 44 quae includei concipei .... oportebit (oporteret *aes*) debebitve; XXI, 5 d(are) o(portere) debereve se; XXI, 10 quoi eam pecuniam d(arei) o(portebit); XXI, 11 utei esset esseve oporteret; XXI, 13 quoive eam d(arei) o(portebit); XXII, 28 ius deicei .... ex h(ac) l(ege) ≪d(are)≫ o(portebit); XXII, 31 d(are) f(acere) p(raestare) restituereve oportere aut se debere; XXII, 35 sponsionem fierei oportebit; XXII, 39 d(arei) .... oportebit; XXII, 40 utei esset esseve oporteret; XXII, 49-50 utei oportuisset. *utei oportebit.* XXI, 7 se sponsione iudicioque utei oportebit non defendet; XXI, 8 neque iudicio ~ se defendet; XXI, 12 aut se sponsione iudicioque ~ non defenderit; XXI, 17 quei se sponsione iudiciove ~ non defenderit; XXII, 34 neque .... satis ~ faciet; XXII, 36 neque se iudicio ~ defendet; XXII, 37 neque .... se iudicio ~ defendet; XXII, 42 neque se iudicio ~ defenderit.

oppidum. XXI, 2; XXII, 26; XXIII, 53. 56. 58; *cf. castellum.*

opus. XIX, 5 operis novi nuntiationem.

parere. XX, *31*=*40* c(ondemnato); s(ei) n(on) p(aret) a(bsolvito).

pecunia. XXI, *2* pecunia certa credita, signata forma p(ublica) p(opulei) r(omanei); XXI, *4* eam pecuniam; .... d(are) o(portere) debereve se; XXI, *9* de eo, a quo ea pecunia peteita erit, deque eo, quoi eam pecuniam darei oportebit; XXI, *12* eius pecuniae .... damnatus esset fuisset; XXI, *18* t(antae) p(ecuniae), quanta ea pecunia erit .... duci iubeto; XXII, *25* quid praeter pecuniam certam creditam, signatam forma p.p.r.; XXII, *28* de qua re omnei pecunia ibei ius deicei .... o(portebit).

peregrinus. XX, *24-25* = *34* is quei Romae inter peregr(e)inos ius deicet.

pertinere. XXI, *20* ad quem ea res pertinebit.

petere. XX, *45* ei quei d(e) e(a) r(e) aget petetve; XXI, *3* a quoquomq(ue) pecunia certa credita .... petetur; XXI, *5* ei quei eam petet, aut ei quoius nomine ab eo petetur; XXI, *9* de eo, a quo ea pecunia peteita erit; XXI, *13* iei quei eam suo nomine petierit; XXII, *23* a quo quid .... petetur quodve quom eo agetur; XXII, *29* eam rem, quae ita ab eo petetur deve ea re cum eo agetur; XXII, *30* ei quei eam petet deve ea re aget, aut iei quoius nomine ab eo petetur quomve eo agetur; XXII, *38* de eo, a quo ea res ita petetur quomve eo de ea re ita agetur.

plebiscitum. XX, *29* = *38-39* ex lege Rubria seive id pl(ebei)≪ve≫sc(itum) est.

plus. XXI, *4* quae res non pluris HS $\overline{XV}$ erit; XXII, *27* *id.*

poena. XXI, *20* id ei fraudi poenaeve ne esto.

populus. XXI, *2* pecunia certa credita, signata forma p(ublica) p(opulei) r(omanei); XXII, *25* pecuniam certam creditam, signatam forma p.p.r.

posse. XX, *46* ne quid .... captionei .... esse possit.

possidere. XXII, *46* eosque duci bona eorum possideri proscreibeive veneireque iubeto; XXII, *51* eorum quoius bona possiderei proscreibei veneire duceique eum.

postulare. XX, *9* et ab eo quei ...., postulaverit; XX, *15* utei damnei infectei repromissio .... fieret (fierei *aes*) postulatum erit; XX, *18* quom ita postulatum esset; XXIII, *56-57* iudicium sibei darei reddeive .... postulaverint.

potestas. XX, *51* neive quis pro quo imperio potestateve erit.

praeesse. *cf. ius, sub iure deicundo praeesse.*

praefectura. XXI, *2*; XXII, *26*; XXIII, *53*. *56*. *58*; *cf. castellum.*

praefectus. XIX, *6*; XX, *16*. *28* (2×). *37*. *38*. *41*; XXI, *15*; *cf. duumvir.*

praestare. XXII, *31* d(are) f(acere) p(raestare) restituereve oportere aut se debere; XXII, *39* d(arei) f(ierei) p(raestarei) restitui satisve d(e) e(a) r(e) f(ierei) oportere.

praeter. XXII, *25* quid praeter pecuniam certam creditam.

praetor. XXII, *42* apud praetorem .... in iure confessus esset; XXII, *45* pr(aetor)q(ue) ita ius deicito; XXII, *48* in iure apud eum pr(aetorem) .... confessus esset; XXII, *50* ne quis .... nisei pr(aetor) .... iubeat.

pro. XX, *15* mag(istratus) prove mag(istratu); XX, *50* *id.*; XX, *51* quis pro quo imperio potestateve erit.

proinde. XX, *17* proinde atque sei.

promittere. XXI, *22* quei ita vadimonium Romam .... non promeisserit.

proponere. XX, *25* eam stipulationem, quam .... in albo propositam habet; XX, *35* ea stipulatione, quam .... in albo propositam habet.

proscribere. XXII, *47* eosque duci bona eorum possideri proscreibeive veneireque; XXII, *51* eorum quoius bona possiderei proscreibei veneire duceique eum.

proxume. XX, *43* quae proxsume s(cripta) s(unt).

publicus. XXI, *2* forma p(ublica) p(opulei) r(omanei); XXII, *25 id.*

quantus. XXI, *18* t(antae) p(ecuniae), quanta ea pecunia erit.

quattuorvir. XIX, *6*; XX, *16*. *28* (2×). *37*. *38*. *41*; XXI, *15*; *cf. duumvir.*

-que. XIX, *1* quodque quisque quomque; XX, *9* idque .... se facere iuraverit; XX, *17* iudicareque iubeto cogito; XX, *20* ius ratumque esto; XX, *22* itaque iudicare iubeat; XXI, *1* iudiceturque; XXI, *7* se sponsione iudicioque .... non defendet; XXI, *9* deque eo, quoi ....; XXI, *10* s(iremps) res lex ius caussaque; XXI, *12* se sponsione iudicioque .... non defenderit; XXI, *14* queique quomque; XXI, *19* queique eorum quem; XXI, *20* quodque ita factum .... erit; XXI, *21* id ius ratumque esto; XXI, *24* iudicareique .... curet; XXII, *38* de eo .... deque eo; XXII, *40* s(iremps) l(ex) r(es) i(us) c(aussa)q(ue); XXII, *45* pr(aetor)q(ue) .... ius deicito; XXII, *46-47* ius deicito decernito eosque duci bona eorum possideri proscreibeive veneireque iubeto; XXII, *51* bona possiderei proscreibei veneire duceique eum.

qui, quis (*pron. rel.*). *qui, quis* (*sing.*). XX, *8* ab eo quei ibei i(ure) d(eicundo) <*p(raeerit)*>; XX, *10* eum quei in ius eductus erit; XX, *12* quei eorum ita non repromeisserit; XX, *24* is quei Romae .... ius deicet; XX, *34* is quei Romae .... ius deicet; XX, *45* ei quei d(e) e(a) r(e) aget petetve; XX, *50-51* neive quis pro quo imperio .... erit; XXI, *4* apud eum, quei ibei i(ure) d(eicundo) p(raeerit); XXI, *4* ei quei eam petet; XXI, *11* is, quei confessus erit; XXI, *13* iei, quei eam .... petierit; XXI, *15* eum quei ita quid confessus erit; XXI, *16* eum<*ve*>, quei se .... non defenderit; XXI, *19* queique .... duxserit, id ei; XXI, *21* in eum, quei .... non promeisserit; XXI, *22* eius, quei ibei i(ure) d(eicundo) p(raeerit)); XXI *23* is quei ibei i.d.p.; XXII, *29* ei quei eam petet; XXII, *31* apud eum, quei ibei i.d.p.; XXII, *40* is quei ita quid earum rerum confessus erit; XXII, *43* eumve quei .... i(ure) d(eicundo) p(rae)esset; XXII, *45* isve quei .... i.d.p.; XXII, *48* eumve quei .... i(ure) d(eicundo) p(rae)esset (i.d.p.praesse *aes*) XXII, *50* isve quei Romae i.d.p. *cuius*. XXI, *5* ei quoius nomine ab eo petetur; XXII, *30* iei quoius nomine ab eo petetur; XXIII, *58* is, quoius. *cui*. XXI, *9* deque eo, quoi eam pecuniam d(arei) o(portebit); XXI, *13* quoive eam d(arei) o(portebit); XXII, *39* deque eo, quoi eam rem d(arei) .... oportebit. *quem*. XXI, *19* eorum quem, ad quem ea res pertinebit. *quo*. XX, *7* qua de re quisque et a quo; XXI, *9* de eo, a quo ea pecunia peteita erit; XXII, *25* a quo quid .... petetur; XXII, *38* de eo, a quo ea res ita petetur. *qui* (*plur*). XXIII, *54* inter eos quei .... postulaverint. *quos*. XX, *48* iei, quos inter. *quae* (*fem. sing.*). XXI, *3* a quoquomq(ue) pecunia ...., quae res non pluris HS $\overline{XV}$ erit; XXII, *27* a quo quid ...., quae res non pluris HS $\overline{XV}$ erit; XXII, *29* eam rem, quae ita ab eo petetur. *quam*. XX, *14* ex ea re aut ob e(am) r(em) eove nomine ...., quam ob rem; XX, *24* eam stipulationem, quam .... habet; XX, *34* ea stipulatione, quam .... habet. *qua*. XIX, *5* qua de re; XX, *7* qua de re quisque et a quo; XX, *23* id iudicium q(ua) d(e) r(e) a(gitur); XX, *23* eo nomine q.d.r.a.; XX, *30 id.*; XX, *32* id iudicium q.d.r.a.; XX, *33* eo nomine q.d.r.a.; XX, *39 id.*; XXI, *18* ea pecunia .... de qua tum inter eos ambigetur; XXII, *28* ea res ...., de qua re .... ius deicei .... o(portebit); XXII, *33* eamve rem de qua arguetur. *quod* (*nom.*). XX, *19* quod ita iudicium datum .... erit; XX, *42* in eo iudicio, quod .... accipietur; XXI, *20* quodque ita factum .... erit, id ....; XXII, *27* quodve quom eo agetur. *quod* (*acc.*). XIX, *3* iudiciumve quod de ea re dabit; XX, *28* ex decreto ...., quod .... IIvir .... decreverit; XX, *38 id.*; XXI, *6* id quod confessus erit. *quo* (*neutr.*). XXIII, *58* in eo o(ppido) ...., in quo. *quae* (*neutr. nom. plur.*). XX, *43* ex ieis quae .... s(cripta) s(unt); XX, *46* ea nomina, qua<*e*> in earum qua formula ≪quae≫ s(upra) s(cripta) s(unt); XX, *49* ieis nominibus ...., quae .... s.s.*s.* (s.s.est *aes*);

XXI, *3* in eorum quo o(ppido) ...., quae sunt; XXII, *26 id.*; XXIII, *53* in eorum quo o(ppido) ...., quae .... sunt; XXIII, *56* in eorum quo o(ppido) .... quae s(upra) s(cripta) s(unt). *quae* (*neutr. acc.*). XX, 44 ea nomina ...., quae includei .... oportebit.

qui, quis (*pron. indef.*). XX, *13* sei quid interim damni datum .... erit; XX, *44* ne quid ei .... captionei .... esse possit; XX, *46* qua<*e*> in earum qua formula ≪quae≫ s(upra) s(cripta) s(unt); XX, *49* quae in earum qua formula s(upra) s(cripta) *s(unt)* (s.s.est *aes*); XX, *50* neive quis mag(istratus); XX, *52* intercedito neive quid aliud facito; XXI, *2* in eorum quo o(ppido) ....; XXI, *15* quei ita quid confessus erit; XXI, *19* queique eorum quem, ad quem ...., duxserit; XXII, *25* a quo quid praeter pecuniam; XXII, *26* in eorum quo o(ppido); XXII, *41* quei ita quid earum rerum confessus erit; XXII, *50* dum ne quis .... nisei pr(aetor) .... iubeat; XXII, *51* eorum quoius bona; XXIII, *53*. *56* in eorum quo o(ppido) ....

quicumque. XIX, *1-2* quodque quisque quomque ...., is in id decretum ....; XXI, *2* a quoquomq(ue); XXI, *14* qu*e*ique (quoique *aes*) quomque IIvir; XXIII, *53* queiquomque .... i(ure) d(eicundo) p(raeerit).

Quintus. XX, *23* = *33* Q. Licinius; XX, *26* = *36* Q. Licinium; XX, *27* = *37* Q. Licinium; XX, *29* = *39* Q. Licinius.

quisque. XIX, *1-2* quodque quisque quomque; XX, *7* qua de re quisque et a quo.

quisquis. XX, *26* = *35* quicquid .... d(are) f(acere) oporteret.

quo. XX, *9* is, quo d(e) e(a) r(e) in ius aditum erit.

quoquomque. XX, *16* mag(istratus) ...., quoquomque d(e) e(a) r(e) in ius aditum erit.

quom. XX, *18* quom ita postulatum esset; XXII, *27* quom eo; XXII, *30* quomve eo; XXII, *38* quomve eo.

quominus. XX, *52* neive quid aliud facito, quominus .... iudicium detur; XXI, *21* quominus .... iudicium recup(eratorium) .... det ...., ex h(ac) l(ege) n(ihilum) r(ogatur).

ratus. XIX, *1* id ratum ne esto; XX, *20* ius ratumque esto; XXI, *21* id ius ratumque esto.

recte. XX, *19* recte repromissum satisve datum esset; XXI, *14* ex iudicieis dateis iudicareve recte iusseis.

recuperatorius. XXI, *23* iudicium recup(eratorium) .... det.

reddere. XXIII, *55* iudicium sibei darei reddeive .... postulaverint.

remittere. XIX, *6* operis novi nuntiationem .... non remeisserit.

repromissio. XX, *14* damnei infectei repromissio satisve datio.

repromittere. XX, *11* ex formula repromittere; XX, *12* quei eorum ita non repromeisserit; XX, *19* damnei infectei ex formula .... repromissum .... esset; XX, *21* sei damnei infectei repromissum non erit; XX, *25* damnei infectei .... eam stipulationem .... repromeississet; XX, *30* damnei infectei repromittere.

res. *res* (*nom. sing.*). XX, *50* ea res; XXI, *3* quae res; XXI, *10* s(iremps) res lex ius caussaque o(mnibus) o(mnium) r(erum) esto; XXI, *20* ea res; XXII, *27* quae res; XXII, *28* ea res; XXII, *38* ea res; XXII, *40* s(iremps) l(ex) r(es) i(us) c(aussa)q(ue) o(mnibus) o(mnium) r(erum) e(sto). *rei* (*gen.*). XXII, *33* obligatumve se eius rei. *rem* XX, *10* ex ea re aut ob e(am) r(em) eove nomine; XX, *14* ...., quam ob rem; XX, *45* ob e(am) r(em) aut eo nomine; XXI, *23* ob e(am) r(em); XXII, *29* eam rem .... d(are) .... oportere; XXII, *32* eiusve eam rem esse aut se eam habere, eamve rem .... se fecisse; XXII, *39* quoi eam rem d(arei) .... oportebit. *re*. XIX, *2* d(e) e(a) r(e); XIX, *3 id.*;

XIX, *5* q(ua) d(e) r(e); XX, *7* qua de re; XX, *10* d(e) e(a) r(e) (2 ×); XX, *13* ex ea re; XX, *16* d(e) e(a) r(e) (2 ×); XX, *18* *id.*, XX; *19* *id.*; XX, *23* q(ua) d(e) r(e) a(gitur) (2 ×); XX, *30* *id.*; XX, *32* *id.*; XX, *33* *id.*; XX, *39* *id.*; XX, *41* d(e) e(a) r(e); XX, *45* d(e) e(a) r(e); XX, *52* *id.*; XXI, *7* *id.*; XXI, *8* *id.*; XXI, *11* *id.*; XXI, *24* *id.*; XXII, *28* de qua re; XXII, *29* deve ea re; XXII, *30* *id.* XXII, *34* d(e) e(a) r(e); XXII, *36*. *37*. *38*. *39*. *41*. *44*. *47*. *49*. *50* *id.* *verum.* XXI, *10* o(mnium) r(erum); XXII, *40* *id.*; XXII, *41* quid earum rerum. *rebus.* XXII, *42*. *43* de ieis rebus; XXII, *45* d(e) e(is) r(ebus) .... d(e) e(is) r(ebus) o(mnibus).

respondere. XXI, *8* in iure non responderit; XXI, *11* non responderit; XXI, *17* in iure non responderit; XXII, *37* in iure nihil responderit; XXII, *41* non responderit; XXII, *44* ibei .... nihil respondisset; XXII, *49* nihil respondisse<*t*>.

restipulari. XX, *8* damnei infectei .... restipularei.

restituere. XXII, *31* d(are) f(acere) p(raestare) restituereve oportere aut se debere; XXII, *35* non restituet; XXII, *39* d(arei) f(ierei) p(raestarei) restitui satisve .... f(ierei).

rogare. XXI, *24* ex h(ac) l(ege) n(ihilum) r(ogatur).

Roma. XX, *24* = *34* is quei Romae inter peregr(e)inos ius deicet; XXI, *22* vadimonium Romam; XXII, *42*. *43* Romae apud praetorem; XXII, *45* isve quei d(e) e(is) r(ebus) Romae i(ure) d(eicundo) p(raeerit); XXII, *48* eumve quei Romae i.d. praeesse*t* (*aes*: i.d.p. praesse); XXII, *50* isve quei Romae i.d.p.

romanus. XXI, *2* signata forma p(ublica) p(opulei) r(omanei); XXII, *25* signatam *etc.*

Rubrius. XX, *29* = *38* ex lege Rubria .... decreverit.

satis. XX, *8* damnei infectei .... satisve accipere; *cf. infra.*

satisdare. XX, *11* repromittere et, sei satisdarei debebit, satisdare; XX, *12-13* non satisdederit; XX, *19* satisve datum esset; XXII, *31* sei damnei infectei satisdatum non erit; XXII, *35* ea stipulatione, quam ...., satis dedisset; XXII, *40* damnei infectei satisdare.

satisdatio. XX, *15* damnei infectei repromissio satisve datio.

satisfacere. XXI, *6* solvet satisve faciet; XXI, *16* *id.*; XXI, *18* *id.*; XXII, *34* neque d(e) e(a) r(e) satis utei oportebit faciet.

satisfieri. XXII, *39* satisve d(e) e(a) r(e) f(ierei).

scribere. XX, *43* quae proxsume s(cripta) s(unt); XX, *47* qua<*e*> in earum qua formula ≪quae≫ s(upra) s(cripta) s(unt); XX, *49* *id.*; XXIII, *56* quae s(upra) s(cripta) s(unt).

se. XX, *9* se facere iuraverit; XXI, *5* d(are) o(portere) debereve se confessus erit; XXI, *6* se .... non defendet; XXI, *9* se defendet; XXI, *11* se .... non defenderit; XXI, *16* *id.*; XXII, *32* oportere aut se debere; XXII, *32* se eam habere, eamve rem .... se fecisse, obligatumve se eius rei noxsiaeve esse; XXII, *36* se .... defendet; XXII, *37* *id.*; XXII, *42* se .... defenderit; XXII, *44* se non defendisset; XXII, *49* se .... defendisset; XXIII, *55* iudicium sibei darei .... postulaverint.

Seius. XX, *25* = *35* L. Seio; XX, *26* = *36* *id.*; XX, *27* = *37* *id.*; XX, *30* = *40* *id.*

sestertius. XX, *27* = *36* d(um)t(axat) HS ....; XXI, *4* quae res non pluris HS $\overline{XV}$ erit; XXI, *19* dumt(axat) [*HS*] $\overline{XV}$; XXII, *27* quae res non pluris HS $\overline{XV}$ erit.

si. XIX, *2* seive .... iubebit; XX, *11* sei .... debebit; XX, *13* sei .... datum factumve .... erit; XX, *17* proinde atque sei; XX, *21* sei .... repromissum non erit; XX, 22 = 32 s(ei) .... Q. Licinius .... repromeississet; XX, 27 = 37 sei .... repromittere noluit; XX, 29 = 39 seive id pl(ebei)-≪ve≫sc(itum) est; XX, 31 = 40 s(ei) n(on) p(aret), a(bsolvito); XX, 50 et nisei sei; XXI, 4 sei is .... confessus erit; XXI, 7 seive is .... non responderit; XXI, 11 sei is .... damnatus esset; XXII, 27 et sei ea res erit; XXII, 29 sei is .... confessus erit; XXII, 34 aut sei .... oportebit; XXII, 36 aut sei .... nihil responderit; XXII, 40 sei is .... confessus esset; XXII, 47 ita ...., ac sei .... confessus esset.

signare. XXI, 2 pecunia .... signata forma p(ublica) p(opulei) r(omanei); XXII, 25 pecuniam .... signatam forma p(ublica) p(opulei) r(omanei).

sine. XX, 44 s(ine) d(olo) m(alo); XXI, 19 s(ine) f(raude) s(ua).

siremps. XXI, 10 s(iremps) res lex ius caussaque o(mnibus) o(mnium) r(erum) esto; XXII, 40 s(iremps) l(ex) r(es) i(us) c(aussa)q(ue) o(mnibus) o(mnium) r(erum) e(sto).

solvere. XXI, 6 neque id quod confessus erit solvet satisve faciet; XXI, 16 quei ita quid confessus erit neque id solvet satisve faciet; XXI, 17 neque id solvet satisve faciet.

sponsio. XIX, 2 sponsionem fierei .... iubebit; XIX, 4 in id decretum interdictum sponsionem iudicium; XXI, 6 se sponsione iudicioque .... non defendet; XXI, 8 neque .... sponsionem faciet; XXI, 12 se sponsione iudicioque .... non defenderit; XXI, 16 se sponsione iudiciove .... non defenderit; XXII, 34-35 aut sei sponsionem fierei oportebit, sponsionem non faciet.

stipulatio. XX, 24 damnei infectei .... eam stipulationem .... repromeississet; XX, 26 ex ea stipulatione .... d(are) f(acere) oporteret; XX, 34 ea stipulatione .... satisdedisset; XX, 36 ex ea stipulatione .... d(are) f(acere) oporteret.

supra. XX, 46 qua<*e*> in earum qua formula <quae> s(upra) s(cripta) s(unt); XX, 49 *id.*; XXIII, 56 quae s(upra) s(cripta) s(unt).

suus. XXI, 13 suo nomine; XXI, 19 s(ine) f(raude) s(ua).

tantus. XXI, 18 t(antae) p(ecuniae) ... duci iubeto.

territorium. XXI, 3; XXII, 26; XXIII, 53. 56. 58; *cf. castellum*.

tum. XX, 9 qua de re ...., tum; XX, 15 quei ...., sei ...., tum; XX, 26 sei ...., tum; XX, 35 *id.*; XXI, 9 a quoquomque .... sei .... seive ...., tum; XXI, 18 de qua tum inter eos ambigetur; XXII, 38 a quo .... sei .... aut sei .... aut sei ...., tum.

utei. XX, 14 utei .... fiere*t* (fierei *aes*) postulatum erit; XX, 41 curetve, utei; XXI, 7 utei≪ve≫ oportebit; XXI, 8 utei oportebit; XXI, 10 utei esset; XXI, 12 utei oportebit; XXI, 16 utei≪ve≫ oportebit; XXII, 34. 36. 37 utei oportebit; XXII, 40 utei esset; XXII, 42 utei oportebit; XXII, 49 utei oportuisset; XXIII, 58 ita ...., utei.

vadimonium. XXI, 22 quei ita vadimonium Romam .... non promeisserit.

-ve. XIX, 1 iussum iudicatumve erit; XIX, 2 decernet interd*e*icetve (interdiicetve *aes*); XIX, 2 seive; XIX, 3 iudicar*e*ve (iudicaveritve *aes*) iubebit; XIX, 3 iudiciumve; XIX, 5 addito addive iubeto; XIX, 6 IIvir IIIIvir praefectusve; XX, 8 restipularei satisve accipere; XX, 13 datum factumve erit; XX, 14 eove nomine; XX, 15 repromissio satisve datio; XX, 15 mag(istratus) prove mag(istratu); XX, 16 IIvir IIIIvir praefec(tus)ve; XX, 19 repromissum satisve datum esset; XX, 20 quod ita iudicium datum iudicareve iussum iudicatumve erit; XX, 28 = 37 IIvir(ei) IIIIvir(ei) praefec(tei)ve; XX, 29 = 38 IIvir IIIIvir praefec(tus)ve; XX, 29 = 39 seive id pl(ebei)-

≪ve≫sc(itum) est; XX, *41* IIvir IIIIvir i(ure) d(eicundo) praefec(tus)ve; XX, *41* ius ita deicat curetve; XX, *44* oporte*bit* debebitve (*aes*: oporteret debebitve); XX, *45* aget petetve; XX, *46* neive .... curet; XX, *48* id iudicium accipietur leisve contestabitur; XX, *50* neive quis mag(istratus) prove mag(istratu); XX, *51* neive quis pro quo imperio potestateve erit, intercedito; XX, *52* neive .... facito; XXI, *3* o(ppido) m(unicipio) c(olonia) p(raefectura) f(oro) v(eico) c(onciliabulo) c(astello) t(erritorio)ve; XXI, *3* sunt eruntve; XXI, *5* dare oportere debereve; XXI, *6* solvet satisve faciet; XXI, *7* utei≪ve≫ oportebit; XXI, *7* seive .... se defendet; XXI, *10* utei essent esseve oporteret; XXI, *13* quoive; XXI, *14* ex iudicieis dateis iudicareve recte iusseis; XXI, *15* IIvir IIIIvir praefec(tus)ve; XXI, *16* neque id solvet satisve faciet; XXI, *16* eum<*ve*>; XXI, *16* sponsione iudiciove; XXI, *16* utei≪ve≫ oportebit; XXI, *18* neque id solvet satisve faciet; XXI, *20* id ei fraudi poenaeve ne esto; XXII, *26* o(ppido) m.c.p.f.v.c.c.t.ve; XXII, *26* sunt eruntve; XXII, *27* quodve quom eo agetur; XXII, *28* ius deicei iudiciave darei; XXII, *29* deve ea re; XXII, *30* petet deve ea re aget; XXII, *30* petetur quomve eo agetur; XXII, *31* dare facere praestare restituereve oportere; XXII, *32-33* eiusve eam rem esse aut se eam habere, eamve rem de / qua arguetur se fecisse, obligatumve se eius rei noxsiaeve esse; XXII, *34* confessus erit deixseritve; XXII, *38* petetur quomve eo .... agetur; XXII, *39* satisve .... f(ierei); XXII, *40* esset esseve oporteret; XXII, *43* apud praetorem eumve quei ....; XXII, *45* pr(aetor)q(ue) isve quei ....; XXII *47* possideri proscreibeive; XXII, *47* is heresve eius; XXII, *48* apud eum pr(aetorem) eumve; XXII, *50* praetor isve quei; XXIII, *53* o(ppido) m.c.p.f.v.c.c.t.ve; XXIII, *55* darei reddeive; XXIII, *56*. *58* o(ppido) m.c.p.f.v.c.c.t.ve.

velle. XX, *8* damnei infectei .... restipularei satisve accipere volet.

venire. XXII, *47* eosque duci bona eorum possideri proscreibeive veneireque iubeto; XXII, *51* eorum quoius bona possiderei proscreibei veneire duceique eum.

verbum. XX, *21* = *32* in ea verba (....) iudicium det.

vicus. XXI, *3*; XXII, *26*; XXIII, *53*. *56*. *58* *cf. castellum*.

vindex. XXI, *23* vadimonium Romam .... non promeisserit aut vindicem locupletem ita non dederit.

SACHREGISTER

Die Zahlen verweisen auf die Seiten

a: „zu Lasten von", 90 (XX, *7*).

Abkürzungen in der Lex Rubria: 21-22. Vgl. ferner zu *d*(*e*) *e*(*a*) *r*(*e*), 377 (Nachtrag) (XX, *9*); *ob e*(*am*) *r*(*em*), 100 (XX, *13*); *i*(*udex*) *e*(*sto*), 108 (XX, *22*); *q*(*ua*) *d*(*e*) *r*(*e*) *a*(*gitur*), 108 (XX, *23*); *s*(*i*) *n*(*on*) *p*(*aret*) *a*(*bsolvito*), 119 (XX, *31* [2 ×] und *40*); *o*(*ppido*) *m*(*unicipio*) *c*(*olonia*) *p*(*raefectura*) *f*(*oro*) *v*(*eico*) *c*(*onciliabulo*) *c*(*astello*) *t*(*erritorio*)*ve*, 168 und 235 ff. (XXI, *2-3* uö.); *i*(*ure*) *d*(*eicundo*) *p*(*raeerit*), 170 (XXI, *4*); *d*(*are*) *o*(*portere*), 170 (XXI, *5*); *s*(*iremps*) *l*(*ex*) *r*(*es*) *i*(*us*) *c*(*aussa*)*q*(*ue*) *o*(*mnibus*) *o*(*mnium*) *r*(*erum*) *e*(*sto*), 175 (XXI, *10*); *s*(*ine*) *f*(*raude*) *s*(*ua*), 179 (XXI, *19*) und *d*(*are*) *f*(*acere*) *p*(*raestare*), 214 (XXII, *31*).

actio ad exhibendum: ein gegen die Person des Beklagten gerichtetes Verfahren, in dem der Kläger vom Beklagten die Vorlage oder Vorführung des Streitobjekts vor Gericht fordert, 202 f.; diese *actio* ist ein Beispiel für die Regelmässigkeit der Verknüpfung einer *actio in rem* mit einer solchen *in personam* und deshalb ein Argument für die Unwahrscheinlichkeit der These, dass Cap. XXII der Lex Rubria sich ausschliesslich auf Prozesse *in personam* beschränke, 201 f.

actio certae creditae pecuniae: Prozess aufgrund einer Forderung von einem Gelddarlehen; vgl. s.vv. ‚Caput XXI', ‚Darlehen: Gelddarlehen' und ‚*sponsio: sponsio tertiae partis*'.

actio ex stipulatu (*ex stipulatione*): Klage aufgrund dessen, was bei einer Stipulation versprochen worden war; für diese Klage anlässlich einer *cautio damni infecti* vgl. 51. 83 und 91 ff. (XX, *8*).

actio familiae erciscundae: Erbteilungsklage, 228 ff. (Cap. XXIII).

actio ficticia: ein auf eine Fiktion gegründetes Verfahren; es findet sich in Cap. XX für den Fall, dass der Beklagte sich verweigert hatte, eine *cautio damni infecti* zu leisten (der munizipale Jurisdiktionsmagistrat hatte dann die Befugnis, sobald ein wirklicher Schaden eingetreten war, von der Fiktion auszugehen, dass der Beklagte doch eine Sicherheitsleistung abgegeben habe), 85 ff. Vgl. auch s.v. ‚Damnationsfiktion' und s.v. ‚Fiktion „alsob in Rom vor dem Prätor Defension verweigert worden wäre" '.

actio in personam aufgrund einer geforderten Leistung: 110 (XX, *26 dare facere*); im Falle einer Forderung *praeter pecuniam certam creditam,* 200 ff.

actio in rem: auch diese Klage gehört zu der Sammelrubrik von Forderungen *praeter pecuniam certam creditam,* von denen in Cap. XXII die Rede ist; eine solche Klage, die darauf gerichtet ist, das Eigentumsrecht an einer gewissen Sache anerkennen zu lassen, führt öfters zu einer *actio ad exhibendum* (somit zu einer *actio in personam*), 201 ff.; vgl. ferner s.v. ‚*actio ad exhibendum*'.

actio iudicati: ein Verfahren, das sich auf eine Judikatsschuld gründet (d.h. auf dasjenige, wozu der Beklagte bereits rechtskräftig verurteilt ist); ob diese Prozedur ganz allgemein gegen einen säumigen *confessus* angewendet werden konnte, ist sehr zweifelhaft, 152 (mit Anm. 20); die *actio* dürfte jedoch vom römischen Prätor gegen solche Beklagte ediert worden sein, die bereits mit einer munizipalen ‚Damnationsfiktion' belastet waren, 167 (Anm. 33).

actio legis Aquiliae: Schadenersatzklage, 60 und 184 (XXII, *32-33*).

actio negatoria: eine Klage des Eigentümers, durch die er den Bestand einer

Servitut verneinte und die Freiheit seines Eigentums geltend machte; sie wurde auch verwendet, um dem „*nuntiatus*" das Baurecht (*opus novum*) streitig zu machen, 49 ff.

agere: „einen Rechtsstreit führen", 210 (XXII, *27*); bezeichnet öfters „die ganze Tätigkeit des Klägers beim Verfahren *in iure*", 131 (XXI, *21*).

(*ali*)*quid praeter pecuniam certam creditam:* ein vom Gesetzgeber der Lex Rubria für Cap. XXII (Z. *25*) verwendeter Sammelbegriff, der alle Forderungen zusammenfassen soll, die nicht auf einem Gelddarlehen beruhen. Eine vollständige Aufzählung sämtlicher Forderungsarten, die für diese Rubrik in Betracht kommen, lässt sich kaum geben (und ist vom Gesetzgeber auch nicht beabsichtigt), 200 ff. U.a. muss an Klagen aufgrund von Naturaldarlehen und von allen möglichen sonstigen Leistungspflichten gedacht werden, 214 ff. (zu XXII, *31-32 dare facere praestare restituereve oportere aut se debere*), an Forderungen auf Herausgabe eines Streitgegenstandes, 217 ff. (zu XXII, *32 eiusve eam rem esse aut se eam habere*), an Aktionen aufgrund von Deliktsobligationen (z.B. von Raub, Schadenszufügung oder unrechtmässigem Verhalten), 219 (zu XXII, *32-33 eamve rem de qua arguetur se fecisse*), an Ansprüche aufgrund von Haftpflichten, 219 ff. (XXII, *33 obligatumve se eius rei noxsiaeve esse*) usw.

„alsob in Rom vor dem Prätor selbst Defension verweigert worden wäre": vgl. s.v. ‚Fiktion usw.'

ambigere de aliqua re: „einen Prozess führen wegen einer Sache", 178 (XXI, *18*).

Antium: römische Bürgerkolonie in Latium, 338 v. Chr. gegründet, 243.

Antonius, M. (der Triumvir): Forderung des Antonius, zum Statthalter von Gallia Cisalpina ernannt zu werden (Spätsommer des Jahres 44 v. Chr.), 292 f. Sein Einfluss in Gallia Cisalpina bis zur Kapitulation der Truppen seines Bruders L. Antonius in Perusia (Febr. 40 v. Chr.), 297 Anm. 18.

Appuleius, M.: cos. 20. v. Chr.; die Deutung der Inschrift, aus der hervorgehen könnte, dass er im Jahre 23 v. Chr. Statthalter von Gallia Cisalpina war, ist sehr unsicher, 297 f. Anm. 18.

Aquileia: Stadt in Gallia Cisalpina (Transpadana), im Lande der Veneter; seit 218 eine latinische Kolonie, 246; seit 89 v. Chr. ein *municipium civium Romanorum*, 242; die Oberbeamten waren *duoviri*, 275.

Archaismus: vgl. s.v. ‚Juxtaposition', ‚*-que*', ‚*quo*', ‚Synonymenhäufung', ‚Tmesis', und ‚*-ve*'; und im allgemeinen vgl. s.v. ‚Gesetzessprache'.

arguere: „wegen eines Delikts anklagen", 219 (XXII, *32-33*).

Ariminum: heute Rimini, Stadt in Umbrien, seit 268 eine latinische Kolonie, 246; seit 89 v. Chr. ein *municipium civium Romanorum*, 242; die Oberbeamten waren *duoviri*, 275 mit Anm. 7.

Ateste: Stadt in Gallia Cisalpina (Transpadana), im Gebiet der Veneter; seit 89 v. Chr. *colonia latina*, seit 49 v. Chr. *municipium civium Romanorum*, noch später (anscheinend seit augusteischer Zeit) *colonia civium Romanorum*, 248 Anm. 12.

Ateste, Fragment von Ateste: Inhalt und Verhältnis zur Lex Rubria, 308 ff.; diplomatische Transkription, Text und Übersetzung, 312 ff. Paläographie und Orthographie der Tafel von Ateste verglichen mit der von der Tafel von Veleia (Lex Rubria), 19 ff. Es gehört einem Gesetz an, das für Gallia Cisalpina bestimmt war, 309 f. Datierung des Fragments (kurz nach dem 11. März 49 v. Chr.), 310 ff. Das Fragment von Ateste und die Tabula IIII der Lex Rubria sind nicht Bruchstücke aus einem und demselben Gesetze: sie enthalten verschiedene Kompetenzgrenzen (316 ff.) und verwenden ebenfalls unterschiedliche Umschreibungen für Ortschaftstypen und örtliche Jurisdiktionsmagistrate, 318 ff. Das Atestiner Fragment als Teil eines vorläufigen Übergangsgesetzes im Gegensatz zur Lex Rubria, die eine endgültige Gerichtsordnung für die eingebürgerte Provinz Gallia Cisalpina enthielt, 319 ff.

Atina: eine Präfektur (im Gebiet der Volsker), die von Cicero als *municipium* bezeichnet wird: Beispiel einer generelleren Verwendung dieses Terminus, 241.

aut: unterscheidet sich in der Gesetzessprache bisweilen kaum vom anknüpfenden *et*, 218 f. (XXII, *32*); vgl. auch s.v. ‚*-ve*'.

Bergomum: heute Bergamo, Ort in Gallia Cisalpina (Transpadana); seit 89 v. Chr. latinische Kolonie, seit 49 v. Chr. *municipium civium Romanorum*, 242 und 247.

Blankonamen: 109 (XX, *23*), 114 f. (XX, *28*) und 119 ff. (XX, *41-50*).

bona fides: als Begründung für die Aufnahme einer *exceptio*, 72 f.; *ex fide bona* als Zusatz zu *dare facere oportere* in einer Stipulation, 111 ff. (XX, *26*).

Bononia: heute Bologna, Stadt in Gallia Cisalpina (Cispadana); seit 189 v. Chr. *colonia latina*, 246; seit 89 v. Chr. *municipium civium Romanorum*, 242; Oberbeamte waren vielleicht *duoviri*, 275.

Brixellum: heute Brescia, Ort in Gallia Cisalpina (Cispadana); vor 89 v. Chr. *civitas foederata*, 248 Anm. 11; seit diesem Jahre latinische Kolonie, seit 49 v. Chr. *municipium civium Romanorum*, 242 und 247.

Butrium: Ort in Gallia Cisalpina (Cispadana), bis 89 v. Chr. *civitas foederata*, seitdem *colonia latina*, 248 Anm. 11.

Caesar, C. Iulius (der Diktator): Er liess 49 v. Chr. allen Bewohnern von Gallia Cisalpina das Bürgerrecht verleihen (lex Roscia), 291 f. und 311; den provinzialen Status von Gallia Cisalpina liess er nicht aufheben (293), aber er unterstellte trotzdem die Bewohner dieser Provinz der Jurisdiktion des Prätors in Rom, 294 f.

Caesena: Ort in Gallia Cisalpina, an der Via Aemilia; er hatte vielleicht den Status eines *conciliabulum*, 258.

calumnia: non k(alumniae) k(aussa), „nicht mit böser Absicht", 95 (XX, *9*).

captio: captioni esse, „von Nachteil sein", 123 (XX, *45*).

Capua: Stadt in Kampanien; 318 v. Chr. wurden *praefecti* aus Rom als Schiedsrichter nach dieser durch Bürgerzwiste zerrütteten Stadt geschickt; seit der Unterwerfung im Jahre 211 v. Chr. erhielt Capua regelmässig römische Präfekten, 251 und Anm. 14 und 15.

Caput XIX: Nur der zweite Teil dieses Caput ist erhalten, 45 ff. Ergänzungsvorschlag, 53 ff. (vgl. auch 51 f.). Lediglich ein Grenzgebiet der Kompetenzen von Prätor und Munizipalmagistrat wird behandelt (46 ff.), u.zw. anlässlich einiger Verordnungen inbetreff des Protestes gegen „Neubau" (*opus novum*). Das Caput bringt in etwas implizierter Weise die Bestimmung zum Ausdruck, dass der munizipale Jursisdiktionsmagistrat zwar das Recht hatte, dem wegen Ausführung eines „Neubaus" Belangten *remissio* („Aufhebung", „Unverbindlichkeitserklärung", vgl. 48 ff.) zu gewähren, dass aber die Verleihung von Interdikten oder Prozessformeln, welche ein Bauverbot bezweckten, zur ausschliesslichen Kompetenz des römischen Prätors gehörte, 52. Die Gewährung einer munizipalen *remissio* hatte jedoch zur Folge, dass der Prätor verpflichtet war, sie bei seiner Jurisdiktion (Interdikten, Prozessformeln usw.) zu berücksichtigen (u.zw. in der Form einer *exceptio*), ebd.

Caput XX: Der Munizipalmagistrat erhält die Befugnis, eine *cautio damni infecti* aufzuerlegen, 77. Für den Fall, dass eine wegen *damnum infectum* beklagte Person sich weigert, *cautio* zu leisten, erhält der Munizipalmagistrat ein indirektes Zwangsmittel: er kann, sobald ein wirklicher Schaden eingetreten ist, dem Kläger eine *actio ficticia* (vgl. s.v.) gewähren; diese Prozedur fusst auf einer der beiden folgenden rechtlichen Fiktionen: entweder dass der Beklagte sich (seiner Weigerung zum Trotz) doch mittels einer *stipulatio* (vgl. s.v.) zu der Leistung von Schadenersatz verpflichtet hat, oder dass er zu diesem Zweck eine *satisdatio* (vgl. s.v.) geleistet hat, 86 ff. und 108 (XX, *22-23*). Sowohl für die für diese *actio ficticia* erforderliche *stipulatio* wie für die *satisdatio* wird der Wortlaut vorgeschrieben, welcher sich in dem Edikt des peregrinischen Prätors in Rom findet, 109 f. (XX, *24*). Was den Wortlaut der auf die beiden genannten Kautionen sich gründenden fiktizischen Aktionen anbelangt, so wird dieser vom Gesetzgeber in der Lex Rubria verbatim zitiert, 85 f. (vgl. ferner 102 ff. zu XX, *17*): für die erstere Prozessformel, die von der *stipulatio* ausgeht, vgl. 107 ff. (zu XX, *22-31*); und für die zweite, die sich auf die *satisdatio* gründet, 119 (zu XX, *32-40*). In Rom wurde ein von dem der Lex Rubria abweichendes, u.zw. direkteres, Zwangsmittel gegen einen Beklagten angewandt, der sich weigerte, wegen *damnum infectum* Kaution zu leisten (*missio in possessionem*), 86 ff. Gründe für das Aufstellen einer Regelung, welche von der der römischen Stadtgemeinde abwich, 88 f.

Caput XXI: Es befasst sich mit Prozessen, in denen ein Gelddarlehen (*pecunia certa credita*) zurückgefordert wird, 132 f. Die Anwendung eines Formularprozesses wird vorausgesetzt, 135, Anm. 4 und 181 f. (XXI, *20-21*). De facto enthält dieses Caput ausschliesslich Vorschriften, welche der Munizipalmagistrat gegen Beklagte anwenden kann, die sich Verschleppungsmanöver (Indefensionen) zuschulden kommen lassen, 132 f. Die Lex Rubria kennt zwei (nicht drei, wie manche Gelehrte vermutet haben) Arten von Verschleppungsmanövern (134 ff. und 147 ff.): 1. der Beklagte gesteht zwar, verweigert jedoch weiterhin seine Mitwirkung am Prozessablauf (147 ff.); 2. der Beklagte erscheint überhaupt nicht vor dem Jurisdiktionsmagistrat (156 ff.). Ungenauigkeiten und gegenseitige Abweichungen in den Umschreibungen der Verschleppungsmanöver: vgl. 137 f. und 169-173 zu XXI, *4-9*; 138. 142. 145 ff. und 176 zu XXI, *11-12;* 138. 142 f. 145 ff. und 177 f. zu XXI, *15-18* (vgl. auch die schematische Übersicht 148 f.). Die Regelung der Lex Rubria (der Munizipalmagistrat darf sich gegenüber einem Beklagten, der sich der Prozessverschleppung schuldig macht, einer sogen. ‚Damnationsfiktion' bedienen) weicht ab von derjenigen, die in Rom in einem solchen Falle angewendet wurde, 160 ff. und 179 ff. (XXI, *19. 20*). Munizipalmagistrate sind für Prozesse aufgrund von Gelddarlehensforderungen bis zu einem Maximum von 15.000 Sesterzen zuständig, 132 ff., 168 f. (XXI, *3-4*) und 178 f. (XXI, *19*). Vgl. inbetreff der Regelung der Prozesse aufgrund von höheren Gelddarlehensforderungen 165 ff. und 182 ff. (XXI, *21-24;* der Prozess musste dem römischen Prätor überlassen werden); für das Erscheinen vor dem Prätor in Rom jedoch konnte der Munizipalmagistrat vom Beklagten eine Garantie (*vadimonium Romam*) oder gar einen Bürgen (*vindex locuples*) fordern und ihn nötigenfalls vor das Rekuperatorengericht zitieren, 165 ff. und 183 ff. (XXI, *22-24*). Literaturübersicht zu diesem Caput, 138 ff. Für Einwände gegen frühere Interpolationstheorien vgl. 136, 140 f. und 160 ff.

Caput XXII: Es befasst sich mit Prozessen aufgrund von allen sonstigen Forderungen, Gelddarlehen ausgenommen (*aliquid praeter pecuniam certam creditam*), 133 und 191. Übereinstimmungen und Unterschiede im Vergleich zu Caput XXI, 133 f. und 191 f. Auch dieses Caput enthält de facto lediglich Bestimmungen für das Verfahren gegen Beklagte, die sich Verschleppungsmanöver (Indefensionen) zuschulden kommen lassen, 133 f. und 191 ff. Es werden, ebenso wie in Caput XXI, wiederum zwei (nicht drei) Arten von Verschleppungsmanövern erörtert, 190 und 192 ff. Auch hier kann man Ungenauigkeiten und gegenseitige Abweichungen in den Umschreibungen der Verschleppungsmanöver (XXII, *29-37. 40-42. 43-44* und *49-50*) feststellen, 192 ff.; vgl. dazu die schematische Übersicht, 194 f. In allen Fällen, in denen der Beklagte Schwierigkeiten macht, wird der Prozess an den römischen Prätor verwiesen, 133 f. und 191 f. Für Prozesse aufgrund von Forderungen, deren Geldwert auf nicht mehr als 15.000 Sesterze geschätzt wurde, wurde wiederum eine fiktizische Regelung in die Lex Rubria aufgenommen: ein Beklagter, der sich dem Munizipalmagistrat gegenüber eine Kontumaz hatte zuschulden kommen lassen, wurde in Rom behandelt wie eine Person, die sich dem Prätor gegenüber unbotmässig gezeigt hatte (vgl. s.v. ‚Fiktion ,,alsob in Rom vor dem Prätor Defension verweigert worden wäre'' '), 133; zu den Massnahmen des Prätors gegen solche Beklagten vgl. 196 ff. Auf die Frage, welche Zwangsmittel dem Munizipalmagistrat zur Verfügung stehen, um von unbotmässigen Beklagten das Erscheinen vor dem Prätor in Rom zu gewährleisten, wird in Caput XXII nicht eingegangen: vielleicht verfügt der Munizipalmagistrat in diesem Falle nicht über solche Zwangsmittel, 199 f. Eine genaue Übersicht der Forderungen, die für die Umschreibung *praeter pecuniam certam creditam* in Frage kommen, wird nicht gegeben, 200 ff. (vgl. auch s.v. *‚aliquid praeter pecuniam certam creditam'*). Auch für die in Caput XXII behandelten Forderungen, die nicht auf einem Gelddarlehen beruhen, muss ein Geldbetrag als Wertschätzung angegeben werden (das Prinzip der *condemnatio pecuniaria*), 204 ff. Gründe für die unterschiedliche Behandlung der Gelddarlehensforderungen von Caput XXI und der Forderungen *praeter pecuniam certam creditam*, 207 ff. Für Einwände gegen Interpolationstheorien vgl. 190 f. und 197 ff.

Caput XXIII: Es befasst sich mit Erbteilungsprozessen; der Inhalt lässt sich jedoch nicht genau rekonstruieren, da der grössere Teil dieses Caput nicht erhalten ist, 228 ff.

castellum: ,,Fort'', 261 f., öfters ein kleines Gebirgsdorf (261 Anm. 21). Es ist meistens einem benachbarten Hauptort untergeordnet, ebd. Obgleich einige *castella* eine Art Volksversammlung gekannt haben, kann die verwaltungsrechtliche Selbständigkeit dieser Ortschaften nur niedrig veranschlagt werden, 264 f.; vgl. auch s.v. ‚Ortschaftsbezeichnungen'.

causa: vgl. zur formelhaften Reihe *res lex ius caussaque* 175 f. (XXI, *10*).

cautio: ,,Sicherheitsleistung''. Allgemeines, 78 ff. und 91 ff. (XX, *8*); vgl. auch s.v. *‚sponsio'*.

cautio damni infecti: Sicherheitsleistung für einen infolge von ,,Neubau'' (*opus novum*) eventuell eintretenden Schaden, 77 ff. Diese vorgreifende *cautio* wurde bevorzugt, weil eine Schadenersatzklage, die erst nach dem Eintreten des Schadens angestrengt wurde, ungenügende Aussicht auf Erfolg bot, 79 f. Man verwandte für sie entweder eine *stipulatio* (vgl. 91 ff. zu XX, *8;* vgl. auch 77 ff.) oder eine *satisdatio* (vgl. 97 f. zu XX, *11*); der Wortlaut für beide musste (wohl immer, auf alle Fälle aber, wenn es sich um eine *actio ficticia* handelte) dem Edikt des peregrinischen Prätors entnommen werden, 109 f. (XX, *24*). Vermöge der Lex Rubria konnten nunmehr auch Munizipalmagistrate diese *cautio* auferlegen, 77 f. und 114 ff. (XX, *27-29*). Für den Fall, dass ein Beklagter die *cautio* verweigerte, war in die Lex Rubria eine besondere Regelung aufgenommen worden: vgl. hierzu s.v. ‚Caput XX'.

cautio de opere restituendo: Sicherheitsleistung des „*nuntiatus*", dass er das Erbaute nötigenfalls wieder in den früheren Zustand zurückversetzen wird; indem die von einem „Protest gegen Neubau" belangte Person dem „*nuntiator*" diese Sicherheitsleistung anbot, konnte sie das Recht zum Weiterbauen erlangen, 48 ff.

cautio iudicatum solvi: Sicherheitsleistung des Beklagten, dass er eine eventuelle Urteilsschuld erfüllen wird; an diese Sicherheitsleistung muss vielleicht bei der in XXII, *34-35* erwähnten Forderung (*aut sei sponsionem fierei oportebit*) gedacht werden; sie wurde besonders dann auferlegt, wenn der Beklagte sich bei der Prozessführung vertreten liess, 222.

cautio pro praede litis et vindiciarum: „Sicherheitsleistung inbetreff eines Hafters für das Streitobjekt"; die Möglichkeit ist nicht auszuschliessen, dass bei der in XXII, *34-35* erwähnten *sponsio* ausser an die oben zitierte *cautio iudicatum solvi* auch an diese Sicherheitsleistung gedacht werden muss: die von einer *actio in rem* belangte Person konnte sich durch Hinterlegung dieser *cautio* für persönlich haftbar erklären, 202 und 222.

certa credita pecunia: vgl. s.vv. ‚Darlehen: Gelddarlehen' und ‚Caput XXI'.

Claterna: Ort in Gallia Cisalpina an der Via Aemilia; er hatte vielleicht den Status eines *conciliabulum*, 258.

colonia: „Siedlung", 242 ff. Römische Kolonien (*coloniae civium Romanorum*), 243 f. Latinische Kolonien (*coloniae latinae*), 242 und 244 ff.; in der Entwicklungsgeschichte der letzteren begegnen: die Kolonien des alten Latinerbundes, bis 338 v. Chr. (*priscae latinae coloniae*), 244 f.; die seit 338 v. Chr. unter römischer Hegemonie deduzierten latinischen Kolonien (sogen. altlatinische Kolonien), 245 f.; die seit 89 v. Chr. in der Poebene konstituierten latinischen Kolonien (sogen. neulatinische Kolonien), 246 ff. Im Jahre 49 v. Chr. wurden die cisalpinischen *coloniae latinae* in *municipia* (*civium Romanorum*) verwandelt, 248 f. Für die Jurisdiktionsmagistrate der *coloniae* vgl. s.vv. ‚*duoviri*' und ‚*quattuorviri*'. Vgl. ferner s.v. ‚Ortschaftsbezeichnungen'.

Comum: heute Como, Ort in Gallia Cisalpina (Transpadana); seit 89 v. Chr. latinische Kolonie, seit 49 v. Chr. *municipium civium Romanorum*, 242 und 247.

conciliabulum: „Sammelplatz", 256 ff. Ursprünglich eine regionale Hauptortschaft; zur Zeit der Verabschiedung der Lex Rubria unterschied es sich jedoch nicht mehr in verwaltungsrechtlicher Hinsicht von einem *forum*, 258. Spärlichkeit des Quellenmaterials, 258 ff. Die *conciliabula* besassen zwar anfänglich eigenes Grundgebiet (258), sie wurden aber späterhin, sofern sie nicht den Status einer *praefectura* oder eines *municipium* erhielten, dem Territorium eines benachbarten Hauptortes einverleibt, 260. Für *conciliabula* als Ortschaften, an denen Jurisdiktionsmagistrate Sitzungen abhielten, vgl. 259 ff. Vgl. auch s.v. ‚Ortschaftsbezeichnungen'.

condemnatio pecuniaria: Geldkondemnation; die behufs eines Richterspruchs vorgenommene Wertschätzung einer Forderung, die nicht auf einem Gelddarlehen beruht (etwa von einer geforderten Leistung), 204 ff.; auch 110 ff. (XX, *26-27*) inbetreff der Berechnung des Schadenersatzes für ein *opus novum*. Die endgültige Umrechnung des Schuldwertes in Geld wird vom Richter selbst vorgenommen, 204. Für eventuelle Ausnahmen von der Regel der Geldkondemnation (bei Noxalklagen) vgl. 211 ff. (XXII, *27-28*).

confessio in iure: Ein Bekenntnis war nur dann gültig, wenn der Beklagte während der Behandlung *in iure* (vor dem Jurisdiktionsmagistrat) persönlich anwesend war, 169 (XXI, *4-5*). Für ein Schuldgeständnis unter Vorbehalt (Berufung auf eine *exceptio*) vgl. 136 und 154 ff. Für die Zahlungsfrist von 30 Tagen für Schuldner, die eine vorbehaltlose *confessio* abgelegt haben, 155 f. Nach einer *confessio* inbetreff einer Forderung, die nicht auf einem Gelddarlehen beruhte, brauchte die Wertschätzung derselben in Geld nur dann vorgenommen zu werden, wenn festgestellt werden sollte, ob sie innerhalb der Kompetenzgrenze der Munizipalmagistrate fiel (Maximum 15.000 Sesterze), 204 ff. Ferner war die Wertschätzung einer Leistung *praeter pecuniam certam creditam* nur dann notwendig, in einem Nachverfahren, wenn nach der *confessio* ein Streit über die Art der Genugtuung entstand, 206 f. und 223 (XXII, *26*). Einwände gegen die Annahme einer (in den Quellen nicht belegten) sogen. „*actio confessi*", 152 f., Anm. 21.

Cotta, C. Aurelius: cos. 75 v. Chr.; 74 v. Chr. Statthalter von Gallia Cisalpina, 290.

Cremona: Stadt in Gallia Cisalpina (Transpadana); seit 218 v. Chr. latinische Kolonie, 246; seit 89 v. Chr. *municipium civium Romanorum*, 242.

custodia: in custodia esse, Terminus für die zeitweilige Inbesitznahme eines gefährdenden Gegenstandes, ein in Rom angewandtes Zwangsmittel bei einem Verfahren aufgrund eines *opus novum,* 86 f., Anm. 7.

Damnationsfiktion: Beim gerichtlichen Verfahren konnte in bestimmten Fällen von der Fiktion ausgegangen werden, dass der Beklagte bereits verurteilt ist; ein auf diese Fiktion gegründetes Verfahren konnte gemäss der Lex Rubria ein munizipaler Jurisdiktionsmagistrat gegen solche Beklagten anwenden, die bei Forderungsklagen wegen *certa credita pecunia* die Defension verweigert hatten, 132, 156, 157 ff.

damnum: die Bedeutung der Termini *damnum dare* und *damnum facere,* „ein Schaden zufügen" bezw. „erleiden", 99 (XX, *13*).

damnum infectum: „drohender Schaden", 77 ff. Für Einzelheiten vgl. s.vv. ‚*cautio damni infecti*', ‚*legis actio damni infecti*' und ‚Caput XX'.

dare: vgl. zu der formelhaften Wendung *dare facere,* 110 (XX, *26*); zu *dare facere praestare restituereve oportere,* 214 (XXII, *31*); zu *dare oportere,* 170 (XXI, *5*).

Darlehen: Gelddarlehen (*pecunia certa credita*), 168 (XXI, *2*). Prozesse aufgrund eines Gelddarlehens, 132 ff. (Caput XXI). Maximalsumme (15.000 Sesterze) für die gerichtliche Zuständigkeit der Munizipalmagistrate bei Prozessen wegen eines Gelddarlehens, 168 f. (XXI, *3-4*); ebenfalls bei Prozessen wegen eines sonstigen Darlehens (etwa eines Naturaldarlehens), 210 (XXII, *27*); vgl. zu letzterem auch 133 f. und 190 ff. (besonders 200 ff.).

debere: in der Wendung *dare oportere debereve* dürfte *dare oportere* als ein juristischer Terminus technicus zu werten sein, *debere* hingegen als ein allgemeinerer Ausdrück, 170 (XXI, *5*); letzteres gilt auch für *debere* in *dare facere praestare restituereve oportere aut debere,* 217 (XXII, *31-32*).

decernere: Verwendung dieses Terminus für die Befehle von Munizipalmagistraten, 113 f. (XX, *27*). Für die Verwendung von *decernere* als Terminus für den Judikationsbefehl eines römischen Prätors vgl. 64 ff. (XIX, *2*) und 98 (XX, *11-12*).

decretum: vgl. s.v. ‚*decernere*'.

defendere: juristischer Terminus für „sich gebührend verteidigen", 172. Ein Bedeutungsunterschied zwischen *defendere* und *se defendere* (ersteres für *actiones in rem,* letzteres für solche *in personam* ?) lässt sich nicht nachweisen; er ist sogar unwahrscheinlich, 203.

Dertona: heute Tortona, Ort in Gallia Cisalpina (Cispadana) in der Nähe von Placentia; gemäss der Überlieferung seit etwa 124-118 v. Chr. *colonia civium Romanorum*, 244 mit Anm. 8a.

dicere: Dieses untechnische Verbum ist in der Wendung *confessus erit deixseritve* (XXII, *34*) lediglich dem Streben nach Vollständigkeit zuliebe hinzugesetzt worden, 221.

duci vel ferri iubere: Befehl des Magistrats an den Kläger bei einer *actio in rem,* den Streitgegenstand in Besitz zu nehmen, 202 f.

ductio: „Geiselung", Exekutionsmassnahme, die ein Munizipalmagistrat gemäss der Lex Rubria gegen einen Beklagten vornehmen konnte, der in einem Prozess aufgrund einer Gelddarlehensschuld (von nicht mehr als 15.000 Sesterzen) verurteilt worden war, 160 (vgl. ebd. für die Zahlungsfrist von 30 Tagen); vgl. dazu auch 133 Anm. 2 (eine Geiselung war nach römischer Anschauung eine weniger ersthafte Massnahme als ein Einschreiten gegen das Vermögen), ferner 167 Anm. 33 (die Munizipalmagistrate waren lediglich für Geiselung zuständig, nicht hingegen für Beschlagnahme von Vermögen) und 180 (XXI, *19*). Zu der lediglich dem römischen Prätor zustehenden Geiselung in Prozessen aufgrund einer Forderung *praeter pecuniam certam creditam* vgl. 225 ff. (XXII, *46-47*).

dumtaxat: „nicht mehr als", „bis zu einem Maximum von": 113 (XX, *27*) und 178 (XXI, *19*).

duumvir (*duovir*)*:* Titel der zwei mit der Jurisdiktion beauftragten Munizipalmagistrate; der Titel begegnet besonders häufig in *coloniae* (*civium Romanorum*), manchmal aber auch in *municipia,* 268 ff. Für die Verwendung des Titels *duoviri* als (abkürzende) Andeutung für die zwei *IIIIviri iure dicundo* vgl. 276 ff. Vgl. ferner noch 75 (XIX, *6*) und 101 (XX, *15*); ausserdem s.v. ‚Munizipalmagistrat'.

edictum praetorium (*edictum praetoris*)*:* Für die darin aufgenommenen Bestimmungen (Interdikte) inbetreff der *operis novi nuntiatio* vgl. 47 ff. und 52; vgl. auch 66 ff. (zu XIX, *2*); für die *exceptiones,* die in jenen Interdikten begegnen können, vgl. 51 f. und 71 ff. (XIX, *4-5*). Für die Bestimmungen im Edikt des Praetor peregrinus inbetreff der Klagen wegen *damnum infectum* und der dazugehörigen Kautionsformulare vgl. 78 ff., 91 ff. (XX, *8*) und 91 (XX, *10*).

educere in ius: „vor den Jurisdiktionsmagistrat laden", 96 (XX, *10*).

Einlassungsverweigerung: vgl. s.v. ‚Prozessverschleppung'.

Eporedia: heute Ivrea, Ort in Gallia Cisalpina (Transpadana); gemäss der Überlieferung seit 100 v. Chr. *colonia civium Romanorum,* 244 mit Anm. 8a.

Erbteilung: 228 ff. (Caput XXIII: *familia erciscunda*).

erciscere (*ercisci*)*:* „eine Erbschaft verteilen", 230 f. (XXIII, *55*).

exceptio: „Ausnahmeklausel"; ihre Verwendung in Interdikten und in Formularen für Prozesse aufgrund einer *operis novi nuntiatio,* 51 f. 53 f. 67 f. (XIX, *2*) und 71 ff. (XIX, *4-5*). Für die *exceptio pacti conventi* (*pactum de non petendo,* „Vereinbarung, dass der Gläubiger nicht klagen werde") in einem Schuldbekenntnis vgl. 154 ff.

facere: Vgl. zu der formelhaften Wendung *dare facere* 110 (XX, *26*); zu *dare facere praestare restituereve oportere* 214 (XXII, *31*), zu *factum actum iussum,* 181 f. (XXI, *20-21*). Für *facere* im Sinne von „sich eines Delikts schuldig machen" vgl. 219 (XXII, *32-33*).

familia: „Vermögen", als Terminus des juristischen Sprachgebrauchs, 230 (XXIII, *55*).

familia erciscunda: „Erbteilung", 228 ff. (Caput XXIII).
Faventia: Ort in Gallia Cisalpina (Cispadana) an der Via Aemilia; er hatte vielleicht den Status eines *conciliabulum,* 246 und 258.
Fidentia: Ort in Gallia Cisalpina (Cispadana) an der Via Aemilia; er hatte vielleicht den Status eines *conciliabulum,* 258.
fides: zu XX, *27 oportere ex fide bona* vgl. 111 ff. und s.v. ‚*oportere*'.
Fiktion „alsob in Rom vor dem Prätor Defension verweigert worden wäre": gegen einen Beklagten, der im Falle einer Forderung *praeter pecuniam certam creditam* bei einem cisalpinischen munizipalen Jurisdiktionsmagistrat seine Mitwirkung verweigert hatte, 133. 196 ff.
formula: 1. Formel für eine *stipulatio,* 91 (XX, *8*) und 96 (XX, *10*). 2. Schema für eine Prozessformel, 102 ff. (XX, *17*) und 123 (XX, *46*); vgl. ebd. für den Bedeutungsunterschied zwischen *iudicium* und *formula*; vgl. für die einleitenden Worte der Prozessformel *iudex esto* 107 f. (zu XX, *22*).
forum: „Marktplatz", 256 ff.; der Terminus wird in der Amtssprache besonders für Marktflecken verwendet, die von römischen Magistraten gegründet worden waren, ebd. Der staatsrechtliche Status der *fora civium Romanorum* war zur Zeit der Lex Rubria ungefähr der gleiche wie der der *conciliabula,* vgl. s.v. Vgl. ferner s.v. ‚Ortschaftsbezeichnungen'.
Forum Clodi: Ort in Etrurien, westlich vom Lacus Sabatinus an der Via Clodia; *forum* seit etwa Mitte des 3. Jahrh. v. Chr.; es wurde nach der Umsetzung in eine Präfektur *praefectura Claudia Foroclodi* genannt, 246, 253 (mit Anm. 16), 256 und 260.
Forum Corneli: Ort in Gallia Cisalpina (Cispadana), an der Via Aemilia; die Gründungszeit dieses *forum* lässt sich nicht genau mehr feststellen, 246. 257 und 285.
Forum Lepidi: Ort in Gallia Cisalpina (Cispadana), zwischen Mutina und Parma; als *forum* wahrscheinlich von M. Aemilius Lepidus, cos. 187 v. Chr., gegründet, 246 und 257.
Forum Licini: Ort in Gallia Cisalpina (Transpadana), in der Nähe von Bergomum; er existierte als *forum* bereits zur Zeit des älteren Cato, 246 und 257.
Forum Lvi: Ort in Gallia Cisalpina (Cispadana), an der Via Aemilia; als *forum* wahrscheinlich von C. Livius Salinator, cos. 188 v. Chr., gegründet, 246. 257 und 285.
Forum Popili: Ort in Gallia Cisalpina (Cispadana), an der Via Aemilia; als *forum* etwa im 2. Jahrh. v. Chr. gegründet, 246 und 275.
Fulginiae: eine Präfektur in Umbrien, von Cicero als *municipium* bezeichnet: Beispiel einer generelleren Verwendung des zuletzt genannten Terminus, 241.
Furfo: ein Dorf, *vicus,* etwa 15 km. vom heutigen L'Aquila entfernt, 264 Anm. 26.
Futurum exactum und Futurum simplex in der Gesetzessprache: in Caput XXI (und XXII) ein entscheidendes Moment für die Textanalyse (Zweiteilung der Manöver der Prozessverschleppung, die Beklagte anwenden können), 137 ff. (XXI, *5-9*) und 172 (XXI, *7*). Was die Anwendung dieses Kriteriums auf Caput XXII (besonders *29-37* und *40-42*) betrifft, vgl. 192. Vgl. ausserdem s.vv. ‚Plusquamperfectum und Imperfectum coniunctivi in der Gesetzessprache' und ‚Gesetzessprache'.

Gallia Cisalpina: Geschichte dieser Provinz, 284 ff.; die Aufhebung des provinzialen Status derselben, 292 ff. (vgl. auch 64 zu XIX, *1-2*); vgl. ferner s.v. ‚Poebene'.

Geiselung: vgl. s.v. ‚*ductio*'.

Gelddarlehen: vgl. s.v. ‚Darlehen'.

Geldkondemnation: vgl. s.v. ‚*condemnatio pecuniaria*'.

Genetiv des Sachbetreffs (*relationis*): *damnei infecti restipularei*, 90 f. (XX, *7*) und *siremps .... omnibus omnium rerum esto*, 175 f. (XXI, *10*). Abart desselben, der *genetivus forensis: eius condemnato*, 113 (XX, *27*) und *obligatum eius rei noxsiaeve esse*, 219 f. (XXII, *33*).

Genua: Stadt in Ligurien, der zur Zeit der sogen. ,,Sententia Minuciorum'' (117 v. Chr.) das *castellum Minuciorum* untergeordnet war; zu jener Zeit war Genua eine *civitas foederata* von Rom, 261 f.

Gesetze: Publikationsgebot derselben, 120 (XX, *41-50*).

Gesetzessprache: Umständlichkeit, pedantische Schwerfälligkeit, Wiederholungen und floskelhafte Wendungen in derselben, 162. Synonymenhäufungen: vgl. 122 (XX, *43*) *includantur concipiantur* (dieselbe Wortverbindung in XX, *47 includei concipei*) und 105 f. (XX, *17*) *iubeto cogito* (in allen 3 Fällen Asyndeton); vgl. ferner XX, *44 oportebit debebitve* (122 f.); XXII, *33-34 confessus erit deixseritve* (221); XXIII, *55 darei reddeive* (231) und XX, *13-14 ex ea re aut ob eam rem eove nomine* (100); usw. In manchen Synonymenhäufungen hat der zweite Terminus eine erläuternde Funktion (explikative Juxtaposition), 69 (XIX, *2*) *decernet interdeicetve;* vgl. auch XX, *11-12 iubeto decernito* (98); XX, *22 ius ratumque* (107) und XXIII, *55 erceiscunda deividunda* (230 f.). Mehr oder weniger synonymisch sind ferner terminologische Reihen wie *dare facere, dare facere praestare restituereve oportere, dare oportere debereve* und *factum actum iussum*, vgl. s.vv. ‚*dare*', ‚*debere*' und ‚*facere*'. Überflüssig infolge des Strebens nach übertriebener Deutlichkeit ist die Hinzusetzung der Termini *oppidum* und *territorium* in der Reihe der Ortschaftsbezeichnungen *oppidum municipium colonia praefectura forum veicus conciliabulum castellum territorium*, 239 und 265 f. Dem Streben nach Deutlichkeit zum Trotz sind dem Redaktor der Lex Rubria auch sonstige Ungenauigkeiten unterlaufen: unpräzis sind z.B. die Wiederholungen der Umschreibung für Prozessverschleppungen in Cap. XXI, 137 f. und 142 ff., vgl. XXI, *4-9; 11-12* und *15-18;* ebenso in Cap. XXII, 192 f., vgl. XXII, *29-37; 40-42; 43-44* und *49-50*. Ungenau wird XXI, *5 dare oportere debereve* in XX, *10* durch *darei oportebit* (ohne *deberi*) wiederholt (170). Differenzen in der Anwendung der Tempora werden nur zum Teil in korrekter Weise beachtet, vgl. die oben bereits zitierten Seiten 137 f. 142 ff. und 192 f. (exakte Verwendung des Futurum exact. für juristisch wichtige Hauptsituationen und des Futurum I für hinzutretende Begleitumstände in XXI, *4-9* und XXII, *29-37*; etwas nachlässigere Beachtung der Differenz zwischen Fut. II und I in XXI, *11-12, 15-18* und XXII, *40-42*; und in ähnlich nachlässiger Weise bleibt der Unterschied zwischen dem konjunktivischen Plusquamperfekt und Imperfekt unbeachtet in XXII, *43-44* und *49-50*). In der ziemlich langen Periode XXI, *6-7 neque .... solvet satisve faciet aut se .... non defendet* führte das übertriebende Streben nach Deutlichkeit zu der Hinzusetzung eines überflüssigen *non*, 172. Charakteristisch für die Gesetzes- und Kanzleisprache sind floskelhafte Wendungen und Archaismen. Für floskelhafte Wendungen vgl. z.B. XIX, *5 addito addive iubeto* (73 ff.); XX, *45 aget petetve* (vgl. ungefähr dieselbe Wendung in XXII, *27. 29. 30. 30-31. 38*); XX, *23* (2 mal). *30. 32. 33. 39 qua de re agitur* (108); XX, *9*. XXI, *4. 24*. XXII, *22. 24. 31* und *45 quei ibei iure deicundo praeerit* (94 f.); XX, *24* und *34 is quei Romae inter peregreinos ius deicet* (109 f.); XXI, *10* und XXII, *40 siremps res lex ius caussaque omnibus omnium rerum esto* (175 f.); XX,

46. 49 und XXIII, *56 quae supra scripta sunt* (124); usw. Trotz der wortreichen Umständlichkeit ist die Floskel *quei ibei iure deicundo praeerit* recht vage: einfaches *ibei* steht für „dort in der cisalpinischen Ortschaft", die ganze Formel soll den Begriff „örtlicher Jurisdiktionsmagistrat" umschreiben (vgl. 184 zu XXI, *23*; sonstige Beispiele für vagen Wortlaut findet man s.vv. ‚*ita*', ‚*locus*' und ‚*quisque*'). Besonders formelhaft und starr sind die langen mit *qui* und *quiquomque* eingeleiteten Protases, die mit Apodoses korrespondieren, in denen sich ein determinatives *is* findet: die Protases haben sehr oft eine kondizionale Nebenbedeutung, 58 ff. (XIX, *1*); bisweilen begegnen in den Protases und den dazu gehörigen Apodoses sogar zwei oder drei miteinander korrespondierende Relativ- und Determinativpronomina (z.B. XX, *8 qua de re .... et a quo .... et ab eo quei ....: tum is .... eum .... de ea re*), 62. Beispiele für die Verwendung von Archaismen: getrenntes *qui .... quomque* (altertümelnde Tmesis) 56 ff. (XIX, *1 quodque quisque quomque;* vgl. auch 177 zu XXI, *14*); Bevorzugung von *qui(s)* vor *aliqui(s)*, 129 f. (zu XX, *51 neive quis pro quo imperio;* vgl. auch XX, *46. 49*. XXI, *2. 15. 19*. XXII, *25. 26. 41. 51*. XXIII, *53* und *56*); archaische Wörter (*siremps* „gleich", 175 zu XXI, *10*) und Wortformen (*utei* anstelle von *ut* [XX, *14* uö.]; *neive* anstelle von *neve* [XX, *46* uö.; vgl. für *neive* auch Ernout-Meillet DEL. S. 433 s.v. ‚5: *ni*, ancien *nei*']); archaische Syntax (Genetiv des Sachbetreffs, 90 f. [zu XX, *7 damnei infectei restipularei*]; und forensischer Genetiv, eine Abart des ersteren, 113 [zu XX, *27 eius condemnato*]; vgl. auch oben s.v. ‚Genetiv des Sachbetreffs'); Verwendung von pronominalen Adverbien (*quo* anstelle von *ad quem* [95 f. zu XX, *9*] und *quoquomque* = *ad quemcumque* [101 zu XX, *16*]); ferner von *quis*, als Relativpronomen, anstelle von *qui*, 129 (zu XX, *51*). Auf archaischer Tradition beruht ebenfalls die Vernachlässigung der Bedeutungsunterschiede zwischen den Bindewörtern *-que* und *-ve*, 106 f. (zu XX, *20 iussum iudicatumve erit*) und zwischen *aut* und *et*, 218 f. (zu XXII, *32*). Es lässt sich nicht mehr feststellen, in wiefern noch Archaismus vorliegt, wenn *restipulari* im Sinne von *stipulari* verwendet wird (93 f. zu XX, *8*) oder *repromittere* im Sinne von *promittere* (97 zu XX, *11*). Für sonstige juristische Termini technici vgl. s.v. im Index.

heres: zu XXII, *45 in eum et in heredem eius* und zur Erblichkeit von Schadenersatzansprüchen vgl. 224 f.

imperium: zur Verwendung dieses Terminus für die Machtbefugnisse der niederen Magistrate vgl. 127 ff. (XX, *51*).

Indefension: vgl. s.v. ‚Prozessverschleppung'.

infamia: „Ehrlosigkeit", die Folge einer Verurteilung in Prozessen, in denen es sich um Raub, Diebstahl, treulose Handlungsweise, Persönlichkeitsverletzung uä. handelte, 318.

intercedere: „Einspruch erheben"; der rubrische Gesetzgeber dürfte diesen Terminus sowohl für das Einschreiten von Prätoren und Statthaltern (und ihren Vertretern) gegen die richterlichen Massnahmen der Munizipalmagistrate als auch für die gegenseitigen Einspruchserhebungen der örtlichen Magistrate verwendet haben, 126 ff. (XX, *51 neive quis .... intercedito*).

interdicere: „einen Befehl in der Form eines *interdictum* erteilen" (die Handlung gehört zur ausschliesslichen Kompetenz des römischen Prätors bezw. des Prokonsuls); für die Anwendung der prätorischen Interdikte bei Klagen, die in einer cisalpinischen Ortschaft aufgrund von Neubau (*opus novum*) erhoben werden, vgl. 47 ff. und 64 ff. (zu XIX, *2*; vgl. ebd.

für das Verhältnis zwischen den Wörtern *interdictum* und *decretum*); vgl. ferner 73 f. zu XIX, *5 addito.*

interdictum „demolitorium": Für die Anwendung dieses Interdikts (Befehl, das nach der *nuntiatio* Gebaute wieder abzubrechen) im Falle einer Klage wegen Neubau (*opus novum*) vgl. 48 ff. (der Terminus *„demolitorium"* ist in den Quellen nicht belegt).

interdictum quod vi aut clam: der Kläger fordert die Beseitigung von Bauten, die heimlich oder gar gewaltsam gegen sein Verbot errichtet worden sind. Dieses Interdikt richtet sich an erster Stelle gegen Bauten auf einem Grundstück des Klägers selbst; es kann sich aber auch gegen solche auf einem Grundstück des Beklagten richten, z.B. wenn eine Servitut des Klägers verletzt wird; obwohl dieses Interdikt Streit über Bautätigkeiten regelt, gehört es nicht in den eigentlichen Bereich der *operis novi nuntiatio*, 46 f. (mit Anm. 3) und 50.

interdictum ne vis fiat aedificanti: der Kläger fordert, dass er bei seinen Bautätigkeiten nicht behindert wird; für den Schutz, den dieses Interdikt einem *„nuntiatus"* gewährt, der nach Leistung einer *cautio* weiterbaut, vgl. 49 f.

interdictum prohibitorium: Einwände gegen die These, dass *remissio operis novi nuntiationis* in der Form eines *interdictum prohibitorium* (Kategorie der sogen. „verhindernden" Interdikte) ausgesprochen wurde, 51 f.

ita: Es kostet öfters einige Mühe, aus dem Kontext heraus die vom Redaktor beabsichtigte Bedeutung des an und für sich recht vagen *ita* herauszufinden; XX, *12* bedeutet es: „dem soeben genannten Befehl des Munizipalmagistrats folgend, um eine *cautio damni infecti* zu hinterlegen" (vgl. 98); XXI, *11* „bei einem solchen, in obigen Zeilen *2-14* dargelegten Verfahren *in iure* vor dem Jurisdiktionsmagistrat" (176 f.); XXII, *29* „wenn es sich um einen solchen, in obigen Zeilen *26-29* näher umschriebenen Fall handelt" (214); vgl. ferner s.v. ‚Gesetzessprache'.

iubere: in der Synonymenhäufung XX, *11 iubeto decernito* hat das erstere Verb nur eine generellere Bedeutung; sie wird von dem folgenden *decernito* präzisiert, 98; vgl. auch s.v. ‚Gesetzessprache'.

iudex: In XX, *16-17 ius dicito, iudicia dato, iudicare iubeto* umschreibt wahrscheinlich lediglich der erste Terminus der letzten (dritten) Wortgruppe, *iudicare*, die Tätigkeit des Richters (*iudex*), 101 f.; der Ausdruck *iudicare iubeto* umschreibt die Bestellung eines *iudex* durch den Jurisdiktionsmagistrat, 105 f. (zu XX, *17*); bei der Erteilung der *formula* durch den Jurisdiktionsmagistrat stand der Name des *iudex* noch nicht fest, 107 f. (XX, *22*). Für die Bestellung eines Richters konnte auch der allgemeinere Terminus *decernere* Verwendung finden, 65 (XIX, *2*). Für disziplinarisches Vorgehen gegen nachlässige Richter vgl. 105 f.; für das Verfahren *apud iudicem* vgl. s.v. ‚*iudicium*'.

iudicare: „ein Urteil als Richter, *iudex*, aussprechen", 105 f. (XX, *17*) und 106 f. (XX, *20*).

iudicare iubere: als Aufgabe des Jurisdiktionsmagistrats: das Geben von Anweisungen an den Richter für das auszusprechende Urteil, 70 (XIX, 3), 105 f. (XX, *17*) und 177 (XXI, *13*).

iudicium: Für diesen Terminus kommen zwei Bedeutungen in Betracht (vgl. 103 ff. zu XX, *17*; ferner 54): 1. „Prozessformel für einen konkreten Prozess", 70 (XIX, *3*). 73 f. (XIX, *5*; mit Bemerkungen über die mündliche Verkündung und schriftliche Niederlegung der Prozessformel), 103 ff. (XX, *17*). 108 (XX, *22*). 121 (XX, *41*). 177 (XXI, *13*). 185 ff. (XXI, *23*) und 188 f. (XXI, *23-24*); für den Unterschied in der Bedeutung der Termini *iudicium* und *formula* vgl. 102 und 103 f. (XX, *46*); 2. „Prozess *apud iudicem*", 103 ff. (zu XX, *17*). Es ist aber sehr wohl möglich, dass der Gesetzgeber der Lex Rubria *iudicium* lediglich in der ersteren Bedeutung verwendet hat, 140. Für den Ausdruck *iudicium accipere*, „eine Prozessformel annehmen" (von beiden Prozessparteien gesagt) vgl. 124 f. (XX, *48*).

iudicium recuperatorium: vgl. s.v. ‚Rekuperatorengericht'.

iurare: Für die vom Kläger geforderte beeidete Erklärung, das er sein Gesuch um eine *cautio damni infecti* nicht mit böser Absicht (*kalumniae kaussa*) getan habe, vgl. 95 (XX, *9*).

ius: für die (konkrete) Bedeutung „Gerichtsstelle" vgl. 96 (XX, *10*); für *ius* „das durch richterlichen Ausspruch festgestellte Recht", 107 (XX, *20: ius ratumque esto*); für *ius* „das magistratische Recht", 176 (XXI, *10*).

ius dicere: „die rechtliche Prozedur vorschreiben", 101 (XX, *16-17*).

ius, Verfahren *in iure:* Für Einwände gegen WLASSAKS Auffassung, der Jurisdiktionsmagistrat sei lediglich ein Berater der Prozessparteien gewesen, vgl. 74 f. (XIX, *5*) und 103 f.; für den Abschluss des Verfahrens *in iure* vgl. 125 f. (XX, *48*) und s.v. ‚*litis contestatio*'; für den Begriff „sich gebührend verteidigen bei dem Verfahren *in iure*" vgl. s.v. ‚*defendere*'; für das „Nicht-Erscheinen bei dem Verfahren *in iure*" vgl. s.v. ‚*respondere*'; für die Gültigkeit der *confessio* bei dem Verfahren *in iure* vgl. s.v. ‚*confessio in iure*'. Inbetreff etwaiger Verschleppungsmanöver bei dem Verfahren *in iure* vgl. s.vv. ‚Prozessverschleppung', ‚Caput XXI' und ‚Caput XXII'; ferner 225 ff. (XXII,*46-47*).

Judikationsbefehl: vgl. s.v. ‚*iudicare iubere*'; auch der allgemeinere Terminus *decretum* (und *decernere*) wird hierfür verwendet, 65 (zu XIX, *2*).

Jurisdiktionsmagistrat: Die geläufige Bezeichnung für den munizipalen Jurisdiktionsmagistrat ist *IIvir IIIIvir* (*duovir quattuorvir*) *praefectusve*, vgl. dazu s.vv. ‚*duovir*', ‚*quattuorvir*' und ‚*praefectus*'. Als Umschreibung für diesen Magistrat begegnet öfters *is quei ibei iure deicundo praeerit*, 94 f. (XX, *8-9*). 169 f. (XXI, *4-5*) und 184 f. (XXI, *23*). An einer Stelle geht dem *IIvir IIIIvir praefectusve* noch die Umschreibung *magistratus prove magistratu* vorher, 101 (XX, *15*); dieselbe Umschreibung ohne den Zusatz *IIvir IIIIvir praefectusve* begegnet ausserdem in XX, *50* (vgl. 126). Inbetreff der munizipalen Jurisdiktionsmagistrate im allgemeinen vgl. 267 ff. Für den römischen Prätor begegnet die Umschreibung *quei Romae iure deicundo praeerit* (*praeesset*), 184 (zu XXI, *23*); vgl. ferner s.vv. ‚Prätor' und ‚*praetor „peregrinus"*'. Für die Möglichkeit, dass in Gallia Cisalpina auch der Statthalter (bezw. sein Vertreter) als gerichtlicher Magistrat auftreten konnte, vgl. 128 f. zu XX, *51 quis pro quo imperio potestateve erit.*

Juxtaposition: für Synonymenhäufungen in der Form von erklärenden Juxtapositionen vgl. 64 *decernet interdeicetve* (XIX, *2* und *4*), 217 *dare facere . . . . oportere aut se debere* (XXII, *31-32*) und 230 f. *erceiscunda deividunda* (XXIII, *55*).

Kompetenz: Für Magistrate mit gerichtlichen Kompetenzen inbetreff der Provinz Gallia Cisalpina seit 49 v. Chr. vgl. s.vv. ‚Munizipalmagistrat', ‚Prätor' und ‚Prokonsul'.

Kontumazialverfahren: vgl. s.v. ‚Prozessverschleppung'; für die Terminologie vgl. ferner 134 Anm. 3.

Lascutana: ein befestigter Ort (*oppidum*) in Hispania Baetica, 238.

legis actio damni infecti: Für das Fortbestehen dieser *legisactio* neben dem (neueren) Verfahren mittels einer *cautio damni infecti* nach 17. v. Chr. vgl. 82 ff.

Lepidus, M. Aemilius Lepidus: cos. 78 v. Chr., war 77 v. Chr. vielleicht Prokonsul von Gallia Cisalpina, 289 f.

„lex data" und *„lex rogata":* Einwände gegen die MOMMSENsche Interpretation dieser Worte, 126 ff. (zu XX, *29*) und 325 ff. (besonders 329 ff.).

lex: Für die Bedeutung dieses Wortes in der Reihe *res lex ius caussaque* vgl. 175 f. (XXI, *10*); für die öfters verwendete Formel *ex hac lege* („gemäss der oben in diesem Gesetz publizierten Bestimmung" bezw. „gemäss der oben erteilten Befugnis") vgl. 55 f., 188 f. (XXI, *23-24*); an einer Stelle (XXII, *28*) weist *ex hac lege* auf einen in unserm Fragment nicht erhaltenen Passus der Lex Rubria zurück, 213.

Lex Iulia: Verleihung des Bürgerrechts an alle italischen Bundesgenossen, die Rom während des Bundesgenossenkrieges treu geblieben waren (Ende 90 v. Chr.), 285 f.

Lex Iulia municipalis: Einwände gegen die These, dass der Diktator Caesar ein generelles italisches Gemeindegesetz habe verabschieden lassen, 270 ff. und 305 ff.

Lex Plautia Papiria: Verleihung des Bürgerrechts an alle aufständischen italischen Bundesgenossen, welche bereit waren, die Waffen niederzulegen (89 v. Chr), 285 f.

Lex Pompeia: vgl. s.v. ‚Pompeius Strabo'.

Lex Roscia: Verleihung des Bürgerrechts an alle Einwohner von Gallia Cisalpina (11. März 49 v. Chr.), 291 f. 309 ff. 294. 319 und 321 f.; vgl. ferner s.v. ‚Roscius'.

Lex Rubria: Das Auffinden einer der *lex Rubria* zugehörigen Bronzetafel (mit dem Merkzeichen IIII) in den Ruinen des Forums von Veleia (im Jahre 1760), 3 ff. und 10 f.; Beschreibung der Tafel, 15 ff. (vgl. auch 11); die Datierung derselben aufgrund der Paläographie, 16 ff.; und ebenfalls aufgrund der Orthographie (cäsarische Zeit), 20 ff. Photo der Inschrift, 24; Textedition und Übersetzung derselben, 26 ff. Inbetreff der Schreib- bezw. Gravierfehler vgl. den kritischen Apparat (26 ff.) und 70 (XIX, *3*). 100 f. (XX, *14-15*). 122 f. (XX, *43* und *44*). 124 (XX, *46* und *49*) und 227 (XXII, *48*); inbetreff der zahlreichen Abkürzungen vgl. s.v. ‚Abkürzungen'. Für die Identität der Bronzetafel von Veleia mit der in sonstigen antiken Quellen nicht belegten *lex Rubria* vgl. 117 f. (zu XX, *29*) und 325 ff. Das Gesetz war anscheinend ein *plebiscitum,* 115 f. und besonders 322 ff. (vgl. ebd. inbetreff seines vermutlichen Urhebers, des Volkstribuns L. Rubrius). Der Inhalt der Tabula IIII (eine Regelung der gerichtlichen Kompetenzen der munizipalen Jurisdiktionsmagistrate in Gallia Cisalpina) und der Name Rubrius datieren die Lex Rubria in das Jahr 49 v. Chr. (die zweite Datierungsmöglichkeit, 42/1 v. Chr., erweist sich als ziemlich unwahrscheinlich), 284 ff. 294 ff. und 322 ff. Die Lex Rubria ist etwas später anzusetzen als das ebenfalls aus dem Jahre 49 v. Chr. stammende Gesetz, von dem die Tafel von Ateste ein Bruchstück erhalten hat, 308 ff. und besonders 316 ff. (vgl. ebd. Einwände gegen die These, dass die Tafeln von Ateste und von Veleia Fragmente aus einem und demselben Gesetz, der Lex Rubria, enthalten; vgl. ausserdem s.v. ‚Ateste'). Der mutmassliche Inhalt der nicht erhaltenen Tafeln der Lex Rubria (in der Hauptsache Prozessrecht), 298 ff.; vgl. inbetreff einiger verlorenen Abschnitte ebenfalls 179 f. (XXI, *19*). 188 f. (XXI, *23-24*) und 213 (XXII, *28*). Ein Anordnungsprinzip, das bei der Redaktion des Gesetzes befolgt wäre, lässt sich nicht mehr rekonstruieren, 303 f. An einigen Stellen weicht das in der Lex Rubria vorgeschriebene rechtliche Verfahren von der in Rom befolgten Prozedur ab (sogen. „partikulares Recht" in der Lex Rubria), 86 ff. (zu Cap. XX) und 157 ff. (zu Cap. XXI), vgl. auch 179 (zu XXI, *19*) und 181 (zu XXI, *20*). Einwände gegen die von Gradenwitz ua. vorgetragene These, dass Tabula IIII der Lex Rubria „Auflagerungen" und sonstige „Interpolationen" enthalte, 136. 140 f. 160 ff. 190 f. und 197 ff.; vgl. dazu ausserdem 120 f. (XX, *41-50*). 170 (XXI, *5*). 210 (XXII, *27*). 213 (XXII, *29*). 215 (XXII, *31*). 217 (XXII, *31-32*). 221 (XXII, *34*) und 227 (XXII, *50-52*). Für eine Inhaltsübersicht der erhaltenen Tabula IIII der Lex Rubria vgl. s.vv. ‚Caput XIX', ‚Cap. XX', ‚Cap. XXI', ‚Cap. XXII' und ‚Cap. XXIII'.

Lex Ursonensis: Gemeindeordnung von Urso in Hispania Ulterior (44 v. Chr.); Vergleich ihres Umfanges mit dem der Lex Rubria, 300 f.

Licinius, Q.: Blankoname, 109 (XX, *23*).

litis aestimatio: Umrechnung einer vom Kläger geforderten Leistung in Geld (Prinzip der *condemnatio pecuniaria*), 110 f. (XX, *26*).

litem contestari, litis contestatio: Abschluss des Verfahrens *in iure*, dessen genauer Inhalt im Formularprozess sich kaum mehr feststellen lässt, 104 und 125 (XX, *48*).

locus: „Ortschaft"; aus dem Zusammenhang geht hervor, dass XX, *42* in der Reihe *municipium colonia locus* das Wort *locus* jede nicht zur Kategorie der *municipia* und *coloniae* gehörige Ortschaft andeutet, in der Jurisdiktionsmagistrate Gerichtssitzungen abhalten können, 121 f.

magistratus prove magistratu: verallgemeinernde Umschreibung für *IIvir IIIIvir praefectusve* in XX, *15*, vgl. 101; noch genereller und umfassender (weil auch den Statthalter und seine Stellvertreter mit einschliessend) ist vielleicht XX, *51 quis pro quo imperio potestateve erit*, 128 f.

Maxima für die richterlichen Kompetenzen der munizipalen Jurisdiktionsmagistrate: 15.000 Sesterze in der Lex Rubria (XXI, *4* und *19*; XXII, *27*), 10.000 Sesterze in der Lex (Fragment) von Ateste (Zeile *6*), 317 f.; inbetreff der Lex Rubria vgl. ferner 132 ff. 164 ff. 168 f. (XXI, *3-4*). 178 f. (XXI, *19*) und 210 (XXII, *27*). Vgl. ferner s.vv. ‚Caput XXI', ‚Caput XXII' und ‚Munizipalmagistrat'.

Mediolanum: heute Mailand, Stadt in Gallia Cisalpina (Transpadana), wurde 89 v. Chr. eine latinische Kolonie, 49 v. Chr. ein *municipium civium Romanorum*, 242 und 247.

missio in bona, missio in possessionem: Einweisung in den Besitz des Beklagten; ein vom römischen Prätor angewandtes Zwangsmittel gegen Beklagte, welche ihre Mitwirkung an einem gerichtlichen Verfahren verweigerten: vgl. 86 ff. inbetreff einer Verweigerung der *cautio damni infecti;* und 159 f. 197 und 225 f. (XXII, *46*) inbetreff einer Indefension bei Prozessen aufgrund von Forderungsklagen (159 f. für Forderungen von *pecunia certa credita;* 197 und 225 f. für eine *res praeter pecuniam certam creditam*).

multa: „Geldbusse"; für eventuelle Auferlegung einer Busse bei Nichtbefolgung eines prätorischen Befehls (Interdikts) vgl. 68; für die Auferlegung einer Busse durch das Rekuperatorengericht im Falle der Nichtbefolgung eines Befehls des Munizipalmagistrats vgl. 187 f. (zu XXI, *23*), ferner s.vv. ‚Caput XXI' und ‚Rekuperatorengericht'.

municipium: Für die Etymologie von *municipium* vgl. 240 Anm. 5. Anfangs war es die Bezeichnung für eine autonome italische Stadt nichtrömischen Ursprungs, seit 90/89 v. Chr. jedoch für eine sich selbst vewaltende Stadt römischer Bürger, deren Verfassung von Rom aus geregelt worden war, 240 f. In der Lex Rubria wird dieser Terminus auch im allgemeineren Sinne für die Bezeichnung einer beliebigen Ortschaft römischer Bürger verwendet, in der ein Jurisdiktionsmagistrat Gerichtssitzungen abhalten konnte, 75 f. (XIX, *6*) und 241 f. In einem *municipium* im eigentlichen Sinne traten als höchste Magistrate meistens *IIIIviri* auf, weniger oft *IIviri* (mitsamt *II aediles*), 269 ff. Vor 49 v. Chr. war in Gallia Cisalpina die Zahl der *municipia* eine recht beschränkte, 242; vgl. ferner s.v. ,Ortschaftsbezeichnungen'.

Munizipalmagistrate: Die Lex Rubria kennt deren drei Kategorien: *IIviri, IIIIviri* und *praefecti*, vgl. s.vv. Die italischen Munizipalmagistrate haben auch vor Cäsars Diktatur schon Jurisdiktionsbefugnisse gehabt, 272 ff. und 307 f. (s. ebd. Einwände gegen die Thesen von H. RUDOLPH); vgl. dazu ferner noch 315 Anm. 46 und 318 ff. Bisweilen wird auch für die Amtsgewalt eines Munizipalmagistrats die Bezeichnung *imperium* verwendet, 127 ff. (ob jedoch der Redaktor der Lex Rubria mit der Formel XX, *51 quis pro quo imperio potestateve erit* lediglich auf Munizipalmagistrate hat hindeuten wollen, ist fraglich, da die Möglichkeit besteht, dass an dieser Stelle auch der Prätor und der Statthalter und seine Vertreter gemeint sind, ebd.). Die Lex Rubria, in der allem Anscheine nach ausschliesslich prozessrechtliche Materien geregelt werden (vgl. s.v. ,Lex Rubria'), geht nur auf gewisse jurisdiktische Aspekte der Amtsgewalt der Munizipalmagistrate näher ein: sie erörtert solche Teile des Prozessrechts, in denen die Kompetenzen der munizipalen Jurisdiktionsmagistrate (d.h. die der *IIviri*, der zwei *IIIIviri iure dicundo* und die der *praefecti iure dicundo*) gegen die Amtsgewalt der römischen Prätoren abgegrenzt werden müssen, 46 f. und 52. Für den Fall einer *operis novi nuntiatio* verleiht die Lex Rubria dem munizipalen Jurisdiktionsmagistrat die Befugnis, dem Beklagten *remissio* (vgl. s.v.) zu gewähren, 52 und 56 (zu Caput XIX). Inbetreff einer Klage wegen *damnum infectum* erhielt der örtliche Jurisdiktionsmagistrat die Zustimmung, dem Beklagten die Leistung einer *cautio* aufzuerlegen, 77 f. (zu Caput XX) und 114 (XX, *27-29*); kam es daraufhin, wenn wirklicher Schaden eingetreten war, zu einem Prozess, so wurde die Leitung des Verfahrens dem Munizipalmagistrat überlassen, 84; wenn der Beklagte die Hinterlegung einer *cautio* verweigert hatte, konnte der Munizipalmagistrat dem Kläger sogar eine *actio ficticia* (vgl. s.v.) gegen ihn gewähren, 85 ff. Für Prozesse aufgrund von Gelddarlehensforderungen (*pecunia certa credita*) war der munizipale Jurisdiktionsmagistrat gemäss der Lex Rubria bis zu einem Maximum von 15.000 Sesterzen zuständig, 132 ff. (zu Caput XXI) und 168 f. (XXI, *3-4*); wenn der Beklagte sich der Prozessverschleppung (Indefension) schuldig machte, so konnte der Munizipalmagistrat gegen ihn mittels einer sogen. ,Damnationsfiktion' (vgl. s.v.) vorgehen und dem Kläger das Recht gewähren, den Beklagten, alsob er bereits verurteilt sei, zu geiseln, 132, 156, 157 ff. und 180 (XXI, *19*). Inbetreff Gelddarlehensforderungen, die den Betrag von 15.000 Sesterzen überstiegen, hatte der Munizipalmagistrat das Recht, vom Beklagten eine Garantie für sein Erscheinen vor dem römischen Prätor zu fordern; wenn der Beklagte diesem Befehl keine Folge leistete, konnte der Munizipalmagistrat gegen ihn einen sogen. Rekuperatorenprozess anstrengen, 132 f. und 163 ff. Für Prozesse wegen sonstiger Forderungen (*aliquid praeter pecuniam certam creditam* vgl. s. v.) war der örtliche Jurisdiktionsmagistrat ebenfalls nur zuständig, wenn der Geldwert der Forderung nicht höher war als 15.000 Sesterze; sobald aber der Beklagte sich der Prozessverschleppung (Indefension) schuldig machte, musste er den Prozess an den römischen Prätor verweisen; in Rom wurde in dem Falle gegen den Beklagten so vorgegangen, ,,alsob er vor dem Prätor selbst Defension verweigert hätte'', 133, 196 ff. und 224 (XXII, *40-44*). Vgl. anlässlich der Kompetenzen von Munizipalmagistraten bei Prozessen aufgrund von Forderungen *praeter pecuniam certam creditam* auch s.v. ‚Noxalklagen'. Welche Befugnisse dem örtlichen Jurisdiktionsmagistrat inbetreff der Prozesse wegen *familia erciscunda* zuerkannt wurden, lässt sich des Verlustes des grösseren Teils von Caput XXIII zufolge nicht mehr genau ermitteln, 228 ff.

Mutina: heute Modena, Stadt in Gallia Cisalpina (Cispadana), 183 v. Chr. als *colonia civium Romanorum* gegründet (zusammen mit Parma), 243, 246 und 275. Unrichtig ist die Auffassung, dass aus XX, *27-28* und *37-38* hervorgehe, Mutina sei zur Zeit der Lex Rubria eine Präfektur gewesen, 114 f. (XX, *28*).

Mutinensis: Blankoname in der Lex Rubria, 114 f. (XX, *28*).

nomen: zu der synonymischen Reihe *ex ea re aut ob eam rem eove nomine* (XX, *13-14*) vgl. 100.

Novaria: heute Novara, Ortschaft in Gallia Cisalpina (Transpadana), wurde 89 v. Chr. eine latinische Kolonie, 49 v. Chr. ein *municipium civium Romanorum*, 242 und 247.

Noxalklagen: Bei Noxalklagen konnte neben der Forderung auf den Geldwert als Alternative auch eine *noxae deditio* (Herausgabe des Hauskindes, Sklaven usw., der den Schaden verursacht hatte) in das Prozessformular des römischen Prätors aufgenommen werden; bei Prozessen jedoch, die auf Geheiss des Munizipalmagistrats stattfanden, waren in solchen Fällen lediglich Geldkondemnationen zugelassen, 211 ff. (XXII, *27-28*) und 219 ff. (XXII, *33*).

nuntiatio, operis novi nuntiatio: Protest gegen Neubau; Umschreibung dieses Begriffes, 46 ff. Der Beklagte („*nuntiatus*") konnte dadurch, dass er dem Kläger („*nuntiator*") eine *cautio de opere restituendo* leistete, das Recht zum Weiterbauen erhalten, 48. Es bestand jedoch für ihn auch die Möglichkeit, vom Prätor bezw. vom Munizipalmagistrat eine *remissio* („Aufhebung", vgl. s.v.) zu erhalten, 48. Wenn die Parteien sich über die Rechtmässigkeit einer *operis novi nuntiatio* nicht einig werden konnten, konnten sie deswegen den Prätor um ein Interdikt ersuchen (der Kläger etwa um ein sogen. *interdictum „demolitorium"*, der Beklagte um ein *interdictum ne vis fiat aedificanti*, vgl. s.vv.); gab auch die Auslegung des Interdikts Anlass zu Streitigkeiten, so konnte der „*nuntiator*" oder der „*nuntiatus*" sich mit der Bitte an den Prätor wenden, aufgrund dieser Streitfrage einen gerichtlichen Prozess für zulässig zu erklären, 50 f. Die *operis novi nuntiatio* (in Cap. XIX erörtert) gehört, ebenso wie das im nächsten Caput (XX) behandelte *damnum infectum*, zum Nachbarrecht, 299 und 303.

„*nuntiator*": ein (in den Quellen nicht belegter) Terminus für denjenigen, der gegen den Neubau einen Protest erhebt (*is qui nuntiat*), 48 ff.

„*nuntiatus*": ein (in den antiken Quellen ebenfalls nicht begegnender) Terminus, der eine Person umschreibt, gegen die wegen „Neubau" (*opus novum*) Beschwerde geführt worden war, 48 ff.

obligatus esse: „haftbar sein", eine in der Lex Rubria (XXII, *33*) verwendete Andeutung für „haftbar sein aufgrund einer *obligatio ex delicto*", 219 ff.

Octavianus, C. Iulius Caesar Octavianus (der spätere Kaiser Augustus): Auf Betreiben des Ocatavianus hin ist die Provinz Gallia Cisalpina 42/41 v.Chr. aufgehoben worden, 292 f.

oportere: vgl. zur Wendung XXI, *5 dare oportere debereve* 170; zu XX, *27 oportere ex fide bona* in einer vom Gesetzgeber der Lex Rubria vorgeschriebenen Prozessformel 111 ff.

oppidum: „Festungsstadt", „ein von Mauern umgebener Ort"; *oppidum* ist kein eigentlicher staatsrechtlicher Begriff, sodass dieses Wort in der vom Redaktor der Lex Rubria verwendeten Reihe von Ortsbezeichnungen (*oppidum municipium colonia praefectura forum vicus conciliabulum castellum territorium*) überflüssig ist (übertriebenes Streben nach Vollständigkeit), 238 f.; vgl. auch s.v. ‚Ortschaftsbezeichnungen'.

opus novum: vgl. s.v. ‚*nuntiatio*'.

Orthographie: Die Orthographie der Lex Rubria richtet sich nach den Gepflogenheiten der cäsarischen Zeit, 20 ff.; die augusteische Orthographie hebt sich deutlich von der cäsarischen ab, 21 und 271 f. (mit Anm. 3).

Ortschaftsbezeichnungen: in der Lex Rubria begegnet 5mal folgende Reihe von Ortschaftsbezeichnungen in abgekürzter Form: *o(ppidum) m(unicipium) c(olonia) p(raefectura) f(orum) v(eicus) c(onciliabulum) c(astellum) t(erritorium)ve*, 235 ff. (vgl. ebd. inbetreff der früheren Ergänzungsversuche dieser Abkürzungsreihe). Von diesen Bezeichnungen begegnen in anderen Gesetzestexten *municipium, colonia, praefectura, forum* und *conciliabulum* ziemlich häufig (u.zw. in ähnlichen Wortreihen); seltener sind *oppidum, vicus* und *castellum,* ohne Parallele *territorium,* ebd. Vgl. für die einzelnen Termini im Index s.v.

pactum de non petendo: Vereinbarung, dass der Gläubiger nicht klagen werde; vgl. 154 ff. und s.v. ‚*exceptio*'.

Paläographie: vgl. s.v. ‚Schrift'.

paret: für die Schreibungen *paret* und *parret* vgl. 118 f. (XX, *31*).

Parma: Stadt in Gallia Cisalpina (Cispadana), 183 v. Chr. als *colonia civium Romanorum* gegründet (zusammen mit Mutina), 243, 246 und 275.

pecunia certa credita: vgl. s.vv. ‚Darlehen: Gelddarlehen' und ‚Caput XXI'.

Piso, L. Calpurnius Piso Frugi pontifex: cos. 15 v. Chr., Vertrauter der Kaiser Augustus und Tiberius; 13-32 n. Chr. *praefectus urbi;* das Vorhandensein seiner Statue in der Basilika von Veleia dürfte durch die Annahme zu erklären sein, dass dieser Piso Patron von Veleia gewesen ist, 8 f. (mit Anm. 6); anscheinend war er unter Augustus (etwa zwischen 16-13 v. Chr.) Prokonsul von Gallia Cisalpina und hatte dieses Gebiet zeitweilig, während des Krieges gegen die Vindeliker, wieder provinzialen Status erhalten, 297 Anm. 18.

Placentia: heute Piacenza, Stadt in Gallia Cisalpina (Cispadana); als latinische Kolonie 218 v. Chr. gegründet, seit 89 v. Chr. ein *municipium civium Romanorum,* 242 und 278; die Oberbeamten waren *IIIIviri,* 275.

plebiscitum: für die Formel *ex lege Rubria seive id plebeiscitum est* in XX, *29* und *39* vgl. 115 ff. und s.v. ‚*Lex Rubria*'.

Plusquamperfectum und Imperfectum (im Konjunktiv) in der Gesetzessprache: Für die zum Teil etwas nachlässige Beachtung der Tempusdifferenzen in Satzgefügen, in denen Hauptsituationen von Begleitumständen unterschieden werden sollen, vgl. 192 (zu XXII, *43-44* und *49-50*); vgl. auch s.vv. ‚Gesetzessprache' und ‚Futurum exactum und Futurum simplex'.

Poebene: Geschichte der Poebene, 284 ff. Latinische Kolonien seit 218 v. Chr., römische seit 183 v. Chr., 248 f. Nach Beendigung des Bundesgenossenkrieges (89 v. Chr. oder kurz nachher) wurde die Poebene infolge der Rückständigkeit ihrer Romanisierung vom übrigen Italien losgetrennt und in eine Provinz, Gallia Cisalpina, umgestaltet, 285 ff. (zu der Gründung der Provinz besonders 288 ff.). Im Jahre 49 v. Chr. erhielten alle Einwohner von Gallia Cisalpina auf Geheiss des Diktators Cäsar das Bürgerrecht, 291 f.; der provinziale Status wurde jedoch beibehalten (bis 42/41 v. Chr.),

292 ff. Für die Angleichung der rechtlichen Position der Bürger von Gallia Cisalpina an die der Bürger im übrigen Italien, vgl. 294 ff. (die Übertragung der höchsten juristischen Autorität über Gallia Cisalpina, auf jeden Fall auf dem Gebiet des Privatrechts, auf den Prätor in Rom, 294 f.; das Fragment von Ateste als Quelle für diese Entwicklung, 295; und ebenfalls die Lex Rubria, 295 ff.). Die endgültige Aufhebung des provinzialen Status von Gallia Cisalpina (42/41 v. Chr.), 292 und 297 f. Für etwaige zeitweilige Wiederherstellungen des provinzialen Status in der augusteischen Zeit vgl. s.vv. ‚Appuleius' und ‚Piso'.

Pompeii: Stadt in Kampanien, seit ca. 80 v. Chr. eine *colonia civium Romanorum*, 274 Anm. 6. Vergleich der Abmessungen des Forums von Pompeii mit denen des Forums von Veleia, 7 Anm. 3; Vergleich der Basilika von Pompeii mit der von Veleia, 9 Anm. 7.

Pompeius, Cn. Pompeius Magnus (der Triumvir): Er genoss als Sohn des Cn. Pompeius Strabo viele Sympathien in Gallia Cisalpina; Cäsar versuchte ihm diese durch Verleihung des Bürgerrechts an sämtliche Einwohner von Gallia Cisalpina streitig zu machen, 291 f. und 311.

Pompeius Strabo, Cn.: cos. 89 v. Chr., ordnet die Verhältnisse in der Poebene durch die sogen. *lex Pompeia*, 242, 246 ff. und 288 (mit Anm. 7).

possessio: der Ausdruck *in possessionem mittere* (bezw. *ire*) als Terminus für die zeitweilige Inbesitznahme eines Gefahr verursachenden Gebäudes oder Grundstücks (ein vom römischen Prätor angewandtes Zwangsmittel gegen Beklagte, die im Falle einer *operis novi nuntiatio* die Hinterlegung einer *cautio* verweigerten), 86 (mit Anm. 7).

possidere: für den Bedeutungsunterschied zwischen *in possessionem ire* und *possidere* vgl. 87 Anm. 8.

postulare: „ein Gesuch bei dem Magistrat einreichen", vgl. 95 (XX, *9*).

potestas: Für die Wendung *quis pro quo imperio potestateve erit* (XX, *51*) vgl. 126 ff.

praeesse: inbetreff der Schreibungen *praeerit* und *praerit* vgl. 94 f. (XX, *9* und XXI, *4*).

praefecti iure dicundo: etwa „mit der Rechtsprechung beauftragte Bevollmächtigte", 280 ff.; vgl. auch 75 (XIX, *6*). 101 (XX, *15*) und 249 ff. Der früheste Beleg für die Existenz dieser Magistratur („Schiedsrichter" für Capua, 318 v. Chr.), 250 ff. Zur Zeit der Lex Rubria gibt es noch immer einige Präfekten, die den Prätor als Jurisdiktionsmagistrate in (meist kleineren) italischen Ortschaften vertreten (251 ff. und 280; für Präfekten in Rom selbst als Stellvertreter der Prätoren vgl. 224 zu XXII, *43*), die meisten jedoch sind Vertreter der Jurisdiktionsmagistrate von *coloniae* und *municipia*, u.zw. entweder in der Munizipalstadt selbst oder in einer der Kolonie bezw. dem Munizipium attribuierten kleineren Ortschaft, 254 ff. und 280 ff. (vgl. 281 zu dem Titel *praefectus qui a IIviro relictus est*). Vgl. ferner s.v. ‚Munizipalmagistrat'.

praefectura: der Terminus hat zwei Bedeutungen (250): 1. „Amt eines Präfekten"; 2. „Gebiet in dem der Präfekt sein Amt ausübt". In der Lex Rubria begegnet, so scheint es, *praefectura* lediglich in einer aus Nr. 2 abgeleiteten spezialisierten Bedeutung: „Ortschaft (Kleinstadt) in der ein Präfekt als höchster Jurisdiktionsmagistrat regiert", 252 ff. (besonders 255 f.; vgl. ebd. zur terminologischen Differenzierung zwischen *praefecturae* einerseits und *fora* und *conciliabula* andererseits). Vgl. auch s.vv. ‚Ortschaftsbezeichnungen' und ‚*praefecti iure dicundo*'.

praestare: die Bedeutung dieses Verbs ist fast identisch mit der von *facere* in *dare facere praestare* (XXII, *31*), 214 f.

praeter pecuniam certam creditam: vgl. s.vv. ,*aliquid praeter pecuniam certam creditam*' und ,Caput XXII'.

Prätor: Inbetreff der Abgrenzung der Kompetenzen der Munizipalmagistrate gegen die des römischen Prätors vgl. s.v., Munizipalmagistrate'; vgl. ferner s.v. '*imperium*'. Für Gallia Cisalpina war die höchste juristische Autorität (jedenfalls auf dem Gebiet des Privatrechts) vom Statthalter (Prokonsul) auf den Prätor in Rom übergegangen, 63 f. (XIX, *1-2*) und 294 f.; für etwaige Reste der prokonsularischen Jurisdiktion vgl. s.v. ,Prokonsul'.

praetor „peregrinus": diesen Magistrat umschreibt die Lex Rubria mit *is quei Romae inter peregreinos ius deicit,* 109 f. (XX, *24*); vgl. ebd. zum Edikt des peregrinischen Prätors.

Prokonsul: 49 v. Chr. wurde, so muss aus der Lex Rubria gefolgert werden, die höchste gerichtliche Autorität über Gallia Cisalpina (u.zw. besonders die auf dem Gebiet des Privatrechts) vom Prokonsul auf den Prätor in Rom übertragen, 63 f. (XIX, *1-2*) und 294 f.; die Möglichkeit jedoch, dass gewisse Befugnisse auf dem Gebiet der Jurisdiktion (z.B. das Recht der *intercessio*) auch nach 49 v. Chr. dem Statthalter verblieben sind, ist nicht ganz auszuschliessen, 128 f. (zu XX, *51*).

Pronomen demonstrativum: Wiederaufnahme eines Relativpronomens durch ein Pron. demonstr. im zweiten Glied, 213 (XXII, *29 quae . . . deve ea re*) und 223 (XXII, *38 a quo . . . quomve eo*).

proscribere: Terminus für die öffentliche Bekanntmachung, dass vom Prätor gegen einen Beklagten *missio in bona* (vgl. s.v.) angeordnet worden war, 227 (XXII, *47*).

Prozess: vgl. s.vv. ,*ius*, Verfahren *in iure*', ,*iudicium*', ,*ductio*', ,*missio in bona, in possessionem*', ,Caput XXI' und ,Caput XXII'; für die Exekution nach einem Prozess und einer Verurteilung vgl. ausserdem s.vv. ,*proscribere*' und ,*venire*'.

Prozessformel: Für die konkrete Prozessformel vgl. s.v. ,*iudicium*', für das abstrakte Schema einer Prozessformel s.v. '*formula*'. Inbetreff der Funktion eines Jurisdiktionsmagistrats bei der Aufstellung einer Prozessformel vgl. 73 f. (XIX, *5*). Für die Folgen etwaiger Fehler in der Prozessformel vgl. 123 (XX, *45*), für das Annehmen einer Prozessformel durch beide Parteien vgl. 124 f. (XX, *48*).

Prozessverschleppung: sonstige moderne Termini für diesen Begriff: Einlassungsverweigerung, Indefension, Kontumaz (vgl. 134 Anm. 3). Sowohl in Cap. XXI (bei Prozessen aufgrund von Forderungen von *pecunia certa credita*) als auch in Cap. XXII (bei Prozessen aufgrund von sonstigen Forderungen, *praeter pecuniam certam creditam*) werden ausführliche Rechtsregeln für den Fall festgelegt, dass der Beklagte zu einem prozessverschleppenden Manöver seine Zuflucht nimmt, vgl. s.v. ,Caput XXI' und ,Caput XXII' (und zu beiden Capita die Inhaltsübersicht, 132 ff.). Die Lex Rubria kennt zwei (nicht, wie manche Gelehrte angenommen haben, drei) Arten der Prozessverschleppung: 1. der Beklagte gewährt anfänglich seine Mitwirkung, doch versucht nachher eine Verschleppung des Prozessablaufs zu bewirken; 2. der Beklagte verweigert von Anfang an jegliche Mitwirkung am Prozessablauf (d.h. er erscheint überhaupt nicht vor dem Jurisdiktionsmagistrat, *in iure*): vgl. hierzu, was Cap. XXI anbelangt, 137 ff. und besonders 147 ff.; was Cap. XXII betrifft, 192 ff.

quattuorviri (IIIIviri): „die Viermänner"; ein Kollegium von munizipalen Oberbeamten, das besonders häufig in Munizipien vorgefunden wird, vereinzelt aber auch in Bürgerkolonien, 269 ff., vgl. ferner 75 (XIX, *6*). 101 (XX, *15*) und 277 Anm. 9a. Die *IIIIviri* werden in je zwei *IIIIviri iure dicundo* (Jurisdiktionsmagistrate) und *IIIIviri aediliciae potestatis* (ädilizische Magistrate) gegliedert, 270 ff. (vgl. ebd. Einwände gegen die von H. Rudolph vertretene Ansicht, dass es vor 47 v. Chr. keine munizipalen Jurisdiktionsmagistrate, somit keine *IIIIviri iure dicundo*, gegeben hätte). Bald entwickelte sich eine Tendenz, die zwei *IIIIviri iure dicundo* der Einfachkeit halber kurzweg als *IIviri* zu bezeichnen, 276 ff. Für die Verwaltungsaufgaben sowohl der *IIIIviri iure dicundo* wie der *IIIIviri aediliciae potestatis* vgl. 278 f., für die Kennzeichen ihrer Kollegialität (u.a. das *ius intercessionis*) 279.

-que: Die Gesetzessprache macht öfters keinen Unterschied in der Verwendung von *-que* und *-ve*, 106 f. (XX, *20*). Für eventuelle explikative Nuance von *-que* vgl. 58 (XIX, *1*).

qui und *quicumque:* beide Pronomina relativa werden in der Gesetzessprache häufig zur Einleitung von längeren Protases verwendet (derartige Protases erhalten durch den Kontext eine Bedeutung, welche der eines Kondizionalsatzes ähnlich ist), 59 ff. (XIX, *1-2*), vgl. ferner 90 (XX, *7*). 168 (XXI, *2*) und 209 f. (XXII, *25* und *27*).

quis: als Pronomen relativum anstelle von *qui,* 129 (XX, *51*).

quis: als Pronomen indefinitum anstelle von *aliquis,* 129 f. (XX, *51*).

quisque: bedeutet nach der Konjunktion *ut* etwa „jemand", „man", 63 (XIX, *1-2:* aus dem Kontext geht hervor, dass an der genannten Stelle der römische Prätor gemeint ist, 63 f.).

quo und *quoquomque:* pronominale Adverbien anstelle von *ad quem* (95 f. zu XX, *9*) bezw. *ad quemquomque* (101 zu XX, *16*).

Ravenna: Ortschaft in Gallia Cisalpina (Cispadana); Ravenna blieb, anscheinend wegen der zurückgebliebenen Entwicklung des Gemeinwesens, auch nach 89 v. Chr. eine *civitas foederata* (somit eine peregrinische Gemeinde), 248 mit Anm. 11.

Rekuperatorengericht: XXI, *21-24* erhält der munizipale Jurisdiktionsmagistrat vom Gesetzgeber der Lex Rubria die Befugnis, einen Beklagten, der sich geweigert hatte, für sein Erscheinen vor dem römischen Prätor eine Garantie zu leisten (*vadimonium Romam*), vor ein Rekuperatorengericht zu zitieren, 165 und 183 f. (XXI, *22*); das hierfür verwendete Prozessformular wird XXI, *23 iudicium recuperatorium* genannt (vgl. 185 ff.); die Urteile der in einem solchen Prozess auftretenden Richter (3 evtl. 5 *recuperatores*) lauten auf Geldbussen, 187 f. Inbetreff des Problems, ob die Rekuperatorenprozesse als Zivil- oder als Strafprozesse betrachtet werden müssen, vgl. 188.

remissio operis novi nuntiationis: „Aufhebung (d.h. Unverbindlichkeitserklärung) eines Protests gegen Neubau". Der Munizipalmagistrat hatte laut der Lex Rubria die Befugnis, einem „*nuntiatus*" nach einer richterlichen Untersuchung (*causae cognitio*) eine derartige *remissio* zu gewähren, 48 f., 50 ff. Wenn daraufhin der "*nuntiator*" sich an den Prätor in Rom wandte, um die Erteilung eines Interdikts oder die eines gerichtlichen Verfahrens zu erlangen, so war der Prätor verpflichtet, die munizipalmagistratische *remissio* zu berücksichtigen (d.h. er war verpflichtet, diese *remissio* in der Form einer *exceptio* in sein Interdikt bezw. Prozessformular aufzunehmen), 51 f.

remittere operis novi nuntiationem: „den auf dem Protest gegen ‚Neubau' (*operis novi nuntiatio*) ruhenden Rechtsschutz wieder aufheben", 48 f.; vgl. auch 76.

repromissio, repromittere: „der Gegenpartei auf ihr Gesuch hin ein Versprechen (*stipulatio*) leisten"; die Bedeutung ist praktisch identisch mit der von *promissio, promittere*, 93 f. und 97 (XX, *11*).

res: Für das Vorkommen dieses Wortes in floskelhaften Wendungen vgl. 108 zu XX, *22-23 qua de re agitur*, 99 f. zu XX, *13-14 ex ea re aut ob eam rem eove nomine* (Synonymenhäufung) und 175 f. zu XXI, *10 res lex ius caussaque.*

respondere: non respondere, „nicht (vor dem Jurisdiktionsmagistrat) erscheinen", 139 ff., 144 ff. und 173 (XXI, *8*). Anscheinend wurde dem wegen einer Gelddarlehensforderung Beklagten, der nicht erschienen war, noch eine Frist gewährt, ehe über ihn in einer zweiten Sitzung die ‚Damnationsfiktion' (vgl. s.v.) verhängt und daraufhin seine Geiselung (*ductio*) angeordnet wurde, 157. Dem wegen einer Forderung *praeter pecuniam certam creditam* Beklagten, der nicht erschienen war, dürfte eine ähnliche Frist gewährt worden sein; daraufhin wurde sein Prozess nach Rom verwiesen, wo er behandelt wurde, „alsob er in Rom vor dem Prätor selbst Defension verweigert hätte", 133. 196 ff.

restipulari: „vor der Gegenpartei ein Versprechen (*stipulatio*) entgegennehmen", „sich von der Gegenpartei eine Leistung versprechen lassen"; die Bedeutung ist praktisch die gleiche wie die von *stipulari*, 93 f. (XX, *8*).

restituere: vgl. zur floskelhaften Wendung *dare facere praestare restituereve* 214 ff. (XXII, *31*).

Roscius, L. Roscius Fabatus: Er war vielleicht 55 v. Chr. Volkstribun, jedenfalls seit 54 v. Chr. Legat (oder Quaestor?) bei Cäsar in Gallien, im Jahre 49 v. Chr. Prätor und noch immer ein Anhänger Cäsars; anscheinend ist er in der Schlacht bei Mutina (Ende April 43 v. Chr.) umgekommen, 310 f. (mit Anm. 33). Er war der Urheber der Lex Roscia, die am 11. März (vgl. Fragm. Atest. Zeile *13*) 49 v. Chr. allen Bewohnern von Gallia Cisalpina das Bürgerrecht verlieh, 309 ff.

Rubrius, L.: Er dürfte der Initiator der Lex Rubria gewesen sein; sein Sterbejahr, 45 oder 44 v. Chr., verschafft uns gleichzeitig einen Terminus ante quem für die Datierung der Lex; vielleicht war dieser L. Rubrius im Jahre 49 v. Chr. Volkstribun, 322 ff.

satis accipere: „eine Bürgschaft (*satisdatio*) empfangen", 94 (XX, *8*).

satisdare: „eine *stipulatio* leisten und ausserdem Bürgen stellen", 97 f. (XX, *11*).

satisdatio: vgl. s.v. ‚*satisdare*'.

satisfacere: „Genugtuung erteilen", als Alternative zu „bezahlen", 171 (XXI, *6*); vgl. ferner 221 (XXII, *34*).

Saturnia: Ort in Etrurien an der Via Clodia, eine 183 v. Chr. gegründete *colonia civium Romanorum*, 243.

Schrift: Inbetreff der Schrift (Paläographie) als Datierungsmittel für die velejatische Tafel der Lex Rubria vgl. 16 ff.; Vergleich mit der Tabula von Heraclea (ca. 45 v. Chr.), 17 ff.; und mit der Tabula von Ateste (49 v. Chr.), 19 f.

Seius, L.: Blankoname, 109 (XX, *23*).

Sicherheitsleistung: vgl. s.v. ‚*cautio*'.

Siedlung: vgl. s.v. ‚*colonia*'.

siremps: „gleich", 174 und 175 (XXI, *10*).

sponsio: „rechtlich bindendes Versprechen"; die *sponsio* unterscheidet sich nur insofern von der *stipulatio*, als erstere lediglich auf den Rechtsverkehr zwischen römischen Bürgern beschränkt war, letztere hingegen eine allgemeinere Verwendung fand (auch für den Rechtsverkehr mit

Peregrinen), 69 f. (XIX, *2*). Allerdings hat *sponsio* in der Praxis öfters eine extensivere Verwendung bekommen und konnte demzufolge auch eine Stipulation bezeichnen, an der Peregrinen beteiligt waren, ebd. Für die Leistung einer gegenseitigen *sponsio* (sogen. *sponsio praeiudicialis*) als Grundlage für einen Formularprozess, der aus einem Streit über die Anwendung eines auf den „Neubau" (*opus novum*) bezüglichen Interdikts hervorgegangen war, vgl. 54 und 67 (zu XIX, *2*). Für eine *sponsio* (*praeiudicialis*) bei Prozessen aufgrund einer Forderung *praeter pecuniam certam creditam* vgl. 221 f. (XXII, *34-35*). Als Einleitung zu einem Prozess aufgrund einer Forderung von einem Gelddarlehen (eine *actio certae creditae pecuniae*) war eine *sponsio tertiae partis* erforderlich (der Verlierer zahlt einen Strafzuschlag in Höhe eines Drittels, eine sogen. „gefährliche" *sponsio*), 151 (mit Anm. 19) und 172 f. (XXI, *6-7*).

Statthalter: vgl. s.v. ‚Prokonsul'.

stipulari: vgl. s.v. *‚stipulatio'*.

stipulatio: „rechtlich bindendes Versprechen"; vgl. s.v. *‚sponsio'* für das Verhältnis zu diesem Terminus. Für das dazugehörige Verbum *restipulari* „sich von der Gegenpartei eine Leistung versprechen lassen" vgl. 91 ff. (XX, *8*); *restipulari* hat hier praktisch dieselbe Bedeutung wie *stipulari*, 93 f.

Sulla, L. Cornelius Sulla Felix: cos. 80 v. Chr.; gemäss Granius Licinianus sei ihm für das Jahr 78 v. Chr. das Prokonsulat von Gallia Cisalpina zuerkannt worden, 288 f.

Synonymenhäufungen: vgl. 122 zu XX, *43 includantur concipiantur* (ähnlich XX, *47 includei concipei*), 105 f. zu XX, *17 iubeto cogito*, 122 f. zu XX, *44 oportebit debebitve*, 221 zu XXII, *33-34 confessus erit deixseritve*, 231 zu XXIII, *55 darei reddeive* und 100 zu der Reihe von präpositionalen Wendungen XX, *13-14 ex ea re aut ob eam rem eove nomine* (ähnlich XX, *45 ob eam rem eove nomine*). Der zweite Terminus hat eine erläuternde Bedeutung (explikative Juxtaposition) in XIX, *2 decernet interdeicetve* (vgl. 69), XX, *11-12 iubeto decernito* (98), XX, *22 ius ratumque* (107) und XXIII, *55 erceiscunda deividunda* (230 f.). Vgl. ferner s.v. ‚Gesetzessprache'.

Tabula alimentaria: eine 1747 n. Chr. in den Ruinen des Forums von Veleia gefundene Bronzeplatte mit umfangreicher Inschrift aus etwa 103 bis 112 n. Chr., 3 f. (vgl. auch 6, den Plan).

Tabula Heracleensis: Paläographischer und orthographischer Vergleich zwischen der Tafel von Heraclea und der von Veleia (Lex Rubria), 17 ff. und 20 f.

Tannetum: Ortschaft in Gallia Cisalpina (Cispadana), an der Via Aemilia; sie hatte vielleicht den Status eines *conciliabulum*, 258.

territorium: „Gebiet", „Stadtgebiet"; in der Lex Rubria auch „ein (von einer gewissen Stadt aus verwalteter) Gerichtssprengel", 265 f. In der vom Gesetzgeber der Lex Rubria verwendeten Reihe von Ortschaftsbezeichnungen ist *territorium* der letzte — eigentlich überflüssige — Terminus, ebd. In der Tafel von Veleia begegnet hierfür ausschliesslich die Abkürzung *t.*; für die Richtigkeit dieser Ergänzung vgl. 235 ff. Vgl. auch s.v. ‚Ortschaftsbezeichnungen'.

Tmesis: für archaisch getrenntes *quod . . . . quomque* vgl. 56 ff. (XIX, *1*: *quodque quisque quomque*); vgl. auch 177 (zu XXI, *14 queique quomque*). Vgl. ferner s.v. ‚Gesetzessprache'.

vadimonium Romam: ein in der Form einer Stipulation gegebenes Versprechen, in Rom vor dem Jurisdiktionsmagistrat (Prätor) zu erscheinen.

Die Garantiesumme betrug die Hälfte des von dem Beklagten geforderten Betrages (mit einem Maximum von 50.000 Sesterzen), 182 ff. (zu XXI, *21-24*, besonders *22*).

- *ve:* die Gesetzessprache macht bei der Verwendung von *-ve* und *-que* oft keinen Unterschied in der Bedeutung, 106 f. (XX, *20*). Vgl. auch s.v. ‚Gesetzessprache'.

Veleia: Ort in Gallia Cisalpina (Cispadana), südlich von Placentia (Piacenza), 3 ff. Ligurische Funde aus dem 2. Jahrh. v. Chr.; wahrscheinlich war Veleia damals eine *civitas foederata* von Rom, 11 und 242 Anm. 7; seit 89 v. Chr. war es eine *colonia latina*, seit 49 v. Chr. ein *municipium civium Romanorum*, 11 f. und 242 Anm. 7. Die älteste datierbare Inschrift (Dachziegel) stammt aus 66 v. Chr., 5; für die Geschichte der Stadt während der Kaiserzeit und das Aufhören der Besiedelung kurz nach 276 n. Chr. vgl. 13 ff. Als Oberbeamte dieses Munizipium begegnen in der frühen Kaiserzeit (auf Inschriften) *IIIIviri;* die zwei *IIIIviri iure dicundo* bezeichnen sich jedoch öfters kurzweg als *IIviri*, 276 f. Die Ausgrabungen von Veleia seit 1760 n. Chr., 3 ff.; eine Beschreibung des (anscheinend unter Kaiser Tiberius erbauten) Forums von Veleia, 5 ff. (vgl. den Plan, 6); und ebenfalls von der das Forum an der Südseite abschliessenden Basilika, 7 ff.; die übrigen Seiten des Forums, 10; sonstige Bauten in Veleia, 12. Inbetreff der auf dem Forum von Veleia gefundenen Bronzetafel mit einem Fragment der Lex Rubria vgl. s.v. ‚Lex Rubria'; vgl. ferner s.v. ‚Tabula alimentaria'.

venire: Terminus für den von dem Prätor befohlenen „öffentlichen Verkauf" von Gütern eines verurteilten Beklagten, 227 (XXII, *46-47*).

Vercellae: heute Vercelli, Ort in Gallia Cisalpina (Transpadana); seit 89 v. Chr. eine latinische Kolonie, seit 49 v. Chr. ein *municipium civium Romanorum*, 242 und 247.

Verona: Stadt in Gallia Cisalpina (Transpadana); seit 89 v. Chr. eine latinische Kolonie, seit 49 v. Chr. ein *municipium civium Romanorum*, 242.

Versprechen: für rechtlich bindende Versprechen vgl. s.vv. ‚*sponsio*' und ‚*stipulatio*'.

vicus: „Dorf", „Weiler"; der *vicus* besitzt keine staatrechtliche Selbständigkeit, sondern ist irgendeinem Hauptort (*colonia, municipium, praefectura*) untergeordnet; sein Gebiet ist ein Unterteil des Stadtgebiets (*territorium*) des Hauptortes, 263 ff. Es finden sich aber aus *vici* stammende Inschriften, in denen teils von *magistri* teils von *aediles* die Rede ist (etwa „Dorfschulzen"), 263; eine aus dem *vicus* Furfo stammende Inschrift, in der von einem von der *maior pars* der Bewohner gefassten Beschluss gesprochen wird, weist auf eine Art Versammlung der Dorfgemeinde hin, 264. Vgl. ferner s.v. ‚Ortschaftsbezeichnungen'.

vindex: „Bürge"; von einem Beklagten konnte, als Garantie für sein Erscheinen vor dem Prätor in Rom, die Stellung eines „vermögenden Bürgen" (*vindex locuples*) gefordert werden, 185 (XXI, *23*); vgl. auch s.v. ‚*vadimonium Romam*'.

Viturii: Einwohner eines in der Nähe von Genua gelegenen *castellum*, 261 f. (vgl. ebd. zu der sogen. „Sententia Minuciorum").

NACHTRÄGE

Erst nachdem das Manuskript dieser Arbeit bereits bei dem Verleger eingereicht war, Ende 1971, erfuhr ich, dass der folgende Sammelband von Vorträgen, welche für das Studium der Funde von Veleia von Bedeutung sind, erschienen war:

Atti del III Convegno di Studi Veleiati (31 maggio - 2 giugno 1967), hrsg. von A. BISCARDI, Mailand, November 1969 (Istituto di Diritto Romano dell' Università degli Studi di Milano).[1]

Weil diese velejatischen Sitzungsberichte anfangs in keiner einzigen niederländischen Bibliothek vorhanden waren, hat es noch geraume Zeit gedauert, ehe ich sie einsehen konnte. Ich trage hier zunächst eine Inhaltsübersicht der darin aufgenommenen Vorträge nach: R. ANDREOTTI, Gli studi storici su Veleia negli ultimi anni, S. 1 ff. (mit einer nützlichen Bibliographie); A. BISCARDI - G. SCHERILLO, La fortuna di Veleia nella storiografia giuridica, S. 17 ff. (ebenfalls mit einer ausführlichen Bibliographie, insbesondere inbetreff der Tabula Alimentaria, der Lex Rubria und einiger sonstigen Inschriften, die für die Geschichte der Verwaltung und für die Topographie von Belang sind); A. FROVA, Novità archeologiche a Veleia, S. 43 ff. (derselbe Aufsatz, der von mir bereits oben S. 3 und 12, aus anderer Quelle, zitiert wurde); R. SCARANI, Veleia preromana, S. 85 ff.; G. MONACO, Come nacque e come morì Veleia, S. 161 ff.;[2] G. SUSSINI, I Veleiati di Plinio e l'origine di Regium Lepidi: della tribù alla città, S. 173 ff.; M. CORRADI CERVI, Il castelliere ligure dei Cerri e il sistema difensivo dei Liguri Veleiati, S. 179 ff.; F. GUARNASCHELLI, Veleia e le altre ‚città' sepolte del territorio piacentino, S. 185 ff.; M. A. LEVI, Per un nuovo esame del problema della Tabula Alimentaria di

[1] Die Vorlesungen des II Convegno di Studi Veleiati (1960) sind mir, all meinen Bemühungen zum Trotz, bis heute unzugänglich geblieben. Laut G. MONACO Atti III S. 161, Anm. 1 erschienen sie zum grössten Teil im Bollettino storico piacentino LVII (1962), Fasz. 2-3. Was die Beiträge für die erste Tagung für velejatische Studien anbelangt, vergleiche man meine oben S. 3 ff. gegebenen Hinweise (s.v. ‚Studi Veleiati').

[2] MONACO macht einige kritische Bemerkungen zu den Ausführungen von AURIGEMMA-MANSUELLI. So bestreitet er S. 169 ff. die These, dass Barbareneinfälle den Untergang von Veleia verursacht hätten (s. oben S. 13 f.): er möchte lieber eine Naturkatastrophe, besonders einen Erdsturz, hierfür verantwortlich machen.

Veleia, S. 189 ff.; G. PETRACCO SICARDI, Problemi di topografia veleiate, S. 207 ff.; M. FRESCAROLI, Toponomastica della Tabula Alimentaria e romanizzazione della Val Nure, S. 219 ff.; G. NEGRI, Appunti sull' ‚indefensio' nella condictio certae creditae pecuniae ex lege Rubria, S. 223 ff. (vgl. dazu weiter unten); A. TORRENT, A proposito della lex Rubria, cap. XXIII, S. 289 ff. (vgl. dazu ebenfalls weiter unten); F. PANVINI ROSATI, Contributo numismatico alla conoscenza di Veleia antica, S. 303 ff.; MARIA P. ROSSIGNANI, Rivestimenti architettonici in bronzo dagli scavi di Veleia, S. 319 ff.; MARIA BOLLINI, Minerva Medica Memor, S. 347 ff. (anlässlich der Weihinschriften für Minerva Cabardiacensis, CIL. XI Nr. 1292 bis 1310, die nordwestlich von Veleia, bei Travo an der Trebbia, gefunden worden sind); P. BERZOLLA, Studi scavi anastilosi a Veleia dall'anno 1952 all'anno 1954, S. 359 ff. und G. LURASCHI, Manoscritti inediti della Biblioteca Comunale di Como sulle antichità veleiati, S. 365 ff.

Zu zwei von den oben zitierten Aufsätzen, u.zw. den Ausführungen von NEGRI (S. 223 ff.) und von TORRENT (S. 289 ff.), möchte ich hier noch kurz Stellung nehmen. Bei NEGRI (Appunti sull' ‚indefensio' nella condictio certae pecuniae ex Lege Rubria) findet sich eine erneute Behandlung der Probleme, welche sich bei der Interpretation von Caput XXI ergeben (s. dazu oben S. 132 ff., besonders S. 138 ff.). Inbetreff der Frage, wie viele Fälle der Indefension vom rubrischen Gesetzgeber in diesem Kapitel erörtert werden, tritt NEGRI, in ähnlicher Weise wie von mir oben a.a.O. befürwortet wurde, für eine Zweiteilung derselben ein. Auch wird man, so glaube ich, ohne weiteres mit der Annahme des Autors (S. 239 ff.) einverstanden sein können, dass es, was den ersten Fall der Indefension[3] anbelangt, für einen Beklagten, auch nachdem er ein Schuldgeständnis abgelegt hatte, noch möglich war, sich auf eine *exceptio* zu berufen, sodass er trotz des Bekenntnisses noch immer in der Lage war, eine Prozessformel (*iudicium*) zu akzeptieren (vgl. dazu auch oben S. 154 ff.).

Andere Ausführungen von NEGRI jedoch scheinen mir weniger überzeugend zu sein. So sieht man nicht ein, weshalb die Berufung auf eine solche *exceptio* lediglich in Gallia Cisalpina, d.h. in dem Gebiet für das die Lex Rubria zuständig war, erlaubt gewesen

[3] Vgl. hierzu oben S. 147 ff. anlässlich der Worte XXI, *4-7 sei is.... in iure.... confessus erit neque.... solvet satisve faciet aut se sponsione iudicioque.... non defendet.*

sein sollte (so NEGRI S. 248). Es dürfte der Annahme nichts entgegenstehen, dass derselbe rechtliche Einspruch zu jener Zeit auch in Rom möglich war.[4] Noch schwerwiegender sind die Einwände, die sich gegen NEGRI's Darlegungen inbetreff des zweiten Falles der Indefension[5] erheben lassen. Der Autor möchte hier die Worte *non respondere* ganz buchstäblich mit „nicht antworten" übersetzen (die oben S. 139 ff., 144 ff. und 173 vorgeschlagene Bedeutung „nicht vor dem Jurisdiktionsmagistrat erscheinen" wird von ihm garnicht in Betracht gezogen). Diese Interpretation gab NEGRI daraufhin trotz der Schwierigkeiten, welche sie für das Verständnis des Kontextes bereitet, Anlass zu der Aufstellung von einigen sehr gewagten Hypothesen. So äussert er die Vermutung, dass der von dem rubrischen Gesetzgeber vorgesehene Prozess eine „Kontamination" von einer althergebrachten *actio* (d.h. *legisactio*) *certis verbis per condictionem* und einer moderneren formularischen *condictio certae pecuniae* gewesen sei (vgl. NEGRI's Zusammenfassung S. 262 f.). NEGRI's an und für sich schon recht zweifelhafte Auslegung der Worte *non respondere* dürfte aber für derartig komplizierte Hypothesen kaum eine geeignete Stütze abgeben.

TORRENT versucht in dem oben zitierten Beitrag (Atti S. 289 ff.), den Inhalt der verlorenen zweiten Hälfte von Caput XXIII zu rekonstruieren. Seine Betrachtungen basieren auf der These, dass aus Paulus l. 1 manualium, Fr. Vat. 47a hervorgehe,[6] dass lediglich bei solchen Teilungsprozessen, die zu der Kategorie der *iudicia legitima* gehörten, die richterliche Zuerkennung (*adiudicatio*) eine rechtsgestaltende Wirkung („efficacia costitutiva", S. 296 f.) gehabt hätte. Da jedoch die vom rubrischen Gesetzgeber vorgesehenen Prozesse an Orten geführt werden sollten, die ausserhalb des ersten Meilensteins der Stadt Rom liegen, könnten sie, so argumentiert TORRENT (vgl. bereits S. 294 f.),[7] ausschliesslich

---

[4] Gemäss NEGRI (S. 248) habe für Rom immer und ausnahmslos die Regel *confessus pro iudicato* gegolten. Diese These dürfte sich aber, soweit ich sehe, kaum beweisen lassen.

[5] Zu dem zweiten Fall der Einlassungsverweigerung vgl. oben S. 156 ff.; die Umschreibung des zweiten Falles fängt an mit den Worten XXI, *11 seive is.... in iure non responderit eqs.*

[6] Der Text des in den Fragmenta Vaticana 47a überlieferten Bruchstückes aus Paulus lib. 1 manualium (LENEL Frgm. Nr. 986) lautet: *potest* (scil. *usus fructus*) *constitui et familiae erciscundae* (Cod.: *factum ē*) *vel* <*com*>-*muni dividundo iudicio legitimo.*

[7] TORRENT (S. 294) beruft sich hier auf den bekannten Passus von Gaius inst. IV 103-109. Man bekommt aber den Eindruck, dass Gaius lediglich die

der Kategorie der *iudicia imperio continentia* zugerechnet werden. Dieser Umstand habe es notwendig gemacht, dass die sofortige rechtsgestaltende Wirkung der von Munizipalmagistraten in Teilungsprozessen gefällten Urteile vom Gesetzgeber noch einmal ausdrücklich bestätigt werden musste. Demnach hätte gemäss TORRENT der zweite Teil von Caput XXIII einige Worte enthalten, die eine derartige Bestätigung zum Ausdruck brachten.

Es ist im Rahmen dieses Nachtrages nicht möglich, auf TORRENTS These ausführlich einzugehen. Ich möchte mich hier deshalb auf die Bemerkung beschränken, dass mehr bezw. bessere Belege aus der antiken römischen Rechtsliteratur vonnöten sind, um TORRENTS Ergänzungsversuch als erwiesen zu betrachten: die wenigen Worte, die von ihm aus Fr. Vat. 47a zitiert werden (vgl. Anm. 6), dürften dafür kaum ausreichen.[8]

Zum Schluss möchte ich zu meinen eigenen Ausführungen noch zwei kurze Notizen nachtragen. Zu *S. 95 f.*, dem Lemma XX, *9 is quo d(e) e(a) r(e) in ius aditum erit*, sei bemerkt, dass sich für die Abkürzung D.E.R. = *de ea re* zwar kein direkter Beleg in den Notae iuris finden lässt, dass sich jedoch eine bei Probus begegnende Stelle, KEIL Gramm. lat. IV S. 275 Nr. 10 S.D.E.R. Q.D.A. = *si de ea re qua de agitur*, implizite für diesen Zweck verwerten lässt. Man vergleiche ferner die Notae Papinianae et Einsiedlenses, KEIL a.a.O. S. 318 Nr. 36 D.E.R. = *de ea re.*

Und zu den Ausführungen auf *S. 330* (1. Abschnitt) inbetreff des bei den Publikationen von Gesetzesvorschlägen angewandten Verfahrens sei noch ein Hinweis auf MOMMSEN Röm. Staatsrecht III S. 370 f. nachgetragen: MOMMSEN zitiert dortselbst Autorenstellen, aus denen hervorgeht, dass in der Spätzeit der Republik öfters auf Kupfertafeln Gesetzestexte in antizipierender Weise, d.h. bevor die Verabschiedung derselben in den Komitien stattgefunden hatte, veröffentlicht wurden.

Unterschiede inbetreff der Erlöschungstermine und der Verhinderungen einer Wiederholung desselben Prozesses hat hervorheben wollen; von einer Differenz inbetreff der rechtsgestaltenden Wirkungen wird von ihm hier nichts ausgesagt.

[8] Zwar zitiert TORRENT S. 296 noch eine zweite Beweisstelle, Paul. 6 ad Sab., Dig. 10, 2, 44, 1; er kann jedoch dieses Zitat nur für seine Zwecke verwenden, indem er dasjenige, was er zu beweisen sucht, von vornherein durch eine Textemendation darin einschaltet: anstelle des überlieferten *actum sit* liest er nämlich *<imperio continenti iudicio> actum sit.*

CORRIGENDA

S. 5 Anm. *2* Z. *2*: Dachziegeln] Dachziegel

S. 205 Z. *26*: Sesterzen] Sesterze

S. 249 Anm. 12 Z. *6*: Papers of the British School at Rome, S. 73-98] Papers of the British School at Rome, XXIII (1955) S. 73-98.

Im Sachregister (S. 353-376) das infolge eines Missverständnisses zu früh abgedruckt wurde, ohne Berücksichtigung der zweiten, abschliessenden Korrektur, sind folgende Fehler zu berichtigen:

S. 359 s.v. '*damnum*' Z. *2*: „ein Schaden zufügen"] „einen Schaden zufügen"

S. 360 s.v. '*ductio*' Z. *6*: ersthafte Massnahme] ernsthafte Massnahme

S. 361 s.v.: Forum Lvi] Forum Livi

S. 362 s.v. 'Gesetzessprache' Z. *34*: das übertriebende Streben] das übertriebene Streben

S. 365 s.v. '*iurare*' Z. *1*: Erklärung, das] Erklärung, dass

S. 374 s.v. '*restipulari*' Z. *1*: vor der Gegenpartei] von der Gegenpartei